Colección
GIGANTE

LÁSZLÓ PASSUTH

NACIDOS
EN LA PÚRPURA

LUIS DE CARALT
EDITOR
Ganduxer, 88
BARCELONA

Título de la obra original:

A BIBORBANSZÜLTETT

Versión española
de
MANUEL R. BLANCAFORT
y
JOAQUIN ADSUAR ORTEGA

Primera edición: mayo 1969

Depósito legal: B. 20489 - 1969   Núm. de Registro: 9259 - 68

PARTE PRIMERA

EL ABISMO

Los osos fueron los primeros en presentir la llegada del amanecer. En torno al hipódromo caía la lluvia nocturna, con gotas oscuras y relucientes. Los guardianes se retiraron a sus cuarteles, pero los animales estaban intranquilos, expresando así su espera impaciente hasta que las sombras acabaran de desvanecerse. El negro manto de la noche envolvía aún las jaulas; la vida se había refugiado en las tabernas y en las bodegas secretas, que todavía conservaban algo del mecanismo del mundo primitivo. Una mano abrió el grifo del surtidor. Era la mañana de un día de mercado: el mercado semanal, punto de reunión de gentes procedentes de las regiones que circunda el mar de Mármara. Los carros rodaban por el empedrado desigual y daban la vuelta por la calle principal para dirigirse a la feria.

Una muchedumbre paciente aguardaba frente a la puerta lateral del Sacro Palacio. Eran los vendedores de flores, que habían pasado la noche en algún rincón de la enorme plaza, bajo las arcadas, y que, como los osos, despertaron de su sueño en cuanto las primeras luces rojizas del alba emergieron sobre el Cuerno de Oro. La plaza estaba llena de flores desparramadas por el suelo, que la lluvia pegaba a las piedras. Por la mañana, cuando la humedad comenzó a extinguirse, llegaron a la plaza los empleados del mercado con sus rastrillos, quitaron todos los desechos y los hicieron desaparecer. Durante la noche imperaba la libertad; cada cual podía sentarse, colocar sus cestos donde más le placiera; y dormir...

De noche no llegaban los recaudadores de impuestos, y nadie era despertado violentamente... Los vendedores de flores podían esperar tranquilamente, sin ser molestados, frente al Sacro Palacio.

Un centenar de ellos había ya llegado cuando comenzaron a manifestarse las primeras señales de vida dentro de aquellos muros. Se apartó un grueso barrote de hierro, crujieron las cerraduras, en las escaleras de piedra se oyeron pasos. Se prendió fuego a una lámpara de petróleo; se encendieron unas velas. Las gentes con flores se apretujaron entre sí; las guardaron en sus cestos ribeteados de negro. Algunos secaban sus hábitos y ordenaban sus mercancías. Transcurría el tiempo mientras la lluvia desde hacía horas limpiaba las calles... Estuvieron de pie, aguardando, hasta que se abrió la pequeña puerta y apareció el eunuco, que jugaba un destacado papel en la corte. Tomó los cestos con sus dedos largos y huesudos, los acercó hacia sí y comenzó a elegir; sus labios exangües murmuraron cifras; junto a él estaba, bajito y regordete, el tesorero armenio, contando junto a la luz de las velas las monedas de cobre o plata. Todos los martes y viernes llegaban a la plaza los campesinos con sus flores; pasaban la noche allí, escudriñando todos los movimientos y señales de vida del palacio. Se abrió la puerta, y los servidores entraron con una carretilla de mano. El mayordomo hizo una señal con la mano y comenzaron a amontonar los ramilletes hechos con aquellas flores que los niños habían recogido en las laderas y que transportaron, en botes, desde la orilla opuesta. ¿Quién quería antes flores en el Sacro Palacio? Los altares los adornaban con púrpura y oro, y para el domingo de Ramos plantaban siemprevivas. ¿Acaso pensaba en flores el emperador Basilio cuando llevaba a su patria los millares de prisioneros ciegos búlgaros, dirigidos por algunos tuertos? ¿Quién pensaba en flores en Bizancio cuando los buques enemigos anclaban bajo sus murallas, y en la cancillería de la corte se trabajaba hasta la madrugada porque los embajadores comunicaban que los tártaros se habían vuelto a erigir en un pueblo terrible y audaz?

Amanecía lentamente. El viento traía hasta allí el desagradable olor de los animales del circo. Los ojos del eunuco resplandecían entre las flores.

— Basta — dijo con voz baja y amanerada, dando unos cuantos brincos alrededor del oloroso montículo formado ante la puerta, como si quisiera improvisar una extraña danza.

Los perjudicados, es decir, aquellos a quienes no había comprado su género, comenzaron a gritar indignados mostrando el contenido de sus cestos, con la esperanza de que los servidores encontrasen también algún hueco para sus mercancías. El mayordomo acarició los lirios con un gesto delicado y afeminado e inclinó su cabeza, como queriendo reflexionar acerca de la conveniencia de comprar todavía un par de cestos más y regalar algunas monedas de cobre a los que esperaron inútilmente. De pronto se oyó en toda la plaza su voz aguda y estridente como el canto de un muchacho de trece años:

—Vuestra madre, la muy alta e ilustre Zoe, aceptará gustosamente vuestras flores... ¡Idos ya!

Hablaba con lenguaje cortesano que sólo acertaban a comprender algunas, muy pocas, de las personas que lo rodeaban; los demás sólo llegaban a entender las palabras madre y emperatriz, palabras que el eunuco pronunció con comedida humildad. Su lenguaje, apenas lo comprendía el bajo pueblo de Bizancio; pero también esta manera de hablar era propia de palacio, como lo era el suave aroma de las flores que ahora, como una nube, cubría la gran plaza deteniéndose sobre los chorros de agua del surtidor, disimulando el desagradable olor procedente del hipódromo.

BIZANCIO

La atmósfera era espesa y maloliente. Por doquier se veía una luz lechosa y pálida, que intentaba combatir a la niebla. Del techo colgaban cacerolas de cobre y, bajo ellas, las adivinas encendían pequeños hornillos portátiles. Eunucos encorvados, con ojos hundidos, se inclinaban con semblante angustiado sobre los misteriosos brebajes de las marmitas y musitaban en voz baja palabras que un forastero hubiera tomado por fórmulas mágicas. Probaban los extraños caldos, aspiraban el aroma de las esencias de polen, de los variados pétalos comprimidos y triturados, y cogían un puñado de todo ello para arrojarlo en las calderas.

En el extremo más lejano de la sala se descorrieron por completo las cortinas de púrpura. La emperatriz, en su cama recubierta de seda, levantó la cabeza. Mientras se incorporaba, su mirada se fijaba en el nítido y tímido resplandor de las lámparas de plata. Se soltó su cabellera, que era suave como la seda y de espléndido color de oro, semejante a las de las antiguas diosas paganas. En Bizancio, las mujeres rubias como aquélla, constituían en la actualidad una excepción.

Era ya casi mediodía cuando Zoe, nacida en la púrpura, emperatriz del reino, hacía descorrer las cortinas para presenciar el espectáculo de su servidumbre.

Contaba Zoe cincuenta años cuando ciñió la corona de su imperio. El último vástago de la casa de Macedonia, la de Basilio el Grande, había dedicado medio siglo de su existencia al trato con las mujeres, sin conceder importancia a nada y aburriéndose soberanamente. Recordaba todavía el día en que, al atardecer, alguien de la cancillería imperial entró en el jardín de las mujeres, el *gynekeion;* era el Logoteta del Dromo, un alto dignatario de la corte, encargado de recibir a los emisarios y darles las consignas cuando tenían que alejarse del país, quien la sorprendió con estas palabras: «El emperador te llama.»

Cuando entró en el salón de púrpura, Constantino VIII, su padre, estaba ya agonizando. Sus piernas habían adelgazado hasta convertirse en rígidas cañas, y las venas del cuello sobresalían notoriamente. Quería hacer las paces con el mundo y buscaba un hombre para su hija, que tenía cincuenta años, y mantenía oculta en un ala del palacio; nadie se había interesado, hasta el momento, por su existencia.

Juan, el gran eunuco, salpicaba ligeramente el rostro de su señor con una esponja empapada de agua, con lo que refrescaba un poco a aquel emperador bondadoso, pero frívolo, amigo de la buena mesa. Repasaba una lista con los nombres de los hombres de su reino. Todo el mundo parecía triste en la habitación del moribundo, tal como en estos casos prescribían las leyes y las costumbres. Zoe entró, se arrodilló sobre el almohadón de púrpura y se inclinó sobre los fumigatorios en los que habían quemado yemas de pino; éstas eran las medidas prescritas por los médicos de la corte para conseguir protección contra los miasmas. Apenas podía percibir la voz de Constantino; el humo la amortiguaba; aquella voz parecía más bien procedente de un mundo lejano. Hasta el presente ningún hombre había mirado a Zoe a la cara, nadie había besado sus labios. Tenía cincuenta años y era ahora la primera vez que, revestida con su manto de púrpura bordado en oro, y en el apogeo de su recóndita belleza, aparecía entre los hombres que se habían reunido en torno al agonizante. Era tan bella que los mercenarios procedentes de tierras del norte bajaron la vista. De pronto se extinguió el murmullo de voces; sólo interrumpía el silencio la pesada y dificultosa respiración del moribundo.

— Hemos elegido a Romanos, prefecto de la ciudad — dijo el padre.

Primero había pensado en Constantino Monomacos, antiguo y fiel amigo, que ahora vivía muy lejos, en la isla de Lesbos; se decía que vivía en compañía de una joven dama llamada Sklerena. Había preguntado al médico si todavía estaría a tiempo de ver regresar a Monomacos de la isla. Su mirada penetrante estaba fija en el techo de la amplia sala, en el milagroso rostro de San Demetrio. El agonizante estaba todavía en condiciones de captar aquella santa imagen, como lo estaba también de percibir los cantos del coro de monjes basilitas, que se habían reunido en la capilla vecina y que desde hacía tres días no cesaban de entonar sus lamentaciones.

— Mejor será que elijamos al prefecto — había dicho el emperador fatigado, casi sonriendo.

El bravo Romanos había cumplido ya su sexagésimo año de vida y hacía ya muchos que su esposa no había dado a luz a ningún hijo.

— Vayamos en seguida — diría el capitán de la guardia —; el tiempo apremia y el emperador no puede seguir atormentándose por estos problemas tan nimios.

El oficial volvió con el administrador de la ciudad.

Zoe apoyó la cabeza en una de sus manos recordando lo sucedido aquel atardecer. Recordaba perfectamente la palidez de Romanos, cuyo sueño habían interrumpido. Lo sacaron materialmente a estirones de la cama conyugal y apareció en la habitación del emperador agonizante como un animal salvaje al que acosan los perros del cazador. Parecía como si hubiesen querido burlarse de él cuando Constantino, respirando dificultosamente, colocó la mano de Zoe, revestida de púrpura, en la suya. Sus ojos fatigados se abrieron una vez más y sonrió. Los médicos, siguiendo las enseñanzas de Galeno, le habían hecho una sangría para procurarle algún alivio. No experimentaba ninguna clase de dolor. Pselos, el poeta y secretario de asuntos occidentales, se inclinó hacia el jefe de la guardia de servicio:

— Entre los dos suman ciento diez años. ¿Acaso podemos esperar, noble señor, que la seca y escuálida rama del gran Basilio dé todavía algún retoño?

El emperador, en el trance de la agonía, se mostraba extravagante y caprichoso; no se le podía contradecir. El prefecto pensó en su fiel esposa, que ceñiría los velos de luto y se retiraría a algún convento de las islas. Los mercenarios habían ocupado ya la mansión de Romanos. Éste tenía que pensar en el hogar destrozado, en su mujer desterrada, mientras tomaba entre las suyas la mano de la novia y, a continuación, se arrodillaba sumiso sobre el almohadón de púrpura: quizás, en aquel momento, vio también que el emperador agonizante lanzaba por última vez una sonrisa irónica. Éstos eran los recuerdos que desfilaban por la mente de Zoe, quien recordaba también la primera noche en la cámara nupcial en el palacio Magaura. Romanos, aquel antiguo amigo del emperador, empuñó con gesto convulsivo, y respirando dificultosamente, el sello de cristal; en sueños no hacía más que murmurar el nombre de su esposa desterrada, tal como solía hacerlo durante los años de su pasada existencia. Respiraba como un asmático mientras ella, Zoe, pensaba en aquel muchacho maravilloso, el inolvidable Miguel, recordando el delicado rubor de sus mejillas y las perfectas líneas de su figura, cuando, inclinándose respetuosamente, se acercó para besar su zapato de púrpura.

Romanos murió un mediodía, y las miradas impacientes de Zoe buscaron a su amado Miguel, el más joven de los hermanos del gran eunuco, hijo de un pintor de embarcaciones, a quien ella hizo emperador y, posteriormente, dio sepultura.

Los monjes, que presentían siempre la proximidad de la muerte, hacían su aparición y saturaban el aire con sus salmos. ¡Cuántas veces la muerte la había rodeado ya desde su llegada al mundo y desde que se había sentado en el trono! También se acordaba de Juan, el gran eunuco, quien había gobernado en lugar suyo el imperio a través de Miguel, y, posteriormente, también a través de su hermano, a quien Zoe eligió como tercer esposo.

El destierro de Juan había sido una verdadera lástima. Este extraño y alargado cráneo femenino, de noble conformación, que parecía una planta exótica criada dentro de un invernadero, se veía constantemente asediado por tropeles de recuerdos. Juan era sabio, comprensivo y serio. Los castrados eran amigos de los chismes y charlatanerías, pero eran siempre íntegros, delicados y amables con ella. Recordaba los episodios que le habían traído a su lado a Constantino Monomacos, su cuarto esposo, y que habían arrojado lejos a Juan, dos de cuyos hermanos habían sido elevados a la dignidad de emperador. El pueblo era orgulloso y no toleraba que descendientes de humildes artesanos compartieran el lecho imperial; el pueblo quería señores. Desde entonces eran tres los habitantes del Sacro Palacio: Zoe, Monomacos, su esposo, y Sklerena, la amante.

Si Juan viviese y estuviese aquí, ¿sabría ella por qué la ciudad volvía a vivir nuevamente en un estado de efervescencia y por qué en las mil habitaciones de la cancillería todas las luces ardían ininterrumpidamente por las noches? ¿Por qué se aguardaba la llegada del patriarca, por qué los enviados del Obispo de Roma debían permanecer escondidos, estos sacerdotes que llevaban unos extraños sombreros de púrpura, cuyos movimientos y ademanes parecían toscos y bárbaros y que hablaban en latín con voz muy alta? Si Juan estuviese aquí se inclinaría ante ella y aspiraría, como siempre, el aroma de una nueva esencia, frotaría entre los dedos algunos pulverizados pétalos y le explicaría con palabras sencillas, casi femeninas, el porqué de las graves disensiones entre Miguel Cerulario — el patriarca a quien Monomacos había nombrado príncipe de la Iglesia — y el lejano Papa, llamado León. Juan explicaría todo esto de otra manera y mucho mejor que el Logoteta del Consejo, mejor incluso que el propio Monomacos que, dicho sea de paso, sólo hablaba con su amante.

No sentía ninguna simpatía por el patriarca. Le había conocido en tiempos de Romanos, cuando era un simple cortesano. Monomacos había deseado que se encargase del discurso conmemorativo en honor del tercer esposo, y fue quizás él quien dio permiso al patriarca para calzar las sandalias de púrpura.

Se decía que el poderoso príncipe de la iglesia estaba embargado de odio contra la atmósfera de obscenidad en la que se desarrollaba la existencia en la corte de la emperatriz. Hasta oídos de Zoe habían llegado sus sermones pronunciados en tiempos de cuaresma, en los que censuraba acerbamente las costumbres de la corte; por otra parte, desagradaba enormemente a Zoe el que el patriarca se atreviese a tratar de «tú» a quienes habían tenido el honor de nacer en la púrpura.

En tiempos de Juan todo eso hubiera resultado mucho más sencillo. Entonces no tenía que estar angustiosamente pendiente del reloj de arena, ni tenía tampoco que enterarse de los escándalos que armaban los gentilhombres de cámara ni de las embajadas de los obispos latinos, procedentes de países lejanos. Juan diría:

— Aguarda un momentito todavía, Sacra Majestad, el mundo puede esperar; inclínate sobre tus vapores y aromas, aspira; vas a ser todavía más hermosa que ayer; los años pasan sobre ti sin dejar huella.

Monomacos es un emperador severo. Su mano está siempre cerca de la campana. Llega ahora la hora de levantarse y le revisten con oro y alhajas.

Emperador y patriarca, cuerpo y alma, voluntad y espíritu, carne y sangre. Eso es lo que cree el pueblo. Respetan a sus emperadores casi supersticiosamente. Pero se sobresaltan inmediatamente en cuanto la armonía entre ellos sufre alguna alteración. Por esto resulta difícil y espinoso el camino a seguir por aquellos que, en nombre del Obispo de Roma, vienen a Bizancio para hacer callar a Cerulario.

Zoe pensaba en la última carta pastoral. Los navegantes la traían cada año después de las inundaciones de primavera. Agitaban los enormes rollos de papiro, desprendían el sello de plata y levantaban en alto las dos llaves atravesadas, el signo del papa. Los legados procedentes de Roma explicaban que la urbe vivía entre ruinas, a merced de pueblos extranjeros. Un pobre y andrajoso anciano celebraba Misa encima de la tumba de Pedro; ni siquiera los días de fiesta podía comer en platos de oro. Vivía allí, junto a las siete colinas, en una casa a través de la cual la lluvia se filtraba fácilmente por los agujeros del techo, pero conservaba el sello en su mano y, con este sello, podía atar y desatar, excomulgar, anatematizar, mandar legados y dar órdenes a los más poderosos de la tierra.

* * *

El patriarca permanecía sentado sólo en aquel oratorio de elevadas bóvedas. Sobre su cabeza pendían, sombrías y solitarias, las figuras de unos santos cuyos rostros, en medio de las sombras, adquirían un aspecto grave y taciturno. Se sentaba en una especie de trono, y, cuando el viento levantaba un poco su traje talar, destacaba el resplandor de las sandalias de púrpura.

Miguel Cerulario, patriarca de la capital del reino por la gracia de Dios, aguardaba la llegada del emisario de León, Obispo de Roma, que se denominaba a sí mismo Papa, y cuyo nombre había mandado borrar de los libros sagrados que estaban encima del altar. Ese día calzaba por última vez las sandalias de púrpura que, según la tradición, no podían calzar más que César o Augusto.

Todo el cuerpo del zapatero del emperador se estremeció de terror cuando, cierto día, a última hora de la tarde, Miguel le mandó llamar para que tomara las medidas de sus pies. Aquel terrible secreto parecía quemarle los labios y, desde entonces, el espíritu del pobre zapatero de espaldas encorvadas se vio sumergido en un mar de confusión. Por lo que atañía al poder y a la fuerza, el patriarca se sentía en todo igual al emperador. Incluso era más que él, porque, en las cosas terrenas, sus manos no se veían sometidas a la ligazón del palacio, del consejo y del ejército de eunucos. Así era Cerulario. Tenía facultad para atar y desatar. Imperaba sobre miles y miles de sacerdotes, iglesias, monasterios y dependencias; llevaba el anatema en sus manos y podía imponerlo a las provincias orientales. Era más que el emperador porque suyo era también el reino eterno de las almas.

Echó una mirada furtiva a las sandalias que asomaban, brillantes, por debajo de los bordes de la capa; pensó unos instantes en el camino que había recorrido hasta este momento. Hacía más de treinta años que, palpitándole agitadamente el corazón, había atravesado por vez primera el umbral del Sacro Palacio al lado de su padre; en aquella ocasión había entrado allí con objeto de pasar al servicio personal del emperador en calidad de paje. Ambos, su padre y él, se arrodillaron ante Constantino; él besó sus pies y observó las gruesas venas que sobresalían de las sandalias rojas. Había vivido en la corte, participado en las cacerías, tomado parte activa en las embajadas y en las campañas militares; sus manos habían sostenido la espada y la pluma; había viajado a las provincias más lejanas y había sido encargado también de revisar las listas de los contribuyentes. Se había convertido en un hombre y, poco a poco, comenzó a sentirse harto de todos estos papeles y cargos sin importancia y decidió entonces aprestar los oídos para captar todos los rumores y noticias que corrían por los complicados pasillos de palacio.

Fue así como logró enterarse de una noticia muy secreta: que

Constantino Monomacos estaba dispuesto a volver las espaldas a la isla de Lesbos. Consideraba perjudicial el régimen de eunucos de Juan; los eunucos eran una gentuza inmunda que se apiñaban junto a los escalones del trono para, aprovechándose del humor de una mujer que empezaba a envejecer, representar una comedia imperial precisamente en un momento en que Bizancio se veía amenazado por los más graves peligros.

Cerulario era uno de los primeros que hablaba con los altos dignatarios de la corte que regresaban al país. Hablaban de todo cuanto ocurría en el mundo, acerca de la veracidad de las noticias y comentarios, y tras unas piadosas palabras, levantaba paulatinamente el rígido muro tras el cual habrían de protegerse las reuniones secretas de los insurrectos. Se había puesto del lado de Monomacos. Algo había en este gran señor que le atraía. Era un hombre parco en palabras, sonriente y revestido de una especial grandeza, aparte de que siempre estaba dispuesto a poner en juego su propia vida con una gracia inimitable. El muro seguía creciendo, como si fuera una despedida definitiva.

Cierto día, a última hora de la tarde, alguien deslizó un papel por debajo de la puerta de Cerulario. Era un tipo de escritura femenino: «Monomacos ha huido esta tarde en un pequeño bote, a través de la puerta de su jardín que da al mar». Juan, el eunuco, sostenía en sus manos las riendas del poder dentro del palacio; él era el más fuerte de todos, y todo el mundo se vería ahora obligado a comprobar la fuerza de su mano. El joven se había familiarizado con todos los movimientos nocturnos del palacio; sabía muy bien cuándo los soldados mercenarios abandonaban la labor de centinela por la noche, bajo la luz de las antorchas, para ir de una habitación a la otra matando o bien colocando esposas de hierro en las muñecas, según las órdenes que se les hubieran dado. En su arca tenía siempre a punto un hábito de monje, un báculo de pastor y unas sandalias de madera. Cuando la gloria del mundo le hacía entrar en un extraño estado de vértigo, estos objetos le recordaban el último fin de la existencia. Dejaba a un lado las lujosas indumentarias cortesanas y se transformaba en pocos segundos en un humilde hermano de la orden de San Basilio, sin ostentación, con los ojos enrojecidos, que volvía la espalda a los lujosos salones del palacio, para tratar de buscar una sencilla morada o refugio que fuese del gusto de Dios. Nadie le seguía. Así fue como un día abandonó el Sacro Palacio y se dirigió a las orillas del mar, llevando consigo unas monedas de oro. Una vez hubo dejado atrás la ciudad, se detuvo ante los pies de la muralla; era ya de noche y un húmedo olor a podrido salía del fondo de las aguas. Estaba completamente solo; una soledad como jamás había conocido en toda su vida. Su mano palpaba la cruz que colgaba de su pecho. Parecía como si algo extraño le excitase. Rezaba en voz baja, de una forma muy distinta a la del fariseo que rezaba ceremoniosamente, en voz alta, los días de fiesta. Recorrió todo el Cuerno de Oro sin preocuparse ni un solo instante de los borrachos, marineros y prostitutas que cedían paso al monje, aunque sin dejar de saludarle con piropos y chistes de pésimo gusto. Caminaba con paso difícil a causa de sus sandalias incómodas; la madera hería sus pies, pero, sin embargo, soportaba con alegría y entereza todos los dolores. Sus manos agarraron finalmente la aldaba de la puerta de los monjes de San Basilio.

Las primeras noches fueron terribles, pero tranquilizadoras. Permaneció mucho tiempo sin abrir la boca, hasta que, finalmente, el abad del santo monasterio comenzó a hablar con él. Éste conocía muy bien a la gente que, con las luces del alba, e impulsados por una angustia mortal llamaban a la puerta del convento revestidos con hábitos de monje o llevando todavía indumentarias de púrpura, montados a caballo o recubiertos de heridas, porque sabían que, ante aquella puerta sagrada, se paraban los más fieros perseguidores.

Conocía bien a este tipo de recién llegados. Bastantes entre ellos habían sobrevivido al beneficioso desfallecimiento que sigue al tormento y al dolor, cuando los ojos se abren por última vez para luego ser heridos y cegados con un hierro al rojo vivo.

El cuerpo se estremece de dolor cuando uno se encuentra sumergido en una noche eterna como las profundidades del mar. El abad conocía muy bien a toda esa gente y por eso les dejaba marchar nuevamente; algunos se iban para volver a vivir en la gloria y en el poder, y otros para ser conducidos, rígidos e inmóviles, envueltos en un paño negro, entre cuatro tablones de madera y a hombros de los monjes, al tranquilo país de los sin nombre.

Cerulario no vivía en las celdas de los huéspedes. Era un alma curiosa e inquieta, y, tras el obligado y breve intervalo de reposo, sus pensamientos se ocuparon solamente de encontrar algo maravilloso. Se dejaba extasiar por el influjo de las palabras. Leía las letras doradas de los padres que se enfrentaban a los apóstatas, que combatían a los renegados, que llamaban a la puerta de la comprensión, que traducían las escrituras y se taponaban los oídos con cera cuando hasta ellos llegaban los ruidos del mundo.

Aquel asceta de cabellos grises vivía excitado por el ansia de perfeccionarse, se apartaba de sus preceptores, buscaba en las bibliotecas y, por la noche, llamaba al hermano que estaba de servicio para rogarle tuviera la bondad de apagar la luz porque la mañana ya no estaba lejana y era ya hora de iniciar las tareas cotidianas. Y así, sonriente, seguía leyendo sus libros.

Un tomo tras otro... Poco a poco fue disminuyendo la fiebre de la primera excitación y poco a poco, también, le fue pareciendo más atractiva la elección de la verdad entre luces y sombras. ¿Tocaba de pies en el suelo o le sostenían las manos de los bienaventurados confesores y mártires? Vivía en un estado de éxtasis, pero la clarividencia de su mente cegaba a sus hermanos del convento. Rompió todos los lazos que le unían con su antiguo mundo. No deseaba tener ninguna noticia del exterior, ni le importaba tampoco lo más mínimo quién era ahora el emperador, ni si Juan, el gran eunuco, vivía todavía; tampoco le preocupaba si alguien acaudillaba el ejército al estilo de Narsés ni si todavía un espíritu maligno seguía imperando por todos los rincones del Sacro Palacio. Ya no conocía a nadie, ni parientes ni amigos; había olvidado también a las damas de la corte que, en un principio, le ofrecieron cobijo en sus castillos escondidos en la provincia, y que le habían mandado dinero e indumentarias propias de gente hidalga. Hacía ya tiempo que todo esto había dejado de importarle lo más mínimo; ni las luchas ni la guerra tenían entrada allí donde moraban aquellos pecadores que se acusaban ante su confesor de las faltas más nimias y que, entre la mesa y la cama, buscaban constantemente la pureza de su cuerpo, levantándose por la noche para castigarse con crueles disciplinas. Sin embargo, no era él precisamente de los que tenían que luchar de esta forma, pues por su lecho no se deslizaban serpientes que luego adquirirían formas femeninas para tentarle. Todo su cuerpo era presa de una extraña fiebre que le hacía ver símbolos más allá del alfa y omega y dirigía sus pasos por mundos cuyas leyes todavía desconocía.

— Ve a tu celda, hermano.

Enrolló sus pergaminos. Acababa de llegar al monasterio alguien procedente del mundo exterior que todavía se acordaba de él, alguien que sabía que, un día, aquel monje había tenido un nombre y había gozado de cierto rango. Se levantó y volvió a su celda, al lado del abad. Cuando abrió la puerta no vio más que una sombra en medio de la luz crepuscular. La sombra creció en proporción, fue adquiriendo el color de la púrpura y sus ojos tropezaron con un par de ojos cuyo fulgor no había podido olvidar en mucho tiempo. Sus ojos reconocieron la mirada de Monomacos, su mirada de gran señor y soberano, y reconocieron también la resplandeciente plata de sus rizos y las sandalias de púrpura con que calzaba sus pies.

— ¡Vengo a buscarte!

Él, el emperador, le venía a buscar apenas dos semanas después de su coronación. Los monjes permanecieron sin hablar entre sí un instante que pareció una hora a Cerulario; era como si no existiese ninguna diferencia entre la vida y la muerte; noche y día se confundían entre sí.

— Me he enterado, Miguel, de que te has convertido en un piadoso santo. De que has leído todos los libros que has encontrado en la biblioteca. Me alegro por ti. Ahora tienes que volver al mundo. En el caso de que hayas hecho algún voto especial, yo te dispensaré de él.

Le siguió sumiso, obediente, como sumido en un sueño. Poco a poco, fue volviendo en sí. Fue reconociendo voces que parecía haber olvidado completamente y que le fueron devolviendo paulatinamente a la luz del mundo; nada en el mundo había cambiado durante el tiempo que había vivido solitario, alejado de él. Volvió a ver a Zoe, postrada en su lecho como siempre, y volvió a ver también a los sabios y magos con sus gorros puntiagudos, ocupados en sus brebajes; todo el ambiente olía a ámbar y recordó también la sonrisa embriagadora de esta mujer irreflexiva y hermosa. La emperatriz, con sus sesenta y cinco años, era una verdadera maravilla de la naturaleza que había eludido las leyes de la vida; su rostro, que no se diferenciaba al de una muchacha, no estaba surcado por ninguna arruga; su silueta seguía siendo también la de una muchacha, y en el brillo de sus majestuosos ojos azules no se advertía la menor opacidad o enturbiamiento. Lenta e inadvertidamente iba habituándose de nuevo a la vieja vida mundana, pero se daba perfecta cuenta de que aquella vida era una verdadera ciénaga. Casi había llegado a creer que había sido una piadosa inspiración del Señor lo que, en aquella noche de opresión, le había decidido a ir al encuentro de los indulgentes padres confesores. Ahora veía el mundo como si se tratara de un libro abierto; daba vueltas a las hojas que reflejaban la vida de un siglo. Por la noche no podía dormir; retrocedía a épocas pasadas, casi olvidadas y echaba de menos las inolvidables horas de éxtasis que le había proporcionado la soledad de su celda monacal.

Durante el día vivía en el mundo, leía las cartas de los obispos y gobernantes y los informes de los embajadores y legados. Respiraba el maligno aliento de la raza humana, contemplaba el rostro del día. Todo se hallaba sometido a una inexorable ley de vida.

Hace ya doce años que vive en el poder y la gloria, en su calidad de patriarca, el sucesor de Alexios. Su palabra es firme y severa, y llega a los más lejanos confines. Los patriarcas de Antioquía y Alejandría le son sumisos. El Sacro Palacio no le es extraño, pues ya en sus años de juventud tuvo ocasión de conocer bien todas sus intrigas.

En el monasterio aprendió a amar el silencio de las horas de soledad. Sus manos enrollaban y desenrollaban los pergaminos; es entonces cuando el alma trata de recuperar sus fuerzas y trata también de renovarse. Todo el lujo, la pompa y el oro que le rodea no es más que artificio, igual que los leones con ojos de diamante que protegen el trono de Basilio.

Hacen su aparición tres emisarios, a quienes León les ha conferido altos e importantes cargos. Dos de ellos son cardenales, uno de sangre real y el otro un sobrino del Papa. Uno de sus acompañantes es el arzobispo de Amalfi, Pedro, muy famoso por su piedad. Los recibe por la tarde, cuando los granitos del reloj de arena van a tocar a su fin; sabe que recibiéndoles a última hora de la tarde su conversación va a ser más breve y concisa. Sabe también que se quejarán del destino de Roma y que se sentirán hechizados por la ciudad que se extiende ante ellos, ciudad que es mucho más hermosa y mucho más poderosa que todas las que han visto hasta el momento. Después serán conducidos hasta la puerta del Sacro Palacio, siempre que estén dispuestos a llegar a un acuerdo y a establecer un puente de mutuo entendimiento entre León y Miguel, entre Roma y Bizancio.

Su mirada permanece fija en el reloj de arena, a través de cuyo cuello va deslizándose el tiempo inexorablemente. Nadie puede inquietarle ni molestarle antes de que, con un golpe sobre la mesa de bronce, dé la señal oportuna para que se abran las puertas, puesto que los emisarios han abandonado ya su alojamiento. Se retrae en su mundo interno, la vida se detiene a su alrededor; nadie puede saber el tiempo que transcurre mientras Miguel permanece sentado en su sillón de patriarca, aguardando a los emisarios y dejando desfilar ante sus ojos aquella Bizancio independiente de la autoridad del Obispo de Roma.

Era por la tarde, la hora en que los sacerdotes del patriarca habían ya de vestir a su señor, cuando, de una pequeña callejuela contigua a la plaza de la iglesia, emergieron unas extrañas figuras. Sus ropajes parecían más bien propios de un espíritu recién salido de la tumba, negros y sucios; sus rostros apergaminados, sus ojos embargados por un extraño brillo que, a la vista de los transeúntes, parecía el del ángel que anuncia la muerte. Eran «latinos», presbíteros y sacerdotes perseguidos, contra los que, desde hacía dos años, Miguel Cerulario había iniciado su guerra de exterminio. Parecían las últimas hojas, sueltas y destrozadas, de un viejo tomo en folio, es decir, los restos de la campaña de quema de iglesias y conventos, de la que habían sido víctimas casi todos los templos de rito romano.

Podía ser muy bien que las primeras palabras de Cerulario, que no tenía la intención de limpiarlo todo siguiendo este mismo procedimiento, fuesen palabras de afecto, de comprensión, de humanidad. Sin embargo, tan pronto como por las calles comenzó a hacerse público el edicto contra los sacerdotes latinos, los fanatizados presbíteros griegos tomaron sus antorchas con la masa arremolinada tras ellos que, con febril impaciencia, pudo satisfacer sus deseos de saqueo y desvalijamiento.

A partir de aquel momento los presbíteros fueron a esconderse por los rincones del puerto disfrazados de comerciantes bizantinos o genoveses. Durante el día soportaban las cargas y tareas mundanas, pero por la noche se revestían nuevamente con el hábito del Señor y allí, en el puerto, en un sitio oculto entre cestos y bultos, celebraban la misa para el pueblo latino de Cristo, y repartían la comunión siguiendo el rito romano. Sabían que cada día se jugaban la vida y sabían también que bastaría una sola palabra para que un acalorado y superexcitado diluvio bizantino, tan hostil a los extranjeros, acabara de una vez con los audaces presbíteros latinos. Vivían entre el misterio y el trabajo, esperando la llegada de tiempos mejores, tras interminables días y noches de angustia.

Todo el mundo se había enterado de la noticia que había corrido de boca en boca entre la gente que vivía como parias. Quizás, estaban incluso más al corriente que el patriarca y que los eunucos del Sacro Palacio. La noticia era la que revelaba el pregón: «Todos vosotros, presbíteros latinos, salid de vuestros escondites, salid de ellos como salieron vuestros antiguos predecesores de las catacumbas, como cuando el emperador Constantino se disponía a tomar la palabra... salid todos vosotros, frailes, presbíteros, diáconos, salid revestidos con vuestros hábitos raídos y con vuestras barbas pobladas y descuidadas, acudid todos a la Hagia Sofía. La Hagia Sofía es el mundo. Aquí vive Bizancio. Éste es el escenario de sus fiestas, de sus revoluciones, de sus coronaciones. Cualquier acto estatal reviste una importancia y rango especial si se celebra bajo la cúpula del mundo. Aquí regresa triunfalmente el emperador, porque el patriarca ha bendecido aquí las armas con que ha emprendido la guerra. Aquí han sido regenerados con el agua de la vida los príncipes paganos conversos y donde la novia imperial fue coronada un día, antes de que Basilio la tomara por esposa. También es aquí donde burbujea y se condena el mundo de los descontentos, cuando sucede algún hecho contraproducente, cuando el enemigo asedía los muros de la ciudad, cuando la peste mata o cuando el pueblo está descontento de su emperador y espera que el patriarca decida coronar a otro para ocupar el puesto vacante.»

En el día de hoy, cuando inesperadamente la animación invade la Hagia Sofía a media tarde, sólo un par de ancianos se quedan dormidos. Ermitaños, gente que sale de oscuros y pobres callejones con rostros afilados y pálidos, mirando asustados el brillo del sol, al que ya se habían desacostumbrado, caminan dando traspiés por el tortuoso empedrado. A su lado van algunos comerciantes latinos, bien alimentados y satisfechos de la vida, a quienes la ley todavía permite vender sus mercancías.

Los tres presbíteros atraviesan el atrio. El agua del surtidor se eleva majestuosamente a las alturas; es el agua donde, en otro tiempo, se purificaban los creyentes. El primero de los presbíteros se acerca al agua y humedece con ella las palmas de sus manos. Va arrastrando tras él la cola del hábito y en su noble cabeza lleva orgullosamente el sombrero de púrpura de amplias alas. Las puertas que dan acceso al templo son nueve. La mirada del clérigo se dirige hacia el techo buscando la imagen de Cristo con las Sagradas Escrituras a la izquierda y el arcángel detrás de Él. Al frente de todos se arrodilla el anciano emperador de Bizancio, célebre por su sabiduría. Permanecen de pie en la puerta central, a la que el pueblo ha dado el nombre de "puerta del emperador". Desaparece la sencilla indumentaria de los presbíteros; ya no están solos. El hambriento, pobre y harapiento ejército de presbíteros latinos rodea a los tres enviados del Santo Padre. Bajo el despejado cielo de Dios se inicia la ceremonia de la investidura: los servidores abren el arca, los cardenales Huberto y Federico se colocan la casulla encima de sus hábitos de cardenal y los rayos del sol van a estrellarse en la mitra del arzobispo Pedro. La mano de Huberto se levanta para mostrar en lo alto la cruz doble del legado y, caminando lentamente, con una solemnidad inimitable, se acerca a la puerta del emperador. El ritmo de los cánticos que ahora se elevan al cielo, es más vigoroso que el de los cánticos que en el Sacro Palacio suelen entonar los cantores sin sexo de la corte. Son latinos, cantan en latín, en la lengua de Roma, en la lengua con que ya habían cantado de niños; son creyentes porque se percatan del milagro que se produce en su derredor. Entran tres hombres en el templo; uno de ellos, el que va en el centro, lleva en alto la cruz de los legados; los tres van revestidos de oro y púrpura. Parece ahora que el coro se apaga; pero alguien entona un nuevo salmo y las voces comienzan a recobrar fuerzas. Manos invisibles han abierto desde el interior las hojas de la puerta. Los tres legados prosiguen su marcha; a juzgar por la expresión de sus rostros parecen dispuestos al martirio. Conocen muy bien al pueblo que llena la Hagia Sofía y saben que bastaría una sola maldición, o que alguien lanzara una sola piedra, para que todos se precipitaran furiosamente contra ellos y arrojaran luego sus cadáveres cubiertos de sangre a la vía pública para que sirvieran de juguetes a los niños que juegan en la calle. Los tres legados saben todo eso y por eso entran los tres, en fila, en la Hagia Sofía, y por eso Huberto canta el *Introito* en latín y en voz alta.

Bizancio calla. Roma es el reino de los magos, a quienes protege su cruz. Sus cánticos no encuentran la réplica de ninguna voz; los ribetes de púrpura de sus hábitos resbalan por encima del pavimento de mármol; también los griegos, que se encuentran apretujados aquí como sardinas, se arrodillan. Por las puertas abiertas se cuelan incesantemente nutridos grupos de curiosos o creyentes para poder convertirse en testigos de esta ceremonia extraña e insólita. Las miradas de los tres legados se dirigen ahora hacia las alturas y se percatan de su insignificancia. La cúpula cuelga pesadamente encima de sus cabezas. Las personas no son más que juguetes gigantes, sombras fugaces entre los santos de mosaico. Las columnas atraen las fascinadas miradas; son aquellas columnas que, por voluntad del Señor, han sido trasladadas a Bizancio desde las ruinas de Nínive y Babilonia. Se han extinguido los cantos y el único murmullo que acompaña a los legados es la respiración pesada y honda de la gente. El pueblo de la Hagia Sofía espera creyendo que se va a producir un milagro o que va a tener lugar un suntuoso espectáculo. El presbítero actuante saca un enorme rollo de papel. Se arrodilla, acerca el rollo de papel a su vecino más próximo, y así va pasando de mano en mano hasta llegar a los legados; finalmente, lo coge entre sus manos el cardenal Federico. Se arrodillan ante el altar mayor. El cardenal se levanta muy lentamente; alguien hace sonar la pequeña campana que llama a oración; retumban unos golpes dados sobre la mesa de bronce y toda la gente cae de rodillas.

A lo largo de los arcos de piedra resuenan unas palabras latinas, recias y contundentes; el eco reproduce maravillosamente los extraños acentos romanos. Una voz, muy clara, pronuncia estas palabras: "Adversus Graecorum Calumnias". La voz permanece callada unos instantes, el cardenal rompe el nudo rojo del sello con las iniciales del representante de Cristo. Se vuelve al oír la voz, y los que comprenden sus palabras son presas de espanto.

Son palabras nuevas que hasta ahora nadie había pronunciado bajo el templo de la Sagrada Sabiduría.

— Nosotros, en Occidente, nos hemos limpiado de toda herejía. Roma, con toda justicia y razón, puede darse a sí misma el nombre de árbitro y juez de todas las iglesias cristianas. Vosotros, los griegos, habéis constituido siempre un invernáculo de herejías, y, por eso, como los perniciosos donatistas, creéis que vuestra iglesia griega es la verdadera iglesia de Cristo, que sólo vuestra misa es válida, que sólo vosotros bautizáis tal como place a Dios, que sólo vuestro rito conserva íntegra la fuerza de la santidad... También creéis, como los tan reprobados prosélitos de Nicolás, que los presbíteros que celebran la misa en el santo altar pueden casarse, aun cuando, al propio tiempo, despojáis de su virilidad a los servidores de vuestra iglesia, a quienes, no en raras ocasiones, incluso concedéis el honor de sentarse en la silla episcopal... Vosotros, griegos obstinados y tercos, no sabéis todavía que cuatro sínodos generales de la iglesia cristiana han tomado la decisión irrevocable de nombrar al Papa de Roma soberano universal de todas las iglesias, obispados, archidiócesis y patriarcas; ignoráis, o habéis olvidado en vuestra obstinación, que el Obispo de Roma es el príncipe de todas las iglesias cristianas. Y sin embargo, lanzáis públicamente vuestro anatema sobre todos aquellos piadosos servidores del Señor que, con pureza de corazón, celebran todas sus ceremonias religiosas en lengua latina. ¿Cómo podéis atreveros a amenazar a estos varones píos, a hacerlos detestables a los ojos del pueblo, a atormentarlos y a ejecutarlos? Por todas estas razones, nosotros os decimos a vosotros, pueblo de esta desdichada y equivocada Constantinopla: rasgad vuestras vestiduras y hábitos, sacad de una vez la viga que ciega vuestros ojos, pensad en la felicidad eterna y expulsad de vuestras filas a estos miserables esclavos del culto, arrogantes, indignos y execrables, que no hacen más que conduciros por la senda del anticristianismo.

»Hombres y mujeres de la Constantinopla imperial, es a vosotros a quienes dirigimos nuestras palabras: habéis de saber que, a partir de este mismo momento, condenamos con nuestro anatema al falso pastor Miguel Cerulario. Deben ser retirados de su indumentaria los signos externos de su dignidad; nosotros lo excluimos de la asamblea de los creyentes y ya no debe ostentar ninguna dignidad más. Sea maldito el pastor altanero y fanático, y sean malditos también todos aquellos que se acercan a recibir los Sacramentos de sus manos... Y ahora, escúchanos también tú, maldito; también a ti dirigimos nuestra palabra, porque la Gracia Divina no olvida nunca a los pecadores, aun cuando sea el peor de todos los criminales. Si antes de mañana, a esta misma hora, te retractas y te presentas ante nosotros con el corazón contrito, si te arrepientes de tu soberbia y orgullo y de tus errores y lo haces todo en presencia de tus propios correligionarios, levantaremos el anatema y te acogeremos nuevamente bajo el manto de Dios, como el padre acoge nuevamente en su casa al hijo perdido...

El pueblo griego de Bizancio aguardaba enmudecido. Estaba esperando a Miguel, al patriarca.

Pero Miguel no llega; no ha estado presente en esta ocasión. Permanece sentado, solo, en su palacio, con la vista fija en el reloj de arena. El anatema ha sido lanzado ya en medio del pueblo, pero ha sido un anatema frustrado ya que nadie puede sofocarlo en su origen. Los intérpretes del espectáculo han ocupado sólo un lado del escenario; la otra parte de la escena permanece vacía, en silencio, abandonada.

El reino se estremece en sus más profundos cimientos. Este día es quizás más terrible que aquél en que los paganos rusos asediaron las murallas de la ciudad con ocho mil naves. El pueblo vive aquí, en la basílica, y espera la palabra, gesto o movimiento con que sus señores suelen desatar la tempestad de sus ánimos. Pero nada se mueve en el calor de julio, ni siquiera una sola hoja. Unos carruajes lujosos y señoriales salen del Sacro Palacio; están ocupados por príncipes y reyes extranjeros, huéspedes del emperador. El capitán de la guardia imperial se abre paso en una callejuela estrecha; los cascos y corazas de los soldados lucen bajo los rayos del sol; el oficial se detiene ante la nave eclesiástica, se acerca al legado, dobla una rodilla y descubre su cabeza. Su palabra es la palabra del emperador, y acompaña ahora a los legados en cuyos rostros se adivina la sonrisa del martirio. Abre la marcha Pedro, el arzobispo de Amalfi, seguido de Huberto. Federico está frente al altar; apaga con un soplo los dos cirios gigantes, de la misma forma que suele hacerse el día en que se conmemora el sepelio de Cristo, despojando también al altar de sus adornos. Su mano enrolla nuevamente la bula pontificia y la coloca sobre los candelabros. El sello rojo cuelga hasta casi tocar el suelo.

* * *

El presbítero hace correr la cadena de plata de la lámpara, arroja unas brasas en el incensario y enciende las lámparas de aceite con una vela. Miguel, sin haber escuchado una palabra y sin haberse enterado de ninguna noticia, había distendido la cuerda, para luego cortarla. Una voz había recitado la fórmula del anatema. El anatema flota en el aire, un polvo rojizo y fino cae sobre Bizancio, igual que la lluvia de sangre que cada cien años llega procedente del desierto de Egipto. Miguel está sentado en su trono; sus pies llevan las sandalias de púrpura, y ante ellos se ven almohadones. No hay duda de que son los almohadones destinados a las rodillas de los legados pontificios.

¿Qué hubiera sucedido si su legado, el obispo de Acrida, hubiese ido a Roma, a la tumba de San Pedro, para allí leer en griego un anatema dedicado a los latinos? Fantasías fugaces. En Roma no había ningún emperador, sólo ruinas; ningún palacio, sólo mármol y torres derruidas, cubiertas de hierba y maleza. ¡Y esta Roma se atrevía a mandar legados! En esto el patriarca se había mostrado benévolo con Roma. Creía poder dar forma a un proyecto que era tan viejo como la ley dictada por Constantino. Dos centros, dos pastores, dos cuerpos, dos almas, dos obispos, dos emperadores. Si uno habla en latín, el otro en griego; y cada cual habría de reconocer la dignidad del otro y su rango, sobre la tierra y sobre los mares.

Eso era todo lo que quería decir a los legados romanos, y por eso estaban los tres almohadones allí. Sin embargo, nadie se arrodilló en ellos; el carruaje de estos pérfidos legados llevaba la protección de la guardia imperial; un sacerdote latino iba sentado sobre una mula blanca llevando en sus manos la cruz doble de los legados.

Él se había atrincherado, fortificado, detrás de su magnificencia, detrás de su trono y de sus provincias. Su voz era más imperial que los quejidos del anciano Monomacos y que los estridentes gritos de pavo cortesano de la enloquecida Zoe. Cerulario tenía la sensación de que era él quien personificaba Bizancio. Había estudiado, vivido y pecado, y se había convertido en un santo. Las noches de ascesis habían hecho palidecer sus mejillas. Su mano es ahora blanca, casi transparente, pero no por eso ha olvidado cómo deben empuñarse las armas; cuando cierra el puño sus dedos abrazan la empuñadura del sable. El patriarca sabe todo lo que los bizantinos saben y todo lo que éstos han sabido.

Las sandalias de púrpura apretaban, como si el zapatero de la corte las hubiera hecho estrechas adrede. Él no podía levantarse para salir al encuentro de los legados; ni tampoco podía dirigirse al Sacro Palacio, tal como hubiera sido el deseo de Monomacos para, en la atmósfera preñada de agradables aromas y perfumes, sentarse frente a frente de Huberto y Federico y tratar de tender nuevamente, en interminables conversaciones nocturnas, los lazos de amistad y confraternidad que habían quedado rotos. Monomacos y Zoe le habían mandado buscar.

Pero ante su puerta no se había detenido ninguna carroza de la corte, ni tampoco ninguna escolta imperial. El chambelán le había transmitido la invitación con voz temblorosa, como si adivinara que un anatema se cernía ya sobre su cabeza...

*   *   *

Los legados ayunaban y oraban en el palacio imperial. Así fueron transcurriendo las horas en que todavía cabía la posibilidad de levantar el anatema que pesaba sobre Miguel. No probaron las comidas que se les ofrecieron, y parecía como si en aquel breve intervalo de tiempo sus cabellos hubiesen encanecido. Aguardaban; sufrían pensando en aquel anatema que hería sus carnes como un cilicio penitenciario recubierto de púas. Era tarde y unas sombras violetas se deslizaban sobre el Cuerno de Oro. Las horas habían transcurrido ya y sólo ahora enviaron un mensaje al emperador. El Basilio no había dicho nada. Ellos no sabían si se había puesto de lado del patriarca o si le condenaba; no sabían tampoco si podían transmitir al emperador y a su esposa el saludo del Papa o si, por el contrario, debían abandonar el palacio, en el que los cismáticos habían sido coronados en sus tronos, como si fuera la pocilga de los condenados y malditos.

Los tres legados se dirigieron al encuentro de Monomacos y Zoe. No fueron recibidos en el *crisotriclinium*, ni tampoco con el ceremonial que se prevé para los legados. Entraron por una pequeña puerta lateral, revestidos con las simples indumentarias de presbíteros. Las vestimentas de lujo habían sido ya guardadas en el arca, pues la noche siguiente la pasarían en su embarcación, que al despuntar el alba, abandonaría definitivamente el Bósforo.

Zoe estaba sentada. Llevaba una túnica transparente, y cubría sus hombros con un ancho pañuelo de seda. Las líneas de su cuerpo eran todavía perfectas y toda ella respiraba una gracia y donaire inimitables; sólo en sus ojos se adivinaba un brillo de sobresalto e incomprensión. Monomacos daba la sensación de anciano y frágil pero, no obstante, su figura era todavía imponente: en realidad, era el arquetipo del gran señor. Había visto mucho mundo y vivido en las grutas del Calipso; había mandado levantar un palacio para su amante, había luchado y gobernado antes de asumir la dignidad imperial. Aquella tarde, a la hora del crepúsculo, se había vestido con una túnica de crin y había esparcido por su barbilla un poco de ceniza, signo de deferencia y cortesía para con los legados. Fue quizás por eso por lo que los severos e inmutables latinos se presentaron con los ánimos un poco más templados.

Monomacos conocía al cardenal Federico. Las sendas de sus respectivas vidas se habían cruzado con cierta frecuencia... Se miraron mutuamente: el Señor había hecho a ambos el preciado regalo de una existencia prolongada, arrojando unos copos de nieve sobre la cabeza del emperador y confiriendo un tono grisáceo a los cabellos de Federico. El momento resultaba triste y grave; faltaba aquel ceremonial cortesano que hubiera podido moderar la tensión. El anatema seguía flotando en el aire, arrastrándose por todo el imperio. El emperador no podía hacer nada. En las circunstancias actuales no podía rebelarse contra el patriarca, pues de hacerlo así las masas se sublevarían, quedaría destruida la paz ciudadana, hasta el punto de que tendría que procederse a la elección de un nuevo soberano, o bien tendría que ir a sacar del convento a Teodora, la hermana mayor de Zoe. Basilio estaba indefenso ante esta lucha entre las iglesias. Su obligación era proteger al imperio para cerrar el paso al enemigo extranjero.

Los dos cardenales no traían consigo a ningún intérprete; ambos sabían hablar griego. La primera palabra que podían haber pronunciado sólo hubiera podido ser una palabra estremecedora y grave. Durante un minuto nadie abrió la boca. Raras veces la canora voz de Zoe interrumpía el silencio.

—¿No veis que vosotros no habéis hecho más que llenarnos de tristeza y pesadumbre, sin darnos una sola gota de alegría? ¿Por qué no os hemos podido recibir en el poder y la gloria, tal como corresponde a nosotros y a vuestro rango? Pero vosotros venís por la tarde, a última hora, y queréis abandonarnos inmediatamente como si fuésemos pecadores. Sabemos que existe una querella entre vuestro señor y Miguel, señor, éste último, en posesión de una gran erudición y elocuencia. Nuestros padres han vivido siempre en paz con los latinos, y es en su memoria que yo os suplico, obispos latinos, que me digáis el porqué dobláis la vara de la justicia sobre esta paz. ¿Es que acaso queréis que me convierta en abogado vuestro ante Miguel? Vosotros sois hombres piadosos y doctos; ninguno de vosotros aparenta una edad avanzada. Sólo los ancianos pueden ser anquilosos. Pero vosotros, mis queridos amigos, habéis de pensar que Miguel vive aquí, con nosotros; y por más que fuera muy poco el afecto que pudiera sentir por él, no puedo olvidar que es para nosotros el representante del Señor en la tierra. ¿Qué puedo hacer yo si habéis lanzado el anatema sobre Miguel?

— Serenísima soberana, nosotros tenemos nuestras creencias y hemos de conducirnos tal como nos obliga nuestra dignidad. Ninguna persona puede alterar nuestro comportamiento.

— Señor, con eso no nos has dado una respuesta clara. ¿Está en tus manos el poder de levantar el anatema?

— El anatema, dignísima Majestad, atraviesa los lagos y los mares con nosotros. Pero hubiera bastado una sola palabra juiciosa por parte de Miguel para que el anatema se sumergiera en el fondo de los mares. El trono de Miguel está en las alturas, quizás tan alto como el propio trono del emperador. Por esta misma razón el castigo que le impone la iglesia es el que sólo puede imponerse a los príncipes...

— Si no os hubiésemos custodiado, el pueblo hubiera convertido en pedazos vuestros cuerpos.

— El hipódromo conoce el cántico de los mártires. Nosotros
somos unos seres insignificantes, serenísima Majestad. Nuestro viaje no ha sido un viaje de placer; hemos venido a tu ciudad como
unos pobres humanos que caminan hacia su tumba. También nuestro viaje de regreso será un viaje triste. Si el Señor quiere protegernos volveremos a hincarnos de rodillas ante nuestro Santo Padre.
El juzgará si hemos obrado con justicia y equidad.

— Tú mismo acabas de decir que quizás os habéis equivocado...
Creo que te has precipitado y has proferido el anatema con ex-
cesiva rapidez... No has esperado... ¿Por qué no has hablado
antes con Miguel? ¿Por qué no has intentado serenar la tempestad?
¿Acaso ha sido tu corazón el que te ha mandado dirigirte directamente a la Hagia Sofía, desenrollar sin tardanza el pergamino
de la bula y proferir la palabra "anatema"? ¿Ha sido León, este
nombre que nosotros mencionamos en nuestras preces, quien te
ha dado la orden de proceder de esta forma?

— ¿Qué actitud adoptaría vuestra sacra Majestad si os entera-
rais de que un usurpador se ha apoderado de una ciudad vecina
y que ha calumniado y denigrado el nombre del emperador y de
la emperatriz? ¿Acaso no declararías tú, soberano y señor, la guerra y mandarías allí a tus mercenarios?

— Vuestro señor tiene en sus manos las llaves de las almas.
Yo gobierno sobre mi imperio. ¿Qué ocurriría si el sucesor de
San Pedro en Roma fuera representado por un hombre que, queriendo asumir un poder máximo, mandase legados a todo el mundo
con este mensaje dirigido a los pueblos: "Negad al rey vuestra obediencia! ¡Yo os eximo del juramento prestado!"?

— Nosotros hemos venido a tu reino porque aquí crece la maleza, y nos disponemos a marchar de aquí con la misma humildad
con la que, en otro tiempo, algunos pocos justos abandonaron
aquella ciudad que había caído en manos del vicio y de la maldad.

— ¿Y si mandara llamar a Cerulario? ¿Si le rogara que hablase
con vosotros?

— Quien da cobijo a la ambición y al orgullo en su corazón,
quien lleva la púrpura y quiere ser algo más que un siervo de
Cristo, quien olvida y repugna los lazos que habían mantenido

unidas las iglesias de Oriente y Occidente, no querrá doblegarse ante tus palabras, señor.

— ¿Cuánto tiempo vais a permanecer aquí?

— Nos vamos ya... Hemos pasado aquí un día y una noche.

* * *

— ¿Te acuerdas todavía, Miguel, del día en que entré en tu celda?

— ¿Y por qué no me dejastes allí? ¿Por qué vino a buscarme allí vuestra sacra Majestad? ¡Vos me conocíais muy bien, Monomacos! Sabíais muy bien que no teníais ante vos al piadoso Alexios, a quien en el palacio era muy fácil dar órdenes.

— Ni una palabra de la emperatriz...

— Zoe puede actuar por su propia voluntad. Por sus venas corre la antiquísima sangre imperial. ¿No sabes tú, que, poco a poco, todo se irá convirtiendo en ruinas en tu imperio si no tienes a los fuertes a tu lado, a aquellos cuyas armas son la fé y las creencias puras y verdaderas? Lo sabes muy bien. Cuando el peligro acecha les pides dinero y ruegas por su vida. Yo hablo en nombre de aquellos que son de buena fe. Y por eso no puedo rebajarme ante los legados de León.

— Tú mismo ves pues, Miguel, que no puedes faltar al rito ni tampoco al verdadero dogma. Solo hubiera bastado inclinar la cabeza ante los legados y reconocer a aquel que se encuentra en la lejana Roma: tú eres el sacerdote supremo...

— ¿Acaso crees realmente, señor, que yo no hubiera podido iniciar por mi cuenta y riesgo esta operación de buen entendimiento, disimulando mis intenciones, en espera de que subiese a la silla de Pedro un obispo más débil que ya no pudiera darse a sí mismo el nombre de *Pontifex Maximus*? Pero eso, señor, es lo que yo no he querido hacer. Yo no puedo vender el reino que nosotros, simples presbíteros, hemos recibido en herencia. El mercenario se rebela cuando no recibe su estipendio. El recaudador de tributos se incauta furtivamente de algunos ducados. Los funcionarios públicos de las provincias se esconden bajo su techo. Los grandes señores creen que todo les pertenece. Este pedazo de tierra es propiedad de los Comnenos, aquél es propiedad de los Paleólogos. Pero ahora dí, señor, ¿se han rebelado alguna vez los presbíteros contra el emperador? Los hay entre ellos bastante zánganos, bebedores e ignorantes, pero jamás ninguno de ellos ha pecado de infidelidad contra Dios y el imperio. Yo puedo ir solo al puerto, al barrio de los marinos, para buscar a Huberto y Federico. Puedo hacerles levantar el anatema de mi frente; ellos me abrazarán y me darán el nombre de hermano en Cristo. Quizás todo eso sería más fácil para mi alma. ¡Pero Bizancio se estremecería en sus cimientos! Tú, Monomacos, no puedes hacer más que compartir conmigo el anatema latino. Tú eres la base del imperio oriental y vuelves la espalda a los bárbaros.

— Tú reniegas de la Iglesia de Cristo. El Occidente reniega de ti.

— Posees oro y soldados, señor. Rompe los últimos lazos que nos atan con Roma.

— Yo no quiero ningún anatema. Les temo. No quiero ver la bula de León sobre el altar de la Hagia Sofía. ¿Y si hiciera volver a los legados? ¿Y si me humillara ante ellos para pedirles la absolución?

— Demasiado tarde. Me viniste a buscar a media noche, creyéndome dormido, puesto que tu emisario gritó estas palabras: "¡Levántate Miguel y vístete!". Me sacaste del monasterio. ¿Acaso crees que ahora puedes volver a mandarme allí? Manda a tus emisarios: verás como ya nadie puede abandonar el puerto, como he logrado desencadenar la tempestad, porque no permito que mandes a buscar a los legados otra vez y te humilles ante ellos. Cuando apunten las luces del alba y te asomes al balcón verás como están allí mis soldados, miles y miles de personas. Vigilan; la noche es cálida y no llueve. Si yo quiero, mañana por la mañana la ciudad se levantará en armas, ordenaré demoler el palacio y levantar montones de piedras y ruinas, y, si es necesaria la sangre, haré correr también la sangre. La mañana está próxima, y ellos no podrán pisar ya la orilla y tú, Monomacos, no podrás hincarte de rodillas ante su presencia.

— ¿Y no temes, Miguel Cerulario, que ordene tu muerte?

— Cuando sea de día podré ver a Huberto extendiendo sus brazos en la proa de su nave y lanzando su anatema sobre Bizancio. Entonces habré cumplido ya mi misión. Luego puedes matarme, si así lo deseas, señor.

El pueblo vigila en el puerto. Una alta valla de madera protege la embarcación de los latinos; los que han de emprender el viaje deben atravesar el puente que les conduce a la embarcación. La gente aguarda, aburrida; de vez en cuando se anima y algunos lanzan piedras contra la valla de madera. La tormenta se ha desencadenado en las callejuelas; el mar está tranquilo y sosegado, como si lo hubiesen recubierto con una capa de aceite. Si ahora apareciesen los legados, en un abrir y cerrar de ojos, la multitud fanatizada los despedazaría. Los legados, pálidos y descompuestos, se arrodillan en la proa de la embarcación. Han limpiado sus rostros y manos de las porquerías que les han arrojado, y de la sangre que han hecho brotar los cantos de las piedras. Un imperio se estremece tormentosamente, quizás en una fase de la agonía, ante su vista. Ellos mismos habían conjurado los elementos, pero ¿quién de ellos conocía la palabra capaz de apaciguarlos como por ensalmo? El imperio no hacía ninguna penitencia y ellos no eran más que personas a quienes el Señor no les había conferido la potestad de realizar milagros. Se adivinan las primeras luces del día, han transcurrido ya las horas necesarias, el emperador no puede venir y ellos no pueden volver al lado del emperador.

El contramaestre ha soltado las amarras que mantenían la embarcación atada a la orilla.

ROMA

Hildebrando estaba en su celda sin ventanas y observaba cómo los presbíteros encargados del culto hacían sus cuentas. Se encontraba en los mejores años de su vida, pero la nieve del tiempo había recubierto ya sus cabellos con su blanco manto. Como todos los meses, había ordenado pasar cuentas. El dinero se contaba en esta celda del palacio de Letrán, sin ventilación y cerrada por una puerta de hierro. Esto era lo que los romanos habían pagado a título de contribución.

La primera vez que estuvo aquí, tras una larga peregrinación de muchos años, el palacio de Letrán, y la propia Roma ofrecían el triste aspecto del escenario de juegos de unos niños traviesos y maleducados. Los lobos no pagaban ningún tributo pero, procedentes de los montes sabinos, se acercaban impunemente a la ciudad, donde no encontraban más que ruinas y miseria. El emperador Otto había extinguido el nombre del Senado; desde entonces la Roma de Juan XII, este Juan que contaba veintidós años de edad y mataba sus ratos de ocio junto a pintores y militares expertos en estrategia, no era más que una pequeña y simple aldea. Cuando regresaron aquí con el nuevo pastor, el mosaico de Constantino en el mar de Mármara estaba completamente cubierto de una costra de porquería.

Los presbíteros que prestaban sus servicios escribían nombres y números, con rasgos diminutos, en las listas de contribuyentes; luego sería Hildebrando quien sumaría las cifras de las columnas. Este era su reino. Bajo su raída sotana de presbítero se adivinaba su macilento cuerpo de asceta; en esta época las fiebres epidémicas eran un huésped cotidiano de la ciudad romana.

Tiempo atrás sus oídos no captaban números, sino sólo sonidos maravillosos. Había marchado con sus hermanos, los jóvenes clérigos, a Cluny. ¿Quién se ocupaba entonces de las trivialidades mundanas? Sus pies se habían deslizado con tanta ligereza sobre este mundo de sombras, que ni una sola mota del polvo impuro de la vida se había depositado en sus sandalias. Marchó entre un grupo de ermitaños y llegó a Montecasino, donde los monjes viejos observaban todavía severísimas reglas. Era joven, la primavera acababa de empezar y todavía no conocía las preocupaciones y penas de este mundo. La mano del Señor gravitaba sobre Roma y casi cada año subía al solio pontificio un nuevo Papa. Meses y meses de interregno, caída de grandes personajes, nuevos gobernantes y potentados, un mundo sumergido en las sombras; finalmente, la muerte había acariciado con su mano el palacio de Letrán. Y poco a poco comprendió que era el único superviviente de su generación. Según el título era diácono, pero cuando el Papa le hablaba dábale título de archidiácono. No tenía ninguna diócesis, ni tampoco ninguna clase de jurisdicción... Y sin embargo ahora está aquí, y es él el que contesta cuando el Santo Padre hace alguna pregunta.

Hildebrando está solo, y le temen. Su forma de hablar es severa, sus palabras secas, violentas y ásperas como el viento que sopla en el desierto. Cuando entra en su habitación, los encargados del culto se inclinan ante su pobre mesa de madera; la pluma tiembla entre sus dedos. Un hombre como él, que hasta entonces había ido recorriendo las tierras latinas en busca de la paz para su alma, se encuentra ahora recogiendo y contando monedas; él lo hace todo por amor de Dios; sabe que, en la actualidad, el sitio donde el alma encuentra su mejor solaz es en los puestos de los comerciantes, porque el alma es orgullosa, apasionada y ambiciosa, pues de lo contrario exigiría otro tipo de derechos.

El nuevo Pontífice, un amigo y casi un hermano para él, procede de la Lorena; antes de tomar el nombre de León IX ocupaba un destacado puesto en el mundo social con su título de duque. Se habían encontrado por vez primera detrás de la ciudad de Besançon, en una pequeña loma, donde una serie de olivos crecían apaciblemente por entre dorados campos de trigo. Iba en busca de un nuevo Papa y fue entonces cuando se encontró con un grupo de soldados, que también a él le exigieron el santo y seña. Pero el hombre que salió a su encuentro no llevaba ningún casco ni coraza, y del cinto de su hábito de presbítero no colgaba tampoco ninguna espada. Sus ojos eran azules y sonrientes. Dobló ante él su rodilla y tomó su mano para estampar en ella un beso. León, sin embargo, le ayudó a levantarse y le abrazó, y así permanecieron un largo minuto, hasta que apareció el lugarteniente del Santo Padre y preguntó dónde debía colocar a los centinelas. León habló. Dividió en sectores las inmediaciones de la ciudad, ordenó realizar un ejercicio, preguntó si se había dado la paga a los soldados, y levantó el ayuno riguroso para todo el tiempo que durasen las operaciones bélicas.

— Tu misión, Hildebrando, será vigilar — le dijo aquel hombre de ojos azules mientras recorrían los puestos de guardia.

¿Fue el Señor quien dispuso que León no se dirigiese a Roma en actitud de sumisión, con una reducida y pobre escolta, y expuesto a todas las cuadrillas de ladrones y salteadores de la Campania? León llegó acompañado de arqueros de Tours y de jinetes de la Auvernia, a quienes daba el nombre de milicia de San Pedro. Hasta ahora sólo habían llegado a la ciudad Eterna con este tipo de séquito los reyes bárbaros o los emperadores desvalijadores, ante los que el Obispo de Roma debía someterse o huir. Pero era ahora el propio Pontífice quien, con sus caballeros armados, seguía aquellas antiquísimas rutas estratégicas que, un tiempo atrás, habían pisado las legiones.

La pluma rascaba sobre el papel transcribiendo cifras a las listas.. Alguien llamó a la puerta. Hildebrando despertó de sus recuerdos. El presbítero que estaba de pie, ante la puerta, miraba al archidiácono sin decir una sola palabra. Finalmente anunció:

— El Santo Padre te llama.

— ¿Y por qué? ¿A estas horas de la mañana? ¿Tan temprano?

— ¿Es que no has oído, Hildebrando? ¿No has oído las voces de la gente? ¿No ha llegado a tus oídos todo este alboroto? Están frente al balcón desde que han salido las primeras luces del alba. Hay gente gritando porque quieren ver al Padre Santo.

— ¿Qué pretenden?

— Hace una semana llevaron sus ganados a los prados comunales. Ayer llegaron gente armada, mataron a los pastores y se llevaron a los animales a las montañas. Se dice que eran caballeros armados del otro... del antipapa, que se da el nombre de Benedicto IV. El pastor que pudo evadirse de sus manos dice que llevaron a cabo graves tropelías y que el cabecilla de estos ladrones había dicho que él era el Hildebrando del papa Benedicto y que había venido aquí para cobrar la contribución de los creyentes. Como comprenderás fácilmente, señor, la mayor parte de las familias romanas han sido perjudicadas.

— En otro tiempo, amigo mío, eran los Césares los que dominaban y gobernaban aquí, y los que mandaban sus legiones para conquistar el imperio. ¿Dónde están ahora los emperadores? ¿Has visto tú a alguno de sus soldados? La boca del emperador anunciaba la fuerza del poder terrenal. Yo te pregunto, Odilo, ¿quién viene ahora en ayuda del Obispo de Roma para recuperar estos bueyes robados?

— Sí, Hildebrando, nosotros vivimos, pero somos débiles. En todas las cosas tú no ves más que símbolos. También ves un símbolo en los ganados robados. Pero piensa, sin embargo, que el zapatero y el escribano se lamentan de la pérdida de su buey; sólo tenían uno y apacentaba en el *ager publicus*. Tus palabras no les sirven de consuelo si no les das la esperanza de poder recobrar sus bueyes. Dime, ¿quieres dispersar con las armas a ese tropel de gente?

— ¿Cómo se te ha podido ocurrir eso?

— Porque tú demuestras no tener ninguna prisa. Estás aquí y te limitas a escuchar. Parece como si estuvieses aguardando la producción de un milagro, que tú solo puedes comprender, pues de lo contrario... Es posible que por eso el Santo Padre te siga en todo.

— ¿Ha celebrado ya el Pontífice la misa matutina?

— Ha pasado muy mala noche, en plena vigilia. En sus manos tiene una carta que acaba de recibir de Constantinopla. Hildebrando, el Santo Padre quiere verte, ¿Qué tengo que decirle? ¿Cuándo habrás terminado tus cuentas?

— Las cuentas no tienen fin. Ve al Santo Padre y dile que voy sin tardanza, tal como él ha ordenado.

* * *

— ¿Qué queréis?

Revistió el acento de su voz con la resonante fuerza del lamento, mientras su cuerpo se inclinaba ligeramente sobre la gigantesca balaustrada forjada en hierro. Un estrecho pasillo le separaba de la pequeña capilla, en la que León permanecía de rodillas orando. El Papa estaba profundamente sumergido en sus oraciones; Hildebrando comprendía que todavía no había llegado a una decisión definitiva. El Pontífice era un hombre valiente y animoso que durante su vida terrena se había familiarizado con toda clase de peligros; pero le costaba mucho tomar una decisión. Podía muy bien ser que ni siquiera en su ánimo vislumbrase una posible solución; no había duda de que se sentiría infinitamente dichoso si en Roma volviese a renacer la paz y, entre el pueblo, el sosiego. Hildebrando se acercó a la barandilla; parecía que la gente estaba esperando de su boca la respuesta del Papa.

— ¿Qué queréis vosotros, pueblo de Roma?

— El ganado. ¡Hildebrando, devuélvenos nuestros bueyes!

Sus manos se agarraron con firmeza a la barandilla de hierro. Parecía como si su enorme y quebrantada figura se elevase infinitamente por encima de toda la plebe. Hablaba con ellos en su lenguaje, como si todos se hubieran reunido allí en un marco de intimidad; hablaba con este lenguaje insulso pero querido al propio tiempo que él había aprendido en el monte Aventino, en el monasterio, donde su tío era guardián. No empezó haciendo mención del nombre de Dios, pero sin embargo el pueblo enmudeció; la gente descubrió sus cabezas, porque su palabra significaba una oración para ellos.

— Decidme, querido pueblo, ¿cómo puedo yo devolveros vuestros ganados?

— Con las armas... ¡Envía tus soldados contra estos ladrones! — comenzó a gritar la gente tumultuosamente.

La voz de Hildebrando dominó el alboroto.

— ¿Acaso no conocéis las Sagradas Escrituras? Quien a hierro mata a hierro muere. ¿Acaso el propio Santo Padre debe emplear la espada? ¿Es él quien debe ir en busca de vuestros bueyes?

— Nosotros somos pobres, Hildebrando, y tú sabes muy bien que nuestra única riqueza es el ganado. Nos lo han robado en nombre de Benedicto.

— El Santo Padre está ahora rezando. Él es más poderoso que nadie...

— ¿También tan poderoso como el emperador, señor?

— Su reino no es de este mundo. Pero también en este mundo está por encima de todos los demás. Por encima de los reyes y del emperador.

— ¿Y qué es lo que debemos hacer nosotros, Hildebrando? No disponemos de mercenarios para seguir la pista de los ladrones. Tú tienes dinero, tú controlas los impuestos y donativos, tú pagas a los soldados.

— ¿Quién sabe dónde está la verdad? ¿Acaso no habéis sido vosotros miserables pecadores? ¿No podría ser que hubierais recibido vuestro merecido? El Santo Padre no puede iniciar una guerra en los montes y cubrir su cuerpo con una coraza. La misión del Sumo Pontífice ha sido, hasta ahora, la de predicar la gracia divina. Ni siquiera ha lanzado el anatema contra el indigno Benedicto.

— ¿Y a qué esperais?

— El Santo Padre ha enviado un mensaje a Benedicto. «Hermano — le dice en dicho mensaje —, retráctate y no pretendas retener la púrpura robada.»

— ¿Y si la sigue pretendiendo?

— Precisamente por eso rogamos, y es eso lo que anhelamos. Pero cuando haya transcurrido el tiempo necesario y haya llegado el momento indicado, se celebrará una reunión de los abispos y de los altos dignatarios de la Iglesia. Su voz anunciará la palabra de la Iglesia. Nuestro Santo Padre, a través de la voz de esta asamblea, pronunciará el anatema contra el que ha huído precipitadamente a los montes, contra el que os ha robado.

— Seguirá robando en la Campania... ¿Qué le importa a él el anatema? ¿Acaso van a ir los soldados franceses a las montañas?

— Tan pronto como Benedicto haya recibido el castigo del anatema, vuestro Padre mandará los soldados contra él. Estos soldados han dejado ya de ser los soldados de León. La Iglesia es la que mandará a sus guerreros contra él. Si antes de la luna llena el antipapa no vuelve aquí revestido con el hábito de penitencia, veréis entonces cómo los lanceros y los arqueros parten en todas direcciones, llevando la cruz en el pecho, para difundir la palabra de la Iglesia.

Extendió la mano y dijo «Amén», al tiempo que hacía la señal de la cruz sobre su propia cabeza. Rodeado de un silencio profundo, dio media vuelta y se retiró nuevamente a la capilla.

León se levantó de su reclinatorio.

— ¿Qué les has prometido, Hildebrando?

— Que las tropas partirán con la luna nueva. Padre, la miseria los tiene muy oprimidos a todos.

— ¿También tú me exiges ahora que declare la guerra, como hacía entonces, cuando tenía que hacerlo de acuerdo con mi cargo mundano? ¿Es que quieres que luego lancen contra mí su anatema porque los soldados matan y roban en mi nombre?

— Tienes que limpiar y purificar el Lacio; esta fue la decisión del Concilio. Tienes que enviar gentes armadas.

— ¿Y deben marchar en nombre de Cristo?

— Los obispos franceses, en nombre de Cristo vivo, predicaron la guerra contra los moros, y también en nombre de Cristo pidieron ayuda a Fernando de Castilla. Así pues, ¿en nombre de quién mandaron sus tropas?

— Las tropas marcharon bajo el Vexillum [1]. Una cruz en la bandera; los jinetes llevaban un brazal con la cruz. ¿Y también así hemos de marchar nosotros a los montes, contra los condes de Túsculo?

— Nosotros somos débiles, Padre, pero tu confesor dice que hemos de salir al encuentro de la insurrección. Nosotros no podemos lanzarnos simultáneamente contra todos nuestros enemigos. La Iglesia no es todavía ningún ejército poderoso; nuestras fuerzas terrenales están representadas únicamente por un puñado de personas. Tú no puedes esgrimir aun tu espada contra los reyes o contra el emperador para hacer prevalecer la verdad de tu palabra allí donde el ruido de las armas absorberá tu voz. Pero puedes reunir a tu gente, y yo creo, Santo Padre, que habrás luchado por una causa justa si consigues devolver al pueblo de Roma uno solo de sus bueyes.

(1) *Vexillum Sacrae Romanae Ecclesiae,* nombre que se dio a la bandera de la Iglesia, y que se siguió empleando hasta 1870. *(N. del T.)*

— ¿También tú empuñarías la espada, Hildebrando?

— Yo soy un humilde siervo de Cristo y no empuñaré jamás la espada. Pero iré también con ellos y rezaré. Si partimos hacia la Campania, con solo quinientos hombres armados, iré yo también en tu nombre, si así lo ordenas. Yo iré desarmado, y los acaudillaré.

— Hildebrando, llegará un día en que te convertirás en el Señor de Letrán. En cuanto note que mis fuerzas escasean, lo propondré a los cardenales y te daré el nombramiento ante el emperador y el pueblo de Roma.

El diácono permaneció en silencio. Su mano dibujó el signo de la cruz. Se acercó al pontífice.

— Dios es testigo de que yo no ansío tus hábitos. El terror y la angustia me sobrecogen cuando pienso en los peligros que acucian constantemente tu labor de gobierno y tu misión de conducir a buen puerto la pequeña nave de la Iglesia. La misión de los obispos no es tan difícil; sólo conocen los problemas y asuntos de sus respectivas diócesis, y sólo tienen que estar de acuerdo con un rey o con un príncipe. Pero tú tienes que abarcarlo todo con tu vista, desde los Tártaros hasta la Etiopía. ¿Es posible soportar tan ingente carga, Santo Padre? ¿Quién puede aguantarla en los momentos en que la Iglesia queda dividida en dos partes, la oriental y la occidental? ¿Quién puede atreverse a luchar simultáneamente contra *dos* emperadores?

— Aguardo la llegada de la nave de Huberto y Federico.

— Es posible que la paz esté solo asegurada para un breve período de tiempo. Según Focio, el nombre del Papa vuelve a ser respetado en Bizancio. Quizás Miguel Cerulario se ha apaciguado también. Pero, ¿a qué precio se ha pagado todo eso? No puedes nombrar a ningún obispo, ningún presbítero latino puede dejarse ver por allí, los dignatarios eclesiásticos no pueden aparecer ante tu presencia para rendir cuentas de su proceder. La palabra de Roma carece absolutamente de valor en Constantinopla...

— Recientemente he leído los anales... El emperador oriental lleva el mismo nombre... León... Odia las imágenes de los santos. Ha sido la última vez que el patriarca de Bizancio se ha dirigido a la curia romana para solicitar ayuda. Puede ser, Hildebrando, que, desde siglos, lleven en su alma el deseo de la escisión de la

Iglesia. Las noticias que hemos recibido son desconsoladoras...

— La mujer, este último vástago de la rama de Basilio el grande, está sentada en su trono como la ramera de Babilonia, rociándose constantemente con esencias fragantes, y cubierta de paños. Ella no cree en las leyes de la naturaleza; tiene más de sesenta años y, sin embargo, todavía espera que su esposo o su amante le den algún hijo. También le hemos transmitido un mensaje a través de nuestros legados. Hemos de llamar a Zoe «nuestra hija predilecta» porque nuestras fuerzas son escasas, y porque es voluntad del Señor que nos ataquen por todas partes.

— No disponemos más que de una sola y única fuerza.

— ¿Dónde está, pues, esta fuerza?

— En ti. Tú eres puro y sabio y eres un verdadero hombre, Padre Santo. Tú amas a Roma y amas a la Iglesia. Tú conoces el mundo con sus emperadores y príncipes indignos. Tú puedes disipar la maldad, y las fuerzas de las tinieblas no prevalecerán jamás contra ti...

— Lo único que puedo decir, hijo mío, es «fiat voluntas tua». Pero, como puedes ver, son palabras muy parecidas a las que has pronunciado desde la balaustrada. Por la noche, los latidos de mi corazón me impiden conciliar el sueño. Me levanto asustado y creo morir asfixiado. En un mismo momento tengo que pensar en el emperador y en los bueyes robados, en una prostituta recubierta de púrpura y en un joven muchacho, Enrique, el otro emperador que todavía no ha pasado los Alpes. Ya sabes que yo puedo atar y desatar en la tierra en nombre de Cristo. Pero no tengo la fuerza ni potestad suficiente para saciar con pan y queso a los romanos, de quienes soy su obispo.

Todavía permanecieron juntos un minuto más. Encima de un pequeño estante se veía un plato con pan y aceitunas maduras.

— Tómalo, Hildebrando. En tu rostro veo que otra vez has estado trabajando desde las primeras luces del alba. Tú ayunas y trabajas. Tómalo, no temas quebrantar la Cuaresma.

Se hizo el silencio; cada uno de ellos, el Papa e Hildebrando, cogieron una aceituna.

* * *

Mientras caminaba a lo largo del pasillo, el viento arrojó sobre su rostro un par de gotas de lluvia. El agua le refrescaba; las frutas habían apaciguado su hambre. Permaneció solo en su celda. De pie, inmóvil, en el centro de aquella habitación sin ventanas. Quizá León tenía razón y el mundo iba a experimentar un cambio crucial, tal como había esperado también en la noche del milenio, cuando el Papa Silvestre iba a celebrar la misa de medianoche. El reino de Cristo tenía que descender sobre la tierra... Quien dominaba la fortaleza, dominaba Roma. Por lo menos hasta que un emperador de barba rubia no descendiese de los Alpes. Hacía tres siglos que se habían arrodillado ante el Papa, cuando la coronación de Carlomagno. Desde entonces, cada año estallaba el fuego. A causa de una muchacha, teas incendiarias eran arrojadas sobre las hileras enteras de casas; todo un barrio de la ciudad era reducido a cenizas y mercenarios semisalvajes se abalanzaban sobre los moradores de las viviendas. Cuando los estados del imperio germano eligieron un nuevo emperador, las ciudades lombardas comenzaron a temblar, pues el camino que conducía a la corona imperial atravesaba sus territorios.

Está sentado en la penumbra, con los ojos enrojecidos. Los pensamientos son tan graves que apenas es posible sostener su pesada fuerza. Las llamas parecían cubrirlo con su fulgor; cualquier palabra da la impresión de un trueno en la oscuridad de la noche. El emperador no ha sido consagrado. Su palabra es la palabra del reino terrenal. Es un poder temporal, pero no un poder eterno, y por eso tiene que doblegarse ante la palabra de Cristo. Este era el secreto del que todavía hoy no hacían mención aquellos que, tan pronto como llegase la luna llena, comenzarían a hablar en el sínodo. Los más temerosos preguntarán:

—¿Dónde está el emperador, Hildebrando? ¿Dónde está la fuerza del emperador en el momento en que los cardenales eligen al Santo Padre?

Antes, cuando los cardenales de la curia promulgaban su decreto, sus rostros presentaban un aspecto muy pálido, pues se sabían mártires y sabían qué camino era el que conducía al «Circus Maximus.» Él no era cardenal, no tenía voz ni voto. Pero todos sabían muy bien que estaba detrás de todos ellos, tras las espaldas de todos los que emitían su sufragio; sabían que Hildebrando era, entre ellos, el más fuerte, y que era él también quien, de la forma más oculta y secreta, había aportado algo nuevo al corazón vacío y triste de Roma. Este algo, que hacía tanta falta, era: fuerza.

La mirada del Sumo Pontífice se dirigía hacia Oriente; estaba aguardando la llegada de la nave de los legados de Bizancio. En pocos años, el Papa se había convertido en un hombre anciano; el palacio de Letrán lo consumía todo. León era el octavo pontífice que se beneficiaba de los servicios del diácono. La fuerza del hombre tiene un límite. Un hombre solo no puede luchar contra todos los poderes de la tierra. Y él estaba solo. De buena gana hubiera partido su alma en cuatro pedazos para mandar un pedazo hacia los cuatro puntos cardinales del cielo. Para ayudar a los hombres píos que se arrastraban por el desierto, y para ayudar también a los que, sentados en alargadas, estrechas e incómodas naves, surcaban los mares para llegar a Islandia, este mundo recubierto de hielo, sin otro motivo que llevar allí las nuevas y consoladoras creencias. Pero, ¿cómo podía destruirse a sí mismo? El Santo Padre estaba viejo, achacoso y cansado; rezaba, y la oración era el único medicamento que tomaba. Quizás hoy ni siquiera había bastado la oración. Hildebrando salió al balcón porque el aire enrarecido y pesado de la celda le asfixiaba; desde allí su mirada descendió sobre Roma. Las luces se iban apagando lentamente; el horizonte enrojeció.

¿Quién sabía lo que acechaba detrás de las sombras? ¿Quién conocía Roma?

JERUSALÉN

El peregrino, los pies descalzos, subió desde el valle de Cedrón hasta el Monte de los Olivos. Abrazó el árbol en que se apoyaba y distendió penosamente sus miembros plegados de dolor. Desde el fondo del valle de Josafat, nombre con el que se conocía también al valle de Cedrón, se elevaban lenta y apaciblemente hacia el cielo inmensos copos de niebla; todavía podía verse desde aquí el borde del Mar Muerto; en dirección a Oriente se adivinaban las montañas azules, el valle del Jordán, y, enfrente, la cumbre desde donde un día Moisés había contemplado la tierra de Promisión.

Se dirigía hacia Occidente. En aquella dirección veía una ciudad totalmente recubierta por el manto de la niebla. Todas las imágenes se difuminaban ante sus ojos... La panorámica se empañaba de lágrimas; parecía como si caminase por los confines del mundo de los sueños. Le parecía verosímil e inverosímil al propio tiempo que él, Pedro, el pecador, el fantasioso, que un día había partido de la lejana Amiens, pudiera encontrarse ahora siguiendo las huellas del Redentor en el suelo de Jerusalén.

Antes de creerse lo suficientemente digno para emprender el camino de la purificación había vivido una larga temporada en el desierto. Seguía las huellas de los ermitaños; había caminado errante por los desiertos de Siria y conseguido eludir a los herejes que, en estas lejanas latitudes, reconocían orgullosamente sus errores. Hacía vida de comunidad con los otros, sus hermanos, en una ciudad abandonada. Vivía aquí, en unas antiguas casas semiderruidas, hundidas en la tierra, cuyas paredes agrietadas daban paso libre a las impetuosas ráfagas del viento. Vivía aquí entre gente muy rara, piadosa, y sin embargo pagana a un mismo tiempo.

Un día se puso en pie. Recordó que tenía que dirigirse a Jerusalén, pues sus votos le exigían hacer con los pies desnudos aquel mismo camino que el Señor había recorrido en el curso de sus últimos días de vida terrena. Iba tras los talones de los mercaderes, y a cambio de ello tuvo que darles uno de los delgados denarios de plata que había llevado consigo desde el reino de los francos. Entretanto, aprendió las palabras que significaban agua, pan y albergue nocturno.

Marchó con ellos hasta que una mañana gritó: «¡Alto!». No tenía que alejarse más. Dirigió su mirada a aquellas gentes y vio que la angustia y el terror se reflejaban en sus ojos. Se pasaban todo el día oteando el horizonte, y cuando en algún lugar surgía una nube de polvo, o cuando la Fata Morgana dibujaba ante sus ojos las siluetas de jinetes o viajeros, comenzaban a llamar a sus hijos en voz alta y angustiosa. El terror había hecho presa en ellos; temían a las hordas de Gog y Magog, aquellos que pincelaban de color rojo sangre el horizonte celeste y que fustigaban la tierra. La población de estas aldeas honraba a Mahoma, falso profeta, pero era piadosa, y su mundo terminaba allí donde finalizaban sus tierras de cultivo; tenían un par de cabras y mulas y comían su pan de salvado sin especial alegría. La población de las aldeas no se enfrentaba a ningún conquistador; eran gente desarmada y sus muchachas no podían defender su inocencia. Vivían como animales pacíficos, e inclinaban sus cabezas ante el nuevo señor que venía a sustituir al antiguo, para seguir avasallándolos.

Ciertamente, él quiso huir de estos salvajes y esconderse tras los árboles, durante unos tres días; pero todo fue en vano. Alguien descubrió su barba gris: era un muchacho joven; la agarró inclinándose encima de su caballería, y se la arrancó.

«Este es el último minuto de mi vida», pensó, puesto que el jinete empuñó sus armas y le cogió también el cayado de peregrino, que para él representaba la cruz de Cristo.

El miserable muchacho agarró el látigo, que hizo batir vigorosamente en el aire, y acto seguido comenzó a hacerle bailar, de la misma forma que en la plaza pública se hace bailar a los osos para general regocijo de los espectadores. Le dijo gritando que él era un peregrino y que venía de muy lejos, en nombre de Dios. Que no venía para robar y asaltar, sino sólo empujado por su fe. El muchacho y sus acompañantes, por toda respuesta, lanzaron una carcajada. Sin embargo, no le mataron. Eran malvados, pero no asesinaban; se contentaban con martirizar de forma diabólica. Finalmente lo arrastraron hasta dejarlo en presencia de las muchachas de la aldea, que se mostraron muy amables y dóciles y querían convertirle en testigo de su impudicia, obligándole a pecar con ellas; por fortuna, no tardaron en brillar en la cresta de una montaña las llamas de una pira; era la señal de que se le daba permiso para marchar. De esta forma terminó este desagradable aquelarre embrujado.

Esto había sucedido tres días antes. Pasó dos días tumbado en el suelo, desfallecido; no podía mover ni siquiera uno solo de sus miembros; se cubrió la cabeza con la orla de su capa, a fin de evitar que las moscas aterrizaran sobre sus heridas. Sólo lentamente la vida fue renaciendo en él. Fue recogido por los ocupantes de un carruaje; eran personas sencillas y bravas que, sin hacerle una sola pregunta, comprendieron inmediatamente que este extranjero barbudo y pío era un peregrino y un santo, incluso quizás hasta un loco; en definitiva, una buena persona a la que era preciso respetar. El camino se bifurcaba, y aquellos amables campesinos siguieron en dirección al Mar Muerto; le dejaron junto al valle Cedrón y le indicaron el camino que tenía que seguir.

Ahora no le faltaba más que purificarse. Se pasó todo el día y toda la noche de rodillas, oculto entre algunos pequeños arbustos y matorrales; se encontraba en un sitio tan lejano y extraño que bastaba el ruido de una hoja que se moviera al viento para llenar de pavor todo su cuerpo; era una verdadera lástima, pues estos ruidos le robaban minutos de meditación y recogimiento. Y así permanecía de rodillas como penitente que tenía la intención de llegar a Jerusalén con el corazón limpio de toda falta. No obstante, en su boca sólo mascaba, como si fuese el pan cotidiano, una sola palabra: venganza.

Era un hombre piadoso y de corazón puro. Por eso sus pasos seguían aquellas rutas terrestres interminables que conducían hasta Dios. Quería cumplir su voto y perdonaba de todo corazón a cuantos le habían tratado mal, al prior altanero, a sus hermanos glotones, al confesor que le había impuesto penitencias excesivamente severas, a aquel campesino que, en una ocasión, muy lejos, en la Sajonia, no le permitió subir a su carruaje, y también a aquel otro que le hizo pagar un trago de agua. Pero ahora no podía ceder. Aquello no podía tolerarlo. La indignación y el furor no le dejaban un minuto de sosiego. La fiebre corría por sus venas; todo su cuerpo estaba empapado en sudor frío, y hasta a veces creía que había caído víctima de una enfermedad mortal, y que acaso podría arrastrar su cuerpo hasta el valle de Josafat, para ser enterrado allí, en aquel mismo sitio donde, el último día del mundo, el Señor reunirá a todos los difuntos del universo. Suplicaba a Dios que ahuyentase de su mente tales ideas; emitía para sus adentros sus propios juicios sobre aquellos que le habían tratado con docilidad y amor, sobre aquellos que habían levantado contra él su espada y sobre aquellos que defendían sus derechos con la fuerza de la fe.

Y ahora volvía a ver nuevamente el horizonte teñido de color rojo sangre, comprendía los diabólicos estampidos del látigo y todas las burlas y odios que había tenido que afrontar a lo largo de su cruzada. Y todo esto había ocurrido aquí mismo, en la tierra donde Jesús había nacido, en la tierra que él pisaba piadosamente para dirigirse a Belén. Quizás María había hecho también aquella misma ruta; quizás era aquí también donde el populacho había venido a recoger las espinas para labrar su corona, y donde habían quedado boquiabiertos aquellos pobres mentecatos que, aunque raras veces se atrevían a ir a la ciudad, estaban pendientes siempre de cuanto allí sucedía. No podía retroceder. Era voluntad del Señor que entrara en aquella ciudad con el alma impurificada; no encontraba la fuerza necesaria para desterrar de su alma aquellos sentimientos de venganza, porque si las ofensas le habían sido infligidas con las armas, justo era que fuesen reparadas también con las armas... Se levantó. Observó sus pies, desgarrados por las espinas; pensó en su voto, según el cual tenía que entrar descalzo en la ciudad de Jerusalén. Pero sólo había llegado, por el momento, hasta el pie del Monte de los Olivos, y todavía tenía que seguir andando con sus pies hinchados y mugrientos; las suelas de sus sandalias apenas le ofrecían ninguna protección. Ahora estaba de pie y tenía que proseguir su marcha. El cayado de peregrino le impulsaba hacia delante. Era un hombre en los mejores años de su vida; el sueño le había aliviado; se limpió en el agua de un pantano.

Pequeños canales de agua atravesaban el camino; era todavía muy temprano; nadie venía de la ciudad para recoger ramas secas ni tampoco para dedicar unos minutos a la memoria del Redentor...

...Se acercaba a la puerta de la ciudad. Ornamentos de piedra recubrían las murallas, en las que también se veían signos diabólicos, banderas con la media luna, lanzas con colas de caballo. Pero en ningún lugar se veía una cruz que recordara a los suyos. Estaba solo. Alentó su corazón con el pensamiento de que la imagen de Cristo la llevaba en su cayado, con el que llamaría en la puerta de encina. Aguardó. Volvió a llamar. Se abrió una pequeña ventanuca con rejas; lo primero que vio fue la mano cubierta de hollín del guardián, y luego un barbudo con ojos rojizos, que le miraba con semblante frío y despiadado. Levantó dos dedos y mostró un denario de viandante. El cayado descendió nuevamente al suelo; todo parecía indeciblemente triste. Allí, en la misma puerta, había un hombre que tendía la mano para hacer pagar los derechos de aduana a los que llegaban hasta la ciudad para postrarse ante la tumba de su Salvador. En su pecho colgaba una pequeña cadena con una moneda de plata que, en cierta ocasión, su madre compró a un comerciante normando cuando todavía le llevaba en su seno. Aquella moneda había sido acuñada por algún rey extranjero; un rey de un país septentrional, cuyas naves recorrían los mares y cuyos hombres saqueaban las costas extranjeras. Su mano cogió el talismán, y, mientras sacaba piadosa y lentamente la moneda, aquellos ojos rojizos le miraban rígidos desde detrás de las rejas; el vigilante le hizo un seña para que se acercase, a fin de poder ver más de cerca la moneda. El viejo frotó la moneda entre los dedos y la rascó con la uña.

Aquel cráneo cubierto con un turbante se inclinó finalmente en señal de asentimiento y sus labios pronunciaron unas palabras que quizás se parecían algo al latín. Rompió de un tirón la delicada cadena, y seguidamente se levantó para abrir la puerta. Parecía como si la muerte hubiese extendido su manto por las vecindades de la puerta; no se veía a nadie ni a izquierda ni a derecha; sólo un perro ahuyentado husmeaba las paredes. Comenzó a andar, y de pronto una flecha se incrustó en el suelo, a una distancia de milímetros de su cuerpo. Si su paso hubiera sido un poco más ligero, se habría incrustado en su espalda. Levantó la vista. ¿De dónde procedía la flecha? Un par de jóvenes soldados reían a carcajadas encima del muro. Se escondió de un salto detrás de la primera esquina; por el momento, el peligro había pasado. Comenzó a deambular por una estrecha callejuela, entre unas casas pequeñas y miserables, sin ventanas.

Caminaba por las calles de Jerusalén y el terror había hecho presa en su alma: en aquel momento no experimentaba sentimiento alguno de piedad. No sentía nada en su interior; su alma estaba vacía, solitaria, incluso impura. Ahora no podía arrojarse encima del polvo, como lo había hecho en el valle Cedrón, al pie del Monte de los Olivos. Iba ahora por una callejuela que estaba totalmente recubierta por excrementos de animales; algunos perros hambrientos merodeaban de un lado a otro, y los rayos del sol caían duramente sobre las paredes encaladas; por doquier se respiraba la glacial frialdad del imperio de la muerte. Ésta no era su ciudad. La muerte acechaba en todos sus tejados. Sus pasos le impulsaban hacia delante; las suelas de sus sandalias tropezaban incesantemente con las piedras del camino.

Alguien se le acercó husmeándole como un perro; abrió su sucia túnica por encima del pecho para mostrarle la cruz de madera. Su mirada descubrió al armenio, en cuyo rostro barbudo no se veía más que el resplandor de sus diminutos ojos. Hablaba a tropezones el lenguaje de los francos, y cuando le fallaba una palabra la sustituía por gestos; no era tan difícil entenderse con los peregrinos.

Unos instantes después los dos proseguían su camino juntos, uno al lado del otro. El armenio vivía en la ciudad. Cicerone ocasional, era casi un verdadero ciudadano de Jerusalén; conocía los umbrales de la devoción, pero quizás ya no experimentaba el más ligero sentimiento de aquella piedad que en otro tiempo le había llevado también a él a esta ciudad.

— Antes había estado aquí el templo — dijo el acompañante —. Salomón mandó construir aquí la casa del Señor. Las piedras fueron trasladadas por orden de Herodes. Ésta era la mansión de los profetas, y era aquí donde se rendía culto al verdadero Dios...

Y mira, hoy es ésta una mansión de paganos; aquí celebran los paganos sus fiestas.

— ¿Es aquí, en este templo, donde los paganos ofrecen sus sacrificios?

— Sí, en este templo. Yo ya había estado aquí, porque la curiosidad me acuciaba. Ya no es el antiguo templo. Aquél había sido construido con piedras viejas en honor del verdadero Dios. Levanta tu vista hasta la cúpula de las columnas y podrás ver los leones, las águilas y las vides... y verás también las dos iniciales de Cristo, una enlazada con la otra... los paganos no pueden descifrarlas. Yo venía aquí cuando imperaba el silencio y la paz, pero no en los días de fiesta... En la actualidad, los hijos del profeta son hombres borrachos y locos, y nunca conceden el perdón a los que profesan nuestras creencias. ¿Quién eres tú?

— Yo vivo como un ermitaño. El Señor me ha ayudado en el desierto.

— ¿Tienes dinero?

— He dado mi última moneda de plata al vigilante de la puerta. ¿Es esta ciudad la Babilonia de los mercaderes?

— Mira, extranjero, los hombres de esta ciudad no trabajan; viven a costa de los peregrinos. Los acogen en su casa, y les dan habitación y vino. Todo esto es para los extranjeros del mundo de Cristo. Pero al tercer día ya empiezan a frecuentar las tabernas y se purifican a su modo.

— No hables de estas cosas. Yo no envidio a esta clase de gente; ellos no son mis hermanos. Yo vivía en el desierto. He olvidado incluso su lenguaje. Yo hablaba con los chacales del desierto. ¿Me comprendes, hombre? No tengo dinero y no puedo darte nada. Estoy solo. No creas que me ha traído aquí algún pecado, ni tampoco ningún voto de contrición; mi conciencia no alberga la culpa de ningún crimen. Yo he venido por Cristo, sólo por Cristo...

—Yo vivo de los demás... — dijo el hombre.

Pedro caminaba ahora solo, con su figura esbelta y flaca, por debajo de las arcadas.

Iba a comenzar la fiesta. Por doquier iban y venían personas; quienes entraban en la mezquita eran extranjeros, enemigos.

¡Qué distinta era la tranquilidad que se respiraba junto a Getsemaní, debajo de los olivos dispersos! Jerusalén se revestía ahora con una máscara que infundía terror y cubría su cuerpo con un ropaje extraño. Nada había quedado allí de la ciudad del Redentor, ni siquiera un signo que exhortase a oración. Los viajeros del desierto descendían de su caballo; los mercaderes y los potentados montaban sobre los lomos de los camellos. Cuando, ya en el interior del templo, echaban pie al suelo, se arrodillaban frente a aquella piedra negra, desde la que — según contaba la tradición — muchos años atrás su profeta había emprendido veloz huída hacia el cielo montado en su corcel alado.

Se dirigió hacia el camino que conducía a la plaza del mercado. La fiesta había atraído a los mercaderes. Los más pobres de ellos permanecían sentados sobre sus asnos y sobre los camellos se sentaban los que venían de tierras lejanas. Entre ellos se oía el crujido de las ruedas de un carruaje arrastrado por pequeños caballos salvajes. Los arreos de las caballerías delataban que sus propietarios procedían de las regiones del Mar Muerto; habían llegado expresamente de Jericó para participar en la fiesta. La plaza del mercado se encontraba fuera de la ciudad de David. Enfrente se veía un surtidor colosal, en el que, al despuntar el día, los mercaderes se lavaban manos y cara. Pudo ver también un gran patio cerrado por tres de sus cuatro costados que habían mandado construir los nuevos señores; así lo daban a entender las columnas adornadas y las aberturas en forma de bulbo de las ventanas. Se acercó un poco más, pues quería verlo y observarlo todo.

Llegó al mercado de los esclavos, es decir, al mercado que organizaban los esclavos; las mercancías, los escudos, las cimitarras, alfombras y almohadones no le interesaban. Lo que él deseaba era encontrar a personas, a alguien a quien pudiera decirle: hermano mío. Pero sólo se veía rodeado de mercaderes que fijaban en él sus miradas curiosas y hacían conjeturas sobre el valor de su túnica; él despreciaba, una y otra vez, los gestos de invitación de sus manos. Muchachas jóvenes se prostituían. Pero él no las vio.

Sí... también los negros eran hijos de Dios. Allí estaban con sus narices chafadas; parecían extraños animales del desierto a quien el hijo del Hombre todavía no había dado ningún nombre. Permanecían allí bajo los rayos del sol, indiferentes y sosegados, sin tratar siquiera de encontrar una sombra bajo la que cobijarse, cosa que les hubieran permitido sus cadenas y sus dueños que, en realidad, tenían interés en conservarlos sanos. Su mirada sólo rozó ligeramente la figura de los negros. Él era pecador, no pensaba en ellos; nadie hablaba con ellos, acerca la existencia de sus almas, en su lengua extraña. Eran animales que se revolcaban sobre sus propios excrementos, en espera de los nuevos señores que habían de tomar las cuerdas que les amarraban. Eran hijos de Dios.

Hombres. Si les hubiera dirigido alguna palabra, alguien hubiera contestado. Le hubieran suplicado de esta forma:

— Señor, enséñanos alguna oración; hace muchos años que no hemos oído orar.

¿Por qué razón nadie le dirigía la palabra? ¿Por qué callaban como animales ahuyentados por el miedo?

* * *

Anochecía. Iba arrastrándose por la ciudad, sediento y fatigado. En las estrechas callejuelas se respiraba un calor sofocante; se detenía de vez en cuando a descansar debajo las arcadas. El aire estaba muy sosegado, como si sobre Jerusalén se hubiera extendido una pesada nube. Pidió agua a alguien, y le cerraron inmediatamente la puerta. El agua era cara. En esta época del año el calor secaba las cisternas, y de las fuentes de David y de Salomón no manaban más que un par de gotas; en la fuente de las vírgenes, las mujeres ya no iban ni siquiera a lavar sus ropas. Llamó a la puerta de una casa amplia y baja; alguien le había dicho que aquello era el asilo. Pero por doquier exigían denarios de plata; exigían que se les pagase el alojamiento.

Y así, como un perro ahuyentado, fue recorriendo un asilo tras otro. Le cerraban la puerta en las narices y le negaban el derecho de hospedaje.

«¿Dónde puedo dormir?», era la pregunta que se hacía, angustiado y completamente abatido, él, Pedro el ermitaño, que durante cien noches había visto en el cielo el brillo y la carrera de las estrellas fugaces; él, que en sus noches solitarias del desierto no había tenido sobre su cabeza más techo que el firmamento.

Y así llegó hasta la tumba. No quería acercarse más. Todavía no se sentía completamente purificado. Temblaba en lo más hondo de su corazón. Se sentía afligido por penas indescriptibles. Se encontraba frente al gigantesco patio que albergaba la cavidad excavada en la roca en la que un día había sido sepultado el Salvador. Se encontraba en la misma puerta de entrada. Una escalerilla se perdía en la oscuridad; hacia el lado derecho se abría un tenebroso pasillo. En el patio se veían un par de pequeñas prominencias de tierra, un par de escalones y, acto seguido, el caminito se perdía en las profundidades de la tierra. ¿Qué dirección debía tomar? ¿Quién le guiaría por aquel laberinto de pasillos, escalones y cavernas? ¿Acaso todos los justos debían encontrar el camino por sí solos?... Él no estaba solo. Se veían sombras humanas y, desde las profundidades, llegaban los cánticos de un coro. Era un canto coral muy lento y apagado, similar al que en las galeras suelen entonar los presidiarios. Era un canto griego. El aroma del incienso le cortaba la respiración. Siguió por las escaleras; se encontraba ahora en una pequeña iglesia circular. Presbíteros griegos de barba negra y elevados sombreros dedicaban sus oraciones al Señor en un lenguaje que él no podía comprender. Pero la presencia de gente extraña no les interesaba lo más mínimo. Por eso no le dedicaron ni una sola mirada. ¿Quién le preguntaría de dónde venía, si había venido hasta aquí para cumplir algún voto, y dónde pensaba pasar la noche?

Nadie se preocupaba de él. Se arrodilló. Parecía como si en aquel momento todo el mundo se hubiese detenido y como si aquél fuese el único lugar del mundo que anhelase y que le ofreciese la posibilidad de vivir unos momentos de paz. Apoyó la cabeza sobre la piedra que le ofrecía sostén; comenzó a rezar, y en su mente se inició un interminable desfile de sueños y fantasías. Alguien colocó una mano encima de su hombro. Una voz dijo en latín.

— Nicodemos colocó sobre esta piedra el cuerpo del Señor para embalsamarle...

Oh, sueños... fantasías... él estaba arrodillado aquí, la cabeza apoyada en aquella piedra; las lágrimas surcaban su rostro y enturbiaban su mirada... no había nadie a su lado; sentía que estaba completamente solo, cara a cara, frente a frente a aquel sublime misterio del Redentor.

Todo estaba sumergido en un profundo silencio; los presbíteros griegos se habían marchado ya; sólo seguía flotando en el aire el amargo aroma del incienso. Podía ser que aquí hubiesen personas acurrucadas en algún lado, confundidas con la oscuridad. Todo era apacible, sublime y eterno.

Parecía como si todo el mundo terminase más allá de esta cámara mortuoria; un par de pasos más y se abría el camino que conducía al Gólgota... en una pequeña prominencia que se perdía a un lado, en medio de la oscuridad.

Luego percibió un extraño ruido. Todavía resonaban en su interior las notas monótonas e interminables de aquel canto coral griego, las voces de los melancólicos presbíteros revestidos de negro; ahora llegaba procedente del exterior, del otro lado de los muros, el sonido estridente de silbatos y trompetas. Siguieron unos momentos de silencio, como si estos extraños músicos ambulantes se hubieran puesto todos de acuerdo. Pero inmediatamente un concierto estridente, infernal, rompió el silencio en este momento en que por doquier se respiraba la paz de Cristo... Era como si en el exterior rugiesen animales salvajes y como si los instrumentos de viento imitasen los gritos chillones de los pájaros salvajes.

Alguien se había refugiado detrás suyo; todos sus miembros temblaban; Pedro se le acercó. Hablaba latín con mucha dificultad, pero podían entenderse. Señaló con un dedo hacia el exterior y agudizó temerosamente sus oídos.

— ¡Los paganos están aquí!

El vecino meneó la cabeza de uno a otro lado y dijo con su deficiente latín:

— No temas... no se acercarán aquí. Tienen miedo de los sortilegios y embrujos. Se quedan en el exterior y se dedican a la destrucción y al saqueo. Están embriagados. Nosotros no podemos hacer nada. Son los señores de la ciudad. Son los más fuertes. Tú mismo podrás verlo si te asomas por aquella pequeña ventanilla.

— ¿Y por qué sólo me he de asomar yo?

— Porque yo soy ciego. Ellos me han convertido en ciego. Desde entonces vivo siempre aquí, en las tinieblas. Yo sé todo lo que ocurre. Los sarracenos celebran sus fiestas. No tengas miedo, extranjero; no te matarán.

— Celebran una fiesta. ¡Desgraciados de los que caen en sus manos!

— Voy a salir — anunció a continuación.

— Aguarda. No te matarán, pero te insultarán, ultrajarán... y cegarán tu vista.

— ¿Y a qué debo esperar?

— Debes esperar la llegada de alguien. A uno que vendrá algún día. No solo. Ni tampoco con el cayado de pastor. ¿Me comprendes, extranjero?

— Entonces tú... ¿también tú esperas como yo?

Se levantó y abrazó la columna. Oh, ¿por qué habrían de ser sordos los poderosos de la tierra?

Sentía en su mundo interior la necesidad de difundir por todo el mundo, a gritos, sus ideas y creencias. El ángel del Señor había descendido sobre él. Había colocado en su mano una espada larga y derecha. En ella estaba grabada con fuego una inscripción, compuesta de cinco letras... ULTIO. Obstinada y porfiadamente repitió la palabra: venganza. Despertó sosteniendo en las manos la empuñadura en forma de cruz del bastón; el ciego había desaparecido con las primeras luces del alba; no había nadie a su lado. Tenía en la boca una palabra sombría y amarga como un veneno.

Abandonó aquella iglesia sepulcral, subió la escalera, y se acordó del sueño.

¿Mañana...? Mañana ya no estaría en Jerusalén. Asió el bastón con el mismo ímpetu y ardor que el ángel había empuñado la espada en llamas. ¡No, nada de palabras suaves y blandas! Tenía que salir al encuentro de los poderosos de la tierra...

* * *

Urbano, el Santo Padre, estaba sentado en su celda del monasterio de Cluny. Sus ojos permanecían fijos en el monje que, revestido con una blanca capa y con la capucha echada hacia atrás, permanecía con la cabeza inclinada sobre el pergamino atento a las palabras de su señor.

— Sigue escribiendo, hijo mío, donde nos detuvimos ayer, cuando se anunciaba la llegada de los legados... escribe: *Anno Domini...* hemos llegado al año mil noventa y cinco después del nacimiento del Señor; el verano ha pasado ya y, después de muchos viajes, nos encontramos en la Abadía. Pasaremos el invierno en Cluny. ¿No oyes, hijo mío, cómo el viento sopla contra la paredes de la celda? Si no hubiera puesto debajo de mis pies unos ladrillos calientes, todo mi cuerpo se estremecería de frío... Escribe ahora:

»Cuando me visitaron los legados del emperador del Imperio de Oriente, Alexios Comneno, y me presentaron la carta de su soberano, ¿por qué, Señor, me escogiste a mí, una pobre miserable criatura desvalida, para conducir la nave de Pedro? Hablé con ellos. Ninguno era hombre de Iglesia, sino altos dignatarios terrenales, a los que allí se dispensan grandes honores: eran parientes del emperador; algún día uno de ellos se revestirá con la túnica imperial. Sus palabras son como la miel, agradables, pero peligrosas.

»Tu gracia, Señor, es infinita. Hace ya casi cincuenta años que tu orgulloso y depravado siervo Miguel Cerulario se rebeló contra la voluntad de Cristo rompiendo todos los lazos que unían su barquita con la nave de San Pedro. Tú, Señor, has emitido sobre él tu justa sentencia; su embarcación zozobró y, mientras surcaba las aguas del mar de Mármara, las olas se abalanzaron contra él y no delvolvieron su cadáver. Todo esto ocurrió hace ya medio siglo, pero sigue perdurando en la memoria de los hombres; también las crónicas lo relatan. Desde entonces, el pueblo de Oriente se mantiene alejado de nosotros, y nosotros cada día lloramos sus errores. Cuando rompí el sello rojo de la carta del emperador Alexios pensé, por un momento, que quizás el nuevo emperador quería volver al seno de la Iglesia. Creí que, tal vez, se habría dado cuenta de que sólo existía una Iglesia, un pastor, y de que no era posible que para un solo rebaño existiesen dos pastores... pensé que quizás estos legados habrían venido para exponer clara y sencillamente: Alexios te suplica que vuelvas a acogerle en el seno de tu Iglesia y que levantes el anatema que pesa sobre él, desde que los legados de la Iglesia de la Sabiduría Divina lo lanzaron sobre su antepasado.

»... La carta de Alexios iba dirigida al siervo de Cristo, el emperador ha presentido el peligro, su pueblo tiembla, ve en la pared las letras danzantes. Las fronteras arden en llamas, los paganos se han agrupado. Un nuevo tropel de egipcios se dirige hacia Asia Menor. Los selyucidas se han lanzado como una nube de langostas para asolar los prados y luego destruir las ciudades florecientes del Imperio. Ningún peregrino se atreverá ya a dirigir sus pasos hacia Jerusalén. Los paganos profanan, matan y destruyen todo cuanto encuentran a su paso. Los caminos están sembrados de cadáveres; la muerte danza por doquier, y los chacales se apoderan de todo.»

Esto es lo que escribe el Basilio. Una carta hermosa, que llega al corazón. El corazón de Urbano se reblandece. También él es un padre, el padre de su imperio; también él tiembla y ve el peligro. El emperador escribe así: «Ayúdanos, Santo Padre, antes de que sea demasiado tarde y antes de que los paganos se hayan apoderado de todos nuestros bienes y propiedades. Ahora todavía tenemos fuerzas y podemos resistir. Todavía puedo hacer luchar entre sí a las distintas castas paganas. Pero, ¿qué podré hacer yo solo si todo el mundo cristiano se vuelve contra mí? ¿Dónde puedo encontrar ayuda, sino en los hermanos con quienes, en nombre de Cristo, compartimos nuestra existencia terrenal?» Esto es lo que me escribe Alexios solicitando mi ayuda en estos conflictos terrenales.

«… Los emisarios del emperador griego vinieron a mi encuentro y hablé con ellos — piensa Urbano —. Yo leí la carta del emperador. Tú, Señor, sabes muy bien cuán desconcertado y débil me siento sin tu ayuda. Dame las fuerzas necesarias para encontrar las palabras oportunas ante la asamblea de los países cristianos...»

Llamaron a la puerta.

— Santo Padre, tú deseabas ver a aquel hermano ermitaño que ha regresado hace poco de su peregrinación. No encuentra un momento de sosiego y reposo. Dice que Cristo le ha dado orden de venir a hablar contigo.

— ¿Desde cuándo aguarda?

— Desde hace cuatro días. Ha seguido tus huellas, Santo Padre. Ha seguido la ruta Valençon, Puyen, Chaisc-Le-Dieu. Dice que te ha buscado en Tarascón, y luego en las murallas de Avignon. Ha llegado hasta Cluny. Dice que no puede descansar.

— ¿Quién sabe de qué labios puede servirse el Espíritu Santo? Haz pasar al monje.

* * *

Sus labios no profirieron una sóla palabra mientras se arrodillaba ante el Sumo Pantífice y besaba su mano. Urbano pensaba que la voz le había fallado y que sus fuerzas desfallecían. Le hizo señas para que se levantase. Estaba dispuesto a escucharle. Pedro se levantó. Su figura era alta, enjuta; su piel estaba tostada por el sol. Su barba era gris; sólo sus ojos brillaban como los de un poseso.

— ¿De dónde vienes, hijo mío?

— De aquel sitio que un día llevó el nombre de Jerusalén, Santo Padre. De aquel sitio en donde la rama de David dio nuevos brotes, y en donde Salomón mandó construir su templo. De la ciudad donde murió nuestro Redentor...

— Ya sabes que son muchos, muchísimos, los peregrinos que, para cumplir un voto, hacen este camino. Ya sé que es difícil y fatigoso. Si vienes por eso...

— Santo Padre, no son mías las palabras que os dirijo... Proceden de un mundo más elevado...

— ¿Es que acaso te atreves a afirmar que hablas por boca del Espíritu Santo?

— Soy un pobre y miserable hermano; ¿cómo hubiera podido creer que el Señor me ha escogido para anunciar su mensaje? Pero ahora estoy delante de ti, Santo Padre: Mi huída fue sólo posible gracias a toda una serie de milagros; aquellas gentes no me han dado muerte, las enfermedades me han respetado y las tormentas del mar no me han engullido. He venido porque traigo una misión. Mi misión es la de ir al encuentro de los poderosos de la tierra y hablarles.

— ¿Qué tienes que decirles, Pedro?

— En aquella noche en la que los paganos profanaron con sus repugnantes danzas los alrededores del Santo Sepulcro, un ángel se me apareció interrumpiendo mis lúgubres y tristes sueños. En mis manos llenas de arrugas colocó una espada y pronunció estas palabras: «Ve y anuncia la venganza. El látigo que amenaza y castiga Jerusalén es doloroso. El Señor te confía la misión de devolver la paz y libertad a la ciudad donde Él descansa.»

— ¿Habías tenido ya, anteriormente, apariciones de este tipo, hermano mío?

— ¿Es que acaso no me crees, Santo Padre?

— Tú no tienes que preguntar nada. Espera a que sea yo quien pregunte. Hoy no disponemos de mucho tiempo para dialogar. Pero pienso en ti y rogaré al Señor que ilumine mi espíritu y mi mente.

— No me despidas todavía, Santo Padre; quiero decirte con pocas palabras que durante el prolongado camino de retorno no se repitió ya la aparición. Tú, Padre mío, tienes que ponerte a la cabeza del ejército. Sólo tú puedes declarar la guerra; los pueblos sólo pueden dirigirse armados a la tumba de Cristo si delante de ellos marcha su Padre llevando en la mano el cayado de pastor.

— Hablas muy bien... pero la pasión te domina. Humíllate, hijo mío, y purifica tu espíritu. No quiero dejarte partir con las manos vacías. Debes quedarte aquí; así podré conocer más a fondo tus creencias. Al propio tiempo, aquí tendrás ocasión de ver cómo en el seno de la Iglesia se producen muchas maravillas y también cuán numerosos son los peligros que amenazan a la República cristiana.

— De todo cuanto tú dices yo, Padre Santo, no entiendo nada. Ya te he dicho la voluntad del Señor, según las palabras que el ángel me dirigió aquella noche. Ésta es la voluntad del Señor, y mi misión es salir al encuentro de los poderosos de la tierra y gritar a plena voz, por doquier: «Ésta es la voluntad del Señor». Para mí no existen más palabras que éstas, Santo Padre; hasta que no haya cumplido los deseos del Señor no puedo recibir ninguna absolución... Nadie puede exonerarme de este voto...

— ¿Qué voto hiciste, Pedro?

— Dirigirme descalzo, la cabeza descubierta, con un ramo de olivo en la mano y cantando salmos en voz alta, a aquel lugar que ellos han ultrajado. Marcharé a la cabeza de las gentes armadas, aflojaré mi cinturón, y me postraré de hinojos ante el lugar sagrado que los paganos profanaron ante mi propia vista.

* * *

Era un maravilloso día de otoño, soleado y apacible; bajo sus auspicios se habían congregado todos los que habían querido responder a la invitación de Urbano. Cientos de tiendas se habían levantado en los prados que circundaban la ciudad.

El viento había esparcido por todos los confines las palabras pronunciadas por los de Auvernia. Éstos eran los dueños del epicentro del mundo. En todas las casas burguesas se alojaban ahora barones y caballeros de alta alcurnia; los aposentos de los monasterios estaban ocupados por cardenales y obispos. Los súbditos de los condados se habían reunido también y aguardaban a que finalizase el período de ayuno de ocho días que precedía al comienzo de las deliberaciones.

Urbano vivía entre los recuerdos de su juventud. Era todavía un muchacho cuando desde las torres de Chatillon había visto a los primeros cruzados procedentes de la Campania. El Papa recordaba a aquel señor, Eble de Roucy, héroe del sitio de Barbastro, que, derramando su propia sangre, había hecho retroceder a los paganos hacia el sur. El mundo, que le rodeaba silencioso, era poderoso; era la legión de los difuntos, hermanos, tío, vecinos y criados; todos ellos habían emprendido la marcha hacia España. En alguna ocasión había vuelto a ver a algunos de ellos, un par de veteranos, que todavía seguían llevando prendida en su capa, en recuerdo de la proeza de Barbastro, aquella cruz roja desteñida que había sido consagrada por el propio Roucy. Los ancianos llevaban todavía esta cruz que, por otra parte, era bien conocida también por los jóvenes.

Urbano, el Santo Padre, se encontraba en la catedral de Clermont y escuchaba el interminable embate de las olas. También estaban allí doce arzobispos, ochenta obispos y cien abades y priores; en la galería aguardaban duques, príncipes, marqueses, y los enviados de todas las regiones del mundo occidental.

Hacía siete días que permanecían sentados en lal Iglesia. Las noticias comenzaban a circular por la ciudad desde el amanecer, y después, recorrían, de boca en boca, todas las callejuelas de la urbe. Hoy era el día en el que el Santo Padre, ante la Iglesia, había de pronunciar su sermón. La misa solemne era un tributo de la Iglesia.

Urbano se levantó, rodeó el altar mayor e impartió su bendición a los creyentes que se encontraban dentro de la iglesia. Se adelantó. Los pasos que, acompañados de salmos y del canto del coro, dio para trasladarse desde el altar mayor a la puerta de la iglesia, parecieron no terminarse nunca. Daba la sensación de que el alma de Urbano vagaba por lejanías insoslayables; el viento llevaba hasta sus oídos las fervientes súplicas que el emperador presentaba en su carta: «¡Ayúdanos!» No se trataba ahora de lanzar el anatema contra un príncipe cristiano, ni de borrar del libro de oro el nombre de un potentado, ni tampoco de volver a acoger en el redil del Señor a una oveja descarriada. Estos pasos representaban la eternidad. El Señor tenía que determinar el momento oportuno para la partida. Era preciso esperar...

Estaba frente la puerta de la iglesia. Se había levantado una tribuna; desde ella había de lanzar su alocución. Urbano era un hombre que se encontraba en los mejores años de su vida. Mientras sus manos se apoyaban en la barandilla, los escalones de madera crujían bajo sus pasos. Desde lo alto de la tribuna, su mirada se paseó durante unos breves segundos entre la concurrencia. Desde allí divisaba también Clermont y, más allá de los muros del burgo, aquellos amplios prados cubiertos por tiendas de abigarrados y variados colores, un verdadero bosque de gallardetes ondeando al viento. Y a su alrededor, estrechamente apiñado, el pueblo, el mundo. Eran miles las personas que aguardaban pacientemente, desde las primeras horas de la mañana, reunidos en la gran plaza. ¿Quién iba a quedarse en casa aquel día en que iba a hablar en público el representante de Cristo?

—Franceses, hijos míos queridos, noble pueblo, elegidos de Dios, escuchadme: A vosotros todos, que formáis esta estimada viña del Señor, he de comunicaros un triste mensaje. Sabéis muy bien que el Salvador nació muy lejos de aquí, allí donde se levanta el lucero del alba, al que luego sigue el sol, que brilla sobre vuestras cabezas. El pueblo del que Él es descendiente fue en otro tiempo el pueblo escogido del Señor, al que primero levantó y al que luego dejó hundirse como castigo de sus pecados y de su audacia. Ahora sois vosotros, los franceses, el pueblo elegido por Dios, y es por este motivo por lo que hoy os dirijo la palabra.

»¡Hombres todos, el sepulcro de Cristo está en peligro! Nuestros antepasados, mandaron donativos y ofrendas a los príncipes de los infieles y les escribieron cartas. En ocasiones, la gracia de Dios iluminó la mente de estos paganos, algunos de cuyos reyes fueron piadosos y quisieron escuchar la palabra de los pontífices. Pero ahora la más vil de las estirpes de los infieles ha asumido el mando supremo sobre todo el mundo pagano. Los descendientes de Cam han desbordado todos los caminos del reino y ocupado todos sus puertos; su maldad no conoce ningún límite.

»Hemos soportado todo esto largo tiempo porque el Redentor nos enseñó a ser pacientes. Hemos vivido muchos años con resignación y hemos sufrido. Hemos estado siempre al corriente de las penas de nuestros hermanos porque constantemente hemos recibido noticias de todos los confines del mundo. No podemos dar por perdido a ninguno de nuestro hermanos peregrinos de la Iglesia cristiana si con su último suspiro ha cumplido la voluntad del Señor. Hemos sido pacientes porque carecíamos de fuerza; nos hemos contentado con la idea de que el Señor quería probarnos como penitencia de nuestros pecados.

»Pero las noticias que he recibido últimamente no pueden tener como única respuesta el silencio y la paciencia. Aquella voz que grita: «¡Jerusalén está en peligro!» no puede perderse en el desierto, ni tampoco puede ser juguete del viento. Un grave peligro amenaza la ciudad en la que Cristo vivió sus últimos días; un grave peligro se cierne sobre la cumbre del Gólgota, sobre el Santo Sepulcro, sobre la piedra de Nicodemo.

»Ha venido a mi encuentro un hombre que ha pasado allí la noche del Corpus Domini, mientras los abyectos paganos profanaban la tumba de Nuestro Señor. Hemos esperado durante mucho tiempo la llegada de un día en el que también los infieles habrían de respetar aquellos santos lugares y dejar de ultrajar de una vez para siempre a nuestros piadosos hermanos creyentes. Pero allí mismo, en el patio de la iglesia, han celebrado con desenfreno un abominable aquelarre; los peregrinos estuvieron temblando toda la noche, aguardando la llegada de su última hora... El hombre que ha venido a mi encuentro, procedente de Jerusalén, encaneció en el solo curso de aquella noche. Cuando abandonó la ciudad, el sepulcro se mantenía todavía incólume, protegido por los muros de la iglesia. Pero, ¿quién sabe si dentro de breves días o dentro de un año, tal vez, la cruz no será sustituida por la cola de caballo a instancias de la maldad y perversión de estos infieles?

»¡Franceses! Tengo ante mi vista la ciudad de Clermont, y sin embargo me parece ver, en este momento, aquella ciudad de Jerusalén, que nunca he visitado. Aquí, en estas tierras, transcurrieron los años de mi juventud. Me acuerdo todavía de cuando se reunieron en este lugar los caballeros y nobles señores dispuestos a dirigirse a España para levantar allí el baluarte de la Iglesia occidental que había sido derribado por los infieles. Recuerdo también el brillante esplendor de aquella noble y belicosa comitiva presidida por la gran cruz roja como signo de sacrificio.

»¡Vosotros, jóvenes! ¿Acaso esperáis que marchen delante vuestro, cojeando, ondeando sus capas al viento y abriendo nuevamente sus heridas, los nobles y ancianos héroes de Barbastro? Vuestras manos temblorosas deben levantar el cayado, pero no en dirección a Occidente, sino en dirección a Oriente. Sin embargo, debéis aguardar; no podéis marchar contra viento y marea, porque no conviene que el cuerpo olvide rápidamente el alimento del alma.

»No, no podéis marchar por el momento; no podéis permitir que los ancianos se burlen de vosotros. Os pido mucha cautela y prudencia. No podéis salir de aquí con una lágrima en los párpados, con una lágrima que os ha hecho derramar el destino y la suerte de Jerusalén. No podéis dar un paso sin antes revestiros de valor y proponeros confiadamente la liberación de Jerusalén.

— *Dieu le veult!*

La alocución de Urbano se vio interrumpida por este grito. Un hombre de elevada estatura y de pelo canoso se había levantado encima de la multitud, en lo alto de los cimientos de una casa en construcción. Su voz se alzó entre la gente y extinguió las débiles palabras del Pontífice.

— ¡Dios lo quiere!

La muchedumbre, impresionada por el impacto de esta exclamación, cogió un vestido talar de color rojo, y con sus dagas comenzaron a cortar tiras de tela roja; toscas manos de hombre formaron cruces con ellas y las fijaron sobre sus túnicas...

Urbano contemplaba el mundo y aquel mar de gente que se extendía a sus pies; transcurrieron largos minutos antes de que reemprendiese nuevamente la misa solemne. Nadie, ni siquiera los que estaban más cerca, pudo entender aquella palabra que, con acento metálico dejaron escapar sus labios. Hizo una señal a Gregorio, el primer escribano, que estaba justo al lado de la tribuna. El cardenal subió un par de peldaños en la escalera de madera; el Papa Urbano extendió ahora los brazos; parecía como si la muchedumbre se hubiese tranquilizado por unos momentos.

— ¡Franceses! ¡Dios lo quiere! El Señor quiere que toméis vuestra cruz y, como vuestros padres, salgáis para aniquilar a los infieles... Marchad hacia el Oriente... pero no marchéis en plan de pequeñas escaramuzas, sino de una gran batalla... no en número de mil, sino de diez mil, de cien mil... marchad, pero con el alma purificada. Quien derrame sangre debe haberse purificado antes con la sangre del Cordero; las lágrimas del arrepentimiento deben purificar vuestras almas, hermanos míos, la lista de vuestros pecados; repasadla todos vosotros, los que estáis aquí reunidos, cardenales, obispos, abades, servidores de la Iglesia, marqueses, duques, príncipes, barones, caballeros, guerreros y ciudadanos... Vosotros, hombres de este mundo, debéis reconocer ante Dios, todos vuestros pecados y debéis arrepentiros de ellos y acusaros, como el reo sentado en el banquillo de los acusados.

»Yo pecador...

El Papa permanecía de pie en lo alto de la rústica tribuna oratoria. Los brazos extendidos. Allí abajo quedaban arrodillados los presuntuosos, los vengativos, los orgullosos, los soberbios, los verdugos, los ambiciosos, los libertinos, los duelistas, todos con sus simples cruces de tela, el rostro pálido y todo su cuerpo estremecido por la emoción. Allí estaban arrodillados los poderosos del mundo aguardando aquella palabra que habría de perdonarles sus pecados, la palabra de la absolución. Aguardaban porque en estos momentos tenía que ocurrir un milagro; todos, absolutamente todos se daban perfecta cuenta de que sus almas sanaban y de que la Iglesia, desde el principio de su existencia, nunca había conseguido una victoria tan brillante como esta. Durante mucho rato se oyeron las voces de «mea culpa» y Urbano seguía allí de pie, en silencio, los brazos extendidos sobre la multitud, y su mirada fija en aquellos que, allí abajo, se habían arrodillado en el polvo y de cuyas filas habría de surgir el misterioso ejército de Cristo...

* * *

Pedro permanecía de pie junto al arco de entrada de Getsemaní y aguardaba la llegada de la procesión. Había llegado allí desde el monte de Sión y se había quedado junto a la muralla de la ciudad; tras abandonar el templo se había dirigido a las proximidades de la tumba de Absalón y de Zacarías en el valle Cedrón, para llegar hasta el monte de los Olivos. La procesión iba adelantando como una blanca e interminable serpiente; eran cuarenta mil los que mañana debían librar el postrer combate.

Ahora veían muy de cerca los rostros de los infieles. Levantando sus miradas hasta los bastiones podían contar los ingenios bélicos de los defensores. Las flechas no podían alcanzarlos, pero de vez en cuando una catapulta lanzaba desde lo alto una gruesa bala de hierro. Dos o tres peregrinos caían al suelo rociados por su propia sangre; se les colocaba a un lado del camino, mientras los otros entonaban nuevos himnos; himnos que no habían cesado un solo momento desde la mañana. Desde el mes de marzo vivían aquí, bajo las murallas de Jerusalén. Era ya el cuarto mes en el que sus cuerpos se consumían bajo los rigores del verano. Los miasmas procedentes del fondo del valle causaban entre ellos notables estragos. El Jordán era ancho, su lecho estaba casi completamente seco; ¿cómo era posible que las fuentes de Siloé procuraran el agua necesaria para tantos hombres y animales? El agua era más cara aquí que el mejor vino en las Galias. Tenían que ir a buscar la madera necesaria para levantar las máquinas de asedio tan lejos como Salomón, en su día, tuvo que mandar ir a buscar los cedros necesarios para levantar su templo. Las embarcaciones anclaban en Jaffa. Eran genovesas.

Durante un par de semanas dispusieron de los alimentos necesarios; habían traído vino, herramientas y cuerdas. Ante ellos se levantaba Jerusalén, rodeada de sus orgullosas murallas. Encima de sus baluartes hacían guardia los colosos del sultán egipcio; el templo era un gigantesco cuartel; por sus vecindades y alrededores no se advertía la presencia de ningún cristiano; la ciudad aguardaba refuerzos procedentes de El Cairo.

Las alocuciones de los ermitaños llenaban de profecías el mundo de los cruzados. Los ayunos se seguían ininterrumpidamente.

Pedro vivía reducido a un estrecho círculo de la realidad, en un pedazo de tierra ancho como una mano, ayunando constantemente y agobiado por las apariciones. Recordaba todo lo ocurrido. Los príncipes le mandaban a buscar y le pedían consejo.

— Tu palabra sabe sembrar el entusiasmo entre el ejército, Pedro — le decían inclinando respetuosamente sus cabezas ante él.

Pero nada ni nadie podían convencerle. Todo lo que pedía a sus amigos de este mundo era un puñado de higos y un trago de agua; él no quería ser el rey de la tierra de David; no ansiaba nada; sólo quería cumplir sus votos.

Mientras contemplaba ahora aquella interminable y blanca serpiente de personas, que iba acercándose hacia él, cuyas almas había reconfortado pocas horas antes del asalto final, sintió renacer en su interior un profundo sentimiento de amargura. La fiebre le consumía; el fuego sagrado que le alentaba estaba próximo a extinguirse. Los pensamientos sobre la ciudad de Jerusalén le causaban gran aflicción y tormento; no hacía más que pensar en esta ciudad que mañana habría de ser pasto de la sangre y del fuego sin que — tal como él había deseado — se abriesen sus puertas para dejar paso a un ejército capitaneado por él, llevando en la mano el viejo cayado de pastor.

Arnoulf de Rohes se inclinó ante él.

— Nuestro señor pide que te dirijas a los cruzados y disipes sus dudas. Diles que, en sueños, has oído voces proféticas anunciando que mañana, a esta misma hora, la ciudad de Jerusalén será nuestra...

Buscó los signos que hacía años había grabado en la corteza del olivo. La cruz había subsistido, pero estaba cubierta de musgo. Contemplaba esta cicatriz en el arból, y contemplaba también a la muchedumbre que iba avanzando; los sortilegios sobre los bastiones habían enmudecido, porque también ellos debían pasar la noche en vela. Su mano palpó aquel signo y Arnoulf de Normandía se inclinó sobre él y lo estuvo contemplando unos instantes como si de un símbolo se tratase. Miró ahora a Pedro de Amiens a la cara y vio cómo el fuego iba consumiendo paulatinamente sus fatigados ojos.

—Ve, Pedro... —le dijo en tono alentador, porque veía que su amigo, el eremita, se encontraba oscilando entre dos mundos, el terrenal y el celeste. Las visiones habían agotado su alma, y ahora comenzó a temblar como presa de una grave fiebre. Se encontraba frente a una encrucijada. Veía avanzar las bandera, y sus oídos percibían las graves detonaciones de los cañones y arietes. Empuñó su bastón, su único confidente durante todas las peregrinaciones y viajes.

Se dirigió hasta sus huestes y extendió los brazos. Con un gesto abrazó la ciudad y las fatigadas banderas del ejército.

—Hermanos... —comenzó a decir como en un sollozo.

Quizás ni él mismo sabía por quién lloraba, si por la ciudad, o por aquellas almas que marchaban a la muerte...

PARTE SEGUNDA

LOS COMNENO

I

Teodoro Pródromos, el abatido y siempre contrariado poeta, permanecía de pie desde las primeras luces del alba, temblando de frío, frente al monasterio.

La gente con espíritu, pensaba para sus adentros: «Han abandonado las aulas de estudio; de las academias no queda ya más que el nombre.» El correr de la vida cotidiana había borrado los recuerdos también en Bizancio. ¿Quién se acordaba todavía de la princesa Ana, que quería proclamarse emperatriz, en lugar de su hermano, más joven, el emperador Juan, cuyo mandato podía calificarse de magnífico? Desde entonces su tranquilo reino es el monasterio, donde recibe a poetas, filósofos y eruditos.

Ana se ha mostrado benigna con Pródromos.

Le ha rogado su presencia en aquella jornada en la que, por deseo de la emperatriz, tiene que abandonar su tranquila mansión para visitar el nuevo monasterio que ha de bendecir el patriarca. Hacía apenas una semana que lo había venido a buscar el primer servidor del emperador, el señor Axouch, esa persona extraña de ojos de águila, hijo de un príncipe mahometano del desierto que, de niño, había llegado a Bizancio en calidad de rehén, habiendo sido educado aquí como amigo de máxima confianza, como hermano del emperador Juan. El gran doméstico fue al encuentro de Ana a la hora del crepúsculo, y estuvo conversando media hora con la princesa. Los monjes, siempre en vela, oraban para expiar los pecados de los curiosos y no querían enterarse de lo que habían hablado entre sí Ana y el señor Axouch. Desde el atardecer Ana dejó de escribir en su libro. No comenzó ninguna página nueva; no tomó tampoco ningún apunte ni añadió una sola letra a su obra, a la que había dado el nombre de Alexias, según la vieja epopeya. Sastres, orfebres y vendedores de aromáticos perfumes volvían a visitar sus aposentos; aquella extraña señora iba a aparecer nuevamente en público, de una forma digna y entre las otras princesas, con ocasión de las fiestas de Nuestra Señora.

Axouch había traído a Ana un mensaje de Irene, la emperatriz nacida en un país lejano y que, en su infancia, había llevado el nombre de Piroschka.

Ana se acordaba de Irene, del día en que su padre, Alexios, había conducido de la mano, a través del gineceo, a esta muchacha de estatura más elevada que las mujeres de los Comneno, cuya cabellera se soltaba formando dorados bucles y que hablaba un latín áspero, lenguaje en el que el emperador prefería dirigirse a ella. Desde aquel día había pensado muchas veces dónde se debía encontrar Irene, la muchacha extranjera de Hungría, aquella terrible mañana en la que su padre, el gran emperador Alexios, yacía en el lecho de la agonía. Todos se habían reunido en la antecámara: Juan, el hijo, ella, y la madre, la fiel esposa desde hacía decenios. ¿Dónde estaba Irene cuando Juan, en compañía de todos, se acercó al lecho del agonizante, se inclinó sobre el padre moribundo y tomó de su dedo el anillo que en aquel momento tenía tanto valor como todo el imperio?

Este recuerdo lo conservaba imperecedero en su mente, a todas horas, todos los minutos de su existencia. Constantemente revivía su ignominia y vergüenza. Pero no recordaba a Irene; ella no sabía en qué grupo se encontraba de entre las personas asistentes al duelo; ni tampoco sabía si había llorado a su suegro o si había seguido a su esposo a la Hagia Sofía. Hacía muchos años que Ana no había vuelto a ver Bizancio, ni tampoco la capital. El gran doméstico le comunicó que los palanquines de la corte la irían a buscar para conducirla a la orilla del Cuerno de Oro, donde ya debían aguardar la corte, las órdenes monacales y los altos dignatarios. El sitio de Ana estaba allí, entre los nacidos en la púrpura. Usos y costumbres ancestrales prescribían la longitud de su túnica, la anchura de la tira de púrpura, el rojo de las mejillas, los adornos de la cabeza, las reverencias, las palabras y las sonrisas; todo de un modo preciso y exacto. Quizás prescribían también las oraciones.

Llegaron los palanquines de la corte. Ana permanecía de pie en la puerta de su morada. Su mirada buscaba a Pródromos, el fiel y viejo amigo, en cuya mirada encontraba siempre refugio. El poeta estaba esperando ya, revestido con su única túnica nueva; sus espaldas se apoyaban en la pequeña puerta. Unos minutos antes había estado bromeando con los aguadores y criados, y hablando con los mendigos que ocupaban la puerta de entrada. Pensaba en la mesa de la corte dispuesta para después de la consagración. Durante la comida también él tenía que hacer uso de la palabra para ensalzar la piedad y bondad de la emperatriz, porque así lo exigían los usos y costumbres de la corte y también porque Ana le había suplicado que, de esta forma, agradeciese la invitación que Irene le había hecho, para asistir a su fiesta.

Irene pasó toda la noche en vela en el monasterio. Estaba intranquila y no se movió de la capilla. Era como si con esta obra grandiosa hubiese saldado todas sus deudas con Bizancio, con este pueblo que la había considerado siempre como una persona extraña. Parecía estar escuchando las observaciones jocosas y cínicas de los cortesanos y contemplando las miradas frías y despiadadas que no perdían de vista ni un solo minuto a aquella figura femenina que, revestida con su ropaje de princesa, iba a pisar por vez primera el suelo de mármol del crisotriclinio para arrodillarse ante Alexios. Guardaba un gran parecido con su padre Lászlo, de elevada estatura y con una cabeza mayor que la de cualquiera de los caballeros de su corte. Ella había heredado su figura; revestida con su larga túnica parecería, entre la gente griega de escasa estatura, una reina salida de las antiguas sagas. También el color de su cabello era distinto; se diferenciaba fundamentalmente de las cabelleras negroazuladas y de los bucles de las princesas de los pueblos eslavos y alanos... Pero todo ello formaba parte de las frivolidades y banalidades del pasado. Hoy, el mundo se hundiría a su alrededor; pensaba en su fundación, agradable a los ojos de Dios, por la que, quizás durante siglos, habría de perdurar la memoria de una emperatriz amable y buena, oriunda de un país lejano.

Ella conocía el monasterio bizantino, esa morada tranquila y bien cuidada en la que residían mujeres de noble cuna, cuyo régimen de vida se regía, aunque en escala reducida, por las normas de la vida de la corte. Ofrecían recepciones, recibían a viejos amigos, danzaban y tejían manteles y colchas de seda en los que, con la aguja, inscribían el nombre de personas queridas. Pero lo que Irene pretendía no era un monasterio de este tipo. Había abandonado Hungría cuando era una muchacha, pero su alma guardaba todavía recuerdos de aquel país que un día fue su patria, y recordaba también los aires de nobleza y heroísmo que se esparcían por todos los territorios de Lászlo, su padre.

El monasterio era su obra. Había mandado construir un hospital y los que trabajaban con ella, le ayudarían a cuidar a los enfermos y a hacer colectas en su favor.

Había mandado buscar médicos. En Atenas existían todavía algunas escuelas, pero había dejado ya de confiar en los que aprendieron en tierras árabes. Así deseaba que fuese su obra, y el patriarca podría consagrar hoy el Pantocrator-Monasterio.

* * *

Era la primera vez en muchos años que Ana e Irene volvían a verse.

Se miraron mutuamente con curiosos ojos de mujer. ¿Qué había sido de aquella Ana, en otro tiempo tan altiva, porfiada y soberana, cuya mano se había extendido ambiciosamente hacia la corona de Alexios? La vida era una jornada única: incluso para aquellos que habían tratado de rebelarse. Contaba a la sazón treinta y cinco años de edad y desde entonces no había tenido más relaciones ni contactos con el mundo exterior.

El diálogo relajó la tensión; ambas tuvieron que secarse unas lágrimas de sus mejillas, después de que Irene hizo levantar a Ana, que se había arrodillado ante su presencia, para luego permanecer estrechamente abrazadas unos instantes. También Ana respetaba a la antigua Piroschka y escuchaba sus palabras que, ahora, apenas tenían acento extranjero. Sí, Irene había aprendido mucho, muchísimo, en el transcurso de estos diez últimos años...

— Te agradezco mucho, Ana, que hayas venido. Desde la última vez que nos vimos todo ha cambiado enormemente. Los niños se han hecho ya mayores; pero tú sigues siendo la querida Ana de siempre.

— He venido por ti, Irene. Es la primera vez que he salido en muchos años. Me he enterado de que habías mandado construir un monasterio y de que has querido cercar con muros la paz de tu corazón. También yo amo la tranquilidad...

— ¿Está terminado ya el libro sobre tu padre? ¿Podré algún día llegar a tenerlo en mis manos y leerlo?

— Tú eres más joven que yo. Dime entonces, ¿por qué piensas que no vas a llegar a tiempo?

— Los hijos crecen y cuando son mayores no necesitan a su madre. En el palacio perdura todavía el recuerdo de Ana Dalassena, tu abuela. Fue una gran dama, una verdadera soberana. El más joven de mis hijos, Manuel, estudia Historia romana.

— ¿Dónde están tus hijos?

— Los tres mayores han acompañado al emperador a su puesto de guerra. Sólo se ha quedado aquí el más jóven, Manuel.

— Me gustaría hablar con Manuel. Dile que puedo explicarle muchas cosas de Dalassena. ¿Cuántos años tiene ahora tu hijo, el más joven?

— Trece.

— ¿Te acuerdas todavía de tu padre?

— Cuando veo a Manuel... me acuerdo de que cuando estaba entre los caballeros su cabeza sobresalía entre todas las demás.

— ¿Le has explicado a Manuel muchas cosas de él?

— ¿No es un pecado, Ana, dejar de guardar los recuerdos una vez se ha extinguido el nombre?

— Manuel ha nacido en la púrpura. El hijo más joven... ya es mayor, y quizás, dentro de unos años, será el gobernador de provincias lejanas. Tú hablas con él de tu padre e infundes nostalgia en su corazón... El niño crece y comprende muchas cosas de sus dos abuelos, Alexios y Lászlo. En ellos pensará Manuel cuando se encuentre en lejanos campos de batalla. Soñará con la corona y las sandalias de púrpura.

— Manuel es un muchacho alegre. Ama a sus hermanos; entre mis hijos la envidia es algo desconocido. ¿Por qué motivo ha de pretender Manuel la corona de su hermano Alexios cuando su padre cierre los ojos por última vez?

— Me han dicho, Irene, que el favorito de Juan es su hijo menor.

— Esto son habladurías, Ana; habladurías como las que corren siempre en palacio. Vuestra raza es, por voluntad del Señor, más vigorosa y fuerte que la nuestra. Las personas se hacen ancianas. Es posible que Juan viva todavía muchos años. Su sabiduría le dictará la forma más oportuna de repartir su poder entre los hijos.

— ¿Eres sincera, Irene?

— Me dirijo a un hospital, al lado de los enfermos y al lado de las mujeres en estado de buena esperanza. ¿Por qué quieres ahora sonsacar, Ana, lo que permanece oculto en lo más profundo del alma? ¿Cómo puede una madre renegar de uno de sus hijos para ensalzar a otro?

— Tú, Irene, educas clandestinamente a Manuel para emperador. Ésta es la verdad. Cuando un muchacho es educado de esta forma, siente y conoce muchas cosas, y es imposible que olvide algún día lo aprendido. También yo fui educada, como tú sabes, para este alto cargo antes de que naciera mi hermano menor. Tampoco yo nunca he podido olvidar jamás lo aprendido. Por eso temo por el menor de tus hijos. Cuando Juan muera, Manuel pretenderá la corona. Todos los imperios tiemblan cuando se produce un cambio en el trono... Yo era entonces tan joven como lo es ahora tu hijo menor. Vivía entre libros, pero también en compañía de la guardia imperial; disparaba con el arco y montaba a caballo, pues nosotros, los Comneno, solíamos entonces visitar nuestras propiedades y todavía no estábamos tan convencidos de que Bizancio era propiedad exclusiva nuestra... pero posteriormente vino una avalancha humana procedente de tierras de Occidente. Todavía no habíamos visto hasta entonces algo parecido. Estos hombres levantaban piadosamente su vista al cielo, pero sus manos robaban y mataban. Y nosotros sabíamos que esta avalancha era la primera, y que después de ésta vendrían otras... sabíamos que después de los campesinos vendrían los caballeros y jinetes. Mi padre iba con ellos; dormía poco y negociaba sin descanso con los magnates del imperio. ¿Qué ocurrió? Si los moros no pudieron resistirlos, ¿crees tú que se puede negar la entrada a los cruzados, que vienen en nombre de Cristo?

— Pero, ¿de quién estás hablando tú ahora?

— Era un hombre alto y delgado; no llevaba consigo ningún arma y no estaba investido tampoco de ninguna dignidad terrenal. Su nombre era Pedro. Fue el verdadero propulsor de la avalancha. Con él marchaba el pueblo desarmado; levantaron sus tiendas ante los muros de la ciudad. Mi padre sólo permitió la entrada a los jefes. Fue entonces cuando vi a Pedro. Teníamos mucho miedo... ¿Qué ocurrió cuando esta gente se volvió contra nosotros?

— De haber vivido mi padre, seguramente que se hubiera puesto a la cabeza de los jinetes y caballeros.

— Me acuerdo exactamente de los caballeros. Venían acompañados de un gran séquito; ostentaban nombres muy largos y títulos extraños. Fue entonces cuando por primera vez vi a un caballero de Occidente. Bohemundo pasó por delante de la muralla.

— ¿Vino con Tancredo?

— Las galeras de Tancredo navegaban todavía por el mar. Bohemundo vino para hablar con mi padre; hacía tres días que el ejército no tenía nada para comer. De todo esto hace muchos años, Irene; no comprendo cómo ahora todo se me ha vuelto a la memoria. Cuando el famoso caballero levantó la vista hacia la ventana y me vio, sonrió, levantó su casco y saludó al estilo caballeresco. No podía saber que yo era la hija del emperador... Me miró y se llevó la espada a los labios.

— Te ruego que permitas a Manuel venir a tu presencia. Explícale cuanto sepas del mundo de hace unos años. Tú comprendes mejor que yo el lenguaje del gran mundo.

— También tu hijo conoce ya el lenguaje del mundo, como conoce también el lenguaje de los francos occidentales.

— ¿Cómo lo sabes tú, Ana?

— En palacio las paredes oyen. En palacio se sabe también que tú hablas con Manuel en el lenguaje de tu padre.

— Sí; te suplico que hables con mi hijo; te lo mandaré siempre que quieras.

* * *

El anciano abandonaba su aposento sólo en contadísimas ocasiones. Encerrado entre sus cuatro modestas paredes conocía perfectamente su pequeño mundo, el jardín, los bancos, los arbustos. Esta mañana, en atención a la emperatriz, había visitado a su hermana. Le acompañó hasta allí uno de sus servidores; despidió a su acompañante y siguió caminando hacia delante, con paso firme y seguro; vestía una extraña túnica, se tocaba la cabeza con un gorro y llevaba un espadín en el cinto. En Bizancio los cortesanos se apartaban de los ciegos; la existencia de un ciego era cien veces miserable; se les negaba el derecho a la vida y se les desposeía de la descendencia. Pero este anciano de elevada estatura y de cuerpo bien conformado era un hombre lleno de dignidad; sólo que era ciego. Alguien le tendió la mano al llegar ante la puerta. El anciano se detuvo y su mano derecha acarició amablemente las mejillas de la persona que tenía ante sí.

El muchacho estaba frente a su tío; quería acompañarle él mismo a la capilla, pues era aquél un viejo guerrero por el que sentía profundo respeto.

— ¿Eres tú, Manuel, hijo mío?

Se le contestó en un lenguaje extraño; era una palabra que había aprendido de su madre. Manuel le tomó por el brazo.

— ¡Álmos, tío!

Toda la corte estaba allí, como en las festividades solemnes. El emperador se encontraba en Asia Menor. La emperatriz desempeñaba la regencia, y, ahora, todas las dignidades y honores le correspondían a ella. El ciego no pudo ver cómo toda la corte se inclinó a su paso. ¿Acaso se habían inclinado respetuosamente ante él o ante el muchacho? Se sacó el gorro; distinguía perfectamente el aroma del incienso; tenía que atravesar ahora el umbral de una puerta. En sus oídos resonaba la exclamación: «¡Álmos, tío!»

El anciano tenía buen dominio de sí mismo. Ni una sola lágrima se había asomado a sus ojos muertos, que hacía ya muchos años habían visto por última vez el rojo del hierro incandescente, una imagen que perduraría eternamente en su memoria. Un niño, un muchacho, el pequeño Béla, rompió a llorar, y él tuvo que seguir caminando por aquellas sendas rocosas que, desde Panonia, conducían a Bizancio.

...Así vivía Álmos. El sentimiento de venganza se había ido extinguiendo paulatinamente; los recuerdos se habían ido transformando. Años. También ahora acudía a su memoria el recuerdo de aquel momento en el que, por vez primera, aspiró el aire y el olor característico del mar. El caballo que había traído de Hungría levantó la cabeza, olfateó; el aire era salado; hombres extraños, gentes extrañas, se dispersaban en el viento.

Piroschka fue la primera que le dirigió la palabra.

— Piroschka — le dijo obstinadamente una vez estuvieron solos, como entonces, en el hogar.

Piroschka ofreció a aquel perseguido algo más de lo que él esperaba: la paz. Alguien llegó hasta él para decirle: «tu hijo, Béla, vive todavía, entre amigos; cuidan de él unos piadosos benedictinos.» Él era ciego, pero era un hombre... Ciego, pero hombre, pensaba mientras comenzaba a orar en medio de aquel ambiente plagado de incienso, mientras doblaba sus rodillas. Alguien le acercó el reclinatorio, extendiendo sobre él un cabo de su capa y colocando también la gorra en su mano. Ahora piensa en Béla, su hijo, que quizás es un poco mayor que este muchacho que está a su lado, Manuel, que lleva en sus venas sagre del rey Lászlo. Piensa en Béla, su hijo; es ciego, pero es un hombre.

* * *

— ¡Nosotros, los Comneno, somos pocos!

— ¿Por qué dices esto, tía?

— Nos hemos exterminado los unos a los otros. Sólo quedamos un par. Aquellos que no han recibido ninguna corona ni ninguna diadema, se sublevarán, serán vencidos y desaparecerán para siempre.

— ¿Por qué me cuentas todo eso, tía?

— Tú eres el más joven de los hijos de tu padre. Pero nadie conoce el camino del destino ni el ánimo de los hombres. Por eso hablo contigo. Vosotros sois los primeros Comneno, Manuel, cuya madre no lleva nuestra sangre en sus venas. Cierto que mi padre no había nacido todavía en la púrpura. Alexios tuvo que allanarse el camino con su propio esfuerzo. Pero Dalassena era griega y los Dukas eran griegos. Tu madre, Manuel...

— ¿Por qué te preocupas tanto de mi madre, tía Ana?

— Yo quiero mucho a Irene. Es una mujer piadosa, bondadosa. Ayuda a los oprimidos. Hace venir médicos de tierras lejanas. Pero ayer vi cómo hablaba con el hombre ciego. Su mirada era apacible, y sus ojos estaban llenos de lágrimas. Hablaba en un lenguaje extraño... como si estuviese en su antiguo hogar. Ella era Piroschka.

— Yo he nacido aquí. Soy un Comneno. No hay raza superior a la nuestra.

— ¿No has tenido ocasión todavía de ver a los caballeros francos que han llegado aquí procedentes de Occidente o del norte?... Gobiernan países enteros de los cuales nadie ha oído hablar... ¿Los has visto? Son altaneros, pintan cuadros en sus escudos y se aprecian excesivamente a sí mismos. Son groseros, bastos e ignorantes. Dicen palabras muy duras. Los intérpretes también traducen las palabras soeces de estos bárbaros.

— ¿Quién de nosotros sacrificaría su propia vida para expulsar a los paganos de Palestina?

— No puede haber sido Pródromos quien te haya hecho pensar y hablar de esta forma, Manuel.

— Tú, Pródromos y los presbíteros odiáis a los latinos. Pero yo los he visto y me he dado cuenta de que son valientes y cultos.

— Manuel, nosotros vivimos aquí, en el Bósforo. El mundo que se extiende hacia Occidente es grande, pero no infinito. Allí viven gentes que se han ido multiplicando y fortificando y que se han dado el nombre de pueblos. Nosotros les cobramos tributos, y a estos tributos se les da el nombre de donativos. Nos ofrecen princesas como mujeres.

— Yo les he visto pelear. Montan sobre sus caballos de otra forma, y empuñan también sus lanzas de otra forma, sin fintas.

— Todavía eres un niño, Manuel. Están envolviendo con sus redes a Bizancio, que ahora tiene que luchar para defender su existencia.

— ¿Les odias?

— No. Pero conozco muy bien el orgullo y soberbia con que visten sus cascos y corazas; vienen con caballeros armados procedentes de los más diversos y extraños países. Son bárbaros, pero tienen algo especial. Me recuerdan a los niños malos que poco a poco se van domesticando...

— ¿Y no podríamos firmar con ellos un tratado de paz?

— Sí. Cuando quieras borrar de tu recuerdo el Kyrie Eleison. Y todas las palabras que has aprendido en el lenguaje de tu padre. Cuando quieras rebajarte y mandar legados al obispo de Roma... cuando abras las puertas de Bizancio y mandes cortar la gran cadena que está tendida entre las torres de Damalis y Manganis y que cierra el estrecho. Cuando les permitas el paso en el Cuerno de Oro. Si les das princesas, si les abres las cámaras del tesoro y les ofreces una espléndida paga, quizás entonces, quizás, Manuel, firmarás con ellos un tratado de paz. Pero, ¿estás seguro de que te respetarán? ¡Quién puede saberlo, hijo mío!

— Yo aprendí los nombres de las provincias tal como los determinó Augusto.

— Esto es un sueño. ¿Qué sabes tú de todo eso si todavía das el nombre de Panonia o Dacia al país de los magiares?

El muchacho se levantó. Era alto y delgado. Un Comneno, y sin embargo, un extraño.

— Tú dices, Ana, que mi padre extendió su mano sobre mi cabeza. Si fuera el emperador rompería estas murallas. Quiero marchar a Italia; quiero llegar hasta allí, donde, desde hace mil años, no ha habido ningún verdadero emperador. Y quiero ver el Danubio... allí donde desemboca en el mar. Y quiero ver también la patria de mi madre.

— ¿Y no tienes miedo, Manuel, de que te esté acechando alguno de los latinos?

— No temo a los caballeros.

Ana, que estaba recostada en un lecho, se incorporó. En su rostro se había dibujado una sonrisa, la célebre sonrisa encantadora de Ana Comneno.

— Es un lástima, Manuel, que mi reloj corra tan deprisa. Nunca podré ver lo que ocurra contigo. Todavía en Nápoles los presbíteros pronuncian el nombre de tu padre en sus rezos. Cuando seas emperador, Manuel, sabrás que hay cuatro partes del mundo y que Bizancio se ve amenazada por enemigos de las cuatro partes del mundo. Todo lo que ocurre, todo lo que pasa, es por voluntad del Señor.

— Si fuera así no hubiéramos tenido que levantar estas murallas...

— Sólo el alma es inmortal, Manuel...

— Tengo que pensar en la patria de mi madre. Es posible que allí se haya extinguido nuestra raza; en tal caso podría yo ser el rey de Panonia...

— Sueños infantiles, Manuel.

— Yo escucho al ciego.

— ¿Y qué es lo que te explica?

— Él habla de su hijo, el último vástago de su familia. Lo tienen recogido unos monjes. No sabe si han respetado el derecho de nubilidad del muchacho.

— Un príncipe ruso me habló de un descendiente de la casa de tu madre, que allí, en el Oriente, come el pan de la caridad. ¿Has oído hablar de él?

— Se llama Boris. Cuando le pregunté al ciego por él, agarró con violencia la empuñadura de su espada. Hubiera sido el hijo del terrible Kalman si su madre, la rusa, no le hubiera hecho nacer en la deshonra. El padre de la madre era el piadoso príncipe Monomacos. ¿No es curioso, Ana, que seamos tres los que piensan en aquel país? Álmos, el ciego, es el mayor. Boris tiene casi su misma edad... yo soy el más joven. En Bizancio no tengo nada que buscar. Creo más bien que debería partir hacia Panonia en cuanto muera allí el rey...

— ¿Y abandonarías el imperio?

— ¿Acaso no bastaría una sola palabra desconsiderada para verme luego obligado a vivir eternamente ciego, como Álmos? ¿A qué sitio mejor puedo ir que a la patria de mi madre?

— Tu padre piensa en ti. Seguramente ya ha elegido también una mujer para ti.

— ¿Es que acaso sabes algo de todo eso? Los eunucos, ante mi presencia, hablan misteriosamente.

— Algunos rumores han llegado hasta mis oídos... Algunos legados han partido hacia Occidente.

—¿Se dirigen a la tierra de los latinos?

—También tu madre procede de tierras latinas. El sueño de todas las princesas occidentales es conseguir la mano de un nacido en la púrpura.

—¿Conociste tú a los caballeros, tía Ana?

—Los vi cuando llegó la avalancha humana. Vi quizás más que muchas otras personas; y vi también a mi padre desplomarse, fatigado, casi agónico, en su lecho de muerte, porque desde la mañana hasta el atardecer había tenido que soportar sus discursos altisonantes. Mi padre los odiaba y aborrecía; eran unos pobres locos, toscos, y no conocían el Logos.

—¿No sabes tú, tía Ana, lo que hubiera hecho yo entonces de haber sido el emperador?

—Tranquilízate y calla, hijo mío... las paredes oyen...

—Hubiera procurado aprender de estos caballeros. Me gustaría conocer sus secretos, Ana.

—¿Sí?

—Son hombres. Están solos y sólo ellos son el ejército. Me gustaría mucho parecerme a ellos. Es como tú dices, Ana... Yo veo el imperio. Lo veo todo tal como lo enseñan los maestros. Sin embargo, a veces es muy bueno estar solo y desear marchar también solo contra Jerusalén.

Una monja llamó a la puerta.

—Han mandado del palacio un mensaje de la augusta emperatriz. Manuel, el señor nacido en la púrpura, tiene que regresar. Se trata de una noticia de su padre.

Ana se levantó; parecía como si los años no pasasen sobre ella.

—¿Tienes miedo, Ana?

—Desearía que ciñeses la corona.

—Ahora soy yo quien te ruego, tía, que hables bajo. Las paredes...

—Ve al lado de tu madre. Quienes conocen tu horóscopo dicen que tú has nacido bajo el signo de las mujeres. Según la ley de las constelaciones, durante toda tu vida mujeres velarán por tu destino.

II

El genovés descendió lentamente de la cofa de la embarcación. Buscaba ansiosamente con la vista al presbítero que había vivido largo tiempo en Italia, y con el que podía entenderse perfectamente.

— Páter, desde allí arriba pueden distinguirse, a mucha distancia, unos pequeños puntos de luz. Aquí el mar de Mármara es rocoso. Siguiendo vuestros deseos, esta tarde, al anochecer, echaremos el ancla y mañana por la mañana, si Dios quiere, llegaremos a la ciudad.

— Es tu nave; tú sabes gobernarla mejor que nadie.

— Si ponemos las velas, el viento nos llevará a la ciudad esta misma noche.

— Antes hemos de mandar un mensaje.

— Hemos advertido ya señales en la orilla. Corren centinelas con luces. Ya la pasada noche vi cómo unas antorchas corrían de una mano a otra. Hoy ya lo saben en Bizancio. El emperador y la corte saben que ha llegado la señora. Quiero dirigir la nave hacia la orilla. Di tú a la condesa que dentro de unas doce horas podrá ver las murallas de la ciudad.

La embajada, que acompañaba a la novia, estaba formada por clérigos, cortesanos y caballeros. El espacio, dentro de la embarcación, era muy reducido. Los paquetes rellenaban la gruesa panza de la nave. El mar estaba liso. Habían aguardado el equinoccio y sólo se habían embarcado en Génova en el momento en que, según la experiencia de los viejos, ya no era de esperar ninguna tormenta. El barco era un vehículo potente y seguro, y el propietario firmó el contrato. Contaba ya con que la embarcación no regresaría jamás a la ciudad. Quería permanecer al lado de la señora, que pagaría a sus siervos a peso de oro. Ya no era joven y había visto mucho mundo. A los daneses les había traído de Irlanda esclavos, sedas y ovejas. Ahora conducía a una princesa y a su corte a Bizancio. Había observado la presencia de algunas sombras en la mirada de la joven marquesa Berta cuando, al caer el crepúsculo, se había dirigido al timón de la nave; sentóse a su lado en un banco y se inició una conversación. El diálogo resultaba algo difícil. Ella hablaba un latín al estilo teutón... Él sólo podía responder en el lenguaje de su país; tenía que hablar con lentitud y claridad para que la doncella pudiera comprenderle. Por esto su conversación era de pocas palabras. Le enseñaba las estrellas, la corriente del mar, los peces voladores y los contornos de las islas lejanas.

— ¿Tienes hermanas, señora? — le preguntó un día al atardecer.

— Mi hermana mayor es la esposa del emperador. Atrás, en el castillo, han quedado mi hermano menor y dos hermanas.

— Estarás mucho tiempo sin verlos...

— ¿Acaso volveré a verles alguna vez...?

— Quién sabe, señora, todo depende de la voluntad del Señor... ¿Has pensado ya alguna vez, como muchacha joven que eres, que te diriges a Bizancio para convertirte en esposa?

— Conrado así lo quiere...

— ¿Es él el rey?

— Es el rey de los germanos y, por eso, también emperador de Roma.

— Tú dices, señora, que él es emperador... Puede ser que esto pueda decirse allí... Allí donde él vive y hasta donde llegan sus ejércitos. Pero, nosotros, aquí, en Génova... ya conocemos dos. Tampoco los venecianos suelen nombrarlo ante el altar.

— ¿Pues a quién reconocen, entonces, como emperador?

— A aquel a quien dentro de una semana habrás visto ya. Este emperador dice también que es el señor de todo el mundo. Lo mismo dice el soberano árabe de Córdoba, y también el que domina y gobierna en una ciudad llamada Bagdad. Y es posible, señora, que hayan otros muchos con estas mismas pretensiones, a quienes, sin embargo, nosotros no conocemos siquiera. También las gentes de las distintas partes del mundo tienen sus soberanos... ¿Cómo se llama tu prometido?

— Manuel...

— ¿Un hijo del emperador?

— Sí. Del emperador Juan.

— ¿Será el sucesor de su padre, cuando éste muera?

— Es el cuarto hijo.

— A mi modo de ver esto no tiene demasiada importancia.

— ¿Y por qué, maese Juan?

— Hace ya mucho tiempo que estuve en Bizancio. Pero nosotros, los marineros, nos encontramos en los mares y en los puertos. Conocemos bien el curso y la evolución del mundo. Es un pueblo muy peculiar y que no agrada a los extraños. En Bizancio no es bien vista la mujer extranjera que calza las sandalias de púrpura. ¿Cuántos años tiene tu prometido, señora?

— Veinte...

— ¿Has estado esperándolo mucho tiempo?

— Cinco años.

Al día siguiente todo ha cambiado. La princesa ha salido a cubierta y contempla el mar. Sus manos acarician la borda, y su cuerpo se inclina encima de ella como si quisiera mandar un mensaje a los delfines. Ha traído flores de su patria... Para los nuevos jardines...

*   *   *

Juan Comneno tenía cuatro hijos. El mayor, Alexios, el heredero del trono, reinaba desde hacía un año conjuntamente con su padre y, desde que Juan le había concedido este alto rango, los presbíteros mencionaban su nombre en el curso de sus plegarias. El segundo hijo, Andrónico, era el soberano de provincias lejanas. El tercer hijo, Isaac, era conocido bajo el nombre de César, mientras que Manuel, en la época de su enamoramiento, era conocido por el senado romano bajo el título de «Sebastocrátor». Era, como sus hermanos, un nacido en la púrpura. La madre había dado a luz a sus hijos en el Sacro Palacio, precisamente en aquel aposento revestido de pórfido rojo, en el que, desde hacía tantos siglos, habían venido al mundo los príncipes y princesas de las distintas castas imperiales.

Si a Manuel le hubieran preguntado sobre el particular, él se hubiera considerado romano. Amaba el lenguaje de sus lejanos abuelos; lo dominaba completamente, aun cuando no con la misma perfección con que dominaba el griego. El silencio y el luto reinaban en el Sacro Palacio desde la muerte de su madre, la húngara.

El padre seguía pasando la mayor parte del tiempo con sus tropas. Cuando sus hijos deseaban verle o requerían su consejo tenían que irle a buscar a los campamentos militares. Manuel era el único de los hijos que todavía no tenía mujer. La familia era numerosa; las primeras familias del imperio se enlazaban entre sí. Su hermano Andrónico había tomado por esposa a una hija de Dukas, Irene, que llevaba el mismo nombre de pila que su madre y su abuela. Cuando se reunían era esta Irene la de más edad entre las mujeres, y era, por esa razón, la que tomaba asiento más cerca del trono desde la muerte de la madre de Manuel.

Manuel miraba desde la ventana del palacio Blacherne. Éste era la nueva residencia de los Comneno; lo habían hecho construir en sustitución del Sacro Palacio, excesivamente sombrío, viejo y poco acogedor. Al lado mismo de sus muros corría el agua alegre del Cuerno de Oro; el jardín estaba adornado con bellas iluminaciones y estanques. Manuel pensaba en si Berta sabía que había tenido que aguardar cinco años hasta que los legados de Aquisgrán y Bizancio hubieron llegado a un acuerdo. Tenía quince años de edad cuando, a través de Ana, tuvo, por vez primera, conocimiento de la existencia de aquella mujer; desde entonces, toda su entusiasmada existencia había girado en torno de la joven marquesa, y como que las discusiones no terminaban jamás, nunca pudo tener noticias de su lejana enamorada.

Durante estos últimos años hacía también acto de presencia en la cancillería de la corte; leía, redactaba cartas y las mandaba escribir de nuevo. Los debates entre los dos emperadores se referían principalmente a los héroes germanos armados, a cifras de cientos de miles de ducados, a una alianza con los normandos y a los intereses húngaros. Pero lo que más les preocupaba, sin embargo, eran títulos que ambos ambicionaban afanosamente; los dos estaban convencidos de que el emperador era el símbolo del poder universal en la tierra y que, por ello, no era posible que existiesen dos emperadores a un mismo tiempo. Sí... era sólo gracias a las palabras pronunciadas a la ligera por los legados por lo que todavía podían mantenerse unas relaciones muy precarias entre los dos emperadores. En el momento actual los ojos de todo el mundo se habían centrado en la persona del emperador de Bizancio. Todavía podía elegir cuidadosamente el clámide y la dalmática que se había de poner encima de la túnica de oro recubierta de púrpura. El barbero le esperaba, arreglaba de vez en cuando su barba, formaba preciosos bucles y rizos con sus cabellos y le ungía con aceite de nardos. Un servidor le probaba los zapatos nuevos, delicadas botas de tafilete que le llegaban hasta la rodilla... Alguien entró en el aposento; una sombra se proyectó encima de la límpida y lisa superficie del espejo de plata.

Andrónico tenía acceso libre al palacio día y noche y podía visitarle en cualquier momento. Él era su primo, un Comneno como él, habían crecido juntos y, en realidad, parecía que sus lazos de parentesco eran más fuertes que los que le unían con sus hermanos, hijos del mismo padre y de la misma madre. Andrónico era el más fuerte, el burlón, el infinitamente bello y elegante. Era el príncipe que jamás llegará a sentarse en el trono, el héroe de aventuras audaces, el amante voluble de las damas de palacio.

Envidia a Andrónico, está celoso, le aniquilaría de buena gana, pero, al mismo tiempo, convive con él y le da dinero. Ya a sus quince años Andrónico tenía fama de caballero atrevido y experto en las lides guerreras. Cuando Manuel contemplaba con mirada nostálgica a las mujeres de palacio, Andrónico había tenido ya varios hijos bastardos y tenido relaciones amorosas con todas las cortesanas del palacio, y es posible que, en más de una ocasión, hubiera irrumpido también en algún convento. De vez en cuando desaparecía durante semanas enteras.

Hoy, en esta mañana en que Manuel está aguardando a Berta, vuelve a hacer acto de presencia. Nadie le ha visto durante muchas semanas; Andrónico ha estado vagabundeando en algún lugar de la frontera búlgara. El emperador Juan no tiene confianza en los parientes; Andrónico le teme y juega el papel de los humildes.

— Tienes que madurar todavía — le dijo el emperador en cierta ocasión, cuando Andrónico le habló un día de Belgrado, del castillo que se levantaba junto al Danubio, cuyas azoteas dominaban las planicies húngaras...

Para los ojos de Manuel este primo es un héroe. Sus palabras son acerbas y satíricas; todos en la corte le temen. No hay en él un sólo ápice de verdadera piedad; las bellas del palacio ocultan sus rostros con velos ante su presencia, cuando Andrónico, hipócritamente, comienza a hablar de virtudes y pecados. Manuel no se ha alegrado precisamente de que su primo vuelva a hacer hoy acto de presencia, para honrarle, como él dice. Experimenta en lo profundo de su ser la indignación que hace presa en un niño cuando ve que van a estropearle su juego. Aquel huésped intruso, que se ha presentado de improviso, está de pie ante él, esbelto y apuesto, oliendo a aromáticos perfumes; es el «príncipe hermoso», que no tiene parangón en Bizancio. Pero, ¿es posible que Andrónico sea verdaderamente malvado? Contempla su túnica extravagante, cuyo corte constituye una verdadera afrenta a la etiqueta; es una túnica de la que sólo podrían tomar modelo la gente joven. Andrónico ha sido siempre creador de modas nuevas. Lleva un jubón corto, muy ceñido al talle, de color violeta; éste es su color preferido. El terciopelo se ajusta perfectamente a su figura perfecta; su capa es de seda, entretejida con fibras de oro; más que una prenda de vestir parece un adorno. El sol cae de pleno sobre su rostro; el polvillo de oro con que ha rociado su barba comienza a relampaguear; sus ojos sonríen.

— ¿Se han encontrado ya las embarcaciones en el Bósforo?

— Hemos de ir allí tan pronto como suene el gong de bronce. Hasta entonces serás mi huésped, Andrónico. Hemos de darnos prisa con la comida, pues, luego, la ceremonia durará todo el día.

— Ahora se te va a terminar la buena vida, Manuel; los hermosos días del Sebastocrátor habrán pasado ya...

— Es el tercer año que vives en matrimonio con Helena... y se dice que todavía no has envejecido.

— Yo soy, comparado contigo, una mota de polvo. Dime, Manuel, ¿qué ha sido de aquella tañedora de flauta que te llevaste contigo a la Villa Philopathion?

— Hemos de darnos prisa, Andrónico. La fiesta va a empezar. Alexios está allí abajo, en el patio, y las princesas comienzan también a reunirse. La tañedora de flauta... Mi cuñada Irene la mandó al destierro en mi ausencia.

— Sólo le gustan los poetas. No puedo decirlo de mí mismo. Hay otras formas distintas... rimas mucho más interesantes.

— ¿De qué clase de poetas estás tú hablando?

— De aquellos que viven en el desierto y que ignoran la escritura. Es allí donde viven los verdaderos poetas; se sientan alrededor de un fuego y cantan... pero de otra forma. Quien los ha oído alguna vez, ya no tiene ganas de volver a escuchar los cantos de Pródromo.

Se hizo un silencio que duró varios segundos. Seguidamente Andrónico prosiguió hablando; hablaba reflexivamente, en voz suave y baja:

— Dime, ¿vas a ser feliz con tu prometida?

— Mi padre me la ha buscado para mí. Los legados han informado diciendo que es hermosa.

— Si prestas crédito a sus palabras verás como no existe gran diferencia entre una boda y un funeral.

— ¿Acaso has venido para decirme eso? ¿Es que quieres burlarte de mí, precisamente en este día en que tengo que despedirme de tantas cosas?

— ¿Cómo puedes pensar que me he atrevido a burlarme de ti? ¿Quién puede saber la suerte que te reserva el destino? Quizás llegará un día en que me tendré que arrodillar ante ti para entregar al sacro emperador lo que le corresponde...

— Tengo tres hermanos mayores. Si alguno de ellos tiene un hijo, éste pasará también delante de mí. ¿Por qué me hablas de estas cosas?

— Sé que tu padre suele extender con frecuencia su mano sobre tu cabeza. Alexios tose, Andrónico sufre con frecuencia molestias cardíacas y la inteligencia de Isaac no es precisamente tan brillante como los rayos del sol. Todos nosotros sabemos esas cosas, no sólo tu padre.

— Me duele todo lo que estás diciendo. Por favor, déjame solo. Es necesario purificar el alma antes de que el cuerpo estalle.

* * *

La galera imperial aguardaba a la corte en el Dromo para salir al encuentro de la embarcación de Berta. La ley del nacido en la púrpura Constantino había determinado con precisión su orden de categoría, y era debido a esta misma clasificación que los miembros de la casa Comneno ocupaban el travesaño. Detrás de los familiares y de los altos dignatarios, los cortesanos. A la cabeza de la familia estaba Irene, la esposa de Andrónico, el segundo hijo del emperador. Era hoy la primera dama de la casa, y como tal, debía dar la bienvenida a la huésped procedente de tan lejanas tierras. Todos admiraban la serena gracia de su paso, su figura solemne, que había heredado de sus abuelos, los Dukas, si bien se prestaba también la misma atención a su indumentaria.

Irene prefería los colores subidos de tono, oro viejo y plata sucia, púrpura oscura y azul crepuscular. Se sentía especialmente atraída por los colores y, en sus versos, hablaba con ellos de la misma manera que se habla a las nubes, a las flores y a los dioses de la antigüedad. Entre las princesas era ella la única rival de Ana Comneno; ambas sostenían una tenaz y prolongada lucha por los poetas que gozaban del favor popular, mientras los sofistas y los escribas no se cansaban de llevar de la una a la otra todas las noticias que pudieran interesarles.

El prometido no se había imaginado un recibimiento de esta índole. Quería entrar completamente solo en el Bósforo, acompañado únicamente por un par de remeros. La etiqueta de la corte no permitía que el novio entrara solo en la embarcación de la novia; el día anterior había corrido por toda Bizancio la noticia de que los dos pasarían allí juntos la noche sin haber recibido previamente la bendición de los presbíteros. Por eso tuvo que recorrer la larga hilera de altos dignatarios cortesanos y recibir sus cumplidos y votos de felicidad; conocía muy bien aquel antiquísimo e incomprensible rito. Las palabras habían perdido su verdadero sentido, para convertirse en floreos, una especie de dibujo en el laberinto de los arabescos.

Ateniéndose rigurosamente a las prescripciones divinas, la corte había ido tomando sus posiciones en la cubierta de la galera imperial. Sólo Manuel se apartó de la hilera. Se adelantó, con visibles muestras de inquietud, hasta llegar a las fauces del dragón de la embarcación que, en caso de emergencia, podía escupir el fuego necesario para producir una catástrofe. Allí estaba su señorial figura ligeramente inclinada hacia delante; sus ojos medían la distancia que mediaba entre la galera imperial y la pequeña, pero ligera, embarcación genovesa, distancia que iba reduciéndose por momentos. Sus ojos buscaban a Berta, la prometida, a la que ya quizá, dentro de unos minutos, podría contemplar cara a cara.

El patrón de la nave gritaba desde lo alto de la cofa; su acento era agradable y amistoso, y parecía como si hablara a un pequeño pajarillo:

— Le veo, señora mía. Está allí de pie, en la proa, hermoso como un arcángel... Vamos a girar un poco hacia el lado de la sombra para que tú puedas verle también...

Berta, pálida como un cadáver, colocó una mano sobre el corazón; esperaba sola y se sentía desamparada. Un nuevo mundo iba acercándosele con una rapidez temible. Entretanto, iba murmurando en voz baja aquellas formas de salutación aprendidas en griego, que le habían estado atormentando todo el viaje. Ya se divisaba a lo lejos la iglesia flotante, una pequeña reproducción de la Hagia Sofía, con sus actores envueltos en una especie de luz celestial.

Berta se volvió al camarero griego:

— Dime, señor, ¿es una persona enlutada o una monja aquella que está sentada allí... rodeada de sus acompañantes?

Los ojos de aquel hombre repasaron con agudeza toda la hilera del cortejo comneno. Su voz parecía que iba a conjurar al diablo o a algún sortilegio.

— ¿Por qué preguntas, señora, si se trata de una mujer enlutada o de una monja? ¿No tienes en cuenta que de ser así se podría conjurar a los espíritus del mal? Aquella mujer no viste luto ni ha tomado tampoco la indumentaria del Señor... Es la graciosa y noble princesa Irene, esposa de Andrónico, nacida en la púrpura; la mayor de tus cuñadas. En la actualidad es la primera dama del Sacro Palacio. Lleva terciopelo oscuro, un color que sólo ella puede llevar.

Se hizo un profundo silencio. Los bizantinos formaban un grupo. Ominoso presagio el que encerraban estas primeras palabras de la novia...

El maestro de ceremonias de la corte inclinó la cabeza; hizo la señal de la cruz, según el rito griego, para alejar de la embarcación a los espíritus del mal. La boca del dragón de la galera imperial echaba ascuas. El día era claro; el resplandor de la nave imperial hubiera sido mucho menos intenso de haber surcado las aguas en horas vespertinas. Era realmente portentosa aquella imagen del fuego lanzado a una distancia a la que sólo se hubiera podido llegar con una flecha; el fuego, majestuoso y potente, emergía primero de las fauces, y luego también de dos orificios laterales. Éste era el misterio inescrutable y terrible, el misterio del fuego griego, que los bárbaros jamás fueron capaces de descifrar.

Pero Berta sólo tenía ojos para Manuel, que permanecía de pie entre las llamas de aquel fuego. Los colores de su túnica, los bordados y las joyas se habían esfumado bajo la luz del sol; ella no veía más que su cabellera, su rostro moreno, aquellos ojos luminosos, el extraño ritmo de sus movimientos; aquella figura que permanecía de pie en la proa, sin casco ni coraza. Manuel sacó de su mano izquierda el guante de púrpura, lo levantó y comenzó a hacer señas... Sonreía. Lentamente fue extinguiéndose el fuego, había cerrado los conductos. Se contemplaban mutuamente a distancia. Cuando los rayos del sol incidieron sobre las mejillas de la muchacha, podía verse perfectamente que no estaban adornadas con ninguna clase de cosméticos o pintura. Su cabellera era suave como la seda, rubia como la paja, sus ojos eran azules, su figura esbelta, un tanto rígida. Su cuerpo no era tan ondulante como el de las mujeres de Bizancio. Con aquella indumentaria tan simple toda su figura tenía algo de estatua. Una cadena de oro forjado llegaba hasta su seno; en uno de los dedos llevaba un grueso anillo. Todo su porte causaba una impresión excesivamente solemne, demasiado aparatosa. No había duda de que en su casa, no solía ir ataviada de esta forma. Allí, en Sulzbach, vivían gentes sencillas; y quizás el castillo sólo había vivido jornadas de esplendor cuando la elección del emperador había recaído en una muchacha de la casa. Las miradas están ahora pendientes de Berta, de su sonrisa, de sus ojos que se cierran, del rubor que cubre su rostro puro y fresco, aun cuando el sol lo ha bronceado ligeramente durante el viaje. Berta devuelve la señal de saludo.

Manuel se ha inclinado hacia delante; aguarda a que la niebla y el humo se disipen y a que el sol reaparezca. El rostro de Berta: dulce, rubio, sereno, virginal. Eso es todo lo que puede ver.

El ceremonial exige que, acompañados por el coro real de eunucos, tres altos dignatarios, cuyo rango está un poco por debajo del de los príncipes y princesas de la casa imperial, salgan a su encuentro para ofrecerle su saludo de bienvenida y la acompañen luego a la galera bajo un baldaquino blanco. Pero el único que aquí falta al ceremonial es Manuel, porque no puede dominarse. Es él el único que zafándose de este rígido mundo de la etiqueta toma carrerilla y, antes de que se haya fijado definitivamente el pasadizo de unión entre ambas embarcaciones, da un salto en el aire y se planta en la cubierta de la nave vecina.

La indumentaria del príncipe, su mirada y la silueta de su barbilla eran típicamente bizantinas. Pero él mismo, el hombre vivo, era casi de tipo occidental. Llevaba por toda arma una espada larga y recta, que voló tras él al dar el salto. Era un caballero, y por eso hincó en el suelo una rodilla, tomó en su mano derecha, recubierta por el guante, la mano derecha de Berta y se la llevó a los labios, tal como lo había visto hacer a los nobles de Occidente. Inclinación, posición de rodillas y saludo delataban el estilo de la escuela gala y, sin embargo, eran movimiento y ritmo más graciosos y flexibles que los rituales teutónicos.

Nadie estaba preparado para una salutación de este tipo; ni Berta ni su séquito... ni tampoco el maestro de ceremonias griego. Berta estaba amedrentada; trataba de recordar aquellas frases aprendidas, sus palabras griegas de salutación; frases que hubiera tenido que pronunciar en la cubierta de la embarcación griega, a una distancia oportuna de los que la recibían. Fue ahora Manuel quien comenzó a hablar en latín, con acento suave y amistoso. Como ella, en Sulzbach, había aprendido latín de un presbítero, estaba en condiciones de entender lo que había dicho... Manuel seguía arrodillado ante ella; Berta contemplaba sus ojos oscuros y sonrientes, en los que quizá también se adivinaba cierta ironía. Era la superioridad del príncipe, nacido en la púrpura, que se dignaba a hablar el latín, el lenguaje de ella, porque para eso era el más fuerte.

— Señora, me sentiría extraordinariamente feliz si esta ciudad, que va a ser tu patria, se pudiese jactar de que tú eres la más feliz de todas las mujeres que viven dentro de estos muros.

— Señor, agradezco tus palabras. Y agradezco también tu bondad, que me ha acompañado por doquier a lo largo de todo el viaje.

— Tú, señora, defines la ley. Tus ruegos, tus palabras son órdenes. Mi padre se sentirá muy satisfecho de poderte saludar como a hija suya.

— Eres más bondadoso de lo que yo merezco. En el campo de las palabras bellas y justas no puedo imitarte, y te ruego que hagas partícipes también de tu agradecimiento a los caballeros que me han acompañado desde mi patria.

— La palabra de Dios, señora, es indivisible. Todos nosotros creemos en Él, y por ello no tendríamos que considerarnos hermanos de estos caballeros, puesto que su lenguaje y sus costumbres son, para nosotros, extraños. Pero el Imperio ofrece siempre cobijo a todos los pueblos, y tus caballeros encontrarán aquí un verdadero hogar, según dispone la ley del antiguo emperador.

— Admiro, señor, tu magnanimidad. No sabía que podría hablar latín contigo.

— Si conocieras el lenguaje de los francos occidentales podríamos conversar en este idioma.

— ¡Sabes mucho, señor!

— Podría olvidarlo todo para comprender sólo tus palabras.

— Lo único que puedo decirte es que seré para ti una mujer obediente y dócil.

— Tú serás la señora de Bizancio.

— ¿Cómo puedes pensar, mi señor y soberano, que voy a ser la señora de Bizancio?

— Por orden de rango sólo están delante de ti las princesas nacidas en la púrpura y las esposas de mis hermanos. Todo esto lo habrás aprendido ya durante el viaje, ¿no es cierto?

— He tenido que ir aprendiendo todos los pasos dados.

— Tú estás bajo mi protección. He dicho que tu palabra es ley.

— Es como si escuchara las palabras del primer caballero de mi país.

— ¿Acaso crees haber venido a un país que no sabe de virtudes caballerescas?

— Vosotros habláis otro lenguaje, señor, y celebráis la Santa Misa con otras palabras

El capellán emergió ahora del fondo de la escena. Extendió los brazos; Berta le miró fijamente, y las palabras se le atragantaron.

— ¿Qué error ha cometido la señora, mi piadoso padre?

— Nobilísimo señor, yo he vivido muchos años en vuestro ambiente. Sé que mi señora ha de aprender todavía muchas cosas. Entretanto conviene que no hable demasiado.

— ¿Es que acaso temes que sus palabras no sean las que esta solemnidad requieren?

— La señora ha expresado su opinión sobre temas relativos a la fe. Ésta no es su misión.

— ¿No te has dado cuenta, padre, de que he venido aquí solo, vulnerando las normas cortesanas? Nadie de los míos puede haber oído las palabras que he dirigido a la señora. También a ti te hablaré en latín, por más que el ceremonial de la corte ordena que yo haga uso de un intérprete para comprender tus palabras. ¿Acaso me temes?

— Cuando vivía aquí, aprendí que la palabra era el arma más peligrosa en Bizancio.

— Tendremos ocasión de conversar sobre todo esto más adelante, padre. Te ruego que tranquilices a la señora y le digas que ningún peligro la amenaza cuando habla conmigo.

Quizás Manuel había contravenido las normas y costumbres de la etiqueta cortesana, pero, sin embargo, era sabio porque hablaba con los bárbaros en su propia lengua.

* * *

Antes del festín, Juan Kamateros, el corpulento y epicúreo canciller de la corte, rogó a Axouch, el gran doméstico del ejército, que acudiera ante su presencia. Estos dos hombres poderosos, responsables de la paz y de la guerra, se tenían miedo mutuo. Podía ser incluso que se aborrecieran, pero siempre iban juntos, como uña y carne, según lo que ordenaba la enigmática ley bizantina.

Axouch detestaba la escritura, la temía, y sólo se servía de ella en los casos más estrictamente necesarios; pero su alma y su instinto huían de ella y la confiaban a sus servidores. Juan se rodeaba de rollos de papel, que inundaban su alargada mesa de trabajo; podía decirse que vivía en un mundo de pergaminos. Un criado trajo vino y agua fresca; ambos llenaron sus vasos, con poco vino y mucha agua, y comenzaron a beber antes de iniciar su conversación. Juan dijo:

— Dispénsame, nobilísimo señor, por haberte molestado de esta manera, contra todas las costumbres y normas. Compréndeme y perdóname. Pero necesito tu ayuda.

— Tú eres señor de palacio; yo sólo soy señor en los asuntos de la guerra. Dime, ¿cómo podría ayudarte en cosas de palacio?

— El alma de un joven es un reino amplio y curioso. ¿Quién podría decir que conoce sus secretos?

— ¿Quieres hablarme del alma de Manuel?

— Sí, y también de los propósitos del emperador.

— Los propósitos del emperador son secretos si solo te los ha confiado a ti. Pero si quieres hacérmelos saber te escucharé sumisamente.

— Tú estabas allí cuando Manuel saltó a la otra nave...

— Me di cuenta de que os lo tomasteis como una vergüenza. La corte se irritó mucho porque Manuel, contraviniendo las disposiciones de Constantino, entró en la nave solo, a pesar de que la novia debía haber venido primero a nuestra embarcación, bajo el baldaquino. Yo no entiendo mucho de estas cosas. Esto es únicamente dominio de los castrados. ¿Cómo puedo ayudarte?

— No se trata solamente de este asunto... Manuel se condujo con vehemencia y no se atuvo a las normas de la etiqueta imperial; sin embargo, estos deslices de la juventud resultan extraordinariamente ventajosos a los ojos de los latinos.

— ¿No condenas a Manuel? ¿Dónde está su falta?

— El Sebastocrátor entró en la embarcación como si tras suyo no hubiera llevado todo el ceremonial de la corte. ¿No te fijaste en su rostro? Sus mejillas estaban radiantes cuando con la mirada envolvió la figura de esta hermosa muchacha delgada. El joven príncipe no se ha ocupado esta mañana en absoluto de las cosas del Imperio. Se ha dedicado exclusivamente a sus asuntos privados.

— ¿Y qué propósitos tiene el emperador respecto a la prometida de Manuel?

— Sus propósitos, por el momento, sólo pueden adivinarse, pero con bastante exactitud. Manuel sólo podrá convertir a Berta en su esposa cuando se hayan cumplido todos los puntos y requisitos del pacto.

— ¿Te refieres a los normandos?

— No en este momento, es decir, no primordialmente. El emperador no desea que Conrado vuelva sus ojos hacia el Oriente.

— ¿Hacia Panonia?

— Eres astuto, noble señor. Calojuan no permitirá que allí choquen los intereses de ambos imperios.

— Yo mismo preparé la campaña contra los magiares. Pero, ¿por qué ello debe retrasar la unión de Manuel y Berta?

— Nosotros podemos siempre devolver a Berta a su cuñado mientras no se cierren las puertas de la cámara nupcial. La preciosa y joven princesa permanece ahora en nuestras manos como un rehén para obligar a Conrado a atenerse a las condiciones.

— ¿Cuántos sois los que habéis hablado de esto?

— Conrado, el patriarca Nikefor, Alberto, el canónigo de Colonia y yo.

— ¿Manuel no sabe nada?

— No, y es precisamente por eso por lo que requiero tu ayuda. Nosotros nos hemos preocupado sólo del programa a seguir. Opinábamos que ni siquiera el propio Manuel podría objetar nada en contra; creíamos que acompañaría feliz a su prometida al *ginekeion*, le mandaría regalos y se interesaría por su salud... y todo tenía que seguir de esta forma hasta que se hubieran cumplido todos los requisitos y condiciones. Pero ahora lo veo todo de una forma muy distinta. ¿Qué ocurriría si Manuel no puede dominar su vehemencia, se pone del lado de los latinos, atiende sus deseos, acelera la boda o bien, sencillamente, se va al aposento de las mujeres, consuma el matrimonio y cohabita con Berta? ¿Y los planes del emperador...?

— Yo no puedo ordenar a la guardia imperial que velen por la virtud de la muchacha. ¿Qué es lo que puedo hacer?

— Yo mismo lo he planeado todo. Por esto solo no hubiera requerido tu presencia, señor. El emperador se encuentra en el campo de batalla. Entonces él no podrá tomar parte en la ceremonia. He oído decir que el duque de Antioquía es el más peligroso de los rivales, si, como creéis todos vosotros... en el norte crece la sombra de Mahoma.

— Éste es asunto nuestro, Juan.

— Ciertamente, es asunto vuestro... pero, no obstante, sería bueno que el emperador no permaneciese solo. He oído decir también que con frecuencia se queja de cansancio. Lo justo sería que todos sus hijos compartiesen con él la vida de milicia.

— Tres de sus hijos están con él...

— Alexios tose constantemente. Andrónico aqueja frecuentes molestias cardíacas. La mente de Isaac no es demasiado luminosa...

— ¿Acaso deseas que Manuel vaya al lado de su padre...?

— Antes de que cohabite con ella. Una palabra del emperador es una orden. Podrías decir que los soldados quieren ver al joven Sebastocrátor.

— Opino que la fortuna es variable. Uno de los cuatro hijos del emperador debe permanecer siempre aquí.

— Haz un cambio. Manda aquí a Andrónico o a Isaac. Pero es preciso actuar con rapidez. Hoy mismo por la tarde tienes que comunicar a Manuel que su sitio está en el ejército.

— ¿Y la señora?

— Tiene que aprender; así se podrá preparar mejor. El *ginekeion* la protegerá bajo sus alas. Esperará.

— ¿Y Manuel...? ¿Crees que querrá escucharme?

— Al mandato de la voz de su padre... es la voz de la sangre: es de suponer que además de desear mujeres, desea también llevar una existencia de héroe.

— ¿Y cuánto tiempo deberá permanecer con las tropas?

— Hasta el regreso del emperador; tan pronto todo se haya arreglado en Antioquía. Después ha de tener lugar la campaña occidental. Ésta es la prueba. Sí, debemos aplazar por un par de años la consumación del matrimonio... Quizá todavía más... dos inviernos y tres primaveras...

— ¿Y qué debe hacer Manuel entretanto?

— Él puede emular a Andrónico, que, desde sus doce años de edad, no ha dejado incólume a ninguna de las vírgenes que ha encontrado a su alrededor. Esto no me preocupa en absoluto. Lo que hoy quiero evitar es que Manuel, en su delirio amoroso, consume el matrimonio. El Imperio está en juego.

— ¿Y quieres que hable hoy mismo con él? ¿Después de la ceremonia?

— Esta misma noche escribiré al emperador y pondré en su conocimiento tu bondad, tu inteligencia y también los brillantes servicios que has prestado. Pero debe ser hoy mismo... Manuel tiene veinte años y aun cuando yo mismo le tengo también por el mejor de los cuatro nacidos en la púrpura, he de reconocer que por el momento sólo es medio hombre y medio niño.

— También su padre sabe que él es el mejor de todos... Esto le preocupa mucho. Le tiene miedo.

— Tiene que acabar por nombrarle jefe y señor del ejército, la gloria es un veneno dulce; quien lo prueba no puede nunca luego sentirse suficientemente satisfecho.

— Es una papeleta muy difícil. Él es el cuarto príncipe. En el caso de que se haga con el triunfo, los otros temerán que pretenda ceñir la diadema en su cabeza. Y si es derrotado tacharán su nombre con una cruz. Pero esto es asunto del emperador. Esta misma noche hablaré con el Sebastocrátor. En cuanto termine la ceremonia y se inicie el descanso.

* * *

Durante la celebración de la fiesta, el palacio parecía haber perdido todas sus notas de melancolía y tristeza. Los monjes basilios se habían retirado a su capilla y las princesas no habían ido a visitar a sus confesores. Sin embargo, las normas y costumbres imperiales seguían siendo muy severas, a pesar de que se habían mitigado hasta cierto punto algunas de las severas leyes monacales dictadas por la madre del emperador Alexios. Ella quería borrar y desterrar las sombras perfumadas y pecaminosas de Zoe, pero todas las leyes se habían ido relajando paulatinamente desde la muerte de Irene. El emperador Juan raras veces estaba en Bizancio y no se preocupaba mucho de la vida de la corte...

Los Comneno querían suavizar las reglas... querían vivir aquella vida a la que se habían acostumbrado en sus posesiones rurales. Por eso se trasladaron al palacio Blachener que, aun cuando en lujo y esplendor no superaba al Sacro Palacio, tenía más personalidad y era más moderno. Sus estancias y salones eran más espaciosos, y por todo el palacio se respiraba el aire de mar y el oloroso perfume de las flores de los jardines. Aquí, en este palacio, los Comneno vivían, día tras día, suavizando poco a poco las rigurosas normas imperiales. La única que había quedado como vigilante solitaria de las costumbres pasadas era la anciana Ana Comneno.

En la sala dorada se había iniciado el baile. Berta permanecía sentada en su sillón tallado en madera, en un puesto algo más bajo que el de las otras princesas. Tampoco los tacones de sus sandalias habían podido ser pintados con rojo púrpura... Pero permanecía sentada en aquel puesto que, separado del resto del salón por columnas de mármol adornadas con hojas de acanto, estaba reservado a la familia imperial. La danza se había comenzado a poner en marcha lentamente, y los que la bailaban llevaban pesadas capas recubiertas por piedras preciosas y sandalias estrechamente ajustadas a los pies; aquella danza imitaba la rigidez de una ceremonia imperial, era como una reproducción del lento y majestuoso ritmo del Imperio, que ninguna extraña etiqueta bárbara era capaz de alterar. A lo largo de la sala iban moviéndose también pesadamente, siguiendo el ritmo de la danza, los majestuosos y recargados bordados de oro. Era una ceremonia imperial, una manifestación de la grandeza del imperio, una ocasión única para aquellos que podían contemplar la belleza indescriptible de las vestiduras solemnes de la familia imperial.

Berta estaba cansada. Todavía parecía sentir en su interior el embate de las olas del mar, el aburrimiento y tedio de los últimos días. La sucesión inagotable de platos y bebidas para ella desconocidos la aturdía; cada momento significaba para ella un nuevo cúmulo de tensiones. Debajo de la cinta de oro que rodeaba su frente sentía el doloroso latido de la sangre; la indumentaria ceremonial, cuajada de oro, era demasiado pesada para ella; se trataba de un regalo de su cuñado; un regalo de mucho más valor que una propiedad en los condados orientales del Imperio... Si, por lo menos, todo acabase de una vez... Deseaba un poco de tranquilidad, de soledad, de recogimiento. ¿Es que siempre iban a ser todas las cosas así? Miró hacia atrás. Allí se encontraba una especie de pequeño palco escondido, seguramente el sitio del director de toda la ceremonia: en la barandilla podía verse una rarísima cabeza de sátiro, con una barba gris y descuidada, y una mirada irónica; debía de ser un hombre del pueblo porque no llevaba ninguna corona y tampoco ninguna diadema ornaba su cabeza. Se hizo la oscuridad en la sala; los iniciados en los secretos cortesanos conocían la causa de este juego. Los germanos se miraron entre sí con expresión de intranquilidad y sus manos empuñaron las armas. No obstante, reinaba a su alrededor el jolgorio y la alegría; la oscuridad relajaba el ceremonial; se podían oír algunas carcajadas reprimidas; la música enmudeció para, luego, como obedeciendo a un extraño sortilegio, volver a sonar con mayor fuerza; en este momento aparecieron en las cuatro puertas del salón unas muchachas jóvenes sosteniendo antorchas en sus manos.

Berta volvió a mirar atrás. La cabeza del sátiro se inclinó hacia delante y dio una señal; ahora irrumpieron en la sala unas extrañas figuras, ataviadas con indumentarias cortas y sosteniendo también en sus manos antorchas de los más variados colores; dieron una vuelta por todo el amplio recinto y se detuvieron junto a las columnas. Los acordes de la música se vieron reforzados por voces humanas. El invisible coro permanecía oculto en los palcos, detrás de la pared y, desde allí, observaba el misterioso director el ritmo de todo el juego. Aparecieron unas muchachas sosteniendo encima de sus cabezas ánforas antiguas. Transmitían las palabras del coro. Llenaban la sala con los acordes de la paz y entonaban con todas su fuerzas las canciones que habían de aumentar la riqueza de las cosechas. La cabeza de sátiro lo observaba todo atentamente. Pródromo, el poeta, pregonaba en voz alta las excelencias de su obra. Las muchachas que llevaban las ánforas iniciaron una danza muy lenta; el conjunto daba la sensación de un relieve artístico al que se había infundido vida. Ahora se entremezcló el coro. Una extraña angustia parecía haberse apoderado de las muchachas, que trataban de huir; pero los versos las tranquilizaban con sus sosegados acentos. Una nueva y extraña figura, revestida con una túnica de plata, comenzó a danzar a la luz de las antorchas en medio del salón dorado. Sus pies estaban descalzos; sólo los talones habían sido coloreados con púrpura. Era como si una extraña corriente de aire se hubiese deslizado por entre las hileras de cortesanos, quienes empezaron a inclinar hacia el suelo sus cabezas; los más ancianos cubrieron sus ojos, las mujeres se taparon la cara con sus velos. Las miradas de los hombres jóvenes se iluminaron de pasión: ¡Teodora!

Era Teodora, la mayor de las nietas del emperador Juan, la hija de Andrónico, que había aparecido allí bajo la máscara del dios proscrito. Era todavía una niña, pero su aspecto era el de una muchacha en la flor de su belleza. Sus movimientos eran hermosos y paganos, los presbíteros se estremecieron... Éste es el mundo de ayer que prosigue su existencia inmutable bajo las cenizas de la fe. El brillo y las sombras de la Hélade siguen viviendo en lo más recóndito de las almas; nada había allí de recogimiento ni de beatería; quien bailaba de esta forma no podía refrenar sus pasiones.

Los condes alemanes permanecían inmóviles en sus asientos. Berta no observaba ya la cabeza de sátiro de Pródromo, que miraba desde las alturas. Tampoco contemplaba aquella danza y a la muchacha que se deslizaba sobre los talones recubiertos de púrpura. Sabía de ella que era una de las agraciadas que había sido engendrada por un padre nacido en la púrpura. Y ahora bailaba a fuer de diosa pagana, con su indumentaria corta... Un zagalillo o un dios tras las montañas de Grecia.

La mirada de Berta se había dirigido al sillón del Sebastocrátor. «¿Dónde estaría Manuel?...», se preguntaba. Hacía un rato había visto todavía a lo lejos su figura majestuosa, iluminada por la luz de las antorchas...

Teodora seguía danzando todavía, aunque quizás ya un poco fatigada. Se notaba que su ritmo no era ya tan ardoroso y vehemente; sus saltos y evoluciones eran más amortiguados; su cayado de Thyrlo parecía también más pesado, y la corona de laurel iba resbalando lentamente encima de su frente. Finalmente cayó al suelo...

III

El emperador Juan se levantó al despuntar el alba. Tenía la costumbre de revistar la guardia, detenerse un rato junto a la hoguera matutina de campaña y tomar un plato de la sopa de los soldados. Su figura esbelta y sombría tendía a inclinarse ligeramente hacia delante, y la clámide de púrpura, que no recubría más que un pequeño pedazo del escudo del pecho, lucía ardorosamente bajo los rayos del sol. Desde su infancia estaba bien familiarizado con los ruidos y alborotos propios de los campamentos, y conocía a la perfección los signos, gritos y ritmo de los relevos de guardia. Era un hombre activo, pero desapasionado; odiaba a los místicos y probablemente le aburrían las prolongadas disputas teóricas. Solía dormirse cuando tenía que ocupar la presidencia de los sínodos. Era un hombre sencillo que vivía entre los soldados; sus ministros eran a la vez cabecillas del ejército; sus enemigos eran aquellos que vivían en las interminables estepas de Asia y le atacaban incesantemente. Hacía muy pocas semanas que, con los ojos secos y el corazón lleno de amargura, había tenido que comparecer ante el féretro del mayor de sus cuatro hijos, Alexios, cuyo nombre era mencionado por los presbíteros, conjuntamente con el suyo propio, desde hacía varios años, es decir, desde el momento en que lo había hecho sentar a su lado, en el trono. A Alexios le había matado el aire seco; tosía violentamente en cuanto soplaba el viento procedente de África; sus labios estaban desgarrados por la fiebre. Murió en campaña, y por eso, en el momento de su muerte, no rodeaban su lecho mortuorio ni los eunucos desdentados del palacio, ni los ancianos médicos, ni tampoco las mujeres prudentes y sabias. Sólo tres personas le acompañaban en el momento de la muerte: su padre, el emperador, y los dos hermanos que vivían también en el campamento, Andrónico y Manuel. Cuando mandó a casa el cadáver del hijo primogénito en compañía del mayor de aquellos dos hermanos, sus ojos tristes acompañaron el cortejo largo tiempo. Ahora, quedaba sólo a su lado Manuel; y el emperador sabía que tenía que acostumbrar a su hijo a las durezas propias de la campaña.

Recorrió los puestos de vigilancia situados en los lindes externos del campamento. Desde allí, cuando la niebla se disipaba, podían verse las murallas de Antioquía. Ahora pensaba que, ante sí, se abría un nuevo día, una jornada realmente difícil; dentro de una hora se correrían las cortinas de su tienda y tendría que recibir a los legados del príncipe de Antioquía, Raymond de Poitiers. Tenían que ganar un par de semanas antes de que llegara la época de calor sofocante en la que las carreteras se resquebrajaban, el viento cálido lo devastaba todo y los animales morían de sed; era entonces cuando los latinos se retiraban tras los muros de la ciudad, sacaban agua de las cisternas y, desde lo alto de las cañoneras, contemplaban cómo los asediadores morían de sed. Avanzaban lentamente y aguardaban la llegada de noticias. ¿Qué es lo que comunicaría el rey de Jerusalén a su señor Raymond? ¿Le mandaría ayuda? ¿O tal vez le prohibiría que sus tropas atravesaran sus dominios? Ellos no conocían más que Jerusalén, Antioquía y Edessa, un par de ciudades portuarias y a los paganos que se encontraban a sus espaldas. Le temían más a él, el emperador cristiano y ortodoxo, que al sultán de Egipto o a los príncipes de la estepa. Entre ellos hacían acuerdos clandestinos contra él, el emperador, y, al propio tiempo, se lamentaban amargamente al Papa y al emperador teutónico, a fin de que les ayudasen a ellos, los príncipes cristianos de Tierra Santa, para verse libres del emperador. Sus legados habían sido educados en Oriente; luchaban enmascarados, con palabras ocultas y simuladas, como los bizantinos. Son débiles. Y aquí está él ante las murallas de la ciudad de Antioquía. Exige del príncipe de la ciudad un juramento de fidelidad, y exige además la ciudadela, que debe rendirse a la ocupación griega. Eso es todo. Tras estas palabras emergían las sombras rígidas del anciano y fallecido emperador Alexios, de quien habían hecho mofa los primeros cruzados.

Mandó entoces un soldado a la tienda de Axouch, el más alto dignatario del ejército, con el ruego de que acudiera ante su presencia. Axouch es su mano derecha; se ven a diario desde su infancia y se comportan como dos hermanos; él conoce todos sus pensamientos.

Son dos viejos amigos. La mirada reflexiva del emperador se fija en la persona del gran mayordomo de sus ejércitos que, como el viento sopla violentamente, se ha atado alrededor de la cabeza un delicado pañuelo de color blanco. Su aspecto corresponde ahora perfectamente con el de los señores de los desiertos, de los que es descendiente. Los dos están debajo de un tamarindo deforme; el emperador hace una señal a un soldado para que extienda su capa sobre el suelo. Los dos se sientan bajo el árbol, que seguramente les prestará protección contra el viento, el sol y la arena.

— Sé que, desde la muerte de Alexios, no dejas ni un solo instante de pensar en tus tres hijos.

— Aquí, en el campamento, todo parece sencillo. Pero cuando empiezo a pensar en los otros, en el palacio... Cuando pienso en la curiosidad con que son recibidas mis noticias, mi alma se llena de tristeza. Isaac, el menor de mis hermanos, está esperando desde hace veinte años la primera ocasión que se le presente propicia para ponerse al frente de una revolución. Y ahora allí, en la corte, no está más que mi hijo Isaac. Ya ves que estoy fatigado; tú mismo me lo decías el otro día. Es posible que el Señor me conceda una larga vejez, pero también puede ser que no tarde en seguir a mi hijo, que tan pronto ha desaparecido de mi lado. A Andrónico es a quien corresponde la sucesión, siguiendo el orden natural...

— Tú sabes tan bien como yo, señor, que padece del mismo mal del que murió su hermano. Permíteme que te diga... Me han informado de que todos los príncipes de la casa húngara padecen esta enfermedad... Los varones mueren prematuramente. Sólo Isaac y Manuel son fuertes... y mucho más resistentes. Ésta es la verdad que debes conocer, señor, en el caso de que quieras tomar una decisión.

— Es precisamente esta decisión la que más me preocupa. Pero después he de pensar también en los presbíteros, el consejo, el palacio.

— No te preocupes por la gente de allí. Dentro de un par de días o de unas semanas, el duque Raymond tendrá que entregarse. No resistirán la ocupación hasta el otoño. Si él se entrega o se consigue la conquista del burgo se podrá hablar de una gran victoria, el ejército se hará acreedor de una marcha triunfal. Pero no va a ser necesario entonces que mandes un mensaje a palacio. Las legiones proclamarán emperador a aquel sobre quien hayan recaído tus designios... Yo seguí el consejo de Kamatero cuando alejé a Manuel del lecho nupcial. Tú dijiste que había obrado con acierto y prudencia. Desde entonces el muchacho se encuentra aquí. La novia aguarda allí. ¿No crees que deberías tomar una decisión?

— Conrado es díscolo. Él da sólo con una mano lo que promete. Ahora se dará cuenta de que no todo puede ocurrir tal como él se ha imaginado o tal como él desea. La muchacha representa una prenda en nuestras manos, una garantía. Él lo sabe y me ha remitido una carta exhortatoria. Pero yo no dejaré salir a la muchacha del *ginekeion* hasta que Conrado no jure garantizarme su ayuda contra los normandos y no jure también no atacarme por la espalda cuando, el año próximo, inicie la guerra contra Hungría.

— ¿Qué quieres hacer?

— La estirpe de los Arpades es como un arbolito muy disperso. La tormenta puede abatirlo con suma facilidad. Hace tiempo Panonia estaba constituida por cuatro provincias, y las cuatro pertenecen al Imperio Romano. Me han llegado noticias en el sentido de que en el país no reina la unidad.

— Tú lo sabes todo, señor. Pero ahora sólo hablo de Manuel. Los muros de Antioquía se levantan todavía soberbios; nosotros no hemos conquistado aún la ciudad. Allí viven los húngaros, que son más fuertes y poderosos que todos los pueblos del Occidente. ¿Acaso tu hijo debe esperar, para la boda, a que las águilas regresen de Panonia?

— Axouch, todo es muy difícil. La muchacha debe aguardar.

— Para mañana has anunciado una gran cacería. ¿No quieres aplazarla, señor?

— No. Es preciso que las gentes de Antioquía vean que no nos falta nada. La cacería se celebrará.

— Ya sabes que me limito a cumplir tus órdenes.

— Partiremos al amanecer. Mañana por la mañana. Tres días de duración. Hasta entonces no pienso recibir a los legados de Raymond. Comunica a Manuel que tenga dispuestas sus armas; su puesto estará junto al mío. Quiero hablar con él. El viento disipa las palabras, pero el alma perdura. Dime, Axouch, ¿suele Manuel mandar noticias a su prometida?

— Sí. Siempre que una estafeta parte de la costa lleva consigo algunos regalos para la muchacha... Pero lleva también regalos para otra.

— Habla claro. ¿También manda regalos a su concubina? ¿Quién es?

— Se dice que es una muchacha todavía muy joven... Y de la misma sangre. Ya sé que en mi infancia ocurrían también entre nosotros cosas de este tipo... Pero entre nosotros las castas vivían conjuntamente, como en familia. De todos modos es preciso tener en cuenta que nuestras creencias prohíben los matrimonios entre parientes hasta el tercer grado.

— Habla claro.

— Durante la solemne fiesta celebrada pude observar cómo Manuel contemplaba la danza. Bailaba tu nieta... La pequeña Teodora.

— Todavía es una niña.

— Las muchachas crecen rápidamente. Ésta es la que recibe los regalos de Manuel.

— ¿La vio él en la fiesta de la promesa de matrimonio?

— Sí, señor, mientras la muchacha bailaba resbaló y se cayó al suelo. Se rompió la pierna y comenzó a sangrar. La etiqueta no permite que estén presentes en esta clase de festejos médicos de poco rango. Tú mismo sabes con cuánta afición ha seguido siempre

Manuel las manipulaciones de los cirujanos. La puso de nuevo en pie. Durante muchos días todo el mundo habló del incidente.

— ¿Volvieron a verse posteriormente?

— Salí de viaje para venir aquí después de la fiesta. Manuel permaneció diez días más allí. De la muchacha cuidaba su madre, pero ella exigía la presencia de su médico junto a su lecho y el único que podía mitigar su fiebre era Manuel. Irene le mandó a buscar y le dio las gracias por su método terapéutico... Eso es todo lo que sé, señor.

— La hija de su hermano. Casi su propia hermana. ¿También tú crees que conviene vigilar a Manuel?

— Señor, mi misión es cuidar del ejército. Deja que Juan vigile las camas.

— No quería herirte, Axouch. Pero bastará una sola palabra inconveniente para que el odio estalle entre mis hijos. ¿Qué sucederá cuando Andrónico se entere de que su hermano menor y su hija van de boca en boca?

— Nadie puede odiar a Manuel. Pero ahora sabes tú también, señor, que actué con la más noble intención cuando, en tu nombre, llamé a Manuel al campamento.

* * *

La guerra contra los animales había dado comienzo. Lejanas nubes de polvo señalaban el camino emprendido por los monteros, que se encontraban en el lado oriental de la montaña para, luego, escalando las rocas, seguir la marcha en dirección oeste. La caza significaba un descanso para el emperador. Montaba un ligero corcel del que se habían sacado todos los pesados arneses bélicos; una especie de capita de piel rodeaba su pecho. El inicio de la cacería era ceremonioso; se debía impetrar la ayuda de Dios; los sones de las trompetas atraían también la buena suerte, como cuando los arqueros griegos, en nombre de Artemis, salían de sus escondites para iniciar el asalto. Manuel probaba su arco, este arma poderosa que había copiado de los arcos de los gigantescos guardianes normandos del palacio. El arco tenía una altura de seis pies y la flecha era de las dimensiones de una pequeña lanza. Llevaba una especie de capote ligero de color verde oscuro; su mano enguantada sostenía con firmeza el arma. Kalojuan lleva una espada corta y una lanza ligera; detrás iba su escudero con el arco.

— ¡Te has preparado muy bien para la cacería, padre!

— Si me sigues, Manuel, te darás cuenta de que esto es luchar también. Todo viene regido por leyes tácticas cuyo verdadero valor tú menosprecias.

— Hace ya mucho tiempo que no he incurrido en faltas de disciplina. No me uno con los aventureros y no obligo a los latinos al desafío. Permanezco en la tienda del caudillo del ejército y leo las comunicaciones de los estrategas. Dime, padre, ¿constituye también un delito ser valiente?

— Tú eres un reino que nadie puede poner en peligro.

— Agradezco tus palabras, padre. Son prudentes, pero nadie conoce tus designios, como nadie sabe tampoco por qué has distribuido tus flechas en tres haces.

— Mira. En esta bolsa de color verde cardenillo van las flechas ligeras, para los animales más pequeños... Las rojas van destinadas a animales más pesados y gruesos. En la tercera bolsa, la negra... También son flechas ligeras.

— ¿Pero por qué son estas últimas flechas negras?

— Porque son venenosas.

— ¿Y para qué necesitas flechas envenenadas para ir de caza?

— La prudencia así lo aconseja, hijo mío. El veneno derriba a los osos en un momento, les paraliza en medio de su carrera... ¿Quién sabe la clase de animal salvaje que encontraremos? Si las flechas son demasiado débiles, a menudo ocurren incidentes en el curso de la cacería. Hoy, Manuel, tú debes ser mi escudero. Tú y yo hablamos sólo en muy raras ocasiones. Ahora estamos solos, y no necesitamos ningún testigo. Toma mi arco, Manuel, y cuelga las tres saeteras en la silla de montar.

* * *

— Tienes que aprender, Manuel. Es posible que, mientras descansamos, transcurran algunas horas antes de que se nos ponga a nuestro alcance un animal salvaje. Podemos dialogar. Tú eres dinámico y vehemente y te consume la impaciencia. En tu alma reside la estepa y no la ciudad. Aprendes con rapidez y olvidas también con rapidez. No eres perseverante. Te arriesgas osadamente a toda clase de peligros, pero una ocupación demasiado prolongada te aburre.

— ¿Por qué dices eso, padre?

— Pienso en Antioquía. Y en otras cosas más. En el valle del Éufrates, en Edessa. Los latinos lo han ocupado. Pero son débiles. Son incluso más débiles que los propios mahometanos. Se han levantado contra nosotros, y se han levantado también entre ellos. Ya ni siquiera tienen fuerzas suficientes para defenderse; no pueden defender su propio Imperio. Son como tú, Manuel, cuando estallas en cólera. Son gente occidental. Desconocen los libros de tácticas. Se lo juegan todo a una carta. Un ataque temerario es el que debe suponer la decisión definitiva; el destino de sus países está decidido. Cuando caigan sus pesados caballos, enterrarán también sus tierras bajo sus propios cadáveres.

— ¡Raymond ya no puede escapársenos, padre!

— Todavía espera que se produzca un milagro. Espera que alguien venga en su ayuda, que alguien venga a aniquilar el ejército de Bizancio. Deseo parlamentar con Raymond y sus cruzados. Me gustaría retener sus burgos y quedarme también con la gente de los burgos. Procuraría que todo siguiese desarrollándose de la misma forma que hemos visto como hacían ellos: todos van armados. Serían invencibles si tuvieran un verdadero caudillo. Fundirían todos estos condados y ducados en un todo, en una especie de país limítrofe que pertenecería al Imperio, pero que no sería el propio Imperio.

— ¿Cómo puedes pensar de esta forma, padre? También éste es suelo del Imperio, pero sigue siendo Roma. También los latinos así lo reconocen.

— Sólo en el nombre. Y más tarde lo reconocerían también en la forma. Sin embargo, es totalmente imposible querer controlarlo y dirigirlo todo desde Bizancio. No puede ser que el gobernador tiemble sólo porque el emperador está enfermo o porque un nuevo soberano se ha sentado en el trono del palacio. Esta tierra, Manuel, es la tierra de los cruzados; deseo reconquistarla para que sea tuya.

Permanecían sentados sobre las rocas recubiertas de musgo verde, uno al lado del otro; frente a ellos se extendían escarpados valles. Pero también desde allí podían contemplarse lejanas planicies. Se veían también torres de vigilancia, construidas según extrañas fórmulas de arquitectura, porque los latinos levantaban edificaciones en el valle del Éufrates. Manuel permanecía sentado, apoyado sobre su arco.

— ¿Callas, Manuel?

— El padre que distribuye el Imperio deja como herencia la discordia y querella entre los príncipes.

— No es mi intención dividir el imperio. No temo, Manuel, que te vuelvas contra mí, puedo dormir tranquilo... Tú aprenderás. Y te convertirás en el defensor del Imperio en Oriente.

— Soy el tercer hijo.

— ¿Quién es, en Bizancio, el emperador? Aquel a quien reconocen como Basilio el ejército, el Sacro Palacio, el senado y el pueblo. Todo ello no depende, en absoluto, del azar de la naturaleza. Ninguna ley dice de un modo tajante que siempre haya de ser el hijo primogénito o el mayor de los nietos quien suceda al monarca fallecido... No es más que una costumbre...

— Delante de mí están Andrónico e Isaac. Yo supongo, padre, que el Señor escucha mis plegarias y que, por consiguiente, te otorgará una prolongada existencia.

— A veces me siento cansado, hijo mío. Ahora ya conoces mis planes. Hasta este momento no había hablado con nadie sobre estos asuntos. He elegido esta jornada para hablar contigo acerca de los problemas relacionados con Antioquía. No tienes que sentir preferencias por los latinos; ni tienes tampoco que envidiarlos a causa de sus armas resplandecientes. Son orgullosos, pero vacíos por dentro. Están excavando su propia tumba. El Imperio las excavará también y volverá a proteger sus fronteras orientales.

Procedente de un punto lejano llegó hasta allí el sonido de un cuerno de caza. Era un sonido apenas perceptible. El perro, que descansaba a los pies de los dos hombres, levantó la cabeza. Ambos callaron. La tarde caía lentamente; todo el aire olía a crepúsculo; el sol estaba próximo al ocaso, y, de acuerdo con las leyes naturales propias del desierto, se extinguiría rápidamente. El círculo se iba estrechando; los sonidos del cuerno eran cada vez más próximos. Las faldas contrapuestas de las montañas comenzaron ahora a estremecerse violentamente; de entre los matorrales emergió la cabeza hirsuta de un corpulento jabalí; los dos hombres advirtieron inmediatamente su presencia, tomaron posiciones y prepararon sus flechas.

Manuel tensó el arco y apuntó; la flecha, silbando como una lanza, salió despedida con fuerza y se incrustó en la garganta del animal salvaje. Aparecieron unas gruesas gotas de sangre negra; el jabalí dio un par de vueltas sobre sí mismo, y la espuma sanguinolenta que afloraba de su boca empapó la tierra, las enredaderas y las hojas caídas de los árboles próximos. Su cuerpo quedó extendido en el suelo. Manuel lanzó una mirada involuntaria a su padre; Juan asintió casi imperceptiblemente con la cabeza; el rostro del soberano se había iluminado con una tenue sonrisa. Él mismo se había abstenido de lanzar su flecha para dejar vía libre a la del hijo; quizás la hubiera utilizado en el caso de que el animal no hubiera sido herido mortalmente. Luego trató de conseguir también su botín: se trataba de un jabalí viejo que había aparecido en segundo término; de pronto, al percibir su olfato el olor a sangre, se detuvo súbitamente en su carrera; el animal se mostraba ahora sumamente excitado al sentirse acorralado entre los cazadores de un lado y los que le acosaban por el otro. Por ello, permaneció inmóvil unos instantes. La presa era de Kalojuan, pero Manuel se dejó llevar de su apasionado instinto de cazador. El padre oyó el ruido de la cuerda del arco en tensión y vio cómo la flecha volaba de nuevo directamente hacia la garganta del segundo animal. Pero en este preciso instante el animal desvió la cabeza y la flecha fue a clavarse en la parte baja de la frente, entre los ojos. El impacto, por tanto, no era mortal. En un abrir y cerrar de ojos el animal recobró furiosos ímpetus, observó a quien acababa de disparar contra él y se abalanzó sobre Manuel. Toda la escena duró unas décimas de segundo; no había tiempo de coger otra flecha, tensar el arco y disparar... cogió rápidamente su cuchillo de caza y aguardó la embestida del animal en un punto desde el que no podía echarse atrás. Como si estuviera solo... Pero allí estaba también el padre con su arco más ligero y su flecha más pequeña. Resoplando, echando sanguinolentos espumarajos por la boca y, sin acusar el menor síntoma de cansancio ni abatimiento, el jabalí trepó por el breve lecho rocoso del riachuelo, dispuesto a abalanzarse, ciego de rabia, sobre Manuel. La flecha pintada de blanco había caído al suelo. Fue entonces cuando se dio cuenta de que, en una maniobra un tanto torpe, había tomado aquella flecha en lugar de una de las pintadas de negro... pero no había tiempo de rectificar. Manuel aguardaba ahora la embestida del salvaje animal. El padre tomó su espada corta para prestar ayuda a su hijo. El animal se le acercó un par de saltos más. Un extraño temblor recorrió todos los miembros del muchacho, pero pocos instantes después el animal se desplomaba en el suelo como fulminado por un rayo. No hizo ni un solo movimiento más; estaba inmóvil.

— Un poco más y...

Eso había sido todo. Eran cazadores; había pasado aquel peligro que, como ellos sabían muy bien, hubiera podido ser mortal, pero ahora estaban ya a salvo. No es propio de hombres ser sentimental, pero Manuel se acercó a su padre, se inclinó bajo su mano y la besó. Permaneció rígido en esta posición unos instantes; finalmente levantó su vista e inquirió:

— ¿Estás herido?

— Cuando cambié la flecha... la punta me hizo un pequeño rasguño...

Manuel blandía con fuerza su arco, como si quisiera partirlo en dos. Su voz es ahora muy baja; en lugar de hablar susurra, como si alguien pudiera oírles en esta selva frondosa.

— ¿Qué flecha?

El padre está pálido como un cadáver; observa su mano. Un pequeño rasguño rojo, una herida diminuta, de la que sólo manaban unas escasas gotas de sangre. Calla.

— ¿La flecha negra, padre?

Kalojuan sigue callado. Lenta, muy lentamente, retira su mano de la del hijo. Hace con ella la señal de la cruz.

Manuel se inclina nuevamente bajo la mano. Ahora es él el más fuerte; está ileso; él es el hijo que lucha por defender su vida. Saca su cuchillo. Experimenta en su propio ser la contracción dolorosa de la carne, la sacudida de todo aquel cuerpo que preferiría sustraerse definitivamente a esta tortura. Ensancha la herida. Ahora la sangre mana a borbotones. Levanta luego la mano para llevársela a sus labios, y comienza a succionar con todas sus fuerzas. El padre está pálido como un cadáver, sus piernas no pueden apenas sostenerle. Sólo ahora, cuando el hijo se ha librado del peligro, se da cuenta de cuán cerca de él está la muerte. La herida es insignificante; en otras circunstancias no la hubiera notado siquiera; pero hoy sí había percibido el alevoso pinchazo de la punta de la flecha que rozó ligeramente su piel antes de partir veloz por los aires. Ahora estaba allí, su mano entre las de su hijo, cuyos labios succionaban la sangre envenenada; de vez en cuando el hijo volvía la cara hacia un lado, escupía y se enjuagaba con vino.

— ¿Sientes algo, padre?

— Gracias, hijo mío... nada... quizás es que Dios me ayuda.

— ¡Tienes que llamar a los médicos, padre!

— No debes decirles nada. No debes decir nada a nadie. Si el veneno me hubiese atacado, ya estaría muerto como este jabalí. No experimento ninguna sensación extraña. Tranquilízate. Todo ha sido pura excitación...

— Todo veneno tiene su antídoto. Debes tomarlo mezclado con vino.

— Este veneno no tiene ningún antídoto. Fue preparado por uno de mis criados, que ya está muerto. Jamás reveló su secreto. Este criado procedía de Persia, y allí había aprendido a preparar el tóxico. Ni siquiera sé cómo se llama. Tú mismo has tenido ocasión de comprobar su efecto. Tranquilízate, Manuel. Si mata a los jabalíes, mataría también a los hombres. No tengas miedo...

Comenzaron a andar, hacia abajo. Manuel veía cómo su padre, pálido como un cadáver, se tambaleaba como una sombra. Siguieron descendiendo hasta llegar a una especie de zanja. Tras ellos seguía la gente de la corte.

...El emperador está cansado. Le siguen a escasa distancia, Axouch y los altos dignatarios de la corte. Descienden ahora por una pequeña colina, para llegar hasta el sitio donde aguardan los criados con sus caballos. El emperador está fatigado; Manuel observa cómo desciende lentamente por la falda de la colina. Todos sus músculos están distendidos; la voluntad sostiene terrible lucha con el cuerpo... todos los rasgos de su rostro están como rígidos y espasmodizados. Las sombras enturbian su mirada...

* * *

Luto. También Andrónico, el segundo hijo, ha muerto. El mensajero acaba de traer la noticia. La embarcación ha traído dos cadáveres en lugar de uno solo: los restos mortales de los dos hijos mayores del emperador Juan. En el campamento el luto reviste unas características especiales, adecuadas al temperamento varonil. El emperador permanece sentado en el aposento interior de su pabellón; su mirada parece perdida en el infinito. Lleva el brazo en una especie de cabestrillo; tiene una pequeña herida en la mano izquierda, que comienza a curar muy lentamente. Manuel le cuida y le coloca vendajes frescos. Luto, tristeza. Están sentados allí, debajo los muros de Antioquía aguardando la llegada de los legados de Raymond, del obispo de Belén, del gobernador de la ciudad y del astuto notario. El emperador piensa en Alexios y Andrónico, sus dos hijos mayores, los primeros, los más débiles. Isaac y Manuel son distintos. Son más fuertes. En la mirada de Manuel no se adivinan más que ideas fugaces y poco profundas; su mirada no mira a lo lejos, al futuro; pero ¿por qué debería hacerlo?... Es ahora momento de recibir a los legados de Antioquía.

Mañana llegan huéspedes. Les han anticipado ya la noticia; estos huéspedes proceden de la «ciudad». Quieren pasar unos días en estas tierras orientales. Viene Andrónico, el primo, acompañado de dos muchachas, las hijas del otro Andrónico, el hermano fallecido. Y viene con ellos también la esposa del César de las aventuras, Roger, el normando extraño; la princesa María; vienen también dos representantes de otras ramas de los Comneno, un Angelos y un Dukas. Habían llegado a Bizancio por mar, con el objeto de celebrar la solemne festividad al lado del emperador. ¿Por qué venía ahora Andrónico, por qué venían las dos hijas huérfanas? ¿Quién había llamado a los parientes? ¿Quién los habría mandado allí? ¿Acaso tenían conocimiento de aquellas malas noticias?

Es el atardecer. En estas últimas horas de la jornada el campamento duerme en paz. Manuel se dirige al pabellón de su padre para retirarle el vendaje. De todo eso hace ya tres días. El emperador permanece cómodamente sentado en un sillón almohadillado. El hijo se da cuenta de que su padre tiembla de frío. Tiene fiebre. La mano se ha hinchado debajo del vendaje; puede verse claramente cómo desde la mano corren hacia las axilas unas tiras o estrías de color negruzco. Da la impresión de una herida de guerra próxima a gangrenarse. La muerte parece cercana, a menos que ocurra algún milagro. Los cirujanos se reúnen a última hora de la tarde. Colocan unos apósitos de hierba encima de aquella herida cuyo pequeño orificio de entrada apenas permite sospechar que ha sido por allí por donde ha entrado en el organismo la terrible enfermedad. Son los cirujanos quienes piensan en la conveniencia de cortar todo el brazo con el fin de sacar la sangre envenenada. El cirujano de más edad sacude reflexivamente la cabeza de un lado a otro:

— Dios nos ayudará... Dios nos ayudará.

Espera, titubea, aguarda, no puede decidirse. Las cocciones no sirven para nada, las sanguijuelas tampoco, ni siquiera el bisturí ni las lancetas; el emperador tiene frío; la fiebre aumenta al anochecer; los dientes del emperador castañetean de frío; pide una manta.

— Despierta a Axouch; es preciso que venga — dice ahora Kalojuan, cuyo aspecto es pálido y fatigoso. Humedece su garganta y acto seguido pronuncia todavía estas palabras —: Ve a buscarlo, y tú mismo colócate allí fuera, en la puerta, y no dejes pasar a nadie.

El gran mayordomo es un hombre del desierto; vigila mientras duerme; en la expresión de su rostro no se adivina ni emoción ni preocupación. Su mirada permanece perdida en la lejanía; está rígido, inmóvil.

— Siéntate — le dice aquella voz, al tiempo que una mano le señala una silla cercana. Extraño honor. En presencia del emperador todo el mundo debe permanecer de pie, la cabeza inclinada hacia el suelo —. Siéntate — repite aquella voz.

Axouch tiene la sensación de que algo está llegando a su fin y de que algo nuevo va a empezar. Axouch busca los ojos del emperador; en su mirada se ha dibujado una nube fugaz de angustia, pero tan fugaz que es muy posible que él no se haya dado cuenta siquiera.

— Mira, tengo que hablarte antes de que lleguen los que vienen de la capital. Creo que ha sonado ya la hora de las despedidas; es posible que me sienta más feliz de lo que se sintió mi padre en su lecho de muerte, pues parece ser que por todos lados se sentía acosado por los odios y las rencillas de los familiares... Recuerdo el rostro de mi padre. Sonrió cuando me acerqué para sacar el anillo de su dedo. No dijo nada, pero sonrió. Cuando entró mi madre con Ana y le dijo que debía desheredarme, se limitó a sonreír. Quizás no quería que Ana ocupase el poder.

— ¿Por qué piensas en esto precisamente ahora?

— La muerte de mi padre se produjo de forma tal que ninguno de nosotros pudo oír su última voluntad. Dios se ha mostrado más condescendiente conmigo, pues me ha mandado esta enfermedad. Siento que se aproxima mi fin, y por tanto estoy en condiciones de pensar en las últimas cosas. Axouch, el ejército está en tus manos. Dime, ¿a quién deseas por emperador?

— Podemos elegir entre Isaac y Manuel. Isaac es piadoso; lleva una existencia realmente virtuosa. Los soldados le conocen. Isaac es el mayor de los dos; elígele a él y de esta forma no se alterará el orden.

— ¿Elegirías tú a Isaac?

— Si lo eligieras a él tendrías a los soldados a su favor. Los soldados respetan a los primogénitos, y él ocupa ahora el sitio del primogénito.

— Pienso en mi hermano, en Isaac, el viejo. Tan pronto como se entere de la noticia de la muerte se levantará en sus provincias. Tengo miedo de Isaac el viejo.

— Tu hermano, señor, es débil y parlanchín. Si se atreve a coronarse, haré caer a Bizancio en ruinas.

— Un momento, Axouch. Es por eso por lo que deseo que, aquel a quien yo elija, sea proclamado Augusto por el ejército. Presta atención: mi elección ha recaído en Manuel.

— ¿Como único emperador?

— Como emperador. Éste es el hijo en quien he depositado mis complacencias. El ángel de la muerte ha querido anticipar mis designios. Ahora no tengo más que elegir entre él e Isaac. Elijo a Manuel.

— Tú eres el Imperio, señor.

— Dime, Axouch, ¿miras a Manuel con buenos ojos?

— Cuando era un niñito se sentaba entre mis brazos y jugaba con mis cabellos. ¿Puede olvidarse esto, señor?

— Entonces, ¿por qué hiciste mención de Isaac?

— Yo conozco el Imperio, señor. Isaac es un hombre más modesto. Vive aquí, entre los soldados, y también, cuando está en su casa, entre los presbíteros. No habla el lenguaje de los francos y no aspira a conseguir su amistad.

— ¿Es que Manuel muestra simpatía por ellos?

— Manuel se siente muy atraído por los latinos. Habla en francés con los soldados normandos y también con el César Roger, y en latín con los presbíteros. También domina el idioma de su madre. Mientras vivió el hombre ciego habló siempre húngaro con él. Todo esto se sabe en el Sacro Palacio. La gente de allí tiene miedo. Sólo los soldados esperan que, gracias a él, puedan convertirse en los dueños de la situación. Isaac mira hacia Oriente; Manuel hacia allí en donde se esconde el sol.

— ¿No te parece lo suficientemente piadoso?

— Al día siguiente de la llegada de Berta oyó la misa del presbítero latino. Se arrodilló e inclinó igual que los demás. Se dice que él sigue el rito de los latinos. Es posible que se persigne también igual que ellos...

— Charlatanerías de los eunucos...

— Estoy de acuerdo en esto, señor. No son más que charlatanerías, pero son los castrados los que llevan la voz cantante en el Sacro Palacio. Por eso he hecho mención de todas esas cosas.

— ¿Y qué sucedería si en lugar de Manuel eligiese a Isaac?

— El alma de Isaac es piadosa; Isaac baja respetuosamente la cabeza ante los patriarcas. Ante todos los patriarcas. Nadie tiene nada contra él, haciendo salvedad quizás de los príncipes nacidos en la púrpura...

— ¿Consideras, entonces, que Isaac es el mejor de los dos?

— No, señor. He conocido a tus cuatro hijos. El alma de tu padre está reencarnada en el cuerpo de tu hijo Manuel. Dios ha querido hacer de él un héroe. Si coronases a Isaac, Manuel se levantaría contra él. Manuel tiene que mandar y dominar. Será un gran emperador; el mundo se verá obligado a acatar la voluntad de este Comneno.

— ¿Crees tú que será un gran emperador...?

— Sí, orientado hacia Occidente. La sangre de su madre bulle en sus venas, la sangre de los dos abuelos. Uno de ellos forjó el nuevo Imperio, y el otro fue un monarca piadoso. Su cadáver ha obrado muchos milagros, como han informado los legados húngaros.

— En el caso de que elija a Manuel, ¿será tu corazón fiel a él?

—Me has retenido siempre a tu lado porque he sido en todo momento sincero y leal contigo; porque he sido más leal que un hermano, pues ya es sabido que raras veces en Bizancio los hermanos son buenos consejeros del emperador. Si eliges a Manuel lucharé por él y le serviré para permanecer fiel a nuestra alianza. Si Dios lo quiere y, tan pronto como te siga yo en el viaje a la eternidad, también mi hijo servirá a Manuel.

— Piensa en nuestros huéspedes, Axouch; deben permanecer aquí hasta que se haya consumado el cambio de trono.

Aquellos ojos oscuros, y pálidos sin embargo, se cerraron; la mano temblorosa del emperador agarró convulsivamente el vaso. Bebió un sorbo de una pócima analgésica que los médicos le habían preparado con un poco de opio. Permaneció inmóvil. El gran doméstico aguardó a que desapareciera de él aquel estado de tensión. Era un hombre del desierto y sabía lo que significaba aquella muerte que iba acercándose inexorablemente.

* * *

Una Pascua triste. Fiesta de la Resurrección del año del Señor 1143 en la triste Asia. Ya a nadie podía ocultársele que el emperador Juan estaba enfermo, que las cocciones mitigaban pasajeramente sus dolores y penas por unas horas; la mirada del emperador era muda y penetrante.

Igual que si estuvieran en el palacio se habían reunido aquí los altos dignatarios de la corte imperial, cortesanos, príncipes y parientes de la casa imperial. Permanecían aquí y pasaban mucho frío cuando por la noche llegaba la niebla procedente del valle; sus bocas se contraían en gesto de desagrado porque aquí el pan era negro y el vino áspero, y porque los cocineros de la corte no podían preparar cada día alimentos frescos. El emperador no se preocupaba de estas cosas. Permanecía sentado en su tienda. Siempre encontraba palabras para los que acudían a visitarle; sentado en su sillón de púrpura les dirigía una sonrisa amable, pero temible al mismo tiempo.

Ya al despuntar el alba, los mayordomos de la corte señalaron el lugar que debía ocupar en la capilla del campamento cada uno de los distinguidos asistentes. Los soldados estaban construyendo unos bancos a fin de poder ofrecer asiento a los altos dignatarios del Imperio.

Cada cual buscaba el lugar que se le había otorgado según su rango. Frente al sillón de púrpura imperial no se había dispuesto más que un solo asiento, muy parecido, por cierto, al trono del emperador; era aquí donde el celebrante había de acompañar al venerable y anciano patriarca, cuyos cabellos eran ya blancos como la nieve. El obispo del palacio tenía que permanecer aquí, pues su dignidad no le permitía participar en la misa. Permaneció inmóvil, según el rito de Antioquía, como presbítero celebrante, revestido con su indumentaria de seda y una expresión de ofensa en su rostro; parecía como si estuviese contando los minutos de humillación que todavía tendría que soportar.

Las trompetas sonaron con más fuerza cuando entró Manuel; una ola de entusiasmo pareció extenderse entre las interminables hileras de soldados. Manuel tiene una estatura de casi seis pies y, si se presta un poco de atención a su porte, puede observarse cómo sus hombros se echan ligeramente hacia delante. Lleva coraza y su cabeza está cubierta por un casco; los cortesanos murmuran entre sí y opinan que parece el dios Marte. Sus miradas curiosas buscan el sitio reservado para Manuel, un sillón con el respaldo de púrpura, tal como corresponde a su rango. Sin embargo, Manuel no entra en la capilla. Permanece fuera, en el sitio que, desde los tiempos más primitivos, se reserva para los no bautizados. Toma ahora su sable en la mano, se arrodilla y hace la señal de la cruz. Seguidamente se coloca entre las hileras de los catafractarios, soldados que van revestidos de piès a cabeza con una armadura de hierro.

— ¡Cristo ha resucitado!

— ¡Cristo ha, en verdad, resucitado!

El hijo del emperador abraza a los soldados. La gente altera el orden. La ola de entusiasmo ha adquirido nuevas y gigantescas proporciones; oficiales y soldados luchan para llegar junto a Manuel, para recibir de él el beso pascual y devolvérselo; es un misterioso pacto entre el caudillo de los ejércitos y sus soldados. Los miembros de la familia imperial que han contemplado la escena palidecen. Saben muy bien que todo eso ha ocurrido por algo, que tiene un sentido y una explicación.

El emperador no se arrodilla. Le han traído en un palanquín, este artificio palaciego que también él, como los soldados, odiaba. Un eunuco sostiene sobre su cabeza una umbela. Por eso, la palidez de su rostro sólo se ha hecho manifiesta cuando, incorporándose por encima de las parihuelas y apoyándose en los hombros del presbítero, se ha dirigido hacia su sitial, en el que finalmente se deja caer. Permanece sentado allí, unos minutos, casi inmóvil, pues aquel par de pasos le han cansado notablemente. Hace una señal con la mano derecha; los soldados y el coro entonan un canto al unísono; se inicia la misa solemne.

Es una misa pascual, con un prolongado evangelio. La palabra fluye melódica de los labios del presbítero celebrante; los cortesanos la entienden, y también el emperador. Con visible entusiasmo relata una vez más la historia de la Resurrección; sus ojos parecen de fuego, y su mirada está fija en la cruz; los circundantes permanecen inmóviles. Es la expresión de la plegaria más sencilla, de la oración eterna del alma humana que brota en el más alejado rincón de la capilla. En el prefacio, el patriarca se dirige lenta y solemnemente hacia el celebrante: el príncipe de la Iglesia abraza y besa a su siervo, dando a entender con esta ceremonia que se reconcilia con todos y que ofrece su absolución a todos los que hasta ahora han vivido en el pecado.

En este momento se mueve el brazo del emperador. El maestro de ceremonias de la corte inclina su cabeza ante él. Una extraña luz resplandece en sus ojos; aguarda unos instantes, hasta que han desfilado ante él, con la cabeza baja, en señal de respeto, los cortesanos, los parientes y los altos dignatarios, siguiendo el orden prescrito por su rango. El emperador no les permite que se arrodillen. Con una ligera inclinación de cabeza da a entender su gesto de humildad. Con un ligero movimiento de la boca, que equivale a un abrazo y que es casi como un beso, da a entender que el emperador quiere despedirse de todos sus súbditos, a quienes pide perdón y perdona al mismo tiempo. Este rito era insólito y antiquísimo, y, aun cuando no encajaba dentro del marco de la misa, era como el espíritu de lo que, en la actualidad, no queda más que un símbolo. El emperador vivía las horas postreras de su vida, y cada mirada le recuerda un mundo pasado, los abuelos y los nietos, sus intenciones y designios, su destino.

El maestro de ceremonias ha sido quien ha abierto la serie de los que desean ardientemente recibir aquel beso; la ceremonia va tocando paulatinamente a su fin; el último que se acerca al emperador es Manuel. Se arrodilla ante él; es el único a quien el padre se lo permite. El único a quien hace levantar, cogiéndole con su mano sana, la derecha, para estrecharlo contra su corazón. Todo su cuerpo se estremece al percibir los sollozos mudos de aquel hombre cuya mirada vuelve ahora a hacerse rígida e impertérrita; el joven permanece al lado de su padre para prestarle su ayuda, si aquél la necesitaba. Siguiendo una costumbre antiquísima, nuevamente aparece al otro lado de la reja el patriarca; se dirige lentamente hacia el primero de los obispos; lleva un pedazo de pan y le ofrece también un poco de vino. Sólo los más ilustrados captan el sentido de esta ceremonia en la que el patriarca de Antioquía se acerca a este sitio que representa la tierra de Bizancio. La mirada pálida del emperador se ilumina; el emperador se inclina ante su rostro de barba poblada; el patriarca parte un pedazo de pan y acerca el cáliz para hacerle partícipe de la más santa y maravillosa parte de la misa, la consagración.

Se han extinguido también las voces del coro, y el emperador vuelve a desfilar nuevamente entre las hileras interminables de soldados y cortesanos de rodillas.

El campamento es como un enjambre de abejas resucitadas. Nadie conoce el destino de las próximas horas. ¿Acaso no sería mejor no aguardar ni un solo momento más y llegar a Bizancio lo más rápidamente posible? ¿Acaso no era posible obrar con más celeridad que la embajada de terror y destrucción, acompañantes perennes de todo interregno?

Ha transcurrido una hora, cuando una mano retira a un lado el suntuoso y enorme tapiz de la antesala del pabellón imperial. El orden y la obediencia se han apoderado nuevamente de los titubeantes; la espera se ha convertido en ceremonia; la actitud rígida del emperador da a entender que, mientras viva, exige de todos sus súbditos idénticas muestras de sumisión y respeto. Todo el mundo sabe que se ha convocado una sesión solemne del consejo imperial reunido por el propio Kalojuan; una sesión como las que el emperador solía siempre convocar en las horas de peligro. Por esto, nadie puede alejarse. Los centinelas forman un apretado círculo en torno al campamento. Conviene que todo el mundo permanezca en su puesto.

Los huéspedes, invitados a la sesión, están aquí desde la hora en que se ha celebrado la misa matutina. Entre ellos, se encuentran un par de mujeres y muchachas; permanecen en la tienda contigua aguardando la decisión que tomen los hombres. En la entrada de la tienda aparece, entre las mujeres, Manuel.

Su mirada tropieza con unos ojos cuyo brillo delatan inquietud e intranquilidad. Sus ojos se dilatan de terror cuando ve que se encuentra ante su pequeña sobrina vestida de luto... Teodora. Parece como si la muchacha hubiera crecido mucho. Viste el color azul oscuro del luto desde la muerte de su padre. Ella permanece de pie, al lado de la princesa de más edad, e inclina su cabeza, dando a entender con este movimiento que está dispuesta a besar la mano de Manuel, si éste se lo permite.

Los dos permanecen en la entrada de la tienda. Manuel se saca el guante de la mano. Los ojos de la muchacha quedan fijos en su muñeca plagada de cicatrices: una mano de soldado.

— Cuando seas emperador, Manuel, tienes que tener cuidado.

— ¿Qué se te ocurre decirme, Teodora? ¿Es que alguien te ha incitado a hablarme de esta manera?

— No.

— ¿Por qué has abandonado Bizancio?

— He salido al encuentro de mi padre difunto. Ahora me llevan al lado del abuelo. ¿Por qué tengo que permanecer en la ciudad? ¿Sólo para ver cómo el pueblo se abalanza sobre el palacio de mi padre?

— ¿Quién se atreve a obrar de esta forma?

— ¿Quién puede temernos? Mi madre se ha retirado a un convento. Yo no soy capaz de defender la herencia de mi padre.

— Tú y tu madre estáis bajo mi protección. Lo que es mío es también tuyo, contando con la ayuda de Dios.

— Palabras, Manuel...

— ¿No me crees?

— Tú estás aquí en el campamento. Aguardas la sesión del consejo. En el palacio te espera aquella muchacha extranjera rubia que se llama ahora Irene. ¿Dónde estoy yo, Manuel?

— Tuve que dejarte, Teodora, sin haberte podido ver restablecida. Me alegro de que los médicos de Bizancio hayan hecho honor a su fama. Si no fuera porque el luto nos rodea, te pediría que danzaras para mí solo.

— Nadie ha visto el epílogo de la danza. Si tú quieres... y siempre que tú quieras bailaré para ti, Manuel.

* * *

Kalojuan callaba. La muerte parecía asomarse a su rostro.

Sabía que él mismo se preparaba a su fin; no creía en los médicos. Ahora era un hombre débil y caduco, a quien sólo sostenía su dignidad. Se sentía también soberano de Roma y sentía que se terminaba su reinado sobre el Imperio. Todo el mundo callaba.

Cuando sus ojos miraban hacia delante veía ante sí Bizancio; veía la corte de Bizancio revestida con sus más sencillas indumentarias; muchos de sus súbditos habían adelgazado y daban la sensación de agotamiento. Su mirada cansada pasaba lentamente del uno al otro. Él había conocido a sus padres e incluso a sus abuelos y, de acuerdo con su descendencia, los juzgaba como buenos o egoístas, como útiles o malos.

La mesa estaba cubierta de pergaminos. Encima de ella habían también libros de leyes; un rayo de sol descendía sobre la tabla de mosaico de las Sagradas Escrituras; las piedras preciosas resplandecían y la figura de Cristo parecía llena de vida. Los que estaban sentados allí pudieron observar que el emperador estaba hablando, pero su garganta no era capaz de proferir un sonido alto e inteligible.

— Habéis venido para estar a nuestro lado. Hemos celebrado en comunidad la fiesta de Pascua, la fiesta de la Resurrección. Os agradezco que hayáis tomado la decisión de emprender tan largo viaje para celebrar la Pascua a mi lado, para abrazarme y para decirme: Cristo ha resucitado, Cristo ha, en verdad, resucitado...

»Queridos míos, es posible también que hayáis venido aquí llevados por otros motivos, por intenciones y deseos particulares de cada uno de vosotros. Pero ahora no queremos hablar de todo eso. Querría hablar de muchas cosas, pero estoy cansado. Después... Después de celebrada la sesión del Consejo podremos volver a este tema, caso de que mi mente conserve todavía la lucidez suficiente, y de que vosotros podáis permanecer un rato más a mi lado. Porque ha llegado también, queridos míos, el momento de despedirme de vosotros; quiero que guardéis un buen recuerdo de mí. Ahora quiero hablaros primero del Imperio. Siguiendo la tradición de nuestros abuelos el Señor da, a quien ha elegido como príncipe, el derecho de determinar su sucesión, de escoger el siguiente eslabón de la cadena imperial que se inició con Augusto. Conozco la ley, pero conozco también los peligros que acechan a los que la siguen. Es inútil que el emperador decida quién va a sucederle y que el patriarca unja al elegido, si el pueblo no da su conformidad. Todos vosotros habéis venido para reuniros conmigo y os vais a constituir en testigos de cuanto digo. No puedo dejar al país y a la capital sin una persona que gobierne. No puedo tolerar que la revolución vuelva a encenderse nuevamente. He impedido a los revolucionarios la entrada en la Hagia Sofía; no quiero que el Sacro Palacio sea ocupado por gente armada. Vosotros no podréis marchar de aquí antes de que mi cadáver sea bendecido; tenéis que regresar todos juntos a Bizancio llevando con vosotros mi cadáver para dar testimonio de que nadie me ha asesinado, de que nadie ha mezclado un veneno en mi bebida y de que tampoco nadie ha querido aniquilarme. Si he disfrutado de una larga existencia ha sido por voluntad del Señor, por que Él así lo ha creído útil y conveniente. También Él ha juzgado oportuno que yo me hiriese con una de mis propias flechas. Aceptad, por consiguiente, mis palabras. No acuso a nadie y no puedo tampoco quejarme de nadie.

»Manuel será emperador...

Por un momento le falló la voz. Todos permanecían sentados, inmóviles; aquel religioso silencio no fue interrumpido por ninguna clase de murmullo; nadie osaba anticiparse a las palabras de aquel ser vivo que se preparaba para recibir a la muerte; cualquier movimiento podía tener ahora una importancia insospechada.

— Sí, queridos míos, he resuelto mis dudas con la ayuda de Dios. He elegido a Manuel, porque creo que es a él a quien el Imperio necesita. Vosotros le conocéis bien. Es mi hijo menor, el menor de los cuatro... Tiene un hermano, y ya sabéis que, según las viejas costumbres, no es correcto que el más joven ocupe el trono antes que el mayor. Sabéis que Isaac es un buen hijo, que ha estado largo tiempo a mi lado; los soldados le quieren, y sería un mal padre si me atreviese a decir algo malo de él. Pero no puedo dejar el Imperio en sus manos. Sabéis muy bien, queridos, que el país tiene cuatro puertas, cada una de ellas orientada hacia uno de los cuatro puntos cardinales. Quien está sentado en el trono del Sacro Palacio ha de dirigir simultáneamente su vista hacia Oriente y Occidente. ¿Tengo que explicaros ahora por qué mi elección ha recaído en Manuel? Vosotros sabéis que él ha vivido en vuestro ambiente, vosotros le habéis visto con frecuencia y le conocéis. Manuel no sabe todavía que le he elegido. Le he rogado que permanezca en el exterior mientras os hablo a vosotros; puedo hacerle llamar en caso que así sea necesario. Ve, Axouch, y ruega a tu señor Manuel, emperador romano por la gracia de Dios, que entre.

El gran mayordomo se levantó. El que, en otro tiempo, había sido su amigo de la infancia, infundía ahora verdadero respeto, casi temor, con su perfil severo y su nariz aguileña. Axouch repasó con una mirada a todos los circunstantes. Debían ser, en total, unos treinta... las fuerzas vivas del Imperio. Los buenos y los malos... pensó él para sus adentros; y él mismo era ahora el juez supremo, el hombre inexorable que, a la más mínima palabra de defensa o al menor movimiento, hubiera empuñado las armas. Inclinó profunda y respetuosamente la cabeza ante su señor, ante la muerte, y besó su mano. Este beso en la mano era el primero y el último en la vida de ambos. Salió de la tienda. Pocos momentos después volvió a entrar en ella, con una mano colocada encima de los hombros de Manuel. Los dos se detuvieron junto a la cortina de entrada. Ahora el brazo del alto dignatario de la corte descendió; se inclinó ante Manuel.

— Señor, da las gracias a tu padre. Es su voluntad que tú ciñas su corona, que tú, mientras él siga en vida, compartas con él la carga del Imperio y que seas luego su sucesor en cuanto su alma emprenda el viaje a la eternidad. En nombre del Imperio te reconozco como a mi señor y emperador, Manuel...

Fue una ceremonia al estilo del desierto. El siguiente fue Andrónico.

— Que la gracia del Señor te ilumine, Manuel. Deja que yo sea el más sumiso de tus siervos, dispuesto siempre a cumplir tus órdenes...

Manuel permanecía de pie; sentía el calor de la mano de Axouch y su fuerza, y sentía también la fiebre en la ardiente mano del padre, en la que sus labios depositaron un beso. Sintió también un escalofrío extraño e intenso, y se dio cuenta de que todo, en aquel ambiente, era hostilidad. Allí estaban de pie todos los futuros insurrectos. Estaban inclinados todavía, los ojos fijos en el suelo, porque el moribundo era aún emperador y tenía las legiones en sus manos. Pero, ¿y mañana...? ¿Qué ocurriría con las legiones? ¿Qué ocurriría con Axouch? ¿En qué podrían transformarse todos los besos, abrazos y genuflexiones?

¿Quién podía saber lo que ocurriría mañana? Alguien había corrido la cortina de la tienda. Entraron las mujeres. Sus ojos tropezaron con otros ojos. «Dime, pequeña Teodora, ¿acaso puedes pensar en otra cosa que en tu padre, que, sin duda alguna, sería ahora el emperador de no habérselo llevado la muerte? ¿Y no serías tú ahora la primera de entre los nacidos en la púrpura?» Ella le tendió la mano y se la retuvo durante unos segundos; Manuel tuvo la sensación de que era ella la única que realmente quería verle coronado.

No pudo menos que pensar en su madre. Hubiera experimentado un doloroso sentimiento de felicidad si hubiese estado ahora a su lado, como en otro tiempo Ana Dalassena estuvo también detrás de Axouch.

Se arrodilla ante el padre. La ceremonia resulta larga y embarazosa; el dolor es un soberano muy severo; Juan cierra los ojos, aprieta los dientes, lucha contra el desfallecimiento. Luego se incorpora; sus ojos se detienen en aquel grupo de personas que le rodean; él es el más fuerte de todos, el dolor no existe. Kalojuan se reviste con el manto de la muerte, que se acerca con paso solemne. Sus facciones se han alisado, su rostro palidece por momentos; ha perdido el color oscuro propio de la tez de un soldado curtido por el viento y la intemperie; también han desaparecido de él la voz áspera y los ademanes imperiosos y autoritarios. Ya está arriba, en la antesala del reino del Señor; su capa refleja una luz celestial, sus ojos se consumen en un fuego interno. Kalojuan se da cuenta de que el Señor le ha concedido la gracia de una muerte dichosa.

El emperador es sereno y santo. No espolea ahora, como hacía años atrás, a los perezosos y holgazanes, porque también él considera que las oficinas son campamentos de guerra. Hoy ha sido todo distinto; su mirada, cariñosa y profunda, se recrea con la vista de su hijo; es la mirada de un emperador que desciende como una máscara sobre su cadáver para conservar sus rasgos terrenales.

* * *

Los soldados cierran todas las salidas del campamento. Hasta que Manuel no dé el permiso oportuno, ni una sola alma puede abandonar esta ciudad de tiendas de campaña. Se ha rechazado a un mensajero de Antioquía; los legados tienen que aguardar; también hasta ahora han estado demorando sus embajadas. El emperador no va a recibir ahora a ningún emisario; habla con Dios, pues las conversaciones con los hombres no le interesan por el momento.

El emperador muestra su indiferencia hacia las conversaciones con los hombres. Permanece sentado, en su sillón, entre blandos almohadones. Al atardecer manda llamar a Manuel. Tiene ante sí un vaso de leche cuando entra el joven emperador. Con una señal da orden al presbítero de retirarse.

Juan habla como un anciano viejísimo. Las palabras salen con extrema lentitud de sus labios; transcurre a veces un cuarto de hora antes de que pueda ligar una palabra con otra.

— Prométeme, hijo mío, que no te acostarás con Berta antes de que Conrado haya mandado la dote y los cuatrocientos soldados acorazados, tal como prometió, y antes de que dé su palabra de no dirigir jamás su mirada hacia Oriente...

— Berta está aguardando mi regreso a palacio. Siguiendo tus órdenes la abandoné para permanecer en el campamento a tu lado. Le he ido mandando mensajes y regalos. ¿Qué debo decirle ahora? ¿Por que, padre mío, tengo que seguir aguardando todavía?

— Tú eras el cuarto hijo del Basilio cuando el obispo de Acrida fue al encuentro de Conrado para pedirle la mano de Berta en tu nombre. Yo había pensado entonces nombrarte gobernador de Kilikia, y quizás más tarde hubieras recibido una provincia más importante junto al Danubio. Éstos eran mis proyectos cuando pedí para ti la mano de Berta.

— ¿Acaso, deseas, padre, que haga volver a Berta a su país?

— No he querido decir eso. Sólo he dicho que tienes que esperar. Prométemelo, Manuel. En cuanto te hayas casado con Berta, Conrado no querrá hacer ningún tratado más contigo...

— ¿Y qué debo decir a Berta? Ella se pasa las horas sentada entre sus mujeres en el jardín de la villa, junto a la Propóntide. Esperando. ¿Y si un día sus caballeros, consumidos por la impaciencia, me dicen: «Señor, ¿por qué no cumples tu palabra?»

— La cancillería te pertenece, Manuel. ¿Acaso puede convertirse en Basilisa aquella que desconoce nuestras leyes? ¿Acaso puede coronar el patriarca a alguien que no conoce nuestra lengua?

— ¿Es que quieres someter a prueba a la emperatriz?

— Todos estarán presentes. También estarán allí Ana e Irene, tus maestros, y Pródromos, para el que, con tanta frecuencia, me pedías indulgencia... Todo el mundo estará allí, hijo mío· No puedes poner a Berta en evidencia. ¡Espera...! Aplázalo todo; un día parece buena una idea, pero al día siguiente es posible que la buena idea sea otra.

— Ya ves, padre, que estoy solo, sin esposa. Estoy harto de las esclavas. Quiero un hijo. Quiero un niño, porque en la nueva generación de los Comneno no hay todavía un solo varón.

— Todavía no puedes llevar a Berta al lecho nupcial. Espera. Te has convertido ahora en el Basilio. Éste es el precio que se te exige. El Imperio tiene que luchar duramente y tú no puedes regatear esfuerzos.

— Ella está rodeada de caballeros... ¿Los conoces tú, padre mío? Se vanaglorian del escrúpulo con que cumplen la palabra empeñada y en cualquier momento están dispuestos a desenvainar la espada... ¿Qué sucederá si me hieren con sus ofensas?

— Tú eres emperador y no caballero. Tú eres fogoso; la san-

gre de tu madre corre por tus venas. Las gentes de la llanura...
Sí, sé muy bien que tú dices que ha habido entre ellos santos y
reyes, que su familia es más antigua y quizás también más real que
la nuestra. Por eso te sientes inclinado hacia los occidentales. Por
eso ansías recibir mensajes de los reyes de la Galia o de Bretaña.
¿No es verdad?

— Sí, padre.

— No obstante, hoy eres ya el Imperio. Todos ellos perecen.
Sólo quedamos nosotros. La tormenta no puede aniquilarnos.

— Berta espera... Una mujer que está convencida de que soy
su esposo.

— Tú eres emperador. Tus sentimientos ya no te pertenecen.
Incluso tu propio semen ha dejado de ser tuyo. Por eso eres el
emperador. En tu frente no cabe una sola arruga de infamia o de
vileza... tu mirada ha de ser radiante. Eres el emperador.

— Se dice que Berta quiere descorrer el velo que cubre su
rostro.

— Tú mismo lo retirarás de su cabeza en cuanto llegue el momento oportuno. En cuanto llegue la respuesta de Conrado y os
hayáis convertido en hermanos. En cuanto haya pagado el precio
estipulado, por Berta y por el Imperio.

— Esto es muy grave, padre. Todo se ha producido muy rápidamente. Deseo marchar... Tengo ganas de atacar de frente, hacia
delante, con los soldados...

— De esto se encargará Andrónico.

— ¿Y por qué él?

— Presta atención, Manuel. Me he dado cuenta de la expresión de tu rostro cuando le mirabas. Vete con cuidado con él, hijo
mío, porque él es el único que...

— ¿Crees que pretende la púrpura?

— No le distingas con tu aprecio y guárdate muy bien de él.
Se inclina ante tu presencia, pero al propio tiempo fomenta la insurrección.

— Él era amigo mío. ¿Tengo que ver en él ahora sólo un enemigo desde que soy emperador?

— Andrónico no es tu hermano. Tampoco tu hermano de sangre Isaac va a ser tu hermano a partir de hoy. Esto lo dice vuestro propio padre. Ahora hablo contigo, con el emperador. Todavía

puedo hablar y mis ideas aún son claras. Mientras sea todavía tu padre moribundo, deja un poco baja la cortina de la entrada de la tienda. Tú eres quien debe cuidarme y servirme en estas últimas horas. Luego seguiré siendo tu padre; un padre ausente por ley de la naturaleza... Yo he visto muchas muertes. Nunca he dado la orden de apartar de mi lado a los heridos; así ellos permanecían junto a mí, con los miembros contraídos; veía cómo la muerte se les iba acercando... Pero no desperdiciemos el tiempo. Estábamos hablando de Andrónico. Dale dinero y te servirá. Pon un criado a su lado para que observe todos sus pasos. Es así también como yo he vivido...

— ¿Piensas en mi hermano Isaac, padre mío?

— Sí, también pienso en él. Tu hermano, el joven Isaac, no será nunca tu enemigo. Sé bueno con él y trata de endulzar la amargura que ahora experimenta en su paladar. Confíale los monjes y los presbíteros. Debe ser el señor de los monasterios y conventos... Sé bueno con él y también con su esposa. Pero el otro Isaac, hijo mío, es todavía peligroso... En este preciso instante noto cómo la fiebre se apodera de mí; me gusta charlar cuando la fiebre me asalta, pues tengo la sensación de que estoy sentado en una nave abandonada a merced del viento; da lo mismo que permanezca callado o que dé curso a las palabras que afloran a mis labios. Procura, Manuel, que el viejo Isaac y su hijo Andrónico no se encuentren, procura que no coincidan. Es más difícil luchar contra dos. Isaac ha reunido mucho dinero. No le pierdas de vista, Manuel.

— Podría hacerle matar...

— Tú no debes matar. Los cronistas no son mentirosos, hijo mío. Como que todo lo anotan y registran, nada de lo que tú hagas quedará oculto en el secreto. Tú eres el emperador, y día y noche están pendientes de ti los ojos del Imperio. ¿Has leído la crónica de Psello? Vivía en la cancillería. Zoe le hizo doméstico, se construyó una casa, gracias a la benevolencia de la emperatriz... Y sin embargo, cuanto escribió en secreto sobre su señora es escándalo y vergüenza. Hoy día Zoe vive en tus recuerdos según lo que, de ella, escribió aquel canciller infiel.

— Tú has evitado los peligros. También yo los evitaré. Soy el tercer Comneno.

— Este Imperio es muy distinto al Imperio que recibí en herencia de mi padre. Es más hermoso, más amplio, pero también más peligroso. Está rodeado por sus cuatro costados por gente malvada con teas incendiarias en sus manos. El fuego puede comenzar cuando menos se espera... Tienes que saber ser también cobarde. No marches a la cabeza; manda delante de ti a tus gentes principales; cuida de que siempre quede detrás tuyo tierra llana, para que así puedas huir al galope en un momento de peligro. Si eres cobarde, Manuel, servirás al Imperio.

— Andrónico cabalga a mi lado...

— Déjale que marche por su cuenta. Él va en busca de botines y de mujeres. Pero tú eres el emperador, y el botín y la victoria te pertenecen. Deja a Andrónico que vaya solo. Deja que se lance al ataque, de frente. Tú eres cobarde y tienes que inclinar tu cabeza sobre los rollos de pergamino. Lo demás, lo dejas en sus manos... Ahora vete, me fatigas.

— ¿Deseas algo más, padre?

— Cuando tengas un hijo ponle el nombre de mi padre. Si lo haces así me honrarás a mí también. También me honrarás si no dejas que entierren mi cuerpo en la arena de Antioquía; quiero que me trasladéis, pues quiero que mi cuerpo descanse donde descansan los cuerpos de mis antecesores. Por la noche ven otra vez, Manuel, para darme el medicamento. Si Dios lo quiere, mañana estaré todavía con vida. Di ahora a los presbíteros que vengan.

* * *

La muerte es sencilla. Los soldados la conocen bien. El duelo es una costumbre antiquísima; tiempo atrás, los mejores hombres del ejército seguían a su caudillo en la muerte. Hoy se limitan a desfilar de uno en uno por delante de la tienda en la que descansa el emperador, cubierto con su capa de soldado, ataviado únicamente con la púrpura de sus sandalias para dar a entender que él es el primer magistrado del Imperio mientras la muerte no se lo lleve de este mundo. Al pasar por delante de la tienda se sacan el casco. Mientras dura esta ceremonia luctuosa no hacen más que un solo gesto; un gesto al que ya se han acostumbrado y que constituye una señal de profunda veneración. Ahora, la tienda se reviste con los colores del luto; los altos dignatarios del Imperio se preparan para las ceremonias prescritas. Durante toda la noche arden las lámparas de aceite; los sastres cosen para tener a punto las vestiduras necesarias. Pero los soldados ya no se preocupan por todo eso. Piensan en el dinero y en la marcha. ¿A dónde les llevará el nuevo emperador al que hoy, al despuntar el alba, tienen que prestar juramento de fidelidad? Va a ser una jornada decisiva. Piensan en el dinero, en diez, quince denarios de plata; los soldados y los oficiales sueñan con el oro. Se trata de una tradición antiquísima, que data de los tiempos de las primeras legiones, cuando todavía tenían voto. El nuevo emperador tenía que pagar por adelantado, y en aquella época los emperadores débiles morían por culpa de los denarios. Kalojuan había sido uno de los suyos; había vivido con ellos y le amaban a su manera, a pesar de su insubordinación y rebeldía. Hablaban de él recurriendo a alusiones. De esta manera: «recordarás que cuando atravesamos el río en el Quersonesos..., recordarás, cuando tuvimos que ocupar el castillo, que él fue uno de los primeros en trepar por la escalera...» Una especie de charla fúnebre.

* * *

El emperador había fallecido al anochecer, cuando la gente encendía sus lámparas. El propio Manuel le había cerrado los ojos; colocó el espejo de plata delante de sus labios inmóviles y realizó las últimas pruebas que confirmaban que la vida se había extinguido ya en aquel cuerpo. Una cortina había reducido el pequeño palacio de campaña que rodeaba al lecho mortuorio; al otro lado de la cortina, en el dormitorio contiguo, no estaban más que un médico y Manuel, el hijo. Fuera, detrás de la cortina, en una espaciosa sala de espera, aguardaban los familiares. Cuando la agonía llegó a su punto final y el estremecimiento de la muerte recorrió los miembros atormentados del emperador, el presbítero castrense hizo una señal. La voz del arzobispo resonó clara y solemne. Él mismo dirigió el coro fúnebre, que cantaba en voz baja, casi en un susurro, para acompañar en su viaje inmortal a aquella alma que se despedía de este mundo.

Manuel se levantó. Sus rodillas estaban anquilosadas; había permanecido arrodillado horas enteras; ahora se puso en pie para pasar la mano por encima de aquel rostro inmóvil, ordenar su vestimenta y mojar sus labios con unas gotas de agua; entonces vio cómo la vida se extinguía definitivamente en aquel organismo. Volvió a quedarse inmóvil una vez la muerte hizo su presa y el tanatos dejó oír su voz. Habían estado aguardando la llegada de este momento final, que es el destino de la humanidad y que nadie puede evitar. Se levantó nuevamente. Detrás de la cortina estaba Axouch, su mejor amigo. Ya en algunas ocasiones, había tenido el destino en sus manos, cuando parecía que podía inclinarse hacia la derecha o la izquierda. Le hizo entrar. Se miraron mutuamente a los ojos durante un segundo. La mirada del gran doméstico se cruzó con la de Manuel; sus resplandecientes ojos azules se contrajeron imperceptiblemente. Los dos sabían muy bien que ahora, en presencia de la muerte, eran, por voluntad de Kalojuan, hermanos, parientes.

— ¿Estás preparado, Axouch?

— ¿Adónde me mandas, señor?

— Tienes que partir dentro de una hora. Partirás sólo con algunos hombres armados, los menos posible. Nadie debe reconocerte antes de llegar a la ciudad. Nadie sabe lo que ha ocurrido. Tú debes ser el primero que anuncie la novedad. Una hora es suficiente para preparar el pergamino, la tabla de cera y el anillo, todas las credenciales. Aquí está el anillo, míralo; el mismo que mi padre sacó del dedo de Alexios. Hoy me lo ha entregado, como habéis podido ver todos vosotros. Tomaréis juramento a los soldados. Todos los que estuvieron presentes cuando mi padre habló escribieron su nombre en el pergamino. Tú sabes mejor que nadie, Axouch, lo que tienes que hacer y decir.

— ¿Y cuando esté en la ciudad?

— Tienes que ser el primero en llegar allí. Las aves de paso no traen noticias. Nadie sabe que el emperador ha muerto. Vas a ir en mi nombre, y llevarás contigo mi palabra. Lo que tú hagas, Axouch, es como si lo hubiera hecho yo; tu palabra es la mía. Ya no deseo permanecer en el campamento; no deseo tampoco que, en Bizancio, se conspire a mis espaldas; no ignoro lo que se puede estar tramando contra mí en el Sacro Palacio.

— ¿También tú quieres regresar, señor?

— La escasez de víveres es demasiado acentuada. Los soldados se encuentran en muy baja forma. Mi padre estaba aquí, en las puertas de Antioquía, aguardando a los legados de Raymond. Esperaba que se produjera un milagro. Los soldados están descontentos; mi padre ha muerto y yo voy a dar por finalizada la campaña. Primero es el Imperio y después... Antioquía.

— ¿Regresarás a Bizancio?

— Sí. No sé todavía lo que va a suceder. Confío en ti, pero tú no podrás dominar largo tiempo Bizancio si estalla la revolución; tampoco sabes si alguien ha prometido más ducados a la guardia imperial. Nadie conoce las intenciones de los normandos. El ejército es lo suficientemente fuerte para asegurar el camino de vuelta. Nos atraeremos las partes dispersas de las tropas. Nadie nos perseguirá.

— Así debe ser, señor. Éste es el camino más difícil. No puedes iniciar tu labor como emperador asaltando Antioquía y lanzando a tus soldados contra los muros de la ciudad; miles de ellos morirían. Y, todavía menos, ignorando si puedes realmente escalar los muros. Dime, señor, ¿no te sería yo más útil aquí, al lado de las tropas? ¿No podría ayudarte mejor aquí?

— No, Axouch. Bizancio me da mucho más miedo. Allí soy más débil. Allí están los dos, Isaac, el hermano de mi padre, e Isaac, mi hermano. El viento puede prestarles alas...

— ¿Acaso deseas, señor... enmudecerlos para siempre?

— No. Pero no tienes que perderlos de vista. El Imperio no puede derrumbarse.

— Si llego a tiempo no va a derramarse ni una sola gota de sangre. ¿Es también ésta tu intención?

— Exactamente, Axouch. Ve a tu pabellón; dentro de media hora estaré allí y firmaré las órdenes. Descorre ahora la cortina y haz pasar a los familiares y deudos.

* * *

Un caballo galopa en algún lugar, durante la noche. Axouch ha emprendido veloz marcha llevando consigo a los mejores caballos y a los mejores jinetes. No son más que doscientos, para no causar la impresión de un ejército. Axouch cabalga. Nadie sabe en qué dirección; sólo cuando haya atravesado el círculo de fortificaciones y centinelas emprenderá la marcha hacia Bizancio.

Manuel vuelve otra vez junto al catafalco para llorar a su padre. La noche es larga; no tiene otra cosa que hacer.

El viento hace bailar los bordes de la fuerte tela de la tienda por los puntos por los que no está fijada con cuñas de madera. Hasta el amanecer no tiene más obligación que la de velar y llorar a su difunto padre. Esta noche pertenece a la muerte; hasta mañana no podrá hacerse cargo del Imperio de Bizancio. Junto al lecho mortuorio hay un sillón dorado; el respaldo está almohadillado con púrpura. Es el sillón en el que tomaba asiento el emperador para recibir en el campamento a los legados. Ahora lo han traído aquí, para el nuevo emperador. Nadie sabe lo que va a suceder... ¿Proseguirá la época dorada? ¿Quedará interrumpida? ¿Se extinguirá para siempre? Sobre los emperadores se cierne la mirada burlona de Pródromos, que vive todavía en las altas esferas. ¿Qué dirá él, Pródromos, cuando sepa que Manuel, el escolar, se ha convertido en el emperador? Sí, dirá algo. Y un par de palabras, las palabras de un vate, serán quizás decisivas para toda una época. ¿Por qué no ha encargado también a Axouch que no perdiera de vista a Pródromos? Dárselo todo... cebarlo con oro, saciarle, para que, una vez saciado, siga viviendo en paz con su pendenciera esposa, que, como Xantipa, le sigue por todas partes. No ama al poeta; sólo lo soporta: Sí, sería posible saciar a Pródromos. Cuando escriba a Axouch no olvidará mencionar también a su anciano maestro.

Está sentado ahora en el sillón, junto al catafalco. El almohadón es blando, cuando se apoya en él nota que le entra el sueño, que desde hace tres días no conoce. Sí, sueño... Se sobresalta. Los deudos se van turnando en el vestíbulo. Mujeres, miembros de la familia de la casa imperial, se han hecho cargo de la vela; encima del reclinatorio se ven sus enormes libros devocionarios trabajados en marfil y adornados con broches y piedras preciosas; esconden sus cabezas entre las manos. ¿Duermen? ¿Leen?

Se van turnando sucesivamente. Es ahora Teodora la que se arrodilla ante el catafalco, que todavía está vacío; el cadáver del emperador no será trasladado allí, desde el lecho mortuorio, hasta que amanezca. Teodora se arrodilla; él la reconoce por sus movimientos, pues su rostro está cubierto por el velo del luto. Los ojos de Manuel siguen sus movimientos. Una mano escuálida y pálida sale por entre las negras envolturas... El sueño del nuevo emperador es pesado y sus ojos parecen de plomo; se da cuenta de que no debe dormir cuando advierte el juego de estos curiosos dedos blancos. La noche lo recubre todo con su manto.

* * *

Axouch cabalga durante la noche. De vez en cuando hacen un alto; Basil, el secretario de la cancillería, le suplica también, a veces, una breve pausa. El día empieza a clarear. Basil pide un nuevo descanso. Su siervo le afeita; no quiere presentarse en Bizancio con la barba descuidada y los vestidos desgarrados y sucios. Ruega a Axouch que se arregle también, y que haga arreglar un poco a los que componen la tropa. Todavía falta una hora. Es posible que Basil tenga razón y que los centinelas de la torre, sospechando que se trata del resto de un ejército derrotado y destruido, hagan sonar las campanas de guardia. Se lavan en una fuente que hay detrás de la colina. El día sigue clareando. ¿Qué traerá la mañana? A principios de mayo las noches son cada vez más cortas; podían haber descansado en un campamento de soldados, pero Axouch evita las ciudades y los puestos fortificados. Tiene que ser el primero que anuncie la noticia.

Debe llegar allí a primera hora de la mañana, cuando toda la ciudad duerme y se abren las puertas de las murallas. Diez, doce horas, constituyen un plazo demasiado largo; en este intervalo de tiempo debe tomar posesión de Bizancio en nombre de Manuel.

Vuelven a cabalgar. Quizá más lentamente, pues la fiebre va cediendo y la pasión y la ambición disminuyen. Los dos, el gran doméstico y el hombre de la cancillería imperial, conversan entre sí en voz baja, casi como dos amigos. Él lleva consigo todos los documentos; conoce a fondo todas las formalidades y conoce también el texto del juramento. Axouch le dirige una mirada:

— ¿No tienes miedo? No habías cabalgado nunca en estas condiciones, por la noche; nunca has compartido tu tienda con los soldados. ¿No temes?

— Tengo treinta y cinco años, noble señor. Desde mi infancia he vivido siempre entre papeles. Entretanto vosotros luchabais. Pero ahora estoy con vosotros. Vosotros decís que una aventura es tanto más bella cuanto más peligrosa. Si me permites decirlo, señor, la verdad es que también esto me ocurre a mí.

— Vamos a tratar con mercenarios normandos, Basil. Basta una sola palabra para que arrojen sobre tu cabeza el hacha de hierro... claro está, si tu palabra no les gusta. ¿Quién te protege? Nosotros somos muy pocos.

— Tú eres bondadoso y quieres gastarme una broma. Yo soy un escriba, e incluso a Nuestro Señor no le gustaban demasiado los escribas, pues siempre los mencionaba junto con los fariseos. Pero tú mismo puedes verlo; los años han ido pasando y nuestras ansias y ambición son cada vez mayores. Las letras son poco. Leemos el destino que vosotros configuráis. Lo transcribimos en los pergaminos. Nos encontraríamos muy a gusto en vuestro ambiente, Axouch.

— ¿No tienes miedo, Basil? ¿Podrás disponerlo todo conforme a las leyes? ¿Podrás encontrar una solución a todo? ¿Podrás dar la respuesta justa a todas las preguntas que se te hagan?

— La palabra tiene un poder extraño. La palabra tiene un alma que podría compararse al hermoso paisaje que ahora estamos cruzando al galope: tiene sus altos y sus bajos. En ella se ocultan montañas y valles, manantiales; unas veces es desierta y solitaria, para luego poblarse nuevamente. Aquí se ven fosas, allí flores; hay serpientes que se arrastran por la hierba, y pajarillos que se posan en las ramas de los árboles. ¿Comprendes, señor, mi manera de pensar? Me refiero a las palabras del tipo de las que emplean los poetas y los escribas...

— Nos has acompañado sin proferir ni una sola queja; has vivido dos semanas entre los soldados; el emperador te mandó venir con nosotros. Cuando te confió a mi cuidado temía por ti; un hombre débil que se fatiga, constituye una preocupación para un ejército; soy el cabecilla de este pequeño ejército que nos sigue cabalgando. ¿Qué deseas para ti, Basil, cuando anunciemos la palabra del emperador y vuelvan a ser nuestros el palacio y la Hagia Sofía?

— Nada, señor. Mis deseos se van amortiguando poco a poco,

y pronto voy a parecerme a mis compañeros, los eunucos. El emperador Juan me llevó a Oriente; ahora regreso nuevamente a Bizancio; es posible que luego tenga que volver a embarcar en una nave rumbo a Oriente. Y todo porque mis señores así lo desean. Quizás un día regrese nuevamente, y de muy buena gana, a Occidente. Al Danubio o todavía más lejos, allí hasta donde se extiende el Imperio Germano. Quizá sea todo eso lo que te pido: nada más que una voz de niño que hable conmigo; que pueda vivir en sueños y que nunca me dé cuenta de que ha llegado el momento de despertar.

Guardaron silencio. El más noble de los dos señores se envolvió en su capa. Sus inquietos ojos de águila le salían de sus órbitas; sus oídos captaban todos los ruidos, el trote de los caballos, los murmullos de la noche y del amanecer. Pensaba en Basil y en lo que había dicho sobre los expertos en escritura. Veían, al pasar, riachuelos, montañas, flores, hierba y jardines; quizá también hoy mismo verían sangre en el jardín del Sacro Palacio en el caso de que fuese necesario calmar las ansias bélicas de los centinelas; en el caso de tener que atacar a los normandos.

Ahora se detuvo. Púsose en pie. Era una señal convenida; los oficiales, sin decir una sola palabra, siguieron sus movimientos; había elegido precisamente a camaradas acostumbrados ya a este rito aventurero. Nadie tenía que dar órdenes; todos sabían que, si llegaban por la noche, no se verían obligados nunca más a ir a prestar servicio a provincias lejanas, ni a ir a mendigar a las arcas imperiales.

...Era la hora en que se abrían las puertas de las iglesias; las ancianas mujerucas, que han estado esperando en el exterior, se arrodillan nada más atravesar el umbral; de una de las casas acaban de sacar a un difunto, un hombre pobre, pues los sepultureros lo llevan en una tabla muy simple y lisa. Tras un recodo del camino se encuentra el palacio: el «Sacro Palacio», el ombligo del mundo, como le solían llamar los bárbaros, es una especie de gigantesco laberinto construido por un número interminable de pabellones, iglesias, cuarteles, almacenes, cancillerías y talleres.

En el gran palacio reina la tranquilidad y el silencio. No se ve ni un solo signo de luto; el silencio se extiende por toda la ciudad de Bizancio. Ello sería imposible en el caso de haberles sido anunciada la luctuosa noticia y el ascenso al trono del nuevo emperador. La guardia imperial custodia, como es costumbre, los bastiones; dentro de una hora quedará disuelta; los centinelas están cansados de la prolongada noche de vela y esperan con verdadera ansia la sopa matutina. ¿Los han visto? Todo será cuestión de momentos; el gran doméstico se adelanta hacia ellos; hace una señal a sus tres trompetas, quienes soplan al unísono sus instrumentos para dar la señal del emperador.

En el transcurso de unos instantes va a decidirse el destino del Imperio. Encima de la muralla se forma una valla negra. Son cuerpos humanos. Los soldados otean curiosos a lo lejos; están esperando la llegada de un ejército y de su emperador, quien, como acaban de anunciar las trompetas, se encuentra en la ciudad. Descubren ahora a Axouch, el noble señor. Su rostro es rígido y severo; irradiando por doquier destellos de su gélida personalidad, permanece sentado en su caballo, las manos levantadas en señal de saludo; le sigue su escolta personal. Pero en el rostro del gran doméstico no se advierte apenas una sola mueca o gesto; se limita a hacer una señal con la mano; asoman ahora en los travesaños las águilas imperiales que hasta ahora habían permanecido ocultas. Permanece un solo instante frente la puerta; todavía estaba cerrada, pero los hombres del burgomaestre descorren las gruesas cadenas de contención; y se oye el retumbar del grandioso gong. La gente se dispone a recibir al emperador, que, como han anunciado las trompetas, regresa a la ciudad.

Ya están en el palacio. El burgomaestre está ahora ante el gran doméstico, fatigado y cubierto de polvo. Levanta la mano; el mecanismo, rechinando, se pone en movimiento; las paredes de bronce se deslizan a ritmo lento, para cerrarse nuevamente. La mirada de Axouch sigue los movimientos de los hombres y de la maquinaria; unos instantes después, su mirada se vuelve lentamente hacia el burgomaestre y el comandante de la guardia. Se incorpora ligeramente sobre su silla de montar y suelta las riendas. Coloca una mano encima del pecho y hace con la otra la señal de la cruz:

— ¡Orad!

El antiquísimo rito tradicional le obliga a una posición de absoluta rigidez: ni un solo movimiento; sólo los soldados se santiguan reverentes. De nuevo suena la voz de Axouch.

— Que Dios se muestre misericordioso con el alma del emperador Juan, que ha volado a la vida eterna. ¡Vosotros, soldados, saludad en mi nombre a vuestro nuevo emperador, el emperador Manuel!

No grita; habla sosegadamente, casi en voz baja, pero su palabra ha llegado hasta los más alejados rincones de la plaza del palacio; su palabra ha penetrado por todas las puertas y se ha dejado oír también detrás de las ventanas, por donde asoman su curiosidad los empleados de la concillería. Todo el mundo conoce a Axouch. El signo que ostenta es el águila imperial; viene, en verdad, en nombre del emperador. El trabajo cesa y en el breve espacio de una hora todo el Sacro Palacio, este edificio soberbio que han construido los ángeles, es presa de la sensación que se van a producir grandes modificaciones y novedades.

El Consejo asesora al Imperio, y en las reuniones del Consejo ocupa la presidencia el nacido en la púrpura Isaac, hijo mayor del emperador.

El palacio despierta hoy, a primera hora, presa de inquietud. El sonido de las trompetas ha despertado a un ala del palacio; la noticia ha puesto en pie a todo el edificio. A esta hora suelen estar levantados solamente los criados, que trabajan afanosamente durante toda la jornada; es la hora de preparar el agua para el baño de sus señores; los barberos se aprestan también a su trabajo; los eunucos compran flores, costumbre ésta que se observa tradicionalmente desde que fue implantada por Zoe. Hoy el palacio despierta antes de hora, en un ambiente más sombrío y triste. Ante las salas del consejo permanecen de pie soldados extranjeros armados, soldados de Axouch, oficiales del ejército de Oriente. Algo ha ocurrido. Y el que ocurra algo quiere decir que un período ha terminado, y que ha llegado el momento inicial de una nueva época. El príncipe Isaac oye cómo alguien llama cautelosamente a su puerta. Su criado le comunica que Axouch, el doméstico, ha mandado a un soldado armado para solicitar audiencia. Axouch quiere ser recibido. Isaac descansa en un suntuoso lecho recubierto de púrpura; su dormitorio se encuentra en el centro de los aposentos imperiales. Su sueño se desvanece; percibe los rumores que recorren todo el palacio; en su mirada se advierte un inquieto interrogante; pero el criado no le mira, e inclina ante él su cabeza. Se sienta en el borde de la cama y llama a los siervos que le ayudan a vestirse; pero, de pronto, se abre bruscamente la puerta; en el dintel aparece, solo y desarmado, Axouch, el gran doméstico.

— ¿Malas noticias?

La pregunta ha salido de los labios del príncipe antes de que Axouch se le haya podido acercar y haya podido saludarle como se saluda a los príncipes del Imperio, doblando la rodilla. El rostro del gran doméstico es grave e impenetrable; un lazo de luto rodea su coraza. Pronuncia en voz baja las palabras siguientes:

— Una triste embajada, nobilísimo señor. Tu padre fue a reunirse definitivamente con sus antecesores hace quince días; se hirió a sí mismo con su flecha, una flecha envenenada; nadie conocía el secreto del veneno. La herida fue gangrenándose paulatinamente. Permaneció consciente toda una semana; el poder dictar todavía las órdenes pertinentes para el bien y buena marcha del Imperio mitigó considerablemente sus dolores.

Isaac permanece sentado en el borde de la cama. Sólo ve dos manos, que pertenecen a aquel hombre que está de pie ante él. Las nuevas luctuosas no suelen anunciarse de esta forma; llegan al Sacro Palacio siguiendo un conducto distinto del presente; a ningún príncipe nacido en la púrpura se le puede sorprender así; nadie puede entrar en su aposento sin permiso y nadie puede tampoco mirarle directamente a la cara sin antes inclinarse. Isaac había vivido en el palacio y también en el campamento. Conoce su próximo destino. Sus oídos captan todos los avisos y señales. ¿Ha escuchado el ruido de gente armada? ¿No se sacará Axouch un puñal del cinto? ¿O acaso preferirá llamar a un esclavo sicario? Los dos se miran mutuamente.

— Si tú, nobilísimo señor, deseas elevar una oración por tu padre, te aguardo. El tiempo se ha detenido, y tú tienes que ponerlo nuevamente en marcha.

Aquel tono de voz es luctuoso, pero, al mismo tiempo, infunde pavor. ¿Tiene que rogar por el alma de su padre? ¿No sería mejor, acaso, recomendar a Dios la propia alma? Él vive en Bizancio y las ahuyentadas e interminables hileras de sombras retornan a la vida. Su criado permanece allí, inclinado respetuosamente y asustado por el nombre de la muerte. La servidumbre sabe ya que a partir de este momento, Axouch es el verdadero señor del Sacro Palacio.

Isaac pide una capa; arroja la vestidura de seda encima de su indumentaria nocturna; ahora los dos se encuentran en condiciones similares; si ha de suceder algo no tendrá que pasar por la vergüenza de que le hayan sorprendido en la cama, sin auxilio.

— ¿Conoces tú la voluntad de mi padre?

— Sí, la conozco, señor. En presencia de los altos dignatarios del Imperio ha nombrado emperador romano a tu hermano Manuel, y las legiones le han prestado ya juramento de fidelidad. El emperador Manuel me ha mandado aquí, en calidad de representante suyo, hasta tanto no llegue él con el cadáver del emperador Juan.

— ¿Por qué no veo tu sable, Axouch?

— ¿Y por qué quieres verlo, señor?

— Has llegado aquí a primera hora de la mañana. Con la noticia de la muerte de mi padre y con la nueva de que Manuel, el más joven de mis hermanos, ha subido al trono. ¿Por qué has venido?

— Las leyes de Bizancio no disponen, nobilísimo señor, que sea precisamente el hijo mayor quien herede la corona del padre. El padre recomienda, y los grandes del Imperio deciden. El emperador Juan recomendó, y los grandes del Imperio han decidido. Todo ello lo confirma este documento que ahora mismo podrás examinar con tus propios ojos...

— ¿Cuánto tiempo hace?

— ¿Por qué haces esta pregunta, noble señor?

— Conozco Bizancio. ¿Dónde están tus armas? Te has precipitado sobre mí como un ladrón que, por la noche, quiere terminar con su víctima. Termina, pues...

— Noble señor, yo soy ahora el representante de la persona de Manuel. Soy el encargado de transmitirte sus más afectuosos saludos y votos. Doblégate tú también, señor, ante la voluntad de tu padre, como se ha doblegado tu hermano. Vosotros dos sois los únicos que quedáis de cuatro hermanos. Es por eso por lo que Manuel te suplica que no extingas en tu alma la antorcha del amor fraterno.

— Nosotros dos... somos demasiados.

— ¿Acaso crees que era mi intención venir a asesinarte o cegarte con el hierro incandescente? ¿Es así como te imaginas a Manuel? ¿No me conoces a mí tampoco? ¿Acaso crees que puede comenzar así un nuevo reinado?

— ¿Y para qué has venido aquí entonces?

— Para rogarte, señor, que te vistas de luto. Para que llores a tu padre, según los designios de tu propia alma. Retírate al monasterio del Pantocrátor, y dispón todas tus cosas allí según mejor te convenga. Allí tienes que aguardar la llegada de Manuel con el ejército. Soy sincero contigo, señor, y te pido que me creas. Nadie amenaza tu dignidad.

— ¿Me encerráis en el monasterio del Pantocrátor? ¿En el monasterio que hizo construir mi madre? ¿Y por qué precisamente allí?

— Manuel te pide que cambies tu residencia. Teme que alguno de los revolucionarios pueda servirse de tu nombre, aun cuando sabe muy bien que tú no te levantarías jamás contra él.

— Hablas muy bien, Axouch. Me mandas al calabozo con mucha elegancia.

— Señor, el monasterio es grande y está rodeado de jardines. Todo allí te hará pensar en tu madre. Manuel estará aquí dentro de dos lunas. No es ningún calabozo; el monasterio es tuyo; sólo que no podrás abandonar sus muros.

— ¿Deseas algo más de mí, Axouch?

— Querría pedirte...

— ¿Acaso un prisionero puede conceder alguna cosa...?

— Eres un príncipe nacido en la púrpura, hermano de nuestro emperador y la primera persona en el Sacro Palacio. Es por eso que quiero rogarte que me des entrada en el Consejo, me permitas ocupar tu asiento y abrir la sesión.

— Un juego muy amargo... Ya ves, dejé a mi padre sano y lleno de energías. Cuando me abrazó, al despedirme, no pude imaginar que era la última vez que le veía. He enterrado a dos de mis hermanos, pero no pensé que pronto Bizancio tendría un nuevo emperador. No pienso urdir ninguna conflagración contra Manuel. Pero mi corazón se ve sumido en la amargura, y espero que todos los que me son fieles digan la verdad de todo cuanto me sucede.

— ¿Conoces a Basil, el de la cancillería?

— ¿Estuvo también presente en la muerte de mi padre?

— El testamento está en sus manos. Él registró cada una de sus palabras. Ha venido con nosotros. Te pido, señor, que quieras oírle y que reprimas tu amargura.

— Llévame a la tumba de mi madre. Hoy quiero llorar en el monasterio. No quiero convocar ninguna sesión para hoy. Haz llamar a mi séquito, Axouch.

* * *

El camarero entró y anunció que la barca de Axouch, el alto dignatario de la corte, había anclado, y que el gran doméstico quería rendir visita a la señora. Berta descorrió ligeramente el velo que la cubría e hizo una señal para dar a entender que podía abrirse la puerta de la villa al recién llegado.

La mirada de la señora es sombría y triste; va vestida de luto. Axouch se inclina profundamente y se lleva a los labios la orla de la túnica de Berta.

— La embajada es triste y dolorosa, noble señora, pero tiene también algo de agradable. Nuestro buen soberano, el emperador Juan, nos ha dejado definitivamente. Su alma ha ido a reunirse con la de sus antecesores. Su última voluntad ha sido que fuera Manuel quien le siguiese en el trono. Los soldados han proclamado emperador a tu esposo, noble señora. Yo soy el primero que te presento, en su nombre, el homenaje de Manuel: el título de Augusta, que es el que te va a corresponder en breve.

Si esta mujer rubia y triste hubiera podido hablar como Pródromos, a buen seguro que hubiera pronunciado en voz alta una oración por el alma del emperador. Quizás hubiera tenido que romper en lastimosos y sonoros sollozos, tal como lo exigían las costumbres de Bizancio. Pero ahora estas dos personas extranjeras cruzaron sus miradas. La una había visto por vez primera la luz de este mundo en las cercanías del Éufrates; la otra junto al Rin central. Su boca pronunciaba palabras griegas; en su pecho llevaba la cruz de los ortodoxos, sus movimientos y ademanes eran bizantinos, pero su alma era extranjera.

El enlutado alto dignatario de la corte siguió hablando:

— Noble señora, el camino que lleva desde las murallas de Antioquía hasta aquí es muy largo. Tu esposo ha dispuesto que, en tanto no llegue a Bizancio con el cadáver de su padre, yo haga las veces de su administrador. Quiero rogarte ahora que me honres con tu confianza. Condúceme al más íntimo de tus aposentos, pues tengo que hablar contigo.

Berta se levantó. Ahora era ella emperatriz, y según la antiquísima tradición ningún hombre extraño podía atravesar el umbral de su aposento para estar a solas con ella. Pero la emperatriz no estaba ligada por ninguna ley, ni siquiera por las leyes del Imperio: Berta marcha delante de Axouch; de sus labios ha desaparecido la sonrisa; todo le parece ahora nebuloso e inseguro; no puede apartar de su mente la imagen de su hermana, la esposa de Conrado; también ahora ella es emperatriz.

Axouch habla. Sus palabras van afluyendo serena y lentamente:

— Ahora vas a ver, señora, los regalos que te manda tu esposo. Mañana partirán los legados encargados de transmitir la noticia a Conrado, señor de los germanos. Por eso he venido a verte esta tarde. Te ruego, señora, que tú mandes también una carta. Puedes escribir, si quieres, a tu hermana, pero la carta que dirijas a Conrado debe llevar el sello de la emperatriz. Aquí está el sello; lo he ido a buscar al aposento de la madre de Manuel. Con este sello selló la emperatriz el acta de fundación del monasterio.

— ¿Y qué tengo que escribir?

— Anuncia también la noticia, y di que también tú esperas que Conrado cumpla sus promesas. Los quinientos héroes armados no han llegado todavía. El emperador no ha garantizado por escrito su ayuda al Imperio en el caso de que atacasen Roger y sus normandos. Todavía no nos ha dado palabra de que va a considerar la Panonia como un territorio entre los dos Imperios. Y ya que le escribes... quizá podrías hablarle también de los ducados, noble señora, que nos prometió como dote nupcial, pero que todavía no hemos recibido...

— ¿Es que soy como una prisionera entre vosotros, señor?

— Te he rendido homenaje como soberana; Manuel te llama emperatriz en esta carta. Pero él ya no es dueño de sí mismo. No puede perseguir las nubes. Él es hoy el Imperio y si no fuese fuerte como un Hércules, valeroso y sabio, todas sus fuerzas se derrumbarían bajo el peso de su responsabilidad. Tienes que ayudarle, dignísima señora. Tienes que detener los embates procedentes del sur y del occidente hasta que Manuel llegue aquí con su ejército y esté en condiciones de defenderse por sí mismo. Entretanto, también yo debo ayudarte...

— Su padre, el emperador, no quería que cumpliese sus promesas. Aquí, en Bizancio, me he convertido en una figura ridícula, y, a veces, paso meses enteros sin abandonar mi residencia.

— No te entierres con tus penas y aflicciones, noble señora. Una buena noticia no llega nunca demasiado tarde. Manuel, el emperador, ya está en camino. También tú tienes que ayudarnos, pues de lo contrario...

— ¿Qué ocurriría de lo contrario, señor?

— Que solo los emisarios y legados se pondrían en camino, los años irían pasando uno tras otro, y el Imperio necesita un heredero, señora.

— ¿Acaso no soy más que un rehén entre dos emperadores?

— Una cadena, dignísima señora, que los mantiene en relación.

— Y esta cadena se rompería si me marchara de aquí...

— ¿Y por qué tienes que marcharte?

— Considero una infamia y una vergüenza todo lo que me está pasando. Quizá Dios se apiade de mí y quiera mostrarse más misericordioso conmigo si tomo un hábito monacal.

— Yo soy el portavoz de Manuel. Todo se consumará en cuanto Conrado dé su conformidad a todas nuestras peticiones y cumpla sus promesas. Escribe a tu hermana y a su esposo; tu carta será para ellos más convincente que las enfáticas peroraciones de cien legados.

— Volver a esperar a que los legados vayan y vuelvan. Volver a esperar a que pase el otoño y el invierno. Luego no podrán atravesar las montañas, en primavera vendrán las inundaciones, y después el cálido sol del verano...

— Yo soy un servidor, como también Manuel es un servidor y también tú una servidora, noble señora. Llevarás una capa de púrpura y el zapatero de la corte te hará unas sandalias; tus mujeres te darán el nombre de Basilisa. Quizás todo eso compense sobradamente el largo viaje que has tenido que emprender para llegar hasta aquí.

Axouch se levantó. Sobre ambas sienes caía, formando rizos negros y grisáceos, su poblada cabellera; podían distinguirse perfectamente algunas cicatrices, que el tiempo había recubierto con una piel de color rojo pálido. Dirigió su mirada a la dama extranjera. Era alta, esbelta, de ojos azules. Cuando sonreía se formaban en sus mejillas, de bello color rosado natural, un par de pequeños hoyuelos. No empleaba ningún cosmético o pintura, ni tampoco olía a esencias. Era una muchacha extraña. Eso era lo que pensó Axouch cuando cogió su mano. La mano era enérgica, ligeramente rígida. Cuando se la llevó a los labios notó que temblaba. Una mujer extranjera estaba esperando subir al trono de Bizancio. No pudo menos de pensar en el pueblo de la plaza del mercado, en el pueblo del circo y de las callejuelas, que odiaba todo lo que fuese extranjero.

IV

Los búfalos de Anatolia, caminando con fuerza, iban arrastrando lentamente el pesado carruaje. En una cámara precintada del vehículo reposaba el cadáver embalsamado del emperador.

Le seguía la corte imperial; también las mujeres que habían acudido en barco, con motivo de la Pascua, formaban parte del séquito. Manuel había partido a primera hora de la mañana, al despuntar el día, formando parte de la vanguardia. Estos viajes lentos y reposados le aburrían y sus músculos se crispaban; se encaramó, a caballo, hasta lo alto de una colina desde donde podían verse las regiones circundantes. Todo, en aquellos alrededores, estaba en calma; en ningún lugar se adivinaban columnas de humo; los caballeros dispersos del sultán de Iconia no aparecieron ni una sola vez en esta orilla.

Tampoco de Bizancio había podido llegar ningún tipo de información. El rápido viaje a caballo de Axouch no había dejado en estas regiones más recuerdos que el paso fugaz de unos espíritus alados; las noticias sólo regresaban muy lentamente de Bizancio. Por doquier adonde llegaban, las guarniciones de los fuertes se apresuraban a salir al encuentro de Manuel, el emperador, para prestarle su juramento de fidelidad. El emperador vivía ceñido todavía a las ordenanzas previstas por el luto, ordenanzas que le impedían entregarse a ninguna clase de placer o distracción; por consiguiente, no podía celebrar ningún banquete, ni cacería, ni podía tampoco disfrutar del placer de admirar las danzas de las bailarinas. Su mirada oteaba el horizonte, como buscando una aventura viril que viniera a interrumpir la monotonía de este viaje. Andrónico cabalgaba junto a los carruajes de la corte. Bromea ahora con las mujeres y ordena a sus criadas que le traigan flores, miel y frutas frescas. Cada día lleva una túnica nueva, cuyos colores constituyen un grave detrimento del luto; parece como si el recuerdo que en él despierta este cadáver que arrastran los búfalos fuera algo muy extraño y lejano.

Son las primeras horas de la mañana. Andrónico se dispone a la caza. Manuel observa el grupo con nostalgia. Andrónico se detiene delante del emperador y, medio en broma, medio en serio, le exhorta a que abandone su puesto en el campamento, pues por la noche estarán ya de regreso.

— No os alejéis demasiado, Andrónico. Estos montes son peligrosos. Se han avistado por allí jinetes extranjeros. ¿Sabes dónde está la frontera?

— No te preocupes, Manuel. El honorable señor Contostéfanos la ha trazado con suma exactitud. Detrás de aquella cresta hay algunos pueblos, donde pueden encontrarse muchachas hermosas. Tú puedes venir también con nosotros, Manuel.

El acento burlón e irónico de esta voz no se apartó del oído del emperador en todo el día; ni siquiera se extinguió con el anochecer. Andrónico no había inclinado ante él la rodilla y la expresión de su voz revelaba un orgullo despreocupado, como si con sus palabras hubiese querido decir: «Has tenido suerte, Manuel, de que fuese tu padre el que se hubiese sentado en el trono, y no el menor de los hermanos o mi padre.»

Al anochecer no vino nadie. No se oía ninguna clase de música en todo el campamento. Tampoco por la mañana vino nadie. Era el momento de levantar las tiendas; la partida, no obstante, quedaría retrasada un par de horas; Contostéfanos, dando muestras de gran impaciencia, calculaba hasta dónde podrían llegar aquella misma tarde y pensaba en el nuevo emplazamiento de las tiendas. Se disponían ya a partir cuando, de pronto, surgió al otro lado del vado una figura manchada de sangre y recubierta de barro e inmundicia. Sus amigos reconocieron en él al escudero de Andrónico.

El escudero informa. Fueron siguiendo unas huellas, hasta llegar a la divisoria de las aguas; allí comienza la gran selva; como que el día era muy caluroso y el viento soplaba con mucha fuerza, tuvieron que descansar y aplazar la marcha para última hora de la tarde. Era luna llena, y el viento seguía soplando con fuerza. Hablaron con el príncipe y le rogaron que no prosiguiera la marcha, pues la región era insegura y tenían que estar de regreso mañana por la mañana, a lo más tardar. Se encontraban en la orilla de un riachuelo cuando él, el mozo de caballería, observó en la hierba de la orilla las huellas de los cascos de un caballo; eran huellas frescas, recientes. Eran los cascos de caballos normandos; era fácil adivinar que por allí había pasado una tropa muy nutrida. Llamó la atención de su señor, al respecto, pero el príncipe Andrónico se limitó a soltar una carcajada.

Él estaba solo, iba a pie, buscando cautelosamente la presencia de huellas entre los matorrales. La verdad es que no pudo ver nada, pero sí pudo percibir ruido de armas. Eran jinetes paganos. Gente del sultán de Iconia. Les habían estado espiando. Aquel bosque les pertenecía a ellos. Ahora les iban a rodear, antes de poder emplear sus flechas contra ellos.

Oyó un grito; era la voz de Andrónico, que exclamaba:

— ¡Ve y anuncia la novedad! ¡Manuel tiene que venir en mi ayuda!

No habían hecho ningún daño al príncipe, pero le habían atado con un pedazo de lienzo; como eran muchos contra él solo, no pudo defenderse ni escapar. Junto con el príncipe hicieron prisionero también a Teodoro Dasiotes. Él, escondido entre los arbustos, pudo ver perfectamente, a la luz de la luna, cómo los conducían prisioneros.

Aquella mala noticia corrió como la pólvora por todo el campamento. El cabecilla del ejército se dirigió corriendo a la tienda imperial. Manuel escondió la cabeza entre las manos:

— ¿Qué hemos de hacer? ¿Volver atrás o proseguir la marcha?

Parecía sentirse perseguido por la mirada burlona de Andrónico. ¿Volver atrás? ¿Acaso habían de hacer peligrar aquel plan, urdido con tanta riqueza de detalles y maestría, al abandonar a Raymond y Antioquía? ¿Acaso tenían motivos suficientes para, por voluntad de Andrónico, poner en grave peligro la suerte del Imperio? Pensó en su padre, en todo lo que habían estado hablando durante los últimos días. ¡Cuántas veces habían pronunciado sus labios, y siempre con una expresión de desagrado y desaprobación, el nombre de Andrónico!

Junto al emperador permanece de pie Esteban Contostéfanos, el archiduque. Los rigores del clima no le afectan; sólo se deslizan algunas gotas por su blanca barba. Se da cuenta de la lucha que, en su interior, sostiene Manuel.

— No puedes dar media vuelta con el ejército. Todos los planes quedarán frustrados, pues pueden venir lluvias o bien puede suceder también que las praderas se consuman con el fuego del calor. No puedes desperdiciar un solo día si en realidad quieres llegar a las puertas de Bizancio la semana después de Pentecostés.

— ¿Y hemos de abandonar a Andrónico a su suerte?

— Mandarán legados. Saldrán a nuestro encuentro, a la mitad de nuestro viaje... Puedes entregarles el dinero que exijan por el rescate de Andrónico.

— ¡El honor exige un comportamiento muy distinto de nosotros, Esteban!

— Tú eres el emperador, señor. El honor del Imperio es tu honor. No puedes trocar los planes.

— Aguarda una hora hasta que tome mi decisión definitiva.

Ahora permanece solo, sentado, esperando. Todo parece hablar en contra de este cambio de proyectos y de esta arriesgada batida contra unos salvajes peligrosos.

La cortina que cierra la entrada de la tienda se mueve; un servidor asoma la cabeza: la noble señora Teodora quiere hablar con el Sacro Emperador.

Hace días que no la ha visto; sin embargo, se ha dado cuenta de que aquellos ojos femeninos le han estado escudriñando desde su ventanilla; también ha podido ver su maravilloso perfil durante la misa matutina, y en el campamento le ha llamado la atención aquel traje de luto... la ha visto, asimismo, en la orilla del riachuelo, rodeada de sus sirvientas. ¿Por qué viene a estorbarle ahora Teodora...? Teodora va vestida con un traje de luto, se inclina ante su presencia, se arrodilla y, según el ceremonial cortesano, besa su mano; todos sus movimientos son armonía. Manuel tiende su mano, la levanta, escudriña la delicadeza de aquellos hombros, aquel cuerpo que en una ocasión... muchos, muchos años atrás, él había llevado entre sus brazos al desplomarse al suelo, sin fuerzas.

— ¿Qué deseas, Teodora... en este día de infortunio? ¿Cómo está tu hermana y María?

— María está enferma; la fiebre se ha apoderado de ella y no puede venir. Por eso he venido yo para suplicar a vuestra Majestad...

— Déjate de títulos y ceremonias... ¡dime lo que deseas, Teodora!

— Mi cuñado, Teodoro, se encuentra con Andrónico. ¿Qué decisión has tomado? ¿Saldréis al encuentro de estos jinetes del desierto?

— ¿Por qué me preguntas, Teodora? ¿Por qué precisamente a mí?

— No te impacientes conmigo, Manuel; vengo de parte de María, para presentarte sus ruegos... te pido que no inicies la guerra contra ellos. Si vosotros rodeáis sus tropas, estos bárbaros matarán a sus prisioneros en venganza. Tú podrás clamar venganza, pero mi cuñado ya no volverá al hogar.

— ¿Para eso has venido?

— Prosigue tu camino hacia Bizancio... Por eso he venido... Encontrarás a sus emisarios. Y si les entregas ducados...

— Eso es asunto de hombres, Teodora... todo el campamento teme por su muerte.

— No te detengas, no des media vuelta, no te precipites hacia los bosques.

— Andrónico me está esperando...

— Andrónico te odia.

— ¿Por qué dices eso?

— Tú serás el emperador. Todo el mundo lo sabe... Basta que abra la boca para darse cuenta en seguida que todas sus palabras son burla, ironía... las saetas de su sarcasmo van siempre dirigidas contra ti, como si pudieran alcanzarte...

— Andrónico es como un hermano; ha tenido mala suerte y lo han hecho prisionero.

— Él mismo gritó a su criado: «Que Manuel mande dinero para el rescate... pero no soldados.» Si mandas gente armada, los matarán.

— ¿Acaso temes por mí?

— Estoy bajo tu protección, Manuel.

Los dos se miraron en silencio, como en un juego. Se abrazaron ahora estrechamente, también en silencio. El poderoso y viril tórax de Manuel se inclinó una y otra vez sobre Teodora cubriendo su delicado y gracioso cuerpo; se inclinó sobre ella, la oprimió con fuerza contra su cuerpo, como si estuvieran jugando...

El juego había terminado; se habían atormentado el uno al otro. La sangre parecía hervir en el rostro de Manuel. Se tranquilizaron, el brazo de Manuel resbaló, los dos se contemplaron mutuamente. La mirada era más estremecedora que la boca, que los dedos curiosos que trataban de descubrir los secretos que encerraba el cuerpo de la muchacha. Manuel permanecía sentado todavía en aquel banco bajo, por lo que su estatura era algo más baja que la de Teodora, que estaba de pie. Algo indeciblemente triste se escondía tras la mirada curiosa, amenazante e indecisa de esta muchacha de veinte años. La que estaba ante él, la huérfana de su hermano, con los brazos colgando, le dirigió una mirada; aquel amor les había hecho estremecerse a los dos; pero todo terminó con aquella única mirada con la que Manuel despidió a Teodora.

V

Embrico, el obispo de Würzburg, transmitió con gesto reverente y clerical la embajada del emperador Conrado:... *Et quoniam ita nunc est et esse debet, quod tu, amicorum amicissime, uxorem accipies dilectissimam filiam nostram, sororem videlicet nobilissimae contectatis nostrae...* Se detuvo, como para confirmar la realidad y veracidad de las palabras pronunciadas y estudiar el efecto de su voz aguda y solemne; su mirada se fijó en el emperador, que permanecía sentado en su trono como si de un santo icono, formado por piedras preciosas, se tratase. *Est et esse debet* era una expresión dura y severa. Jamás nadie hubiera podido escribir algo parecido en la cancillería del Imperio bizantino. Tenía que ser un presbítero occidental precisamente, poco familiarizado con las cosas del mundo, el que pronunciase este tipo de frases. El Basilio estaba sentado en su trono; entendía perfectamente aquellas palabras; no requería los servicios de un intérprete. El mensaje del lejano emperador teutónico se refería a Berta; también él tenía que pensar en ella. Esta mujer, que todavía es una muchacha, sigue sentada en los jardines de la villa con vistas sobre el Propóntide; espera la llegada de su esposo, al que vio por última vez el día de sus nupcias; todavía no la ha visitado desde que hizo su entrada como emperador en Bizancio.

El obispo Embrico prosigue su parlamento. A Embrico se le considera como un hombre culto, formado en el mundo occidental, pero, sin embargo, su habla es poco diestra y sus palabras han abierto, aquí en Bizancio, unas heridas que quedan encubiertas por el silencio. Este presbítero, recién llegado de occidente, ancho de espaldas y con el rostro cubierto de pecas, parece que trata de valorar a Berta como el objeto de una penitencia. *Uxorem accipies* ha dicho con profunda convicción, como si impusiese una orden al emperador lejano, desconocido, que al propio tiempo es también su cuñado.

Se hubiera levantado muy a gusto del trono para hablar con él de hombre a hombre. Para preguntarle: «Y ahora dime, padre, ¿qué hay de los quinientos jinetes prometidos?» Para llamar ante su presencia a Putzes, el administrador del tesoro, para preguntarle la cantidad total que hasta este momento habían pagado en tributos en concepto de dote nupcial. Para llamar también al logoteta del Dromos, que se encarga de los asuntos extranjeros, y pedirle que explicara el contenido de las amables cartas que Conrado había dirigido a los normandos... De no haber sido por Berta, no hubiera tenido inconveniente alguno en ponerle de patitas en la calle. Pero seguía escuchando en silencio, la cabeza baja; le despediría amablemente, el administrador del tesoro le cubriría de obsequios y la cancillería redactaría una delicada carta que no habría de decir nada. Pero él había permitido a Berta emplear el título de Basilisa, a pesar de que todavía ninguna corona había tocado la cabeza de la muchacha. Por eso no la visitaba. Porque quería conservar su dignidad para luego poder devolverla, si así conviniese, virgen e inmaculada.

Estaba sentado en su trono como un ídolo, sin una sonrisa,

contemplando el espectáculo del ceremonial cortesano. Tampoco su mirada daba a entender si comprendía o no las palabras del texto leído en voz alta, si aquéllas llegaban a sus oídos, si les prestaba alguna atención o si trataba de comprender su significado: Berta, aquella mujer triste, que no mandaba ningún saludo, vivía turbada y acongojada entre invisibles peligros. Una mujer atemorizada y decepcionada, rodeada por espíritus serviles que acudían cada noche a la cancillería imperial para informar de cuanto ella decía. Cada hora es un libro abierto, se leen sus cartas antes de que los mensajeros partan con ellas hacia su destino. Así vive y aguarda... aguarda a los quinientos jinetes, el oro, el dinero, a Roger, una palabra amistosa, un título... aguarda a que Conrado y Manuel se reconozcan mutuamente, el uno al otro, como verdaderos y legítimos emperadores. Los legados no deben presentarse ante él como al «celebrado rey de los griegos», pero tampoco él tiene que mandar a sus embajadores con estas palabras de presentación: «Manuel, emperador romano por la gracia de Dios, envía su saludo fraterno a Conrado, rey de las dinastías alemanas».

La púrpura se va desprendiendo de su barba poblada y corta como una fina llovizna; la ceremonia, que tiene que soportar hasta su último momento, comienza ya a aburrirle. *Est et esse debet* ha dicho Conrado. En el jardín sobre el Prepóntide llora una mujer que, aun siendo hija de dos reinos, no tiene patria. La voz del presbítero suena vigorosa y fuerte mientras pronuncia lentamente y acentúa con especial interés aquellas palabras latinas de tan infrecuente uso.

— Respetable obispo, buen amigo nuestro. Hemos escuchado con gusto las palabras que tu señor te ha confiado. Los dos reinos se abrazan efusivamente como dos hermanos, hijos elegidos del mismo padre. Muy pronto te entregaremos la respuesta que llenará de alegría a tu señor. Antes de mediados de otoño podrás partir, honorable padre, acompañado de nuestros legados.

El soberano entra en el aposento donde le aguardan los eunucos.

— ¡Apresuraos! — les espolea, porque la ceremonia dura desde primera hora de la mañana. Tiene que soportar las pesadas vestiduras preciosas, el verano es sofocante, el sudor se desliza por las blancas vestimentas —. ¡Apresuraos! — dice otra vez mientras él mismo se ayuda a sacarse las vestiduras y la dalmática.

Está ahora de pie, poderoso como un verdadero gigante. Toma los manjares entre sus manos. Por fin puede alimentarse un poco. Le espera un almuerzo ceremonioso; quiere obsequiar a los legados, pero en estos casos sólo cata los platos simbólicamente y se limita a acercar la copa a sus labios. Ahora permanece media hora solo, come y descansa. Reflexiona todavía sobre el mensaje de Conrado. En la cancillería están copiando el texto. Tiene ante sí un pergamino enrollado y sellado. Recuerda ahora que, en su infancia, cuando el padre vivía con ellos en el palacio, solían reunirse hacia esta hora. El emperador comía, desenrollaba los escritos, los leía, hacía un par de breves aclaraciones y hablaba también con su madre.

Habían sido momentos felices, pacíficos; se sentaban juntos a la mesa. Al emperador le gustaba conversar con alguien que le escuchara; no le agradaba que se arrodillasen en su presencia, ni era amigo tampoco de las floridas y alambicadas expresiones palaciegas. ¿Por qué habría deseado su padre un matrimonio alemán? Y si había tomado esta decisión, ¿por qué prohibía la consumación de este matrimonio? Había sido, sin duda, una orden muy astuta; quizás ni él mismo hubiera acertado a obrar con mayor prudencia, pero lo cierto era que ahora permanecía solo, se sentía solitario en el palacio; solo tenía que comerse las aceitunas y los pastelitos cocidos, rodeado únicamente por sus siervos. El *gynekeion* está vacío, ni una sola voz infantil alegra los aposentos del palacio, el Imperio no tiene heredero.

Acababa de mandar al emir de Mossul el dinero para el rescate de Andrónico. Parecía como si oyese sus irónicas palabras; incluso se hacía la ilusión de tener ante su vista a Teodora. Andrónico se reiría de él. No quiere ver a Teodora, pero la nostalgia es más fuerte que él y su voz no puede quedar enmudecida por amoríos ocasionales. «Berta es tu mujer, y *debe* también ser honrada como tal», había escrito el emperador de Occidente.

Tenía que contestar a Conrado. Sus palabras le serían transmitidas por el más hábil de sus legados, el patricio Nikefor, perspicaz conocedor de las leyes y orador sin parangón. Su misión había de ser establecer la paz y tender entre ambos, sea como fuere, un puente de oro. El papel de Conrado es más difícil y complicado. Tiene que mantener un ejército en los alrededores de Roma... al sur del antiguo reino etrusco.

Pero, al mismo tiempo, ha de partir Basilio, el secretario de palabra florida y fecunda, el que había acompañado a Axouch a Bizancio. Basilio se dirige, por vía marítima, hacia Palermo; lleva consigo un documento secreto con la promesa del emperador de reconocer como rey a Roger, conde de Sicilia. Ha sido una decisión difícil, pues en su ánimo está bien presente, como en el de todos los súbditos griegos, que Sicilia sigue siendo todavía una Magna Grecia, como antes de las incursiones árabes. Pero el mundo no puede detenerse en su marcha, y ahora es Roger la fiera peligrosa dispuesta a la embestida. Por su causa permite la presencia en la corte de un gran número de condes normandos fugitivos, y es por esta misma razón por lo que diversas mujeres de la nobleza normanda forman parte de la corte de Berta. Manda a Basilio a Palermo, y manda también otro legado a París. Tiene que escribir también al sultán de Iconia para que siga observando aquel prolongado armisticio concertado en vida de su padre. Ha de mandar un mensaje a Jerusalén y otro a Esztergom. El mundo es muy grande y todos aquéllos, a quienes se dirige por escrito, son enemigos del Imperio. Quizás su único amigo sea Conrado, aquel hombre tosco, descortés e iracundo. No hay duda de que Conrado sería su verdadero amigo, de no ser por este abismo que aquel símbolo peligroso, el indivisible título de emperador, había tendido entre los dos.

Un mundo de rollos de pergamino y papel. Hasta mediodía estuvo desenrollándolos y meditando las respuestas más adecuadas. Los criados entran ahora con un pequeño carrito de plata; es la frugal comida de su señor, que seguirá trabajando hasta el crepúsculo.

* * *

Esta hora es la más bonita de todas en el Cuerno de Oro: el sol va a ponerse tras los bordes del cielo, en el aire penden nubes azules; todo el firmamento se viste de un bello tono azulado traspasado en algunos puntos por resplandecientes hebras de oro.

Es ahora cuando, en el palacio, las damas retiran los velos que cubren sus rostros y cuando gran número de gente acude a las piscinas y pilas del jardín; es ésta la hora en que, en Bizancio, se inician los galanteos.

Va a pie, vistiendo la indumentaria de un noble, y atraviesa ahora la pequeña puerta del jardín, a la que tiene acceso directo desde sus aposentos. Se acerca a la orilla y se detiene a contemplar a los pescadores, que trabajan en colaboración con sus compañeros, sin abrir la boca; sus barcas surcan las aguas y algunos de ellos enrollan sus redes. También él se toma sus ratos de esparcimiento, al igual que todos ellos que, en estas mismas horas de tranquilidad, se pasean por el Cuerno de Oro luciendo el brillo de sus vestidos y las modernas líneas de sus palanquines. Ha llegado a la villa. Se divisan robustos muros de piedras, que parecen casi murallas, con sus casernas en los rincones, desde las que poder ejercer prudente vigilancia sobre los mares. Pero en las profundidades de los jardines se ha levantado un palacio de mármol blanco, de mármol y de porfirio; la fachada principal está compuesta por ingentes bloques de piedra; toda ella se ve adornada por frisos, obra de famosos escultores. Hacía mucho tiempo que no había estado aquí; por eso observa con curiosidad todo cuanto para él es ahora desconocido. Se ven muy pocas personas; junto a las orillas del agua hay unos bancos; de vez en cuando pueden verse grupitos de dos figuras, enamorados. Un niño corretea con los pies descalzos dentro del agua. Observa, para ver que el niño no se acerque demasiado a los peligrosos remolinos de la corriente. Le grita: «¡Ven aquí!» El muchachito le mira con rostro interrogante y burlón; contesta algo en el lenguaje vulgar propio de las gentes de suburbios; el emperador no ha comprendido ni una palabra.

Es un caminito tranquilo. Había visitado ya este paraje en otras ocasiones, al pasear por aquí. El alboroto de la ciudad está muy lejos. El propio Manuel había mandado levantar esta villa con los ducados que recibiera de su padre. Había sido Sebastocrátor y le habían entregado la parte correspondiente de la fortuna familiar; también había recibido la herencia que le correspondía por parte de su madre. De esta forma pudo construir su villa; se trata de una sucesión alternativa e ininterrumpida de mármol blanco y negro; las columnas habían sido traídas de muy lejos, de Babilonia; era todo de mármol. Cuando el sol brillaba despedían un resplandor rojizo. Tenía diecisiete años cuando se inició la construcción; cuando se terminó la obra, él no estaba ya en Bizancio. Todavía no la había visto por dentro. Había pensado en esta villa para morada de Berta; se trataba de una vivienda imperial; la villa era suya, el palacio no. No había estado aquí desde hacía mucho tiempo, y ahora sentía grandes deseos de visitarla; quería conocer también las condiciones en que se desenvolvía la existencia de su apesadumbrada esposa. Se acercó a la pequeña puerta. Por doquier imperaba un silencio de muerte; no se veía absolutamente a nadie; del interior de la vivienda no llegaba ningún ruido. Aquí terminaba la serie de villas; más allá no se veían más que extensas praderas, húmedas y pantanosas; no había ningún camino para poder cruzarlas.

Tenía la llave para abrir la pequeña puerta. También hubiera podido escalar el muro; midió su altura con la vista y pensó que seguramente Andrónico, si estuviera aquí presente, le incitaría a hacerlo. La llave rechinó al girar dentro de la cerradura oxidada; haría mucho tiempo que nadie usaba aquella puerta; la pequeña puerta de hierro rechinó también violentamente al abrirse. Se encontraba en el jardín. Contempló la villa, aquel curioso juego vespertino de colores, los velos grisáceos que recubrían las blancas y negras placas marmóreas. Pensó ahora en los caballeros occidentales, latinos, a quienes sus aventuras amorosas les habían llevado hasta aquí.

Estos latinos llevan una existencia muy extraña. No se intimidan ante la sangre; son rudos y valientes. Ignoran dónde se encuentra la Hélade; desconocen el lenguaje del logos. Pero en el interior de su alma algo les hace vibrar. Cantan versos de amor a damas que viven lejos; los pájaros, las flores, las nubes son para ellos algo muy parecido, como hadas encantadas, quizás como seres que no habitan este mundo... Sus estrofas hablan siempre de estas princesas que se asoman a la ventanita de la torre, esperando a que una paloma, o una cáscara que se desliza impetuosamente riachuelo abajo, les traiga un mensaje.

En las tranquilas horas del crepúsculo entonan sus melodías amorosas pero, mientras van de camino, roban, se matan unos a los otros, sostienen en su mano la espada y sus labios arrojan terribles juramentos y maldiciones. Llegan a Bizancio, se recrean en sus flores, que encuentran en los bordes del camino; celebran ruidosamente sus bacanales y orgías en los arrabales de la ciudad... Luego vuelven a confesarse y lloran.

Sobre sus hombros revolotean algunas mariposas. Ni un solo ruido viene a entorpecer el pacífico silencio; ahora es también él un caballero latino. Podría escribir en un pedazo de madera: «Aquí estuvo Manuel»... y graba estas palabras en el mármol con un pequeño punzón... Ahora podría entrar y hablar con ella. ¿Qué diría a Berta? Podría decirle: «No te impacientes y aguarda un poco más todavía...» «Todavía tenemos tiempo para dar un heredero al trono, pero el emperador no ha renunciado aún a los jinetes armados que se le han prometido y es preciso que no perdamos de vista las fronteras de Panonia ni tampoco los confines normandos.» ¿Acaso podría expresarse en estos términos ante una mujer que, en esta noche venturosa y milagrosa, caería en sus brazos?

¿Quién puede resistirse a Manuel cuando la sangre hierve en sus venas? Pero mañana todo el mundo sabría que un caballero extraño había abrazado a la Basilisa en el jardín; en Bizancio no había secretos.

También hubiera podido ocurrir un milagro: que al abrir la puerta diera la casualidad de que la princesa se encontrase paseando sola por aquí en este preciso instante. Si se encontraran de esta forma podría hablar con ella en voz baja, y sentarse a su lado en uno de los bancos. Sí, pero todo eso hubiera sido un milagro. Si prosiguiera adelante y la visitase, pasaría una hora con ella en su habitación, pero luego, al amanecer del día siguiente, los jinetes emisarios del emperador occidental se pondrían rápidamente en camino, al galope, para anunciar que su Sacra Majestad había consumado finalmente aquel matrimonio contraído hacía ya tanto tiempo.

Cerró tras sí la pequeña puerta.

El extranjero le aguardaba en el pabellón imperial del Palacio Blacherne; espera inquieto el regreso de Manuel.

El chambelán estaba a su lado y le observaba con recelo.

El jefe de ceremonias de la corte había estado hablando con

él antes de la recepción para evitar que cayeran en un silencio de plomo. Le mostró luego los mosaicos y le hizo admirar los cuadros de caza.

— Mira, respetable señor, este cuadro de caza tiene tanta vida y color que parece como si uno mismo se encontrase en el bosque, mientras los perros corren tras de su presa y le muerden en los pies. Quizás podrás ver también, con la ayuda de Cristo, el comedor donde el emperador acostumbra a cenar acompañado de sus personas de confianza. Podrás oír luego las melodías de los músicos, los versos de los rapsodas, a los enanos de la corte, los bufones, que con sus bromas disipan las nubes que fruncen la frente de su Majestad.

La voz del eunuco suena dulce y apacible; sale un momento y se entera de que el emperador ha regresado ya; observa cómo Manuel, sin pronunciar una sola palabra, sin una sonrisa en los labios, vuelve la espalda a los manjares que se le habían preparado. ¿Acaso debe salir a su encuentro, con aquel extraño pergamino, y decirle que había allí alguien que, en virtud de la voluntad del emperador Juan, disfrutaba del privilegio de poder molestar al emperador en cualquier momento y hora del día? El eunuco abrió la puerta; el chambelán no podía tomar otra decisión, y entró.

Su primera mirada se detuvo en las sandalias de Manuel. Estaban enfangadas y sucias. Había ido a algún sitio sin caballo ni carruaje; no había estado, desde luego, en el sector elegante y poblado de la ciudad. Esta tarde no había llovido... Una mala tarde. Su primera reacción fue de disgusto. ¿Por qué venían a molestarle ahora? ¿Por qué venía este individuo con un pergamino en la mano, sobre el que brillaba el fulgor rojo del sello imperial?

Leyó. Por su mente desfiló ahora la figura de su madre, aquel mundo lejano, aquellas palabras extrañas. El texto hacía mención de Boris Kolomanowitsch... Su padre era Koloman, rey de los húngaros, y su madre, su madre rusa, no era fiel. Se decía que, al lado de su anciano marido, llevaba una vida un poco alegre; luego la reina fue desterrada.

Podía hacer llamar a todos sus servidores. En menos de una hora se habría enterado de todo lo concerniente al desdichado príncipe. Pero no tenía ningunas ganas de todo eso. Una mala tarde. No había nada que hacer; tenía que reconciliarse con la princesa Irene; entonces sí podría ver más a menudo a la hija de aquélla, a Teodora. Estaba pensando en Teodora cuando el jefe de ceremonias de la corte le anunció que afuera le esperaba alguien que acababa de llegar de muy lejos y que deseaba hablarle. Quizás en otra ocasión le hubiera despedido y le hubiera mandado a la Audiencia. Pero ahora tenía casi ganas de conversar con el desconocido para poder descargar sobre él todo su malhumor.

— Dime, ¿de quién se trata?

— Con permiso de vuestra Sacra Majestad, se trata de un hombre que causa penosa impresión. Parece ser que los últimos años han sido muy duros para él. Da la sensación de que lleva escondido un raro secreto en su persona...

— ¿En qué lengua has conversado con él?

— No te atormentes con un intérprete, señor; habla el griego perfectamente.

— Cuando el reloj de arena llegue a la cuarta franja, despiértame. Mañana debo levantarme con el alba; hasta el momento, éstas son las órdenes que se te encomiendan.

— Señor, no conozco al extranjero; va armado. En cierta ocasión el difunto emperador le reconoció como a pariente... por ello no puedo rogarle que se deshaga del sable.

— Déjale entrar, pues, con el sable. No temo a nadie. Haz pasar a Boris.

Su primera mirada se centró en los ojos, en aquellos ojos que miraban temblorosos a su alrededor. Un pájaro acosado, pero libre, pensó.

Aquel hombre estaba de pie ante su presencia; en su cintura podía verse un pequeño sable, como el que solían llevar los jinetes orientales. Dobló la rodilla derecha y apretó la mano izquierda contra la vaina del sable. Esta inclinación, este doblar la rodilla, era signo de respeto; no trató de coger sus manos ni de agarrar la orla de su vestido. El hombre le dirigió la mirada, aguardando la del Basilio; no pronunció una sola palabra.

— Levántate, Boris. No te esperábamos. El azar ha querido que te pudiéramos dedicar un par de minutos en estas últimas horas del crepúsculo.

— El Señor ha querido ayudarme al concederme la gracia de

poder hablar contigo, el emperador romano. Dime, señor, ¿quieres reconocerme como a pariente, al igual que lo hizo tu padre, con el que no me unía ningún lazo de sangre ni de linaje?

— Boris Kolomanowitsch...

— Te suplico, señor, que no te expreses de esta forma. Es la fórmula habitual entre los rusos, que añaden a su nombre el nombre del padre. El legado te habrá comunicado que procedo de Kiew. Soy Boris y no tengo otro nombre. Mi padre era Kolomano, pero me repudió.

— Tranquilízate. Te he dejado entrar. Considera esto como mi respuesta.

— Agradezco profundamente, señor, tu bondad. Quiero darte una noticia. Una noticia que nadie conoce todavía.

— No te preocupes, Boris. A la Cancillería llegan muchas noticias; si tiempo atrás todos los caminos llevaban a Roma, ahora llevan todos aquí. Si me dices de dónde vienes, te diré yo qué noticias traes...

— Vengo de las Galias.

— ¿De tan lejos? Entonces he de suponer que has pasado el último año con nuestro primo, el señor Conrado.

— Conrado ha dejado de ser un hombre bondadoso desde que ha anunciado los esponsales de mi hermana Géza, Sofía, con su hijo.

— Alba Julia y Worms mandan frecuentes emisarios. Pero que yo sepa, todavía no se ha verificado la consumación de este matrimonio.

— Salí de viaje antes de que se tomara una decisión en este sentido. Sofía estaba pálida y extraña: se burlan de ella en la corte alemana.

— No has venido aquí para lamentarte de su destino.

— Cuando salí de viaje estaban haciendo los preparativos para la boda. Llegué a París. Hablé con el rey.

— ¿Con Luis?

— Sí, hablé tres veces con él, y conversé también con sus consejeros.

— A Luis no le interesan los asuntos de Panonia...

— No es cierto. Se interesa también por los caminos que conducen a Panonia.

— No te comprendo. ¿Acaso no es la geografía tu pan? El camino que lleva a Panonia desde Francia atraviesa el imperio germano. Jamás he tenido noticias de que Luis se considerase a sí mismo como emperador.

— No, señor. Pero, sin embargo, le interesa aquel camino.

— ¿Acaso prepara una peregrinación? Puede embarcar en Marsella.

— Sí, una peregrinación. Pero una nave no puede transportar a toda su gente... No va solo... vestirá cilicio, y no le acompañarán más que dos presbíteros, señor. ¿Recuerdas a Tancredo y a Godofredo?

— ¡Valientes charlatanerías! Todo eso, amigo, no son más que bulos.

— Y todavía sé más, señor. Yo participo en sus deliberaciones y discusiones.

— ¿Y por qué me cuentas eso?

— Estaré a su servicio. Para mostrarles el camino. A través del valle del Danubio... Luego hacia abajo, hacia el bajo Danubio. Les conduciré a través de Panonia. Para todo ello me han entregado dinero y armas. Pero Luis está ahora muy lejos, y yo necesito un patrón más cercano.

— Has dicho que asesoras a Luis. ¿Con quién se aconseja Luis en su propio reino?

— Con los presbíteros. Ellos conocen la opinión del pueblo y su estado de ánimo. Estaban presentes el abad Sugerius y el piadoso Bernardo, el hombre de la elocuencia, los príncipes de la corona y también los duques de Normandía y de Bretaña.

— ¿Y tú estuviste presente en este consejo?

— Por aquellos días me encontraba yo en la abadía de Saint-Denis. Cuando llegó el momento de discutir sobre el camino a seguir, fui en busca del abad y, dibujándolo en una tabla de cera, le mostré el camino que conducía a Tierra Santa.

— ¿Por dónde transcurre el camino que les señalaste?

— Salvo muy pocas variaciones, es el mismo que siguió Godofredo de Bouillon. El camino atraviesa mi patria.

— ¡Serías capaz de remover cielos y tierra para reconquistar tu reino!

— No hagas juicios demasiado prematuros, señor Manuel. De

momento no se trata, por parte de ellos, más que de un proyecto. Yo expongo el peligro. Les mostré los ríos y desfiladeros de los Balcanes. Yo no les alenté, ni les dije tampoco que este camino les resultaría fácil...

— ¿Llegaron a alguna decisión mientras estuviste con ellos?

— No. Lo único que puedo decirte, señor, es que estaban casi decididos y que Luis ya tomó entre sus manos la cruz, como hiciera también un día su abuelo, pero todavía no llegaron a una resolución definitiva... El abad Sugerius no se mostró partidario: teme por su pueblo, no está de acuerdo con los gastos excesivos, dice que el país quedaría despoblado... aun cuando sólo fuesen galos los que empuñasen las armas. Pero en la mirada de Bernardo resplandecía un fulgor sobrenatural. Ambos discutieron entre sí, y la palabra del Papa... su palabra será quizás la que decida.

— ¿Cuándo?

— Han tomado la decisión de aplazarlo para la primavera, en lugar del otoño. Para entonces habrá sazonado ya la semilla en las almas de los príncipes.

— ¿Cuándo partiste de Francia?

— Hace unos treinta o cuarenta días, señor. Como comprenderás, tenía que apresurarme para traerte la noticia.

— ¿Y por qué crees tú que esta noticia es importante para mí?

— Este camino, en caso de que lo sigan, pasa ante las puertas de Bizancio... Tú sabes mejor que nadie, señor, que es preciso encauzar la corriente entre sus orillas.

— ¿Qué deseas de mí, Boris?

— Tu amistad.

— Eres modesto.

— ¿Es que acaso me alejas de tu lado?

— No. Permanecerás aquí, en el palacio. El consejo imperial decidirá sobre tu destino. Si te reconocemos como pariente, te reconoceremos también como señor legítimo de los húngaros... que nos ha prestado su juramento de fidelidad. ¿No es así, Boris?

— ¡Mi padre, Koloman, no fue vasallo de ningún reino!

— ¿Es que acaso quieres regatear el precio conmigo?

— No, señor. Pero, ¿cómo quieres que sea visto con buenos ojos en Hungría si el pueblo sabe que voy de un país al otro suplicante, para convertirme en vasallo de quien me promete ayuda?

— Esto es palabra de caballero, Boris. Quiero reflexionar sobre ti y meditar acerca de cuanto me has dicho...

— ¿Y entretanto?

— ¡Mientras residas en el Palacio Blacherne disfrutarás del mismo rango que los príncipes de la casa!

El prófugo dobló una rodilla. El sable rechinó en el suelo de mármol, y el chambelán, que ya en tres ocasiones había entrado en la estancia silenciosamente, pudo ver cómo el emperador abrazaba a este extranjero andrajoso.

— ¡Conduce al señor a su aposento! ¡El Consejo Imperial decidirá mañana sobre su destino!

Las palabras del emperador resonaron en el interior de la estancia. Ahora volvía a estar solo. El emperador se acercó a la ventana y contempló aquella ciudad que ya se veía otra vez amenazada por el peligro.

* * *

Se encuentran en Würzburg, en la vieja fortaleza. Los bajos techos abovedados se estremecen ante la confusión de voces. En las paredes del gran aposento principal pueden verse, en los rincones, húmedos ribetes de moho. Los emisarios nunca sabían de antemano dónde el señor Conrado habría de conceder la audiencia.

Conrado no era joven. Un pesado manto recamado de piedras preciosas recubría su cuerpo ancho y prominente, algo semejante a lo que los emisarios estaban acostumbrados a ver en las portadas de los libros antiguos; una de aquellas portadas coloreadas con minio, oro y azul celeste que reproducía la imagen de Carlos el Grande. La mirada del emperador estaba roja de ira. Mantenía un duelo con el griego. El astuto Nikefor era un hombre siempre dispuesto a olvidar su dignidad, un hombre sagaz, que tenía la gran virtud de saber callar. Nikefor se postraba de rodillas, rendía todos los honores, pero jamás salió de sus labios la palabra: emperador... Lo evitaba. El astuto griego recurría a toda clase de florilegios y recursos lingüísticos; ni siquiera cuando Conrado le interrogó se escapó de sus labios la palabra emperador. El duelo entre ambos tenía ya una duración de cinco días. Ya, al primer día, arremetió violentamente contra él. Repetidas veces había tenido la intención de desposeerle de los derechos de un legado, de romper con la tradición, hacerle castigar con azotes y arrojarlo a los perros. Pero en cuanto su mirada se dirigía hacia la puerta, volvía a encontrarse ante la presencia de Nikefor... y cuando éste no aparecía, era entonces él mismo quien le mandaba llamar porque el obispo Embrico, compañero de viaje de este astuto griego, siempre acertaba a aplacar sus iras...

Jamás se había tropezado con un hombre como este griego. Cuando llegó a la fortaleza se fingió enfermo, sólo con el objeto de retrasar la primera entrevista; un par de días le bastarían para hacer soltar la lengua a cuantos le rodeaban; siempre llevaba ducados encima para sobornar a los criados y en cuanto a los presbíteros, se granjeaba sus simpatías con ayuda de reliquias. Estaba quizás más enterado que el propio emperador de cuanto hacia referencia a los príncipes bávaros, sajones y suabos. De todo esto se había enterado Nikefor escuchando y para cada palabra de Su Sacra Majestad sabía encontrar una respuesta ampulosa o excéntrica.

El emperador había decidido prescindir de los servicios de los intérpretes; Conrado hablaba latín. Y desde luego era mucho mejor que no hubiese nadie presente, que nadie pudiera ser testigo de la forma como el humilde escudero del soberano de los griegos, con sus palabras ininterrumpidas y dulces como la miel, tras las que, como dicen las Escrituras, se esconde la malicia, le insultaba y ultrajaba...

Discutían, y el emperador no le podía hacer caer en la trampa. Nikefor se retraía en su cascarón como un caracol, volvía al ataque y aguardaba el momento oportuno para acometer al emperador en cuanto éste se sentía fatigado. Sí, él sabía perfectamente cuándo el emperador estaba fatigado, y aprovechaba precisamente este momento para volver a la carga con algún argumento complicado; era un verdadero maestro de la oratoria. Hoy, sin embargo, no había tiempo que perder. Habían ocurrido recientemente varios sucesos en su país, pero ahora su pensamiento estaba ocupado en otro asunto que el relativo a la consumación del matrimonio de Berta y Manuel.

— Dime tu última palabra, hombre infame. ¿Qué es lo que deseas tú y promete tu señor?

— Hoy la palabra de Nikefor sigue siendo todavía la palabra del Basilio...

— ¡Habla ya de una vez! ¡Tengo ganas de saber qué es lo que quieres!

— En el nombre de mi señor... Por este año renunciamos a los quinientos jinetes. Aplazamos, pues, para el año próximo los jinetes, y así, por lo que respecta al regalo nupcial, todavía habría tiempo de...

— ¿Qué es lo que pretendes?

— Sólo un par de palabras, nada más. Da a mi señor, Manuel, el tratamiento que corresponde al emperador romano por la gracia de Dios. Manuel Augustus y Caesar, así se le denomina en los documentos latinos, emperador por la gracia de Dios. Esto sería lo primero, señor. Concédele también a Manuel los honores que le corresponden...

— ¿Y qué tratamiento me dará él a mí? ¡Vamos, contesta!

— El que mereces por tu dignidad, noble señor... Yo estoy comprometido a mi palabra. Si tú muestras respeto a Manuel, también él te dará muestras de este mismo... sí, de este mismo respeto...

— ¿Regateas como Judas el precio de la dignidad imperial? ¿Es que acaso pretendes...?

— Un juramento. También puede ser secreto, pero, sin embargo, debes prestarlo en presencia de un obispo, y es preciso también que sea confirmado por escrito en la cancillería. Tienes que jurar, señor, que jamás te unirás en una empresa común con el señor de los normandos, Roger de Sicilia. Caso de que ataque a Bizancio, deberás ofrecer tu ayuda al emperador, lo más rápidamente posible, por tierra y por mar. No deberás firmar con él ningún tratado de amistad antes de que el Imperio de Oriente haga una alianza con él. Y debes jurar también, noble señor, que nunca emprenderás en Panonia ninguna acción que pueda perturbar los intereses de mi señor.

— ¿Y qué ofreces a cambio de todo eso?

— La palabra de amigo de mi señor Manuel, que te la ofrece fraternalmente. Si todo eso se cumpliera, si tú — hoy mismo — quisieras hacer todo eso, señor, si quisieras dar satisfacción a todas nuestras peticiones, entonces — estoy hablando por boca de Manuel — puedo poner a Dios por testigo de que a finales de verano, a primeros de otoño, será la noble señora Berta la que será coronada emperatriz...

— Eres una serpiente venenosa... Tan correosa y dura como una liana: es preciso hacer uso del cuchillo para cortarla...

— Noble señor... Yo creo que cuando tú te unas en alianza con mi señor Manuel, ni siquiera todos los infiernos podrán rebelarse contra vosotros...

— ¿Y qué es lo que quieres para ti?

— ¿Para mí? Nada, noble señor... Yo me contento siempre con promesas. No me cuesta mucho trabajo deshacerme de lo que me corresponde; ahora mismo, no pido para mí ni soldados, ni oro... sólo un par de palabras, una promesa para el caso de que llegase una situación que quizás nunca se convertirá en realidad. Quiero para mí una palabra, una palabra de fraternidad. Mira, lo que deseo no es más que levantar un puente que mantenga unidos ambos Imperios. Manuel ofrece toda su vida. Y a ti te ofrece, noble señor, a ti y a toda tu casa, su mano; él mismo fue el presente que te ofreció su padre cuando todavía nadie podía sospechar que sería el cuarto de los hijos nacidos en la púrpura quien habría de convertirse en el señor más poderoso del universo...

— No temas. Eres legado y no puedo hacerte arrancar la lengua. Reúnete con Embrico. Prepara el texto. Pero jura tú también, en nombre de tu señor, con el más sagrado de los juramentos que podéis hacer vosotros los renegados. Jura que antes de tres meses ha de tener lugar la consumación del matrimonio de Berta y Manuel y jura también que no recurriréis a ninguna clase de argumento, ni terrenal ni celestial, y que no trataréis tampoco de poner ningún obstáculo más... Y que si Berta, a la que yo llamo sobrina, pues es hermana de mi esposa, la emperatriz, antes de que se consume el matrimonio, o bien durante los nueve meses siguientes sufre alguna enfermedad o percance, entonces Manuel tendrá que pagarme cien mil ducados. Éstas son mis condiciones. ¿Hacemos el trato, noble señor Nikefor?

El griego se volvió hacia la imagen bajo la que ardía una lucecilla sempiterna. Se golpeó el pecho, se arrodilló y adoptó la actitud del pecador humilde que siente el peso de sus pecados.

Cuando se levantó sus ojos estaban rebosantes de lágrimas.
— Quizás quiera Dios perdonarme — dijo balbuceando — por haber traicionado a mis señores...

VI

Berta vivía al borde de la desesperación y desconsuelo. En este año — año del Señor 1146 — el verano era caluroso. Tres veces por semana acudía al monasterio del Pantocrátor; visitaba a los enfermos y sus servidores traían bebidas y alimentos para mitigar todas sus penas. También visitaba a las monjas.

Ya la consideraban como a una de las suyas. Sin embargo, todavía no habían depositado en ella toda su confianza; hablaba el griego a trompicones, y, al parecer, era muy posible que de noche, cuando nadie la viese, se persignase según las formas latinas.

Berta escuchaba las palabras de las monjas y de las mujeres piadosas: estas mujeres eran personas terribles en lo tocante a su veneración por las tradiciones y a su léxico ampuloso que, como sus hábitos, estaba plagado de arrugas, pliegues y repliegues. Escuchaba atenta sus peroratas, tratando de captar su sentido. Estaba sentada, bajo los rayos de un sol apacible, cuando apareció ante su presencia una de sus sirvientes anunciando que acababa de llegar una embajada. «Será, sin duda, un emisario», pensó para sus adentros y preparando ya su ánimo para recibir malas noticias, se detuvo unos minutos para rezar en voz baja.

Se hizo trasladar en la litera, pues le habían comunicado que el legado aguardaba en el interior. Ante la puerta encontró una servidumbre extraña que esparcía flores por el suelo. Por doquier se veían caras nuevas; ante la entrada se había detenido una carretilla; unos criados alisaban la arena, otros escardaban y regaban con agua el caminito del jardín y cortaban las ramas de los árboles. En lo alto de la escalera se iniciaba una extraña y fina alfombra de púrpura; era una alfombra ancha, que llegaba hasta la puerta del jardín. Mientras la desenrollan, el maestro de ceremonias del palacio va de un lado a otro pavoneándose; su mirada de eunuco es infantil y macilenta.

En el preciso instante en que llega la litera de Berta, el eunuco hace una señal con su bastón: suenan los clarines, todos se inclinan profundamente a su paso, los escardadores doblan la rodilla.

El eunuco se acerca con pasitos tambaleantes y graciosos, como si quisiera tomarse el tiempo necesario para paliar su asombro; deja transcurrir un par de minutos antes de empezar.

— Nobilísima señora, discúlpame por haber organizado todo esto sin tu mandato, pero el tiempo apremia; por eso he venido a interrumpir tus prácticas piadosas. Todo debe estar a punto para el crepúsculo. Su Sacra Majestad honrará esta casa con su visita.

Las palabras han llegado hasta su oído, pero sus sentidos son todavía extranjeros. ¿Manuel viene de visita? ¿Por qué la alfombra de púrpura, por qué todo este despliegue de orden en la villa, que hacía pensar más bien en un convento?

Todo aquello parece una fiesta arcádica, los músicos ensayan en las casitas de recreo del jardín. El maestro de ceremonias levanta su batuta; siempre tiene alguna cosa que apuntar o sugerir. Conoce perfectamente sus obligaciones en estos momentos en que se tiene que recibir al emperador, que quiere venir aquí, después de muchos años de ausencia, para hablar con ellos.

Y el eunuco aguarda ahora la respuesta de su señora, porque así lo exige el ceremonial.

— Agradezco tu saludo, respetable señor. Todo el mundo sabe muy bien que este techo está esperando al emperador desde mi llegada a esta villa. Si no tienes ningún inconveniente, hazme el honor de compartir mi mesa a mediodía.

* * *

Todo fue sucediéndose con extraordinaria rapidez: la comida, la noticia de la visita, los curiosos.

Berta tenía dolor de cabeza, pero tuvo que consentir que sus mujeres la volviesen a peinar de nuevo, que sus cabellos rubios, con un brillo casi blanco, fuesen transformados en gruesos bucles para fijar encima de ellos la diadema, que la vistiesen otra vez. Ahora estaba Manuel ante ella, corpulento y poderoso; ella le dirigió una humilde mirada; la mirada del emperador era radiante, alegre y bondadosa, sus dientes brillaban. La abrazó, hizo enderezar su figura, sonrió. Berta reconoció en el emperador al antiguo enamorado que, en una ocasión, se había atrevido a saltar de una nave a la otra.

— Dios te proteja, señor, mientras estés bajo este techo.

— Dios te bendiga, señora, ya que me has permitido comparecer ante tu presencia.

Todo el mundo pudo presenciar el primer saludo, pues la puerta permanecía abierta. Acto seguido se cerraron tras ellos las hojas de la puerta, y Berta pudo observar cómo en el exterior, hasta la entrada de la villa, la guardia personal varega montaba la vigilancia.

Dio algunos pasos hacia el centro de la estancia y miró a su alrededor: sólo había visitado la villa durante su construcción; Berta era la primera persona que la habitaba.

— Te encuentro algo reservada, Irene. Permíteme que admire tus flores. ¿No me das permiso para sacarme la capa y pedirte que hagas tú también otro tanto?

Cuando entró en el interior del amplio recinto y comenzó a tocar los muebles, pareció como si todo cobrase vida, como si aquel mundo estático se convirtiera en un mundo de realidad. El poderoso señor atravesó de arriba abajo la sala; contempló minuciosamente los más pequeños detalles, las flores, se interesó por todo.

No tiene ninguna prisa; parece como si estuviese familiarizado con todo; como si fuese aquella la estancia donde diariamente pasara algunas horas para descansar.

— Hacía ya mucho tiempo que estábamos aguardando este momento, Irene.

— Las personas aguardan otras cosas, y ciertamente muy distintas a aquellas que sólo conducen al diálogo con el Señor.

— No he venido para quejarme ni tampoco para oír quejas.

— ¿Para qué has venido entonces, Manuel?

— Vengo a pedir tu conformidad; a consultarte la fecha a fijar para la celebración de las nupcias; debe ser antes de que empiecen las lluvias otoñales.

— Yo estoy aquí, como una hija abandonada del Señor. Lejos de todos y de todo. Me he enterado de que ha llegado una embajada de mi país. ¿Qué decía esta embajada? ¿Qué ha sucedido, Manuel?

— El puente ha sido tendido.

— ¿Entre ti y Conrado?

— Nos llamamos uno al otro hermanos. El legado corroboró el viejo pacto que ya mi padre había firmado con él.

— Nikefor ha sido el más astuto de los legados. También él llevó consigo la carta que escribí a mi hermana.

— Es un hombre prudente. El Imperio no será desagradecido. ¿Por qué no te alegras, Irene, de las noticias que he venido a traerte?

— Sé bueno conmigo, Manuel. He estado mucho tiempo sola, sin conocer alegrías de ninguna clase.

— Todavía no has mencionado una fecha...

— Tú sabes cuándo los legados llegan procedentes de las provincias. Tú sabes todo eso mucho mejor, señor. Dejo en tus manos la elección del mes, del día... y de la noche.

VII

El mosaico del Cristo Todopoderoso se arqueaba en el hemisferio de la cúpula, como queriendo inclinarse sobre todo el universo. Nada había de humano en la mirada del Pantocrátor; su mirada parecía perderse en el infinito; esta imagen, compuesta de miles y miles de pequeñas piedrecitas brillantes y con un fondo de diamantes, producía una profunda impresión de omnipotencia. Permanecía de pie; su mirada, bajo la luz de las mil antorchas que ardían al despuntar el alba, se dirigía hacia delante; tenía la sensación de que toda aquella inmensa bóveda se movía solemnemente impulsada por un misterioso movimiento respiratorio; las sombras de la pared y de la bóveda se proyectaban sobre él como una procesión de santos que acompañaban a Cristo por las sendas de esta iglesia, capital del cristianismo.

El omnipotente emperador, vestido de blanco, permanecía de pie junto a la puerta de la sacristía, aguardando a que le revistiesen con la dalmática. No era ahora más que un simple presbítero, un humilde diácono que, en esta mañana, y tal como correspondía a su rango imperial, iba a recibir la Sagrada Eucaristía, después de haberse confesado. Había llegado en un carruaje procedente del palacio Blacherne; había pasado las horas de la medianoche junto a su confesor. Aquella noche había sido muy extraña; nadie podía molestarlos; leían homilías, cartas de los antiguos padres de la Iglesia, y así iban transcurriendo las horas de la noche, hasta la llegada del día, hasta el momento en que el sol asomó por el lejano e infinito horizonte de Asia. El confesor colocó una de sus manos sobre los hombros del emperador dándole a entender que había llegado ya el momento de salir. Subieron por una pequeña escalera y abandonaron el palacio por una portezuela; el áspero viento de otoño soplaba sobre el Cuerno de Oro y mecía las somnolientas aguas... El carruaje, a lo largo de la parte interior de la muralla, pasó por delante del arco donde los moros de Manuel estaban preparando la argamasa para reforzar la muralla que llevaba el nombre del emperador Teodosio. Los Comneno habían iniciado la construcción del palacio Blacherne en la sinuosidad de esta muralla. Salieron ahora a la llamada Mese, la vía principal de Bizancio, que partía la ciudad en dos y que servía de puente de enlace entre las antiguas murallas de la ciudad y el mar, cuyas olas, con su eterno rugido, iban a romperse contra los pies del Sacro Palacio. La Mese es una vía interminable, sobre cuyos adoquines resbalan de vez en cuando los cascos de los caballos. El redoble de los cascos despierta a la ciudad, que, en realidad, no sale de su sueño hasta algo más tarde. A izquierda y derecha puede lanzarse una mirada a lo más profundo de las estrechas callejuelas que desembocan en esta gran vía: los comerciantes no han expuesto todavía su género: en las cuerdas todavía no hay tendida ninguna prenda de ropa para secar. Los niños no juegan ni gritan todavía bajo las arcadas; la miseria y la necesidad no les obliga aún a extender sus esqueléticas manos... Los guardias de la prefectura han arrojado ya a los borrachos y velan el sueño de aquellos huéspedes que han pernoctado en los burdeles. Una ciudad que se despierta tarde, una ciudad que se va a dormir demasiado tarde en esta jornada en que se inicia la gran fiesta imperial. Esta tarde el emperador se convertirá en marido de la emperatriz extranjera.

Este camino lo había recorrido ya con frecuencia embriagado por la pompa y la admiración de las multitudes, a pie, los pies revestidos con severas sandalias, llevando un cirio en la mano. También otras veces lo había recorrido con la espada desnuda, montado en su corcel de campaña, revestido con armadura de plata, el casco con plumas de garza sobre la cabeza, el manto de púrpura sobre los hombros, inmediatamente detrás de su padre... De esta forma había participado, pues, en las jornadas triunfales y festivas; y también luciendo los mismos atavíos se había dirigido hacia el circo, o hacia la Hagia Sofía con ocasión de las grandes solemnidades religiosas para escuchar allí las palabras del patriarca. Pero nunca había visto la ciudad tan impresionantemente vacía, abandonada e insensible. Los escuderos opinaban ahora que su trabajo no tenía que comenzar hasta transcurridas dos horas de la salida del sol; no era hasta este momento que los presos salían de sus mazmorras para aplanar las calles y esparcir por ellas flores. Pero esta mañana el emperador se había adelantado a todo el mundo... Vestía una sencilla indumentaria blanca, el sayo del dolor y de la penitencia, como prescribían las costumbres orientales. Pensaba en sus pecados y pensaba también que su vida había alcanzado ya el cenit. Tiene ahora veinticinco años y, siguiendo la voluntad del Señor, iba a consumar en la jornada de hoy aquel matrimonio que su padre había concertado entre él y Berta.

Es el más humilde de los presbíteros; le revisten con una dalmática confeccionada con el más sencillo paño, de color ceniza. Esta dalmática no estaba guardada en la cámara del tesoro; todavía en la jornada anterior se la había revestido alguno de los presbíteros de más bajo rango; todavía olía a sudor. Su anciano confesor se la había colocado; era aquel anciano quien ahora le acompañaba, y él le seguía sumiso, como un hijo amparado bajo las alas del padre. Nadie sabe que él es el soberano y señor del universo; nadie sabe quién es aquel que ha cruzado el dintel de la humilde y pequeña puerta; su figura inclinada no traiciona su personalidad majestuosa y omnipotente. La nueva iglesia, la Nea, está todavía envuelta en las sombras del crepúsculo, sólo en el altar mayor arden unas antorchas, y pequeñas lamparitas en los altares laterales; se ven otros puntos de luz: las coronas luminosas de las cabezas de Juan y de Pedro. Ancianos presbíteros permanecen arrodillados ante los altares laterales; el sueño ya no les acucia; están rodeados por los inevitables mendigos que asisten a la misa matutina.

La mirada de Cristo, que le contempla desde lo alto de la cúpula, sigue a Manuel. Es majestuoso y terrible al mismo tiempo; domina el universo; todo cuanto queda por debajo de su omnipotencia es minúsculo y enano. Mirada misteriosa: Él pregunta pero en vano, porque nadie le responde. Está solo, en medio de una soledad agobiante, aterradora, como quizás entonces, en el huerto de Getsemaní... Ésta es la severa imagen del Pantocrátor en aquel inmenso recinto que gravita sobre su cabeza; aquéllos son los ojos sin mirada de la imagen que le contempla. Todo, debajo de Él, es pequeño; el hombre, bajo la inmensa cúpula, no es sino un insecto diminuto revestido con las pobres y cenicientas ropas de los presbíteros, el que durante la misa ofrece el incienso al celebrante.

Se arrodilla, es un presbítero seglar: sostiene en sus manos el incensario. Plata antigua, labrada a golpes de martillo; se trata, quizás, de un regalo de tiempos muy lejanos, procedente de Rusia o de Bulgaria; tiene una forma muy curiosa; su mano arde cuando remueve la parrilla, para dejar paso al oloroso humo del incienso. Se arrodilla, se lleva a los labios el mantel que cubre el altar; todos sus movimientos revelan humildad y recogimiento; tiene que recitar y contestar debidamente, según el antiquísimo diálogo que el rito prescribe. Toda la escena se desarrolla tras la reja, los no consagrados no pueden verla; el iconostasio oculta el secreto: Manuel, el emperador arrepentido, sostiene los evangelios, agita el incensario, prepara el cáliz y lo llena de vino con su propia mano.

Comulga. Los ojos del venerable anciano se fijan en él; su mirada es más bondadosa que la del gigantesco mosaico de piedra. Los ojos de este hombre viejo, que con tanta frecuencia había visitado a Kalojuan, de este hombre que había impartido su absolución al viejo emperador, están empapados de lágrimas. Manuel, el hijo, había heredado de su padre el Imperio y el confesor. El emperador se ha arrodillado en la última grada del altar para recibir el cuerpo y la sangre del Señor; su alma es ahora infinitamente sensible e impresionable; parecen revivir en él los lejanos recuerdos de los

Santos Lugares. Piensa ahora en la confesión, en la larga y prolongada conversación sostenida en aquella reducida estancia, donde no hay más que una silla de confesor, y encima de ella un almohadón de terciopelo. Aquí sólo puede confesarse el Basilio. ¿Se había acusado él también como lo hace todo el pueblo?

... Manuel entra en la oscura sacristía y deshace lentamente los nudos de la dalmática gris.

Quiere hacer solo el camino de regreso; todavía es muy pronto. Ha recibido el cuerpo del Señor y ha bebido su sangre; pero ahora le asalta el hambre, después de aquella noche dura y prolongada. La tempestad de su alma se ha tranquilizado. Ha elegido ya su camino de regreso: por las arcadas; de esta forma no se enterará nadie que no sea de la corte imperial; sólo sus servidores nocturnos, los mudos. Luego sus manos cogen la campana. No articula más que un par de palabras; su voz es suave y ceremoniosa; da el permiso correspondiente para que se inicien los preparativos de la fiesta.

Entran los eunucos blancos; son los encargados de cuidar del vestido; cada cual ha aprendido su obligación en el libro del nacido en la púrpura Constantino.

Sobre el lino vaporoso y suave han colocado una capa de seda amarilla. Es la ropa interior imperial. Encima una prenda de púrpura, con cortes por ambos lados, a fin de no cubrir totalmente el escudo de plata del emperador. Vienen ahora los pomposos ornamentos labrados en oro. Un hombre más débil que el emperador se doblegaría bajo el peso del oro. Se cambia las sandalias y coloca en sus manos los guantes de púrpura; no lleva ningún arma, sólo un pequeño puñal bajo la túnica. La espada va delante de él, simbólicamente, sobre un almohadón de púrpura, así como también el cetro, la cruz, la manzana del imperio y el águila; éste es el símbolo máximo del poder imperial. Todo esto dura horas. Él se ha acostumbrado a todo: a vestirse en medio de los enanos con rostros surcados de arrugas, que parece que están desarrollando una pantomima previamente estudiada al poner en orden la indumentaria del emperador, de aquel que en la tierra tiene la autoridad de un dios, y cuyo atuendo tendrán ocasión de cuidar sólo tres o cuatro veces en toda su vida.

El humo se bambolea caprichosamente debajo de la bóveda.

La iglesia está rodeada por una corona de capillas; ante las imágenes de los santos arden antorchas. El emperador tiende la mano; el anillo roza los guantes de púrpura. El cinturón de diamantes y el brazalete de esmeraldas pesan mucho. Calla; sólo sus ojos, como los de un pájaro ahuyentado, siguen los singulares movimientos de los enanos. Por fin, todo ha terminado.

Da un par de pasos. De caballero, del joven héroe de aventuras galantes, se ha convertido en la imagen de un dios. Sus movimientos son solemnes y rítmicos. Su boda no es la fusión de dos cuerpos que se aman, sino un acto sublime, en el que se entrega a su pueblo como víctima.

Lo mismo tiene que soportar Irene en estos momentos en su palacio: puntillas, cintas, cinturones de oro, brocados y pesadas piezas de adorno. Y luego permanecerán los dos solos, Manuel y Berta... hasta que tras las puertas suene de nuevo el canto del coro, el nuevo *Carmen Saeculare,* que habla ya de nupcias y de una vida que empieza a nacer.

* * *

Se levanta de la cama sin hacer ruido. Ahora siente en su interior, con gran intensidad, el alma de Bizancio; hace ya cuatro años que llegó aquí. Ella conocía la historia del Sacro Palacio. Conocía la cama que parecía rodeada de sombras confusas. Eran las sombras de las numerosas Irenes, Teodoras, Zoes, y de todas las muchachas que un día, habían sido también coronadas y cuya sangre había ido tejiendo este lecho. Ahora era Irene; la Berta que había vivido otrora en su interior iba palideciendo cada vez más; el espejo traicionaba el rubio de sus cabellos, el azul de sus ojos, su esbelta figura, las manos huesudas; sólo el espejo decía que ella procedía de una raza distinta a la de las que antes que ella habían habitado este viejo y agobiante palacio.

Miró a Manuel. Las dimensiones gigantescas del cuerpo del emperador resaltaban debajo de las delicadas capas de púrpura. La luz brillaba con intermitencias debajo de los iconos; en un rincón del dormitorio unas hierbas olorosas desvanecían con su aroma el sofocante calor. Una columna de humo azul ascendía hacia el cielo.

Cuando se retiraban a descansar los eunucos se llevaban las lámparas de oro y extinguían las llamas de las antorchas nupciales. Se mezclaba ahora el aroma del áloe con el de la mirra; una nube de humo afloraba bajo la cúpula. Ella pensaba en el castillo de Würzburg, en aquella amplia sala inundada por los rayos del sol.

No podía dar ni un solo paso sin tropezar con leyendas y sagas. Cada rincón tiene su historia. Manuel está a su lado. La cama es tan ancha que parece que estén en una sala. Pudo apartarse de su lado para irse a cobijar en las intrincadas callejuelas de blanco lino. Ella le observaba, el ritmo de su tórax es perfecto, es el ritmo de un hombre que duerme, que duerme profundamente, al que ahora su joven cuerpo obliga al descanso. Y escucha ahora su respiración lenta y acompasada; pero, poco a poco, aquel ritmo se va haciendo cada vez más rápido e impaciente. Despierta, abre los ojos. Irene conoce muy bien la oscuridad; está acostumbrada a ella; permanece acostada, apoyada sobre los codos, en el lecho nupcial, como si hubiera permanecido en esta posición desde el comienzo del mundo. Ella ve su rostro, este rostro extraño, de rasgos delicados, extranjero, que parece iluminado por un resplandor eterno y que da a toda su piel un singular matiz dorado. Ahora él se mueve: sus ojos se abren de par en par y contemplan a Berta. Él busca la sonrisa de ésta, pero la nariz, recta y rígida, sobresale en la oscuridad; el color de la muchacha es blanco marfil, mate, sin brillo, y dorado allí donde la cabellera proyecta su sombra. No sonríe; adopta un semblante severo, casi inanimado; falta muy poco para que el día empiece a clarear.

Manuel la contempla; en la mirada de la muchacha se adivina un algo de amargura: es un rostro extraño, los coloretes imperiales han sido eliminados con aceites aromáticos, el almohadón ha ensortijado caprichosa y confusamente su cabellera; la túnica de la muchacha está abierta por el cuello, por lo que puede verse fácilmente la cadenilla con el amuleto del milagroso San Jorge. En la cara de Berta no se advierte una sola sonrisa. Sus ojos están abiertos, pero su mirada no se dirige hacia él. Da la sensación de que vive en otro lugar, en otro mundo que nada tiene en común con el mundo de Manuel, ni tampoco con el ritmo ligero del *gynekeion*. Su cuerpo se estremece. El emperador habla en voz baja, en el lenguaje de los francos occidentales; las palabras caballerescas suenan mejor en esta lengua. Manuel habla, y sus labios murmuran palabras, versos en el lenguaje que se habla al otro lado del Rin: los versos hablan de amor y de mujeres, y suenan al oído muy dulcemente cuando salen de los labios de Manuel. Él acaricia sus cabellos. Esta mano de un coloso puede ser también suave y dulce; la mano del emperador acaricia la mejilla de la muchacha y advierte que está húmeda de lágrimas; trata de secarlas. Pero ella no sonríe. Las palabras, estas extrañas estrofas, surgen otra vez de los labios del emperador, pero ahora, con más dulzura si cabe, inicia una antiquísima poesía griega. Quizás está aguardando a que también Irene diga alguna cosa en su misterioso lenguaje, con palabras de los germanos, de las que el emperador conoce sólo muy pocas.

— ¿Sientes nostalgia?

— Mi patria está aquí, Manuel.

— Hemos de escribir a tu hermana. Y escribiremos también a tu madre. Me doy cuenta de que tu alma echa de menos a la madre.

— Pienso en ellas. Dime, Manuel, ¿puedo leer en las estrellas para saber si algún día volveré a verlas?

— Consultaremos el horóscopo. Quizás pueda darte una respuesta. Y si te la da, puedes creerla porque nunca miente. Quizás... quizás algún día vuelvas a verlas.

— Están muy lejos... infinitamente lejos. Cuando viajaba por los mares, mientras recorría todo el penoso camino, me veía asaltada con frecuencia por una sensación de angustia. No me gustaría tener que volver a hacer este viaje por el ancho mar.

Manuel apoyó sus manos en el mentón. Trataba de encontrar una fórmula para romper el hielo. Hablaba consigo mismo, pero también la mujer tenía que responder.

— No existe más que una verdadera frontera. Allí donde comienza el territorio del conde austríaco.

— ¿Y qué hay antes de llegar a ella?

— El Imperio. ¿No has leído la historia, Irene? ¿O acaso te gusta más que te llame con tu antiguo nombre, Berta? Ya sabes que, hace un tiempo, todo esto fue una misma cosa, Bretaña y África... Las legiones llegaron hasta el mismo corazón de Asia. Ésta era la enorme extensión del Imperio cuando fue dividido en dos partes. Dos hermanos se sentaban en sendos tronos, el occidental y el oriental. Por ello quiero ahora llamar a Conrado hermano y por eso quizás llegue un día en que le dé también el nombre que ahora yo ostento... el nombre de emperador.

— Pero ambos reinos no limitan en la actualidad entre sí. Entre ellos se extienden ríos, montañas... el Danubio. ¿Cómo puedes tú aspirar a un único imperio, al imperio antiguo?

— Sólo un país se extiende entre nosotros. La tierra de mi madre. Al abuelo le dieron el nombre de «el santo». Fue un gran rey... Me gustaría visitar la tumba de San Lászlo.

— ¿Como Basilio, revestido de poder y de pompa? ¿O como peregrino que cumple una penitencia?

— También en una ocasión el país de Lászlo fue el Imperio. Cuatro provincias... Podrás ver su signatura cuando visites la Cancillería imperial, donde se tratan los asuntos húngaros. Y, por eso, estas provincias constituyen mi... Por eso tengo ganas de visitar la tierra de mi madre, que me pertenece a mí dos veces. En primer lugar por razón de mi madre, y en segundo lugar por razón del Imperio.

— Manuel, nunca habías hablado de esta forma... ¿Es que no tienes miedo de que alguien pueda oírte?

— En Magaura los muros son muy gruesos. Estoy hablando contigo, Berta. Tú no puedes volver a tu patria hasta que los dos Imperios se toquen. Entretanto no puedes atravesar el Danubio pidiendo el pan y la sal... mientras los húngaros no te reconozcan como a su soberana.

El emperador enmudeció y bebió un trago de vino y miel. Los dos permanecían sentados en la cama, en la semipenumbra de la lamparilla de aceite. Era su noche de bodas, descansaban en el mismo lecho, en la misma cama donde la lasciva Zoe había amado a cuatro esposos. Colocó un brazo alrededor de la nuca de Irene. Ahora su cuerpo no ardía; la sangre circulaba sosegadamente por sus sienes. Pensaba en la provincia situada en el bajo Danubio, en Sirmio y en Lászlo, en cuya tumba tenía el proyecto de dar a conocer al pueblo a su primer hijo...

PARTE TERCERA

UNA CAPA DE PÚRPURA

VIII

Era el tiempo de Adviento y el padre confesor impuso al emperador, como penitencia, la reconciliación con todos sus enemigos y la concesión de su perdón a todos cuantos habían conspirado contra él. El emperador pensaba en Isaac, en Isaac el viejo, el más joven de los hermanos de su padre, a quien había mandado al destierro a una isla en el mar de Mármara. También el padre confesor pensaba en Isaac, a quien había expulsado de su palacio y a quien había hecho embarcar también en un pequeño bote. Desde entonces vivía como ermitaño en un monasterio de Prinkipo. Era tiempo de Adviento, la ciudad se bañaba en los rayos de un sol casi primaveral y se disponía a celebrar la fiesta del Niño recién nacido; antes de la misa de medianoche se celebrarían las procesiones. En esta época del año, los corazones de los hombres se abrían, los parientes se visitaban, y se trasladaban de un lado a otro de los cuatro confines del imperio para abrazar a la madre, al hermano y al cuñado; la gente vivía bajo la luz de la estrella de Belén. Un extraño movimiento de emigración se iniciaba en Bizancio. Si la nieve de Anatolia no cortaba las sendas, las familias que vivían alejadas de sus parientes, abandonaban sus hogares y montando en el lomo de los mulos se dirigían a visitarlos cargados de paquetes y de regalos, con oráculos y sentencias devotas a flor de labio.

El confesor pensaba en Isaac y no quería impartir su absolución hasta que no cumpliera la penitencia. Era un presbítero anciano, y hasta sus oídos habían llegado las quejas y lamentos de

Isaac; también estaba del lado de las princesas nacidas en la púrpura, así como de la cuñada viuda y de sus hijas Teodora y Eudoxia; Ana Comneno le escribía cartas con frecuencia. Isaac no había conspirado contra él. El viejo presbítero hablaba de la virtud cristiana de la indulgencia; el emperador no podía reprochar a Isaac más que sus ansias de poder, cuyos destellos jamás podría apagar del todo. El príncipe se había hecho viejo, suspiraba por el regreso a la ciudad, los inviernos consumían su corazón, la tos le torturaba... Eso decían las mujeres. Y el confesor no quería darle la absolución antes de que abrazase a Isaac, antes de que no rehusara su beso de conciliación y antes de que no pronunciase las palabras: «¡La paz sea contigo!»

Había tomado la decisión la noche anterior. El camino era corto. Si partía por la mañana podía estar allí a mediodía y regresar a última hora de la tarde, sin tener que pernoctar en Prinkipo. En el borde occidental de la isla, protegida contra las escarpadas olas, se encontraba una villa, la casa y el jardín del emperador; no tenía que pisar el monasterio para nada.

Fue solo. Toda la jornada anterior estuvo dudando todavía acerca de la conveniencia de llevar consigo también a la emperatriz para mostrarle la isla donde habían transcurrido las semanas felices de su infancia y a la que le ligaban tan gratos recuerdos. Pero Berta tenía miedo del mar. La nave del genovés flotaba todavía en su conciencia; quizás era también porque había oído hablar mucho de las gentes desgraciadas de la isla de Prinkipo, que, al igual que sombras sin vida, pasaban largas horas junto a la orilla del mar con su mirada nostálgica dirigida a la ciudad.

Unos monjes estaban junto a la orilla; como desde el mismo día de la fundación del convento, bendecían el mar, que aquí, en las costas de Pityusas, albergaba una cantidad extraordinaria de peces. Todo era reposado, sencillo, simple, cotidiano. Nadie podía imaginar que detrás de aquel hombre delgado que descendía por la estrecha pasarela, se escondía la dignidad del Basilio. Recorrió la orilla sin otros atavíos que la capa de soldado; le acompañaban un par de oficiales de la escolta imperial. El maestro de ceremonias se había apresurado a llenar la chimenea de leña para poder ofrecer a Manuel un aposento caliente y confortable tan pronto como regresase de su recorrido penitencial. La guardia imperial se había detenido en la puerta del monasterio; la mano de Manuel buscó la aldaba; un ruido estremecedor rompió la silenciosa calma.

La mesa de Isaac fue cubierta inmediatamente con un mantel; su criado trajo platos, recipientes y una jarra de vino. El huésped había llegado inesperadamente; su figura llenaba la puerta por completo; tuvo que agachar un poco la cabeza para no rozar con ella a causa de la baja techumbre. La mirada de Manuel se paseó por la mesa; el criado la había dispuesto para tres personas. Estaban uno frente al otro.

Manuel observó cómo su cabello había encanecido y cómo sus ojos daban la sensación de desmoronarse en ruinas; se parecía muy poco a su padre.

Extendió los brazos y abrazó al anciano. Era un movimiento instintivo, cuya sinceridad y calor no habían sido estudiados premeditadamente. Posiblemente la escena hubiera sido más fría y ceremoniosa en el palacio de Bizancio; aquí, en el aposento que el anciano ocupaba en el monasterio, todo se había desarrollado con una sencillez bíblica; los ojos del anciano estaban húmedos. Isaac se acercó a la mesa. En uno de los platos había pan tierno. Cogió el cuchillo, dibujó sobre la corteza del pan el signo de la cruz y cortó un pedazo, que ofreció a Manuel. Era una costumbre antigua y sencilla: el Basilio aceptó el pedazo de pan. dijo:

— Veo, querido tío, que tu criado ha dispuesto la mesa para tres comensales. Donde se sientan tres hay sitio también para un cuarto.

— Si vuestra Sacra Majestad quiere honrar mi humilde mesa, esta jornada quedará grabada en el libro de mis recuerdos imperecederos.

— Sé más condescendiente, Isaac. No estamos ahora en el Sacro Palacio; estamos los dos, tú y yo. Tú hubieras hecho conmigo lo mismo si... tú hubieras calzado las sandalias de púrpura. Axouch obró precipitadamente, sin reflexión... él pensaba obrar bien, pero se precipitó. ¿Por qué no me mandaste ningún mensaje?

— Se me dijo que te habías convertido en una roca, Manuel; que tu corazón era más duro que las piedras sobre las que el Señor mandó construir su iglesia.

— Tú me conocías de niño... ¿Acaso creíste en algún momento que mi corazón había dado albergue a la crueldad?

— ¿Por qué me has dejado sufrir aquí tanto tiempo?

— He venido a buscar a mi tío. Puedes volver al palacio cuando quieras. Si así lo deseas, puedes acompañarme ya en mi viaje de regreso.

— Deseo pasar aquí los días de fiesta. Los monjes han sido buenos conmigo; he ayunado con ellos.

— Deseo que la amargura se desvanezca de tu corazón, tío.

— Todo se hará según lo deseas, Manuel.

— ¿Has tenido presbíteros como huéspedes durante el tiempo de penitencia?

— Dos princesitas me han acompañado en la mesa.

— ¿De quién estás hablando?

— Hace una semana Irene me mandó a sus dos hijas. Teodora y Eudoxia se encuentran aquí, en el pabellón de las mujeres. Irene es una mujer buena y no ha querido que pasara las fiestas completamente solo. Si te molestan, Manuel, daré orden de que permanezcan en sus aposentos.

— Hazlas venir, tío; aquí el ayuno es menos riguroso que en palacio. Hace mucho tiempo que no he visto a las muchachas... ¿Qué edad tienen ahora?

— Teodora debe tener unos dieciséis años... Que yo sepa, Eudoxia es un año y una primavera más joven. Ya va siendo hora de que decidas cuál va a ser su suerte, Manuel. Las muchachas son huérfanas de padre y tú eres el emperador y su tutor.

— Deseo ver a las muchachas.

— Les daré orden de que se preparen, ya que el señor del Imperio ha querido honrar mi refugio.

— ¡No, Isaac, debe ser una sorpresa!

Las muchachas llegaron y, cuando entraron en el corredor de los pasillos, advirtieron la alfombra de púrpura. Habían nacido en Bizancio e inmediatamente comprendieron: la rueda del destino había girado, las orillas del mar se habían acercado, los desterrados regresarían nuevamente a sus hogares... ¿Acaso habían venido a buscar a Isaac para vivir y para dominar y mandar? Experimentaron una sensación de angustia y turbación al verse ante la presencia de Manuel. Se postraron de rodillas y Manuel las hizo levantar sonriendo, al tiempo que estampaba en sus mejillas un beso amistoso y posaba una de sus manos en sus cabezas. Teodora bajó la mirada; acto seguido se dispuso a preparar la mesa, tal como hacían todas las muchachas educadas al estilo patriarcal.

Trajeron el pan y se inició aquel ágape de ayuno.

Siempre en voz baja hablaron un poco sobre los parientes cercanos y lejanos, sobre los que había alguna cosa que decir. Los criados desalojaron la mesa e, inmediatamente después, pusieron ante los comensales un poco de cerveza y de frutas con miel. Manuel dirigió su mirada, sonriente, a las muchachas:

— ¿Tenéis ganas de ir a la villa imperial? ¿Queréis ir allí conmigo?

Era la primera vez que las muchachas habían venido a esta isla; vivían aquí con el tío y no podían ir a ninguna otra parte. La alegría hacía resplandecer sus ojos; sólo Eudoxia agachó la cabeza:

— Yo no puedo ir. A esta hora suelo leer en voz alta para el tío Isaac... su vista ya no es la de antes...

Isaac asintió con un movimiento de cabeza; realmente, le resultaba muy doloroso permanecer solo y ahora tenía necesidad de quedarse con alguien con quien compartir la inesperada alegría que le había traído la jornada.

— Quédate conmigo y cede este honor a tu hermana.

— ¿Deben permanecer las muchachas a tu lado, tío, o prefieres que las lleve conmigo esta tarde, cuando regrese al palacio?

— Deben permanecer conmigo. Deseo celebrar la fiesta de Navidad aquí. Las muchachas orarán en la capilla, y cuando ordenes que una embarcación venga a recogernos, Manuel, regresaremos los tres; el día de San Esteban si te parece. ¿Deseas que esta querida muchacha te acompañe a la villa? ¿No te molestará?

— ¿Quieres acompañarme, Teodora?

— Os lo tendré que agradecer toda mi vida, señor.

— Estoy muy bien informado; sé que hablas muy bien y que mereces que tu tío te lleve consigo.

Los dos hombres se abrazaron.

La villa imperial no estaba lejos, pero tenían que bajar hasta la orilla del mar, donde empezaba un caminito empedrado.

Manuel rodeó con su brazo los hombros de Teodora; de vez en cuando tenía que agacharse para recorrer este caminito que parecía una verdadera y sombreada alameda; al llegar a un estrecho recodo, él se acercó más a la muchacha y tuvo ocasión de experimentar la turbación que le hacía sentir el contacto de aquel cuerpo serpenteado y maravilloso.

Se detuvo ante una pequeña fuente. En este punto se encontraba la diminuta puerta que servía de acceso a la villa; debían darse un par de pasos por entre muros; era una entrada secreta para casos de peligro. La puerta estaba cubierta y disimulada por espesos matorrales.

— ¿No tienes miedo, Teodora?

— No, si tú estás conmigo...

El brazo de Manuel la estrechaba ahora con más fuerza; su mano, la mano de un coloso, era deliciosamente delicada, suave, ligera y misericordiosa.

— Déjame volver; no puedo permanecer aquí contigo.

Teodora era bizantina. La túnica que llevaba hoy había sido imaginada especialmente para el tiempo de ayuno; era de lana lisa, sencilla; nada de seda. Pero los pliegues se adaptaban al ritmo de su cuerpo; este gracioso movimiento ondulante era inimitable; era como un oleaje ininterrumpido, una deliciosa marea. Era casi como una hermana, de la misma raza, una Comneno, el más singular retoño del Imperio. La estancia que ahora pisaban no tenía ninguna ventana; la luz entraba por el techo; era un aposento misterioso, secreto, diseñado para un fugitivo. ¿Quién debería utilizarlo? No había necesidad de muebles; sólo un par de alfombras en el suelo. Quien estuviese cansado podía tumbarse sobre ellas. Encendieron la antorcha. Sí, era la más preciosa de cuantas criaturas él había estrechado entre sus brazos. Su hermosura transpiraba en los pliegues de su túnica; la muchacha deshizo todas las hebillas, y el vestido, húmedo por el agua de la llovizna, cayó al suelo; Teodora estaba ahora ante el emperador, su cuerpo cubierto únicamente por una pieza interior blanca y transparente; permanecía inmóvil ante él, con aquella sonrisa maravillosa a flor de labios; era la más hermosa de las Comneno nacidas bajo las alas del Imperio. Así permaneció vestida, sólo con la delgada túnica interior, hasta que la capa de Manuel la recubrió.

Siguió un largo silencio.

— ¿Por qué no puedes estar siempre a mi lado, Teodora?

Se oyó un ligero murmullo; la voz parecía más bien un débil aliento.

— Así es mejor, señor; de no ser así, ya no pensaría en ti... los días en que no espero tu visita.

— ¿Me has estado esperando?

— Cuando en aquella ocasión me levantaste del suelo y me tomaste en tus brazos... desde entonces nunca se ha separado de mí aquel recuerdo. Manuel, tú has sido siempre para mí motivo de pena y de alegría al mismo tiempo; una extraña sensación de dicha me invade siempre que estoy junto a ti, muy cerca de ti.

— ¿No tienes ningún amante, Teodora? ¿Acaso todavía ningún joven patricio ha pretendido convertirte en su esposa?

— Si tú así lo deseas, les diré que el emperador me ha prometido al hijo de un príncipe oriental... ¿Oyes, Manuel? Yo misma me hago mis fantasías e ilusiones respecto a ti; he leído en las estrellas.

— ¿Qué te han dicho los astros?

— Pródromos me llevó en una ocasión a uno de los que saben leer en el firmamento.

— Quiero que los magos me comuniquen tu horóscopo.

— Yo busqué tu estela... mis estrellas empiezan con las tuyas. Vi cómo nuestras estelas se cruzaban, se fusionaban, y permanecían mucho, mucho tiempo fusionadas. Aquella noche no pude conciliar el sueño. Estuve contemplando todo el rato la fusión de nuestras estelas...

— ¿También lo vio el astrólogo?

— El astrólogo agachó su anciana cabeza y pronunció las palabras paciencia y pesar; murmuró también unas palabras en lengua siria, tomó una vez más el horóscopo entre sus manos, lo rompió a pedazos y lo arrojó a las llamas de la chimenea. Ahora podrás comprender, Manuel, la razón por la que te estaba esperando; sabía que tenías que venir. ¿Acaso las estrellas pueden mentir?

— También sin las estrellas hubiéramos vuelto a encontrarnos. Levanta. ¿Tienes un espejo?

— No. No llevo ninguno conmigo.

— Aguarda un momento, la vaina de mi sable es de plata. Puedes mirarte en ella. Espera, quiero alisar tus cabellos...

— Tu mano está húmeda de lágrimas, Manuel...

— Tu cabeza tiene su sitio entre mis dos manos.

— Me gusta descansar en tus manos.

— ¿Y no preguntas lo que ha de ser de nosotros, Teodora?

— Las estrellas lo han dicho: nuestros destinos han de ser paralelos mucho tiempo.

— ¿No piensas en el pecado?

— ¿Por qué hablas de eso?

— No, no debo hablar ahora de eso… Abrázame… vamos a regresar por el mismo camino por donde hemos venido, y así nadie sabrá dónde han estado Manuel y Teodora. Nuestras vidas correrán el mismo destino durante mucho tiempo; así lo han dicho los astros.

IX

Estaba sentado en el ágora. El lugar era tranquilo y silencioso; celebran la victoria lejana, pero conseguida por el emperador, sobre los paganos. Kalojuan apenas celebraba, en su época, estas victorias cuando regresaban los ejércitos. Manuel era prudente: el pueblo de Bizancio esperaba de él milagros, milagros que tenían que traducirse en el triunfo del emperador y del Imperio.

Entre los prisioneros se encontraba un príncipe musulmán; el botín era rico. Bizancio deseaba una victoria; Manuel la consiguió. En realidad habían sido hechos prisioneros dos príncipes paganos, pero uno de ellos fue puesto en libertad a cambio de Andrónico Comneno. En dirección a la mazmorra de Manganon llegaban los sones de unas trompetas. El emperador levantó la cabeza.

Permanecía sentado, la mirada inquieta. Podía contemplar desde su asiento la amplia plaza, que estaba cercada en sus cuatro costados por miembros de la guardia imperial. Cuando volvía un poco la cabeza podía ver a sus parientes que, de acuerdo con el rango que les correspondía, adoptaban una actitud arrogante y majestuosa que les convertía en estatuas de mármol, como un adorno del ágora. Todos permanecían sentados en el sitio que, por su categoría, les correspondía. Contemplaba a Teodora, su rostro límpido, pequeño, nervioso; aquel rostro que, como si de un pajarito se tratase, había acariciado entre sus manos…

A Andrónico lo había visto por vez primera hacía tres días, la misma noche que había regresado a Bizancio.

El protovestiario aguardaba la señal del emperador para poder iniciar los festejos en honor de la tan deseada victoria de Manganon. Cientos de miles de pares de ojos estaban pendientes de cualquier movimiento del Basilio. De pronto, y como entonado por coros celestiales, estalló el *Kyrie Eleison:* la primera palabra correspondía al Todopoderoso...

El cántico llenaba toda la plaza y reflejaba el éxtasis del pueblo. Entretanto, la triste y resplandeciente comitiva había llegado ya hasta la misma puerta. Los hijos de Hagar, los selyucidas, turcos, sarracenos. Los que llevaban túnicas floreadas eran los selyucidas que habían caído en la trampa preparada por el gran estratega. Tras ellos seguía una sucesión interminable de siervos que arrastraban carros repletos de ricos botines... Y esto no era más que el comienzo. Es la primera hora de la tarde; los milagros se sucederán ininterrumpidamente hasta que el sol se ponga en el mar de Mármara.

Llegan los prisioneros. Se les ha colocado en tres amplias filas; el rechinar de las cadenas invade todos los ámbitos del ágora.

En esta ceremonia no hay espectadores; todo el mundo es actor. El emperador está cara a cara con su pueblo. El alma de Bizancio se dilata y expande; el emperador levanta su diestra recubierta con guantes de púrpura; primero hace la señal de la cruz en dirección a los *azules,* luego se vuelve hacia el otro lado e imparte su bendición a los *verdes.* El báculo del maestro de ceremonias se eleva en el aire. Suenan agudos pitidos, los guardias se precipitan sobre las filas de prisioneros y les obligan, como si de camellos se tratara, a postrarse de rodillas, para luego revolcarse en el polvo.

Un par de oficiales de la guardia imperial, suben las escaleras. Conducen un prisionero. El hijo de Hagar, el príncipe de los sarracenos; es muy joven todavía, como delata su barba incipiente; sus ojos brillan; es altanero, pero se encuentra totalmente desasistido. El príncipe prisionero camina con paso firme entre los guardias varegos. Cayó prisionero en el curso de una aventura a caballo.

De nuevo aparece en escena el maestro de ceremonias. Con ayuda de un intérprete dice algo al prisionero y, con un violento empujón, le obliga a tocar el suelo con los hombros. Dios y el emperador se fusionan en una misma persona; el prisionero se encuentra ya ante ella, tendido en el suelo; una mano — y ésta es la mayor de las vergüenzas —hace caer de su cabeza aquel turbante verde, del color del profeta.

Allí está el príncipe prisionero, como un gusano desnudo, indefenso; ni siquiera se ha atrevido a resistirse contra esta humillación, pues su mente está completamente ofuscada, obnubilada. Manuel debe acercarse al prisionero. Levanta el pie derecho. Todo el mundo puede ver la sandalia de púrpura recubierta de piedras preciosas, que lenta y majestuosamente desciende sobre la cabeza desnuda.

Nota tras sí la presencia de Axouch. La ceremonia no dura más de un segundo.

—Levántale, devuélvele el turbante y suelta las cadenas —ha susurrado.

El prisionero se ha levantado ya; las cadenas chirrían al caer al suelo; levanta el brazo y cubre su cabeza desnuda, símbolo de deshonra.

—No temas, nada malo te va a ocurrir.

Éstas son las palabras que musita la voz, y que él comprende perfectamente antes de que el intérprete haga las aclaraciones pertinentes. Observa la mirada de Axouch y se da cuenta de que es de los de su raza. No está solo. Los ojos de Manuel le contemplan. ¿Podrá jamás olvidar esta humillación, la deshonra de la cabeza descubierta, el oprobio que ha significado su zapato de púrpura descansando, poderoso, sobre su nuca desnuda y la mirada con que le ha medido de pies a cabeza? ¿Por qué tiene que contenerse? ¿Acaso no hubiera podido invocar a la familia de su padre? Levanta la mano. El Basilio hace un gesto con la mano, en señal de despedida, al príncipe prisionero que, tocado nuevamente con el turbante verde, desciende por la escalera acompañado por miembros de la guardia imperial.

* * *

Las cuadrigas recorren el gran circo de arriba abajo, de un lado a otro, como muchos años atrás, en tiempos de Nerón; el entusiasmo hace vibrar a los partidos que van a enfrentarse, los *azules* y los *verdes*.

... Los carros ruedan aceleradamente; los cocheros espolean a los caballos sin aliento con sonoros y recios latigazos y estridentes gritos. Es un juego, una diversión muy antigua; la corte se ha retirado; el emperador no se ve por ningún lado; ha abandonado ya el trono desde el que ha presidido el triunfo de diez mil hombres y el reparto de distinciones, honores y riquezas.

A los festejos en honor de la victoria sigue el espectáculo del circo; los leopardos han abandonado ya sus jaulas. Los gladiadores luchan. Ellos han de ser los vencedores. Sus escudos son más fuertes que las garras de la pantera.

A las panteras siguen los camellos, y luego vendrá la escena de caza del guepardo, a cargo de los sarracenos que forman parte de la guardia imperial.

Los criados retiran los cadáveres; los gladiadores heridos son montados en parihuelas; la arena es alisada con gigantescos rastrillos. Se hace una pausa. Los criados del circo pasan por entre las filas de espectadores portando gruesas tinajas; hoy todos son invitados del emperador; quien lleva una marmita, una jarra o un vaso, puede llenarlo de vino; los espectadores hincan afanosamente los dientes en los pasteles de miel que la repostería imperial ha ido preparando por miles en el curso de los últimos días. La entrada del circo es gratuita, una gentileza del emperador; pero también las personas pudientes y ricas se han dado cita; ya a primeras horas de la mañana han mandado a las gradas a sus más viles criados, que durante horas han estado guardando sitio para sus señores, sentados en pequeños escabeles...

Poco a poco va llenándose la catisma, el palco imperial; en la parte cubierta por la sombra aparecen princesas, hermosas mujeres, dignidades imperiales... Algo ha ocurrido: un ídolo se mueve — la sagrada emperatriz, la Basilisa. Está sentada en su trono de púrpura, rígidamente incorporada, luciendo su serena cabellera rubia que, según relatan los guerreros, es obra del lejano sol nórdico —. La Basilisa se mueve. Es esbelta y rubia... un ingente coro de voces exclama: «Salve, Irene... Salve, nuestra buena madre... la Madre de Dios te bendecirá para que el Imperio tenga un descendiente, un hijo...» Irene levanta la mano, su mirada se vuelve ahora hacia la derecha, luego hacia la izquierda... y hace la señal de la cruz en el centro.

A Bizancio le cuesta mucho adaptarse a las nuevas costumbres;

nadie puede saber cuándo va a estallar una rebelión, cuándo va a producirse una auténtica revuelta. Irene se inclina, bajo la sombra de la cruz. Piensa en los solemnes torneos que se celebran en Würzburg. Su sillón estaba junto al sillón de Conrado, todo era más sencillo. Aquí todo es brillo y resplandor; ceremonias milenarias. Piensa en su esposo, que para complacerla ha roto con la vieja tradición y ha dado también la orden de que en esta fiesta se luche, según la costumbre de los francos.

Media hora antes Manuel estaba aquí todavía; advierte que en este momento se encuentra sola, el emperador no está ya en el palco. El maestro de ceremonias se inclina respetuosamente ante la Basilisa aguardando a que ésta dé la orden. Debe agitar su pañuelo para indicar que el torneo puede empezar. El pueblo calla; no conoce todavía ese tipo de competición; recela del espectáculo que va a desarrollarse ante su vista.

Los jinetes aparecen en la plaza formando una sola hilera. Van escudados tras armaduras pesadísimas; también sus caballos van recubiertos con gruesas planchas de hierro. Con los escudos cubren sus armas; sus viseras de hierro acaban de encubrir completamente sus rostros, de manera que nadie puede sospechar entre quiénes va a dirimirse la contienda. La larga hilera se pone en movimiento; los caballos marchan a un trote lento y cómodo; siguiendo este ritmo llegan ahora hasta el gran palco, la catisma. Irene conoce las reglas del juego: hace una señal con la mano; la primera lanza se apoya contra la armadura, y una de las damas de la corte ata en el asta una cinta roja. Desfilan veinticuatro caballeros, uno detrás del otro, repartidos en pares de dos y formando seis grupos de distintos colores. La mirada de Irene irradia satisfacción; el pueblo de Bizancio no había visto todavía nunca a la Basilisa tan bella y feliz al mismo tiempo.

Bizancio odia a los latinos. Ésta era una prueba muy arriesgada.

¿Perdonará el pueblo este torneo al estilo de los latinos al emperador y a Irene? La muchedumbre se mantiene en un plano neutral, no suenan ovaciones, pero tampoco se oye una sola palabra de burla o escarnio; el pueblo permanece atento, profundamente emocionado, en silencio. ¿Quizá significan estos torneos una resurrección de los juegos de los gladiadores, con la única diferencia de que los luchadores profesionales montan a caballo?

Los ánimos, al principio, son fríos, serenos, pero atentos. Todo el mundo está admirado de las corazas de los caballeros, los caballos que bailotean, las armas de colores abigarrados. Conocen al césar Roger, que se ha convertido en un perfecto bizantino. Ha tomado por esposa a una princesa de la familia de los Comneno; se sabe de él, que su mano registra las más secretas fibras del palacio... Le observan cuando, revestido con su capa orlada de púrpura, dicta órdenes e instrucciones; él era césar y, después del emperador, el personaje de más categoría entre los mortales.

Se inclinaron caballerosamente unos delante de los otros y levantaron sus lanzas en honor de sus respectivos compañeros; sólo al retumbar en el aire el tercer sonido de trompeta se separaron; todos estos movimientos seguían el ritmo marcado por una banda de música oculta en algún lugar. Cada cual elegía a su pareja, a la que dedicaba sus intereses. Al principio se oyeron unas pocas palabras de mofa. Otras voces alentaban a los jinetes que se limitaban a valorar la potencia del rival; las lanzas flotaban todavía en el aire — sin tratar de buscar resistencia —, los caballos intentaban esquivarse uno al otro. Pero la contienda fue entrando en calor. Los jinetes empezaban a buscarse, los golpes hacían resonar las corazas metálicas, las lanzas de punta roma se partían en pedazos, un caballo mordió el cuello de otro, y bastaron unos pocos minutos para que en el circo comenzara a respirarse la acalorada atmósfera de la lucha. Los caballeros luchaban encerrados en una nube de polvo; se abalanzaban con sus lanzas sobre su rival y blandían también las espadas... ¿Cuánto tiempo había de durar todo esto? Quizá sólo unos minutos, pues algunos de los jinetes derrotados que habían sido arrojados de sus sillas de montar estaban tendidos ya en el polvo; los caballos, sin embargo, permanecían mudos y tristes al lado de sus respectivos amos, contemplando cómo venían los escuderos a ayudarles a soportar el peso de las armaduras para poder levantarse; la mirada de los vencidos está turbia y confusa; nadie puede imaginar la sensación de oprobio y deshonor que les embarga. Muchos abandonan la arena sobre sus propios pies, cojeando; otros han de ser trasladados sobre unas parihuelas. Un criado se inclina sobre uno de los caballeros, abre la coraza a la altura del cuello, levanta la visera y coloca la hoja del sable ante sus labios, tratando de conseguir una señal de vida. Vuelve a bajar la visera. Se levanta, descubre su cabeza hasta ahora cubierta con un ligero casco y hace la señal de la cruz según el rito latino. La gente observa la escena y ve también un fino coágulo de sangre que resbala por encima de la armadura que reviste la nuca del luchador vencido.

Los juegos eran hermosos, graciosos y nobles, pero, sin embargo, los jugadores corrían al borde de un precipicio mortal. Se había producido una víctima, y ello confería a las luchas entre dos jinetes un atractivo especial. Todavía no conocían las reglas del juego, pero como eran perfectos ciudadanos se orientaban rápidamente. Hacían apuestas; apostaban sobre los colores; unos eran partidarios de los jinetes vestidos de color azul, otros eran admiradores de los que vestían color verde. Los alentaban con sus gritos, a pesar de que, en Occidente, los juegos caballerescos de los hombres sólo eran acompañados por los sones de las trompetas. El pueblo presente en el círculo se animaba; se burlaba también, pero disfrutaba con este tipo de luchas; el calor apretaba; cada cual había elegido ya a su favorito, al que alentaba con palabras y gritos en espera de ayudarle a conseguir la victoria. Los moradores del palacio permanecían sentados en el palco imperial conteniendo la respiración. ¿Cuántos eran entre ellos los que abrigaban secretas esperanzas de que el juego tuviera un desenlace desfavorable, de que el pueblo se alborotase, mostrase su descontento por la decisión de la emperatriz y reprochase incluso a Manuel el hecho de que su madre no fuese de Bizancio? Nadie puede saber las consecuencias que pueden derivarse de un caos como el que ahora podía producirse, una revuelta palaciega, un éxodo a la iglesia de la Sacra Sabiduría... La procesión triunfal que hoy había desfilado ante Manuel podía convertirse en cualquier momento en un cortejo fúnebre. Todos los palaciegos seguían, sin poder ocultar cierta satisfacción, los incidentes del torneo y observaban las reacciones del pueblo que empezaba a familiarizarse con este juego, en el que participaban según su manera primitiva, pero con entusiasmo.

Las reglas del juego exigían que el vencedor de cuatro parejas eligiese luego un nuevo adversario. El vencedor descansaba unos momentos, mientras el otro par dirimía su contienda; participaba luego en la lucha, y el vencedor era ahora el único jinete representante de su color. Bizancio lo comprendía todo; la gente apuntaba con un dedo al aire y gritaba a favor de la «gran pluma roja», de la «gigantesca pluma blanca», del «comepasteles azul con nariz negra»; en fin, la gente había hecho una distracción de la invención de motes. Iban pasando los cuartos de hora. Sonaron una vez más las trompetas y los caballeros se aprestaron a nuevos lances.

Quedaban sólo cuatro caballeros; ahora debía iniciarse una prolongada y enconada lucha entre los miembros de cada una de las dos parejas. La última lucha, la decisión, tenía que comenzar poco después de terminada la lucha entre las dos últimas parejas. Se trataba de disputar ahora la copa de oro ofrecida por la Basilisa en calidad de recompensa, pues era preciso que el vencedor absoluto guardase recuerdo imperecedero de la jornada.

Eran dos colosos de proporciones físicas descomunales los que ahora tenían que dirimir la contienda. Sus fintas eran diestras y elegantes. Su defensa, la reacción de sus manos y de sus ojos, todo en estos dos guerreros era perfecto.

Iba a tener lugar la quinta ronda, la última del torneo.

El césar Roger se colocó en el centro; tenía que dirigir la contienda.

Los caballos volvieron a arremeter al galope, pero fueron frenados por un tirón de las riendas; los colosos estaban extenuados, la espada cayó de sus manos. Bizancio deliraba; una salva de aplausos atronó el espacio; todos los ojos estaban fijos en las viseras, todo el mundo quería ver a ambos vencedores.

El árbitro de la contienda hizo una señal con la mano; los dos caballeros victoriosos se acercaron. Una voz potente se hizo oír con claridad en el aire: «¡Sacad vuestros cascos, caballeros!» Deshicieron las correas. Y mientras se miraban el uno al otro, retiraron de sus cabezas, con un movimiento idéntico, sus respectivos cascos: bajo los últimos rayos del sol que caminaba hacia su ocaso, brillaron ahora las cabezas de Manuel y de Andrónico: ¿estaba enterada la corte imperial, que permanecía sentada en la catisma, en el palco imperial, de la identidad de los dos guerreros?

El Basilio y el príncipe no son en este momento más que simples jinetes; doblan sus rodillas y hacen rechinar sus armaduras de hierro. Jamás el pueblo había visto algo parecido: el emperador romano, montado en su corcel, había luchado con la lanza contra los jinetes extranjeros y los había vencido.

Los ojos de Manuel brillaban; su barba y todo su rostro estaban cubiertos de polvo. Está solo, como corresponde a un vencedor; viste una armadura occidental, como si estuviera habituado a vestir a la usanza de los jinetes extranjeros. Está embriagado por la victoria; su voz suena vigorosa, es la voz alegre y enérgica de un soldado:

— Los hermanos, Andrónico, han luchado entre sí, y beben ahora del mismo cáliz. Dos Comneno han luchado contra caballeros occidentales, a quienes han vencido por completo; sólo nosotros dos no hemos podido derribarnos mutuamente de la silla. ¡Bebe tú también para festejar nuestra victoria, Andrónico!

— Perdona, Manuel, que sin saberlo haya levantado mis armas contra la persona del sacro emperador. La espada no piensa, nada sabe de ritos ni costumbres. Te suplico que olvides para siempre que yo he tratado de atacarte con la espada.

Manuel vuelve a ser ahora el emperador; sube al trono; tiende primero la mano derecha a su escudero, luego la izquierda; el escudero le saca la armadura y alarga a su señor los delicados y ligeros guantes de púrpura.

Durante la repartición de premios, los caballeros occidentales se han reunido todos con la cabeza descubierta, ante el catisma, mientras el crepúsculo ha ido extendiendo lentamente sus alas.

Por unos momentos reina un silencio impresionante. Las voces de los cantores de coro se funden en una sola, perceptible y viril:

— Honor y gloria a nuestro soberano y señor, a nuestro único dueño, a quien Dios ha mandado a nuestra tierra. ¡Ése eres tú, *Emmanuel*! ¡Salve, Manuel…!

Y el pueblo, supersticioso pero crédulo, murmura ahora lentamente, al unísono:

— ¡Salve Manuel, el que nos defiende y protege frente al enemigo…!

X

La sesión del Dromo se inicia a primera hora de la mañana, muy a primera hora. Los más altos dignatarios del Imperio toman asiento en mesas alargadas y bajas.

Manuel lee el pergamino que una mano le ha tendido. Le com-

placen las embajadas de Nikefor, las palabras de este hombre sabio
y polifacético, que ahora vuelve a residir en la ciudad del bárbaro
Conrado y que lucha allí para conseguir aquel gran pacto de alianza
que el Imperio no había podido conseguir nunca todavía. La voz
fue recitando pausadamente:

«— ... y te recuerdo en esta ocasión, el más generoso y gentil
de todos los señores, que tesoros incalculables de tus arcas han
emigrado inútilmente, por vías extranjeras, hacia Palermo y París.
Tus legados, los procedentes de aquellas ciudades, no trajeron consigo más que fútiles promesas. Roger, que se ha dado el nombre de
rey de Sicilia, ha dirigido su vista hacia Durazzo y los territorios
de Tesalia. Roger es un hombre codicioso. Mil veces mejor es el
rey de los franceses, que ha anunciado con voz bien alta que pertenece a la estirpe de Carlomagno y que, en sus dedos, tiene una
fuerza milagrosa con cuya ayuda es capaz de curar a paralíticos y
tullidos... Sí, señor, este vanidoso y arrogante señor Luis no sería
tal vez un mal aliado, pero sus parientes de sangre, los príncipes
latinos de Tierra Santa, le insisten constantemente para que se
lance contra ti y contra el Imperio.

»Luis de Francia sólo se pondrá de tu parte cuando, por él, re-
niegues de los demás.

»Permíteme ahora, señor misericordioso, que me entremezcle
en los asuntos de mi legado. Hace muy poco tiempo hablé con Otto,
el venerable obispo de Freising, que es quizás el más sabio y prudente de todos los latinos que viven aquí. Es pariente carnal de
Conrado y su más íntimo confidente. La palabra de Otto es la palabra de Conrado. Aun cuando no sea igual, con el tiempo...

»La situación del reino húngaro demuestra que no nos queda
más alternativa que levantar el puente juntamente con Conrado.

»Tú, noble señor, conoces bien las intenciones de los barones
francos, que empujarían a sus cabecillas mucho más a gusto hacia
las murallas de Bizancio que hacia los bastiones paganos del fuerte
de Ascalón. No podrás protegerte contra ellos con la firmeza suficiente hasta que no hayan llegado a nuestro país los héroes germanos de Conrado... tú puedes arrastrar a los teutones contra el ejército de los franceses...»

En el amplio salón de mármol se hizo un silencio de muerte
mientras Manuel leía. Todos estaban pendientes de la mirada del

emperador. La alianza alemana y la alianza normando-francesa habían llegado a una encrucijada.

El logoteta aguardó a que el Basilio dejara a un lado el rollo de pergamino.

— ¿Dónde se encuentra ahora Boris?

— Es posible que se encuentre en algún punto de la frontera occidental húngara. Las noticias se contradicen. Al principio, las noticias fueron buenas todavía. El duque austríaco le ayudó y ocupó con las tropas un fuerte real llamado Pressburg. El fuerte cayó en manos de Boris.

— ¿Por qué no me has dicho todo eso hasta este momento? La noticia era lo suficientemente grave como para venir a despertarme por la noche.

— Boris no dispone de gente suficiente. Con el botín que pudo hacer en el fuerte tomó la decisión de adquirir nuevas tropas. Entretanto, hicieron su aparición los hombres de Géza y de Banus Belos. En el fuerte tomaron asiento los principales hombres del duque austríaco. Tomaron los ducados de Géza y abrieron las puertas. Y por eso Boris no es dueño ahora ni siquiera de un palmo de aquella tierra que, en otro tiempo, fue propiedad de su padre. Uno de los hombres de la corte, que cada año recibe una renta de nosotros, ha escrito comunicando que en Pressburg no se desarrolló ninguna lucha. Ni la ciudad ni el fuerte fueron saqueados; ellos llegaron y se marcharon y Boris perdió el fuerte sin lucha de ninguna clase.

— ¿Dónde puede encontrarse ahora?

— Va de un lado a otro incesantemente y visita a los príncipes de todo el mundo. ¿Acaso no puede estar esperando a que Conrado se decida a atacar Hungría?

— Ambos reyes están emparentados por sus respectivos matrimonios.

— Según se dice, Sofía se ha quejado amargamente a los húngaros porque su prometido, el duque Enrique, hijo de Conrado, se comportó tan brutalmente con ella... y la corte la ha tomado bajo su protección. La princesa huyó a un convento extranjero, que se llama Admont. Se ha convertido ahora en esposa de Cristo.

— ¿Y acaso esto hubiera podido romper el pacto entre Géza y Conrado?

— El pacto no ha sido roto, señor, pero no se encuentran ahora en buenas relaciones... Conrado se queja del vituperio que ha tenido que sufrir su familia oriental... de los veinte mil jinetes armados que cayeron en el fuerte austríaco.

— El lazo de unión se va relajando... ¿Cuándo escribimos por última vez a Conrado?

— Desde que Nikefor emprendió el viaje no has mandado ningún otro legado.

Manuel calló y apoyó la cabeza entre las manos. El Consejo seguía embargado por un silencio de muerte. La voz del emperador era muy baja cuando comenzó a hablar:

— Creo que hemos de reforzar varios puntos a lo largo del Danubio. Todos los puntos claves, allí donde el Imperio linda con Hungría... donde se inicia la Dalmacia, a través de Iliria y de las provincias servias. Es preciso levantar fuertes y castillos por doquier. Hemos de observar atentamente todos los movimientos de los guerreros servios. Hemos de intentar que Belos y los servios desistan de sus proyectos sobre Panonia. Hemos de mandar presbíteros y dinero... Los fuertes, los campamentos y los caminos deben estar terminados para la primavera. Elevaré a Belgrado y a los territorios del Danubio a la categoría de principado. Estoy dispuesto a prestar toda clase de apoyo y ayuda, pero a condición de estar siempre al corriente de cuanto ocurra. ¿Y no ha de haber ningún administrador que controle esto...? Desearía nombrar para este puesto a alguien que se encuentre muy vinculado a mí, en quien yo pueda confiar y que se sienta identificado con el Imperio.

Los consejeros se miraron uno al otro. El gran logoteta inclinó la cabeza.

— Tú eres sabio y prudente, señor. Tú sabes muy bien lo que quieres.

— He pensado en el príncipe Andrónico.

— Quizá sea todavía demasiado joven para el puesto, para poder decidir sobre la paz y sobre la guerra.

— Sé lo que has querido decir. Pero Andrónico es casi como mi hermano. Se le concederá poder. Debe defender el Imperio en el norte y favorecerlo, engrandecerlo.

— Cuando el príncipe parta... ¿Eres tú, señor, de la opinión de que también debe abandonar el palacio?

— El Imperio lo exige; en tales casos ningún pretexto puede detener a un Comneno.

Asomó su cabeza por la ventana, dando a entender que la sesión había finalizado. Todo el mundo trataba de adivinar qué motivos tendría ahora Andrónico para ofender al bondadoso emperador, siempre dispuesto a la reconciliación y al perdón.

XI

Las mujeres estaban sentadas en escabeles bajos y observaban todos los movimientos de las comadronas que, apresuradamente, iban de un lado a otro. De esta forma, siguiendo las viejas costumbres, tenían que aguardar a que llegara la hora; las agujas de tejer punto entraban y salían incesantemente en el mantel de seda que estaban tejiendo para la mesa del Señor.

— Sigue leyendo, Teodora.

Este piadoso silencio las aburría. Teodora era la más joven de todas. Era ella la que relataba historias secretas y misteriosas sobre el palacio. Teodora leía también a veces y... Su voz es suave como la seda y, con su gracia natural, parece todavía más deliciosa, casi como un canto. Está ahora leyendo una historia en voz alta.

El emperador entra en la «antesala de los grandes dolores», porque la costumbre y la tradición exigen que aguarde el momento de la llegada al mundo del heredero del trono en aquel lugar.

Teodora enmudece... Se hace el silencio durante unos instantes... un chillido rompe el silencio.

Se abre la puerta. Aparece Cosma, el obispo de la corte, con un recién nacido arrugado encima de un paño de terciopelo carmesí. La cabeza del pequeño está cubierta de pelusilla rubia.

— Es deseo de la madre que le bauticemos con el nombre de la Madre de Nuestro Señor. Ha sido una niña, según la voluntad del Todopoderoso. Bendito sea el nombre del Señor.

XII

Se encontraba tumbada en aquel estrecho lecho recubierto de terciopelo aguardando a Manuel. El eunuco que custodiaba la puerta de entrada despedía a todo el mundo. Decía: «la princesa Teodora se encuentra mal, tiene dolor de cabeza; está descansando en la cámara oscura y no recibe visitas».

Cuando él venía, solía hacerlo hacia esta hora. Estaba enamorado de esta habitación, que Teodora había amueblado de nuevo y que quizás había transformado también hasta el más mínimo detalle con intención de borrar todos los recuerdos que pudieran hacer pensar en Berta, cuyos suspiros se habían oído tantas veces; Berta había vivido aquí muchos años, y Teodora sabía muy bien que Manuel no podría acercarse más a su lado hasta que el emperador Conrado le mandase una carta sellada y satisfaciese, uno por uno, todos los requisitos prescristos en el pacto firmado con el padre.

Nadie quedaba a su lado durante la noche. Todo el mundo podía verla cuando, al frente de su cortejo femenino, hacía su entrada en el amplio dormitorio que compartía con su hermana. Manuel no acudía nunca allí de noche; era mitad superstición y mitad rito; la noche tenía que pasarla en su hogar, como se lo imponían sus obligaciones de Basilio y de padre de familia, para quien los horarios son sagrados.

Ella permanece allí tranquila, en silencio. Su cuerpo parece brillar por entre las sedas; viste un camisón de seda, de una sola pieza, que la recubre desde el cuello hasta los pies; su cuerpo parece brillar cuando se pone en pie. Sabe leer en la cara de las personas. Acaso vienen a traer ahora un vino ligero, un poco de fruta y una torta de miel... o quizás vienen a buscarla... Está atenta para comprobar si Manuel sabe que basta con que deshaga una sola hebilla de rubíes para que la túnica de seda se desvanezca como la espuma de las olas del mar y caiga a sus pies. Y luego pasean los dos por el poco profundo estanque y se contemplan en aquel grandioso espejo de plata que Manuel le regaló después de su primera semana de enamorados.

Eudoxia está en el jardín. También ella está aguardando. Nadie sabe cuánto tiene que sufrir, porque no puede permitir la entrada al caballero amado cuando Manuel está con Teodora... El emperador no consentiría que un hombre extraño atravesase el umbral de la villa.

Jamás ha podido ofrecerle amoroso cobijo en su lecho. Tienen que estar atentos a todas las palabras, tienen que estar siempre alerta, hablando en voz baja; apenas si pueden beber juntos un vaso de vino, pues corren el peligro de soltar la lengua... Nadie puede saber con seguridad si el emperador está o no presente, él va y viene...

Pero, sin embargo, lo saben...

* * *

Ella baila. Esta danza es muy distinta a la que, en otros tiempos, bailara en aquel palacio sombrío, cuando todavía era una niña, cuando su cuerpo no había desarrollado todavía tanta exuberancia y cuando la concupiscencia permanecía dormida en su interior. Ella troca la seda por un corto camisón de lino blanco, muy fino y transparente, con un estrecho cinturón en el medio; sus pies están desnudos, únicamente protegidos por pequeñas sandalias, cuyos tacones de púrpura se deslizan ágilmente sobre el brillante pavimento de piedra. El emperador permanece sentado en un sillón bajo sin brazos; en su mirada no se reflejan hoy deseos concupiscentes. La mirada de Manuel es ahora rígida y fría, perdida en el infinito; sólo Manuel puede mirar de esta forma. Baila sin música, pero los dos siguen el mismo ritmo. Luego, una vez esté ya fatigada, dará otra vuelta sobre sí misma, para dejarse caer sobre el almohadón, junto a los pies del emperador.

— Recita una poesía, Teodora, algún antiguo... un viejo poema.

Tiende una mano; coge con los dedos el cuello de un delicado laúd, lo hace sonar muy bajo. Pero ella no canta, ni recita tampoco ningún verso o cuento; todo es ahora muy distinto. Los versos son muy anticuados y suenan como mazazos; los himnos requieren un coro de muchachas, un coro de verdaderas vírgenes, como las que ahora se encuentran en el vestíbulo del templo para ir a recibir la bendición...

Él la estrecha entre sus brazos. Todavía suenan los cánticos en el aire. Todo es azul en este día, la atmósfera, el vapor, el vestido de Manuel, las llamas que arden bajo los iconos, las antorchas. Se puede escuchar el murmullo de los minúsculos granos de arena que van atravesando incesantemente el cuello de la clepsidra y señalan el transcurso del tiempo.

Una sombra cubre su rostro.

— ¿Ha ocurrido algo, Manuel?

El emperador calla. Recoge ligeramente su túnica para asegurar las cadenitas de oro de la hebilla. Trata ahora de cambiar con ella unas breves palabras, con seguridad y decisión; la despedida es dolorosa; nunca hablan del día de mañana. En esta ocasión Manuel da media vuelta. Titubea unos segundos.

— Malas noticias. Están en plena marcha.

— ¿Conrado?

— Y los franceses también...

— ¿Cuándo llegarán aquí?

— A finales del verano... en otoño...

— ¿Les temes?

— Son extranjeros... pero, de todas formas, quizás se comporten como hermanos.

— Para mí ninguno de ellos es hermano, Manuel... Ninguno de ellos. Son extranjeros, bárbaros.

Renace el silencio. Manuel toma en su mano la cadena que le ha acompañado en su camino a las profundidades de la tierra. La contempla sonriente.

— ¡Piensa en mi madre! Debo recibirles en son de paz y de amistad. ¡Son mis hermanos!

XIII

Lucas, el presbítero, piensa en París, donde había residido en sus tiempos de estudiante y desde donde había tenido que regresar para ponerse al servicio de su soberano. Y su rey le mandaba allí cuando habían transcurrido muchos años de ausencia. Visitó los lugares que otrora le habían sido tan familiares, al viejo panadero, al lechero, al carnicero; se detenía a conversar con los viejos amigos en las tertulias de los estudiantes.

Se le había prometido el episcopado vacante, pues había servido siempre con lealtad a su rey; había suspirado por la madre patria, que se había visto obligada a abandonar. Pero ahora París volvía a renacer en su corazón; hace pocos días que está nuevamente aquí, donde se encuentra como en su casa; hace pocos días también que en la frontera occidental recibió al legado de Géza, para luego dirigirse no hacia Stuhlweissenburg, sino hacia las orillas del Danubio para proseguir luego el viaje en una embarcación desde Györ; el rey estaba en Buda y aguardaba allí el regreso de sus legados.

Buda era una ciudad nueva; artesanos extranjeros, maestros de albañilería y picapedreros lombardos habían estado trabajando en su construcción.

Todo allí huele a cal y mortero; gran cantidad de bueyes están empleados en el trabajo de arrastre de las piedras. Las escarpadas paredes montañosas que impiden el paso hacia el norte y el este se prolongan luego en pendientes en dirección hacia oeste y sur.

Banus Belos había deseado también en Buda la construcción de un castillo para el rey, precisamente en el punto donde muchos años antes había residido Atila. El castillo era una edificación sólida y amplia; era más bien un palacio que una fortaleza rocosa; era de construcción ligera y elegante si se le comparaba con aquellas construcciones que había tenido ocasión de ver a lo largo del viaje cuyo paso evitaban los mercaderes. Las murallas exteriores no habían sido alisadas todavía; el agua se infiltraba aún por muchos puntos, las camas no estaban dispuestas, los cortesanos tenían que dormir sobre montones de paja cuando el rey, procedente de Stuhlweissenburg y de Esztergom se dirigía a Buda.

Pensaba en Francia. En Luis. Era como un santo rodeado de presbíteros y de cortesanos entonando continuamente el *Hosanna.* Curaba enfermos; desarmaba a aquellos que levantaban su mano contra él. En París se habían ido recopilando las reglas de justicia; habían sido reducidas a biensonantes rimas. Se había enseñado de esta forma la jurisprudencia divina y la sabiduría de los romanos; ésta era la encomiable labor llevada a cabo por los soberanos cristianos y piadosos. Pero también habían llegado allí sabios procedentes de Italia.

Se encuentra ahora en Buda; pasea, como en sueños, bajo los rayos del sol; los montes se levantan orgullosos; a sus pies discurren las aguas cristalinas del Danubio. Hay aquí bancos de arena; el viento hincha las velas de las pequeñas embarcaciones; balsas cargadas de trigo siguen el ritmo de las olas, y tablones de madera se deslizan Danubio abajo.

Lucas tiene que aguardar tres días antes de ver al rey. Géza no ha regresado todavía de caza; ha ido a cazar jabalíes en los montes de Pilis. Se ha presentado ante la torre del alcaide y se dedica a la contemplación de tanta actividad vital.

Hasta sus oídos llega el cántico que entonan los coros. Las voces proceden del convento de los benedictinos; los sabios presbíteros revestidos con sus hábitos monacales forman una larga hilera. Trata de contar ahora cuántos son en número... Escucha con atención sus palabras en latín para ver de comprobar si son extranjeros o han nacido aquí.

Llega también a sus oídos el sonido del cuerno de caza. El alcaide da la señal oportuna; las puertas se abren de par en par. Los cazadores están lejos todavía; se acercan desde las colinas del norte, atravesando los campos. El alcaide se levanta de la mesa en la que acaba de cenar. Debe disponer el recibimiento y coloca a su gente a lo largo de las murallas para, como es costumbre en esta tierra, recibir dignamente al rey que llega con su botín. Lucas se queda junto a la madre del alcaide, una anciana matrona; debe pensar en su propia madre, a la que no ve desde hace un año, cuando tuvo que marchar nuevamente hacia París. Hablan lentamente, como si midiesen las palabras; hablan de los alimentos, de los tiempos actuales, de los precios, que han subido en Buda. El presbítero escucha con atención las palabras que salen de los labios de la mujer; tienen un delicioso acento familiar; las pronuncia en su lengua materna, que hacía mucho tiempo no había vuelto a oír.

— ¿De dónde procede usted, noble anciana?

— De Erdöelve...

Las calles están animadas; los sones de las trompetas lo hacen vibrar todo; la gente se agolpa en los bastiones, aguardando con curiosidad la llegada del rey. Lucas debe pensar que también en París tiene caracter de rito sagrado la aparición en público del soberano de los franceses. El rey regresa de caza y trae consigo un rico botín.

Observa en las manos de los señores el nuevo artificio de caza que impulsa las flechas con una velocidad mucho mayor. Se dice que es dos veces más seguro y potente que el arco sencillo de los mejores arqueros. Los soldados, los cazadores, son jóvenes; en la mejillas de muchos de ellos apunta una barba incipiente. También el rey es joven.

Él los ha visto ya, y se retira a sus aposentos.

Un enviado del rey va a buscarlo. Inclina la cabeza y aguarda el mensaje.

— Padre, nuestro soberano Géza se ha enterado de que estabas aquí, en el fuerte. Te suplica que le visites esta misma noche, siempre que te lo permita tu estado de salud.

— ¿No está fatigado el rey después de la caza?

— Yo te he traído un mensaje. Desea hablar contigo.

Recoge su túnica negra con orla violeta y sigue los pasos del sombrero de fieltro de amplias alas. De su cuello pende una estrecha cruz de oro, un regalo del rey con motivo de su nombramiento como prelado. El caballero observa la severidad de su figura. Queda admirado ante la corpulenta silueta del presbítero y sus gestos duros y soldadescos. También su voz es dura y severa, atronadora; ¿quién hubiera podido reconocer en él al piadoso penitente que, hace tan sólo unos pocos minutos, había estado orando postrado sobre un sencillo y duro reclinatorio?

En su camino atravesaron la capilla. Ardían algunas antorchas y Lucas se arrodilló. Siguieron caminando hasta llegar a la pequeña antesala inmediatamente anterior a los aposentos reales.

El camarero abrió de par en par las pesadas hojas de la puerta; tras ella aguardaba Belos Banus, el más alto de los dignatarios húngaros; estaba aguardando a Lucas. Lucas conocía ya este rostro sombrío y desfigurado por las cicatrices; unos ojos oscuros y absortos conferían un tono de suavidad a este duro semblante, pero aquellas rígidas mejillas daban un sello definitivo de severidad. Belos era servio y había venido a Buda junto con la madre de Géza; había servido a Bél, a su cuñado ciego, como ahora al hijo de su hermana. Ofreció su mano a Lucas. No se inclinó para besarle la mano, pero tampoco exigió de él ninguna muestra de humillación.

Dos manos de hombre se estrechan fuertemente; el gobernador de aquellas tierras sacude la mano del otro y dice con voz sonora:

— Muchas gracias, Lucas, por haber sacrificado una hora de la noche para visitarme, pero, mira, el rey ha preguntado tres veces si te encontrabas aquí, en el fuerte. No quiero conocer antes de tiempo las noticias que traes, pero sí quiero que me respondas a una única pregunta: ¿ha valido la pena tu viaje?

— Para mí no hay día ni noche. Hace tres días que estoy esperando poder transmitir las noticias. Vosotros deberéis juzgar si son buenas o malas. ¿Puedo empezar ya?

— Todavía tienes que aguardar un poco más. Avisaré al rey; muy pronto estará aquí. Tú eres hoy nuestro huésped de honor.

— Ya he cenado, noble señor; los presbíteros hacen una vida muy sobria y ordenada. Pero si me ofrecéis un puesto en vuestra mesa...

Las varas de las lanzas golpean el suelo cuando el rey recorre el pasillo. «Una nueva costumbre», piensa Lucas para sus adentros. Se inclina y aguarda a Géza, que aparece en el umbral de la puerta. Un muchacho joven, espigado, delgado. Sus mejillas son muy pálidas; sólo en sus ojos se adivina un fulgor oscuro, como el de la mirada de Belos; este brillo de sus ojos lo ha heredado de su madre; pero la nariz ligeramente curva, la forma alargada de su rostro y la frente despejada, que confiere a todo su rostro una nota de inteligencia, recuerdan a su padre. Viste una ligera túnica de color azul, adornada únicamente con algunos pocos brocados; no lleva ninguna clase de joyas; sus sandalias son de color oscuro. Lucas se arrodilla y trata de tomar entre las suyas la mano del rey. Pero Géza se adelanta, se inclina sobre él, le abraza ligeramente, le da una palmadita en el hombro y le conduce a la estancia contigua, que forma parte de los aposentos privados del soberano. Se ven aquí varias sillas ricamente talladas en madera, una mesa delicadamente cubierta con piel blanca, encima de la que se ven plumas de ganso y un tintero; en uno de los rincones una chimenea, en la que arden un par de gruesas brasas. En lo alto de la puerta cuelga una cruz sencilla, debajo, la imagen de un santo; en la otra parte de la pared un reclinatorio, bajo la luz de una vela que ofrece luz eterna. Dirige su mirada a la faz de la madre del Señor. La gloria está rodeada de letras griegas.

— Siéntate, señor Lucas. Nos alegramos de que ya esta misma noche estés con nosotros.

— Mi plan era poder hablar contigo ya el primer día, señor; ya lo he preparado todo para no hacerme demasiado pesado.

— Si me hubieran mandado un mensaje anunciándome tu llegada, hubiera interrumpido la cacería. Tus palabras encuentran en este país más eco que los cuernos de caza. Hazme saber, Lucas, el contenido de tus noticias. Luego te haré algunas preguntas.

— Todas las noticias pueden exprimirse con las manos. Nadie puede poner a prueba la paciencia del rey. Por eso quiero informar resumidamente de todo cuanto he sacado de las entrevistas con el canciller del rey de Francia y con sus más importantes consejeros. Merced a la bondad del prior he podido conversar en dos ocasiones con Luis. Se me ha dicho que los vasallos más destacados habían abandonado ya sus fuertes y reunido a sus hombres. Dentro de muy poco se habrá reunido un gran ejército. Todavía no han contado el número de hombres, pero se cree que serán aproximadamente el doble de cien mil los héroes franceses.

— ¿Quiénes van a emprender la marcha, ellos o los ejércitos de Conrado?

— Ellos aguardan la salida del emperador. No quieren marchar inmediatamente tras de sus huellas; dicen que sólo sobre las huellas que deja el caballo del emperador puede crecer un poco de hierba. Sí, lo cierto es que en la corte no he visto demasiada simpatía hacia el pueblo de Conrado... Los franceses han tomado la decisión de no partir hasta que el último de los alemanes haya cruzado el bajo Danubio.

— ¿Seguirán también los franceses este camino?

— He hablado con el rey sobre el particular. Le dije que estos caminos eran muy malos y que durante esta época del año había muchas lluvias, por lo que el suelo quedaba completamente empapado de agua. Que nosotros estábamos dispuestos a sacrificar algo de lo poco que tenemos, incluso ducados, para permitir al rey de Francia alquilar para su ejército las naves necesarias para el transporte desde Venecia o Génova... caso de que tengamos que dar un rodeo a nuestras tierras. Todo esto no era nada fácil de decir.

— Por eso mismo te mandé a ti, Lucas.

— Estuvimos hablando sobre el viaje por mar. Reflexionó sobre esta posibilidad, pero luego se decidió en contra de nosotros. Nos encontrábamos en el priorato de San Dionisio, donde el rey visitaba la tumba de sus antepasados. Habló conmigo en su aposento privado; de esta forma nos entendimos mejor: quizás olvidó durante una hora que yo era el legado de un soberano extranjero. Fue muy amable conmigo durante la charla: «Di a tu señor que le comprendo y que le tengo por un auténtico príncipe cristiano. También yo adoptaría la misma posición en el caso de que tu rey quisiera atravesar nuestro país para dirigirse contra Inglaterra. Pero nosotros tenemos que llegar a Tierra Santa por aquel camino. No puedo embarcar en galeras a cien mil hombres».

— ¿No escribiste en un papel estas palabras?

— No, porque quedaron grabadas en mi memoria. De eso estoy bien seguro. Dijo también: «¿Por qué he de abrigar maliciosos proyectos en contra de tu señor, si es un príncipe cristiano que jamás me ha inferido una ofensa? Di a tu rey que yo partiré al frente de mi ejército, y que éste no estará formado precisamente por un abigarrado conglomerado de gentes guerreras.

— ¿El rey de Francia acaudillará el ejército?

— Todavía dijo más, señor. Me dijo: «Sin embargo, para conseguir que tu señor nos crea, quiero comprobar, punto por punto, todo lo que con él podemos pactar. Quiero que el ejército se comporte con la mayor disciplina para que nada ocurra fuera de la ley, y además, quiero también dejar rehenes a tu rey... El primer rehén seré *yo mismo,* en carne y hueso. Por ello, te lo comunico a ti, presbítero Lucas.»

Se hicieron unos momentos de silencio; Géza se inclinó hacia delante; su rostro, de trazos delicados, enrojeció en señal de gran consternación. Dirigió al prelado una mirada inquisitiva, como queriendo preguntarle si había comprendido correctamente o bien, simplemente, había sido víctima de una alucinación.

— ¿Has dicho que Luis quiere quedarse en mis manos como rehén?

— Te suplica quieras aceptar este sacrificio por él. Él ofrece un pacto: el rey Luis se acerca con su ejército de caballeros; antes de atravesar nuestras fronteras hará una operación de limpieza entre sus gentes, con el fin de eliminar a todos los canallas e indeseables. Sólo traerá consigo el número de mujeres estrictamente necesarias que exigen el cuidado de los hombres. Los artificios necesarios para poner cerco y los víveres que compren serán transportados en carruajes especiales. El precio será determinado por tu tesorero mayor. El primer caballero que atraviese la frontera será Luis. Te entregará su espada y se considerará rehén tuyo. Sólo te suplica que seas tú mismo quien aceptes su espada, ya que no puede humillarse más que ante un rey ungido. Ofrece también una tasa sensata para los hombres que puedan morir en el transcurso de la campaña, y señalará también diversas tasas para los caballeros, aldeanos, mujeres, así como para las moradas, residencias o albergues que puedan ser destruidos. Te he transmitido el mensaje palabra por palabra.

— ¿Y aceptará a gusto este sacrificio el monarca?

— Él habló de ti como de un hermano que ha sido también ungido. Habló también de una posterior alianza.

— ¿Y qué opinas tú de todo eso?

— Existe una verdadera rama de Arpades que todavía volverá a florecer por la gracia del Señor. En Esztergom se han vuelto a escuchar las voces pacíficas de los infantes.

La mano de Géza se paseó amigablemente por el hombro del presbítero. Habló lentamente:

— Si los cruzados hubiesen rodeado nuestro país, nuestras tierras hubieran quedado incólumes, pero hemos de sufrir esta vergüenza. Sin embargo, como el más fuerte de los soberanos occidentales es mi aliado, tengo que aceptar su paso por mi país. De todas formas, deseo estar seguro de que entre Manuel y Luis no existe ningún pacto secreto.

— El rey de Francia ha recibido del Basilio el derecho de paso en el caso de que también Conrado atraviese el imperio oriental. Manuel no tiene interés en romper la amistad con Conrado por causa de los franceses y de los normandos.

— Agradezco tus palabras, Lucas. Por la noche, cuando otra vez venga a torturarme la tos, reflexionaré sobre cuanto has dicho. ¿Te quedarás esta noche con nosotros?

— Mi papel como legado ha terminado ya. Permíteme hacer mis oraciones vespertinas. Te agradezco el honor dispensado, señor, de haber querido conversar conmigo.

Los labios se movieron y la palabra se convirtió en una especie de plegaria latina que, con acento suave, infunde valor a las almas y las purifica. Los que estaban de rodillas se levantaron y se aprestaron a acompañar a Lucas, por orden del rey, al comedor real.

XIV

Andrónico estaba al pie del Partenón; su mano acariciaba las estrías de las columnas. Formaba parte de un grupo de tres personas; el segundo personaje era un viejo monje, colocado en la puerta de acceso al templo del Partenón, y el tercero otro anciano monje, que se lamentaba del estado de indigencia en que se encontraba la ciudad.

— Realmente, noble señor, ni tú, que acabas de llegar de Bizancio, donde vives en un ambiente de lujo y de paz, ni tampoco tu joven esposa, podéis imaginaros cómo se vive en este desdichado valle de lágrimas. También a vosotros no os ha atraído hacia aquí otra cosa que la curiosidad. Sin embargo, estoy seguro que ya no os gustaría tanto seguir andando por las orillas de nuestro mar...

Un joven presbítero, de ojos ardientes como el fuego, escuchaba con atención las palabras de su viejo cofrade. Apretó con fuerza los puños, y su rostro, rodeado por una negra y poblada barba, se contrajo severamente. El más joven prosiguió ahora la conversación. Sus palabras sonaban de una forma muy distinta. Al escuchar su primera palabra, Andrónico echó la cabeza hacia atrás y de su rostro desapareció súbitamente aquella sonrisilla cortés y recelosa; sus ojos buscaron la mirada de aquel monje extraño.

— Nada digas contra Atenas, hermano Juan. Yo soy extranjero, no he nacido aquí; hace más de un año que mi obispo permitió contarme entre sus presbíteros. No debes pensar en que careces de aceite y que tu pan es negro. No debes pensar tampoco en las ruinas. Piensa en las almas. A cada paso, si caminas con atención, encontrarás almas que te necesitan. También tú puedes tener estos sentimientos, noble señor, que acabas de llegar de la capital y que quizás eres un gran señor... En otro tiempo salían de aquí las antorchas que recorrían toda la Hélade, y hoy, señor, tú mismo puedes ver cómo las antorchas siguen ardiendo y cómo la fe de Cristo sigue propagándose por los países de la tierra. Hoy las antorchas arden ante la imagen de la Santísima Virgen. El mundo de las almas, Juan, es más importante que todas las penalidades y sufrimientos terrenales.

— Hablas muy bien, hermano. Tú sabes alentar a las almas a tu modo y manera. Si tienes fe en cuanto dices, no hay duda de que alcanzarás la eterna felicidad.

— En tus palabras se esconde un acento de ironía y burla, noble señor. ¿Es que acaso crees que todo eso no es más que una falsedad como la que informa vuestra vida en Bizancio?

— Me gustaría conocer tu nombre. ¿De dónde eres oriundo?

— Yo soy uno de los jóvenes. He nacido en Frigia, en Tesalonia aprendí a conocer lo que de religioso contiene nuestra existencia y en Bizancio estudié las ciencias y las naderías de la ambiciosa vida terrena. Mi nombre es Miguel... También tú hablas mi lengua; también tú deberías saber todas esas cosas.

— Yo puedo remontarme, por lo que a mi árbol genealógico se refiere, a los tiempos de Julia.

Al decir estas palabras sonrió cínicamente. Algo se escondía en estas palabras que hizo aguzar los oídos al joven presbítero.

— Prudencia, señor. Tus palabras podrían ser motivo de escándalo...

— Tranquilízate, amigo; tú sólo te guías por los dictados de tu corazón cuando hablas... Pero si llegara un día en que...

— ¿A qué día te refieres, señor?

— Si un día cayeran en mis manos las riendas de la ciudad...

— ¿Es que acaso eres un logoteta, señor? Tus vestiduras no traicionan tu rango...

— Deja de excitar mi curiosidad con palabras enigmáticas, Miguel. Enséñame ahora el templo.

Tras él estaba la joven pareja constituida por una dama de gráciles miembros, revestida con los colores propios de una dama de la corte, y Andrónico. Su belleza, confirmando los rumores circulantes, era realmente tan fascinante y diabólica que llegaba a dar miedo.

Ésta era una nueva maravilla del Partenón; el pastor se arrodilló. Pero este singular y esbelto dignatario, que había llegado acompañado de su dama, ni siquiera rindió honor con una sola mirada a la noble estatua de plata que simbolizaba al arcángel Gabriel. Su atención la acaparaba una descomunal lámpara laminada en oro, cuya luz no se extingue jamás. La lámpara era un donativo del emperador Basilio con motivo de su brillante victoria sobre los príncipes búlgaros; el donativo lo hizo tras haber vuelto a mandar a su país a veinte mil prisioneros, no sin antes haber cegado su vista con el fuego...

El extranjero, que había pasado con la más absoluta indiferencia por delante de antiquísimas reliquias y venerables iconos, contemplaba extasiado la deslumbrante lámpara de aceite, un manantial de juventud eterna, cuya luz no podría extinguirse jamás. Dirigió su mirada sonriente a la muchacha y dijo:

— También nuestro amor arderá eternamente, como esta maravillosa lámpara...

Eudoxia debía partir para visitar a su madre desterrada; el nuevo príncipe de Belgrado acompañaría a su prima, para luego también hacerse construir una nueva residencia.

Estaban en el extremo de la Acrópolis; volvieron a descender a la ciudad, para de nuevo tomar asiento en el carruaje que les debía conducir hasta la orilla del mar. Todo ello había sucedido en el breve intervalo de una hora; para dejar constancia de esta visita su nombre, y también el de la muchacha, fueron grabados en el mármol del Partenón. Sacóse el anillo de su dedo y con el diamante escribió las palabras siguientes: «Andrónico y Eudoxia».

— ¿Así debe ser todo, no es cierto? — preguntó él sonriente a la muchacha.

Levantó la mano una vez más y sus labios articularon dos palabras latinas. Las letras son poco claras, como borrosas; sólo un ojo entrenado en estas lides puede descifrarlas: «Semper Augustus», escribe ahora y circunda las palabras con la pintura color púrpura de los labios de la muchacha.

* * *

Viajan. La comitiva sigue lentamente. Andrónico marcha a la cabeza, como en plan de reconocimiento e información. Se detienen en Filipópolis. Eudoxia visita a su madre, la princesa Irene, para anunciarle: es deseo de Manuel, el emperador, que dentro de un año otorgue su mano al joven caudillo Miguel Gabras. Luego prosiguen su viaje lentamente, compartiendo recuerdos. Empieza ahora el postrer trayecto del camino que todavía pueden recorrer juntos.

El camarero anuncia al príncipe en persona la llegada del forastero. Con delicada modestia le informa de que este hombre lleva consigo curiosas piedras, diamantes y rubíes. Vale, por tanto, la pena dedicarle un poco de tiempo.

Sólo pregunta quién es este comerciante y de dónde procede.

— Su nombre es Astaforte. Procede de la orilla izquierda del Danubio.

Andrónico se levanta. Experimenta en su interior una ligera sensación de alegría.

El forastero lleva un puntiagudo sombrero de fieltro, tal como los judíos lo solían llevar en esta época, y una túnica larga y oscura. Su barba es rubia, sus ojos grandes, grises, penetrantes; su mirada no es fácil de olvidar. Le sigue su criado, que es portador de un pequeño cofre de hierro; este hombre rico apenas toca el género con la punta de sus largos y blanquecinos dedos. El príncipe le recibe sentado; el acento de su voz es desagradable.

— Tu nombre es Astaforte, y procedes del norte, ¿no es cierto? Eso es todo lo que sé de ti, y que tu intención es mostrarme piedras preciosas.

— ¿Acaso alguien confiaría noticias importantes a un simple mercader?

— ¿Quién podría mandarme algún mensaje a través de ti? ¿Es que alguien sabe que estoy aquí de paso?

— Se te conoce, señor. Al otro lado de las fronteras más de un rostro ha dejado escapar una mueca sonriente cuando ha corrido la noticia de que el más poderoso de los príncipes del Imperio desea establecerse en Belgrado... El caudillo de los servios sostiene acerba lucha contra quienes no han querido prestar atención a sus recomendaciones amistosas y pacíficas. Los señores húngaros esperan que tu llegada a estas tierras equivalga a la llegada del ángel de la paz.

— ¿Es que acaso quieren pedirme la paz?

— Su embajada tiene un sentido quizás algo distinto. Cuentan con tu amistad, señor.

— ¿Y qué saben ellos de mí? ¿Cómo pueden contar con mi amistad?

— También ellos leen las noticias.

— Tus palabras tienen un tono casi amenazador.

— No son más que modestas...

— ¿Acaso creéis que he sido mandado aquí al destierro? ¿Es esto lo que creen los húngaros?

— No, señor. Tú constituías un peligro para Bizancio. El emperador te teme, y ve también en ti su posible sucesor en el poder. Esto es lo que se dice al otro lado del río, aunque es posible que no sean más que habladurías.

— ¿Piensas que voy a revelarte mis propósitos?

— No tengo intención de pedirte eso. Los señores no desean más que tu amistad y les gustaría establecer sólidos lazos contigo... Creo que no es mucho lo que solicitan los señores húngaros...

— Las súplicas hablan siempre de paz y amistad. Pero sólo prometen odio...

— Traigo conmigo una carta de Banus Belos.

— ¿Dirigida a mí?

— No, señor. Se trata solamente de un salvoconducto en el que se me acredita como fiel servidor de la corona. Quien me ofende, ofende también al rey. Debes creerme: hablo con las mismas palabras que lo haría Belos...

— Comunícame entonces su mensaje, si es que lo conoces bien.

— Dime ahora, noble señor, ¿te gusta la caza? Ambas orillas del Danubio son ricas en ella. Conozco una isla que promete los más ricos botines. Se encuentra junto a la otra orilla del Danubio; el agua corre allí mansamente...

— ¿Es allí donde los señores húngaros practican la caza?

— Géza, el rey, está cazando allí.

— ¿Desde cuándo?

— Desde hace muy poco; desde que tus pies han pisado el suelo de su reino, noble señor. Si así lo deseas, tú mismo puedes fijar el día. Tú mismo también podrás elegir tu séquito. También podrás elegir el tipo de caza que deseas.

— ¿Y el botín?

— Tengo entendido que se trata de un botín común. Si los dos os ponéis de acuerdo, príncipe, no hay duda de que el botín puede ser interesante... Tú podrás sacar un buen provecho y también el reino húngaro, sobre el que flota, como una nube oscura, el nombre de Manuel.

— ¿Por qué le temen los húngaros?

— Conocen sus intenciones. Quiere restablecer el Imperio.

— ¿Están vuestros ejércitos en pie de guerra?

— Los ejércitos están siempre en pie de guerra como es su obligación.

— Los bárbaros tejen proyectos bárbaros... Eres un hombre peligroso, Astaforte. ¿Sabes leer entre líneas?

— El destino me ha obligado, pero jamás me he arrepentido. Pero voy a enseñarte ahora mis piedras...

— No te pagaré nada por adelantado...

— Tampoco te pido nada de eso. Mira, tengo un precioso ópalo puro... Fue encontrado en una cueva húngara. La más preciosa de todas las piedras; la encontró un minero hace ya mucho tiempo. Permíteme que te la ofrezca como recuerdo de esta visita.

— ¿Me ofreces un regalo? ¿Se atreve tu boca a pronunciar esta palabra?

— Acéptalo como si se tratara simplemente de una embajada... Acéptalo como una señal de reconocimiento por la ayuda prestada a un amigo... Si así lo deseas, puedes ofrecerme algo a cambio...

* * *

Cuando Andrónico, en lo alto de la montaña, comenzó a descender camino abajo, se dio cuenta de que él mismo, en lo más profundo de su fuero interno, se hallaba ante una difícil encrucijada. Desde un principio se sentía envuelto en un círculo de espionaje: lentamente, poco a poco, había ido creando su corte personal; él, Andrónico, maravilloso maestro de todas las intrigas, ansiaba ahora dar con todos los cabos de este confuso embrollo; iba tras las huellas de los sabuesos, siempre atento a su más ligero fallo o flaqueza. Desde hace algunos meses vive entre los húmedos muros y murallas de Belgrado; distribuye sus amores entre las mujeres de los oficiales y va con frecuencia a las aldeas a la caza de muchachas campesinas.

Ha mandado recubrir de púrpura la embarcación que le lleva de uno a otro punto del Danubio. En la orilla sur forman su escolta cuatrocientos caballeros con sus armas y corazas.

Sereno y tranquilo, aguarda el primer canto del gallo y escucha los habituales gritos de las gentes que manipulan con las cuerdas de la embarcación. Minutos después, la nave se pone nuevamente en movimiento. Aguarda un par de minutos antes de imprimir ritmo al timón. La galera acusa lentamente el fino temblor de las palas de los remos; rompe las olas y se arrastra como un pesado animal por entre las aguas, cuyo color ha cambiado sensiblemente en el transcurso de una sola noche.

Una isla asoma en el horizonte; el hombre que vigila desde la cofa anuncia la llegada. El juego de remos se hace más lento, el príncipe se levanta; sus servidores le traen el agua perfumada para el baño. El encargado del guardarropía le alarga la capa de seda bordada con abejas de oro; una delgada cinta de oro sujeta su cabellera; sus pies calzan las sandalias con tacones de púrpura; se adorna también con sus armas.

Al otro lado de la orilla, en el lado húngaro, observa cómo un par de jóvenes caballeros se afanan en sus labores de caza; allí no se adivina la más mínima traza de acción bélica; todo está tranquilo y respira paz; no se advierten los centenares de tiendas de campaña que acompañan al Basilio en sus cacerías. En un recodo del río, donde se abre un pequeño camino, aparecen ahora tres caballeros. Saludan sin pronunciar una palabra y señalan la dirección de la senda.

Los caballeros están ante ellos, a la distancia de un tiro de arco. Se encuentran en lo alto de la plataforma que los húngaros han escogido como campamento general. Aquí se ven algunos pabellones. Son tiendas de caza, ligeras y elegantes, que, con toda seguridad, deben poderse levantar en el breve espacio de una hora. Los húngaros salen a recibirles, pues son ahora ellos los anfitriones; encima de la relativamente compacta tierra arcillosa arde una gigantesca hoguera; la han encendido a fin de preparar la comida para los cazadores.

— ¿Dónde acampan los húngaros?

Uno de los caballeros comprende la pregunta, se vuelve y responde en perfecto y sonoro griego:

— A tres tiros de flecha, noble señor.

— Anuncia nuestra llegada a tu señor. ¡Bizancio visita Panonia!

Vuelven a aparecer ahora en escena los tres caballeros que les salieron al paso; tras ellos, en un recodo del camino, surgen las siluetas de los anfitriones húngaros.

Ninguno de ellos viste coraza; sólo llevan un chalequillo de piel, sin duda para que encima de ellos resbalen las flechas y quizás también los colmillos del jabalí. Sus arcos cuelgan de las empuñaduras de las sillas de montar, y en unas pequeñas cazuelitas guardan sus flechas. Se abren las filas de la escolta para dejar paso a dos jinetes. El mayor de ellos sigue al más joven; los separa una distancia equivalente a la longitud de un caballo. Los ojos de Andrónico brillan; su mirada escudriña curiosamente la expresión del rostro real; parece buscar las bridas de Manuel. Busca la mirada de Arpad, que imita irónicamente a Manuel, aun cuando le envidia. Observa ahora la expresión de aquel rostro que irradia dignidad imperial, escuálido y joven, con el cabello rubio, que cae ligero sobre los hombros, los ojos radiantes y claros, el manto liso y el porte orgulloso, inimitable.

Este rostro era grave y lleno de dignidad. El otro debía ser más joven que él, y Andrónico comprendió que se encontraba ante un verdadero soberano. El otro señor, el que iba tras él, tenía un rostro surcado de cicatrices; era un anciano guerrero, se parecía en algo a Géza, su tío y consejero, y era un servio tenaz y resistente, el más alto dignatario de los húngaros. Rendía toda clase de honores a su sobrino, sostenía en la mano las riendas de su caballo y permitió que Géza, adelantándose a todos ellos, detuviera su caballo inmediatamente al lado de Andrónico.

— ¿Hablas latín, príncipe?

La voz de Géza es bien timbrada, aguda, joven y fresca; estas tres palabras han resonado con gravedad, con acento extraño. Es el lenguaje de Roma, el lenguaje que habla un rey latino, y hace esta pregunta a Andrónico, cuyo árbol genealógico se remonta hasta Julia. El griego sonríe; ha pronunciado, pues, su primera palabra. Con inimitable prestancia se inclina hacia el caballo de su interlocutor; alarga su mano enfundada en un guante; abraza finalmente a Andrónico, pero sin concederle un ósculo imperial; lo abraza ligeramente, durante unos breves instantes.

Hablan latín, pero cada cual de una forma distinta. Como todo buen príncipe imperial de linaje, Andrónico aprendió el latín al mismo tiempo que su lengua materna; en el Sacro Palacio todos los niños nacidos en cuna imperial están obligados a estudiar latín. La frase del soberano húngaro ha sido pronunciada con dificultad, con gravedad; todo ello da a entender que el rey no piensa precisamente en latín. Cuando él habla latín, el lenguaje de Roma parece, un poco, el de un presbítero.

El segundo apretón de manos corre a cargo de Belos. Su rostro surcado de cicatrices se ilumina con una cálida sonrisa. El noble paladín habla con el griego que emplean en sus conversaciones los príncipes servios y búlgaros. Comienzan a cabalgar nuevamente, hacia delante, de tres en fondo; les sigue la comitiva paulatinamente; descubren rostros conocidos; los chalecos de piel y las armaduras de plata se confunden. Llegan así al campamento de los húngaros, donde aguarda a los cazadores una suculenta comida elaborada con el botín del día anterior.

El cocinero ha preparado el guiso al estilo griego; en la ingente marmita la caza sobrenada en una salsa cargada de especias. El vino, sin embargo, tiene un sabor muy distinto; es un vino más ligero, pero también más seco, que el que se acostumbra a beber en Bizancio; no obstante, Andrónico se siente siempre muy complacido con este desconocido mundo magiar que rodea por todos lados a esta isla encantadora.

La tienda es espaciosa; las banquetas están recubiertas de pellejos de animales; los asientos son anchos y cómodos. Géza ha conducido a su huésped hasta aquí; ofrece asiento también a Belos. Todo ha sido muy sencillo. Dos vecinos se encuentran en el mundo que les rodea.

Las palabras fluyen con facilidad. Andrónico sonríe y bebe poco.

— Noble señor, cuando abandoné Bizancio vi cómo una sombra se deslizaba por el interior del Sacro Palacio... No conozco lo suficientemente bien la historia del señor Boris para poder juzgar si dijo la verdad o si mintió.

La expresión de Belos se oscureció; cerró con firmeza los puños; iba a responder, pero, con un gesto, Géza le hizo desistir de su propósito; respondió ahora con el mismo acento de Andrónico, bajo y sencillo:

— Sólo tiene parentesco por parte de madre... Como tú bien sabes, su madre es hija de Monomaco de Kiew. La familia del príncipe se ha mezclado con nuestra casa. Nosotros no reconocemos el nombre del padre de Boris.

— Hizo correr la noticia de que él era hijo de Colomano y que el trono, según la ley y el derecho, le pertenecía. Se ha dicho que, con ayuda germana, ha puesto pie en la región occidental de tu reino, ¿es eso cierto?

— El duque de Austria es amigo leal del señor Manuel; jamás le ha negado su ayuda. He comprendido, con el corazón apesadumbrado, que Boris ha encontrado en Bizancio una segunda patria.

— Se le recibió allí en calidad de pariente, pero no a causa de su madre, señor.

— ¿Son intencionadas estas tus palabras?

— A veces un vecino se entera del peligro que amenaza a otro vecino.

— Se me ha informado de que Boris ha vuelto a dirigirse hacia Occidente. Se le hubiera visto en las fronteras bávaras; pero habrá desaparecido sin dejar huellas.

— No es extraño, señor. En tiempos de guerra, en que todo se ha premeditado, no resulta muy difícil para un fugitivo pasar inadvertido. Se dice que dentro de muy pocas lunas los cruzados atravesarán también tu país.

— Eso es una profunda preocupación para todos nosotros. Nuestras crónicas subrayan las fechorías realizadas por el insurrecto Pedro. ¿Cómo recibirá el Basilio a los emisarios de los cruzados?

— Los saciará con oro; lo puede hacer perfectamente: el número de legados es reducido. Pero lo que ya resulta un poco más difícil es saciar a cientos de miles de hambrientos gigantes.

— Mi estimado príncipe, cuando dirijo mi mirada hacia Occidente veo los ejércitos de Conrado. Pero si vuelvo la vista hacia Oriente, no encuentro tampoco allí el más mínimo motivo de alegría y tranquilidad.

— Desconozco las intenciones del señor Conrado. En cambio, conozco mucho mejor las de Manuel. Como tú sabes, nos hemos criado juntos.

— La pared de la tienda amortigua la voz. Me complacería mucho que no cubrieras tus palabras con este manto de misterio. ¿Por qué Manuel ha dirigido su mirada hacia Occidente?

— Ya en su juventud soñaba constantemente en la vieja Roma. Enormes pergaminos decoraban la pared de la alcoba de Manuel; ocupaban un lugar destacado los que representaban las fronteras de aquellos tiempos. Los contemplaba a diario... Los contemplaba con el mismo entusiasmo con que un usurpador contemplaría el trono británico o el francés. ¡Pero, sin embargo, eres tú, señor, el primero que has caído en sus ojos!

— Nuestros países viven en paz, y jamás le he dado el más mínimo motivo para ninguna acción bélica.

— Manuel ha lanzado su vista sobre tu país. Lo desea más que todas las provincias del Éufrates, más incluso que Sicilia, donde precisamente los normandos han puesto el pie. Y tú te preguntarás: ¿por qué? Su madre inculcó en su alma este ambicioso proyecto; Manuel se siente tan orgulloso del padre de su madre, Lászlo, como de Alexios. Su mano se extiende hacia tu país... Discúlpame..., tenía que contarte todo eso, todo lo que se ocultaba en mi corazón, porque te quiero y te quiero bien.

— En nuestro país somos fuertes...

— Vosotros sois fuertes, es cierto, pero difícilmente podréis saciar el hambre de Manuel. Vosotros habéis desarraigado los linajes eslavos. León y Constantino os lo agradecieron... También Alexios y Kalojuan demostraron su agradecimiento, ¿pero creéis, acaso, que el agradecimiento tiene su morada sempiterna en Bizancio? Vuestro país ha crecido mucho desde los tiempos de vuestro primer rey, al que llamáis el Santo. Vosotros buscáis el mar; el Danubio ha dejado de constituir la frontera sur. Quizás te asombre, noble señor, que Manuel busque un nuevo camino... que no ataque a los normandos si dejan en paz las costas de Albania... que no emprenda una campaña contra el sultán de Iconia... que no se reconcilie con Raimundo de Antioquía. ¿Por qué ha de extrañarte todo eso? Ahora ha creado una especie de corte principesca y ha reunido en torno a sí a todos los húngaros descontentos. ¿Por qué razón? Sabe muy bien que tú estás solo. Si Manuel te declara la guerra tú no vas a tener amigos, ni tampoco ninguna posibilidad de volverte atrás cuando tus ejércitos se disuelvan. Como puedes ver, los archiveros del Sacro Palacio guardan muchas cosas en sus archivos...

— Agradezco tus palabras. Tú, príncipe, has descrito el peligro con mucho acierto; te expresas como un verdadero emperador... Lo único que ocurre es que no conoces bien *mi* país... Has dicho que aquí impera el caos y que nosotros reproducimos la organización de aquellas provincias que, en un tiempo, fueron vuestras, pero que perdisteis. Esta organización es fuerte y sólida, señor, y no conviene que sea destruida ni a los emperadores occidentales ni tampoco a los orientales. En la actualidad también nosotros vivimos en el seno de la república cristiana; doscientos años de historia, desde que protegemos nuestras fronteras, han multiplicado nuestras fuerzas.

— Tu país es poderoso, quizás Manuel solo no podría... Pero si dos emperadores se confabulan contra ti, dos cuñados, entonces, señor...

— ¿Por qué hablas así, príncipe Andrónico? Hace ya mucho tiempo que abandonaste la ciudad con tu séquito. ¿Es que acaso recibes nuevas noticias?

— Mis noticias son esas: el emperador Conrado, a cambio del permiso para el paso de las tropas, ha jurado a Manuel no interferirse en sus propósitos y, en caso de necesidad, mandar sus ejércitos contra ti.

— Él quiere llevar sus ejércitos más allá de las fronteras de su reino. Los míos permanecen aquí. No son más que charlatanerías, palabras.

— Pero los proyectos, señor...

— El cuerno ha sonado por tercera vez; los cazadores quieren partir. Los dos somos jóvenes... No perdamos esta jornada, Andrónico... Sólo una pregunta... ¿Eres tú lo suficientemente fuerte todavía en Bizancio? ¿Aun cuando residas lejos de allí?

— Isaac, mi padre, vive allí. Sigue tejiendo las hebras que tiene en sus manos, y aun cuando estas hebras sean finas, están dentro del Imperio. Hoy Manuel es fuerte todavía, pero verás: cuando el ejército de Conrado sea aniquilado, y si el rey Luis no... Si los franceses se hacen más fuertes que los ejércitos imperiales... entonces todo cambiará; ya verás entonces cómo mis palabras adquieren un valor mucho mayor y cómo tu mano, señor Géza, es más fuerte que todas las demás.

— ¿Qué quieres prometerme?

— No quiero entremezclarme en los asuntos de los servios y de los búlgaros y abandonar a su destino a las ciudades de Dalmacia. ¿No crees tú, señor, que nuestra amistad, que el pacto sellado entre tu país y el imperio oriental valdría la pena sólo por todo eso?

Su voz tenía un acento alegre. El rey captó los halagos que se encerraban en estas palabras; también Belos había podido seguir la conversación, pero prefirió no decir nada; se trataba, en realidad, de una lucha entre ambos jóvenes. Los tres se levantaron. Géza extendió una mano, Andrónico miró a los ojos del rey y dobló ligeramente, de una forma casi imperceptible, su rodilla derecha.

XV

Los tres enemigos se miraron sonrientes. Juan Putzes, el tesorero, Teodoro Stipyotes, encargado de los asuntos exteriores, y el corpulento canciller, Juan Kamateros. El parlanchín y eternamente hambriento Kamateros captaba siempre toda clase de noticias por las calles y plazas. Putzes era ya un hombre anciano, de la época de Kalojuan, pero de aspecto impresionante. Pero ahora corrían los tiempos de Manuel, las antiguas costumbres se habían perdido; el emperador Juan, a buen seguro, no se sentiría ahora a gusto en este ambiente; eran demasiado numerosas las fauces sedientas que trataban de chupar en las extenuadas arcas del Tesoro. Pero, ¿quién se atrevería a enfrentarse al emperador? Sobre este tema discutían los tres, mientras aguardaban la llegada de Manuel en el amplio vestíbulo del Consejo Imperial. Stipyotes era un individuo noble e ingenioso, un perro fiel a Manuel, y, sin embargo, era el único que osaba contradecirle. Luchaba obstinadamente, con lágrimas en los ojos, comenzando siempre de nuevo, si Manuel no quería darle la razón con una sonrisa.

Eran enemigos: los tres altos dignatarios se odiaban entre sí, siguiendo la sagrada tradición del palacio. Cada uno de ellos estaba al frente de un departamento, tesorería, cancillería y oficina para asuntos exteriores. Hoy el emperador se había retrasado; sabían dónde estaba y sabían también que el Sacro Palacio vivía unos días de intensa agitación. No eran los asuntos exteriores los que preocupaban a Manuel. Los acontecimientos de estos días abrumadores, impenetrables, se desarrollaban angustiosamente en torno a los aposentos de Teodora. Aquí se habían dado cita los mejores médicos del Imperio, las mujeres sabias, los adivinos y astrólogos, los maestros y la familia.

... El parto dura ya cuarenta y ocho horas, Teodora ha perdido mucha sangre y se dice que si el niño no nace esta misma mañana, será preciso hacerle nacer con el bisturí. Toda la corte tiembla; todo el mundo sabe que Teodora y el Basilio son una misma cosa. Las horas que han pasado con ellos han sido serenas y hermosas, pero es mejor no importunar a Manuel en estas ocasiones. Los tres se miran mutuamente sonrientes; aguardan; todos saben que estas horas van a decidir la suerte de las semanas sucesivas.

— Un muchacho — masculla precipitadamente el primer emisario. La pequeña Teodora ha dado a luz un hijo; un Comneno bastardo acaba de llegar al mundo; el primer hijo de Manuel.

Todavía transcurren algunos minutos antes de que aparezca el emperador. Escuchan sus pasos, el ruido de aquellas sandalias poderosas y pesadas, que tienen que cargar con su cuerpo hercúleo. Los ojos de los tres consejeros se fijan en el rostro del emperador: un semblante humano, recubierto de sudor, pálido; sólo sus ojos tienen vida; sonríe amigablemente, con encanto, es la sonrisa de un hombre joven y dichoso.

La ceremonia es sencilla. Le reciben de pie, doblan sus rodillas y pronuncian las palabras de fórmula ritual con la mirada baja. Aguardan a que Manuel les ofrezca asiento.

Pero Manuel se limita a hacerles una señal con la mano. Está pálido y se seca el sudor de su frente con una mano. Mira a los consejeros a la cara y se da cuenta de que ya conocen la nueva; quizás está enterada también de ella la emperatriz, a pesar de que él no ha visto a su esposa desde hace tres días.

— ¡Que traigan higos y vinos!

Se ha hecho silencio; mezcla aquel dulce pesado con un poco de agua y come un par de frutos. El criado enciende las lámparas de aceite; el humo agobiante de los pábilos invade la estancia. La luz cae sobre el pequeño carrito que está próximo a derrumbarse bajo el peso de los gruesos fajos de actas y pergaminos.

— Quiero que seas tú, Stipyotes, el primero que informes. ¿Qué noticias tienes para empezar?

— Son noticias referentes al príncipe Andrónico...

— Hace ya muchos meses que siempre comienzas con noticias de este tipo. ¿Es que acaso no tienes otras noticias que no tengan nada que ver con Andrónico?

— Cada día es mayor la exasperación y el odio que abriga el corazón de Andrónico desde que se ha enterado de que has nombrado Sebastos a Juan Comneno. Sabe que el señor Juan también le odia profundamente...

Sus palabras parecían sofocarle; luchaba consigo mismo, la sangre afloraba en sus mejillas... Eudoxia y Teodora eran hermanas... Si el príncipe Juan odiaba a Andrónico era porque éste había sido el seductor de su hermana; ¿acaso respetaba al emperador que amaba a su hermana? Manuel se compadecía de los suyos.

— Déjalo ya, Teodoro. Yo sé que tú quieres siempre lo mejor... Pero, ¿quién puede traicionar sus sentimientos? ¿Qué sabes de cierto acerca del príncipe Andrónico?

— Es fácil llegar al campamento de los húngaros desde el fuerte de Barantsch.

— El príncipe no ha atacado a los húngaros.

—Fue de cacería: participó en la cacería del rey.

— ¿En una cacería mayor...?

— El príncipe acudió a una cita del rey Géza.

— Ningún gobernante ha conseguido hasta ahora cazar al lado del rey de los húngaros.

— Mis noticias, señor, corren muy veloces. Andrónico ha ofrecido a Géza echarle una mano. Géza defiende sus derechos.

— ¿Qué sabes más?

— No firmaron ningún acuerdo por escrito, pero sellaron sus palabras con un fuerte apretón de manos. Géza puede ofrecer ayuda a Andrónico en el caso de que éste organice un levantamiento. Andrónico ha renunciado ya a varias cosas... Ha abandonado las ciudades de Dalmacia para refugiarse en los asuntos de los servios...

— ¿Cuándo tuvo lugar este encuentro?

— Los ciervos roncan allí más tarde que en nuestras latitudes... Todo ello ocurrió hacia el día de San Demetrio.

— ¿Qué resortes tenemos actualmente en la corte húngara?

— Tengo noticias de Bélos... Está profundamente disgustado... Alguien se ha sabido atraer el favor del rey...

— ¿Quién puede enfrentarse a Bélos?

— Un presbítero; su nombre es Lucas y hace ya tiempo que come el pan de los franceses. Su voz llega hasta Roma. Es un hombre fuerte. El rey no da ni un sólo paso sin su consentimiento y consejo. Los otros sólo persiguen nombramientos y cargos... Pero Lucas es un hombre piadoso, frío, duro e inflexible. Cuando habla con sus señores lo hace siempre como si los tuviera arrodillados ante su confesonario, escuchando sus pecados e imponiéndoles la penitencia justa.

— ¿Hablan Lucas y Bélos el mismo lenguaje?

— Bélos es un noble señor, Lucas también, y ninguno de ellos debe constituirse en escudero del otro.

— ¿Tienes otras noticias de Panonia?

— Los príncipes jóvenes...

— ¿También ellos odian a su hermano, como es costumbre en Occidente?

— El odio, señor, no respeta las direcciones del viento. Por doquier es igual y por todas partes a donde dirijamos nuestras miradas veremos cómo manos hermanas están teñidas de sangre. Hoy todavía están de acuerdo entre sí, pero el odio estallará en el mismo momento en que uno de ellos llegue a ceñir la corona. Los príncipes Esteban y Lászlo están en contra de Géza. Uno de mis emisarios vive en la corte de Esteban. Si tú así lo ordenas, vendrá inmediatamente.

— Él es el más joven. ¿Por qué? En Hungría impera todavía la costumbre de que sea el hermano mayor el que herede el trono, y no el hijo.

— Esto no lo dice ninguna ley, pero sí ha ocurrido de esta forma con frecuencia desde los tiempos de su primer rey. Esteban es más flexible, más dócil... No tiene mujer y tiene gran facilidad de movimientos...

— ¿Por qué haces mención del hecho de que no tenga mujer?

— Tú sabes muy bien, señor, que una mujer constituye a veces un obstáculo.

— ¿Es que ha tomado Esteban alguna decisión?

— No por escrito. Pero te ha pedido una mujer, señor.

— ¿Tienen validez sus palabras entre los húngaros?

— Es como una nube inconstante. Pero el hechizo de su palabra pesa para ellos mucho más que una bolsa de oro...

— ¿Has elegido ya una mujer para él?

— He pensado en la hija segunda de tu hermano Isaac. Sus edades coinciden. Por otra parte, no sería necesario crear una verdadera corte imperial en tanto Esteban se mostrase dichoso.

— Si le desterraran, junto con su mujer, la vergüenza invadiría el Imperio... ¿Cuántos hijos tiene el rey Géza?

— Los emisarios han anunciado en tres ocasiones el nacimiento de un hijo. El primogénito, que se llama también Esteban, sostiene ya en sus manos las riendas del caballo, el segundo es el pequeño Béla, y el tercero fue bautizado con el nombre de su padre.

— ¿Aceptará Esteban nuestro credo religioso?

Las manos de Manuel desenrollan un pergamino que representa el bajo Danubio. Su voz es dulce, casi melodiosa:

— Mirad, todos nosotros sufrimos todavía las consecuencias del odio de Hildebrando y de Miguel Cerulario...

— ¿Es que acaso estás dispuesto a la reconciliación con el unicornio, señor? ¿Piensas en la reconciliación?

— Eso está todavía muy lejos. A mí me gustaría que nuestros

presbíteros no afilaran sus dientes y que los presbíteros latinos no fuesen perseguidos. Tú, Juan, deberías procurar que el pueblo no interviniese en estos asuntos...

— Si te sometieses a Roma quizás perderías la corona del cielo.

— Cuando deliberamos lo hacemos ante la presencia de Dios, para quien todas las almas son iguales. ¿Qué noticias hay de los rusos?

— Desde que Wladimiro dobló su rodilla en Bizancio, los príncipes rusos, con la ayuda de Géza, importunan a los grandes príncipes, persiguen a nuestros obispos, que anuncian la palabra divina en honor de Bizancio...

— Jaslav es primo de Géza... ¿De cuántos hombres se compone el ejército con que le ha ayudado en su lucha contra el príncipe Jorge?

— Se dirigió a los Cárpatos con diez mil hombres.

— Por doquier vamos a tropezar con estos húngaros. Por doquier donde se reconoce la fe de nuestro santo apóstol y por doquier el Imperio no tiene ejército. Señor, yo te suplico... ¿o es que acaso tienes todavía alguna duda?

— No eches más leña al fuego, Juan. Todavía quiero esperar. Por el lado de Occidente me siento seguro mientras viva Conrado. Por lo que al sur se refiere, todavía no hemos hecho las paces con Roger. Todo esto supone el trabajo de muchos años. Estamos completamente solos en medio de mil peligros. Todavía no puedo arrastrar al Imperio a una guerra. Yo mandé a Andrónico... Yo sabía muy bien que iría más allá del Danubio.

— ¿Lo sabías, señor?

— Mandaré a Géza una carta, pero no hombres armados.

— Dos líneas tuyas, señor, sustituyen a un ejército.

— Te he mandado llamar, Juan, porque necesito tu ayuda. Toma una pluma.

— Ilumina mi pobre mente, señor...

— Yo quiero dar las ideas; tú deberás revestirlas con el debido ropaje.

— Estimado sobrino... Sí, puedes escribir: «Señor Géza, nuestro hermano y sobrino, rey de Panonia»... Escríbele en estos términos, para que se dé cuenta de que le rendimos honores, ya que se da el nombre de «Rex»... «Con gran sentimiento nos hemos enterado de que, en tu corazón, te has alejado mucho de nosotros... Deja, Géza, hablar a los rusos y a los servios, deja que caminen por aquellas sendas que siguen una dirección opuesta a los caminos que llevan al reino de la verdadera fe. No malgastes tus armas en cuestiones y litigios extraños. Te pedimos, señor Géza, en tu calidad de hermano mayor, que no te despreocupes de la paz y que veles por el bienestar de tu reino y de tu país. Si obras de esta forma te mandaremos nuestro amor fraterno según la ley del verdadero Señor, que está por encima incluso de la ley del soberano...»

Los tres consejeros se miraron. Putzes inclinó su pelada cabeza de pájaro. Hoy nadie había podido escuchar una palabra salida de su boca; aguardó a que llegara su turno, y cuando llegó se limitó a dar, con una simple mirada, su aprobación a cada una de las palabras que componían la carta del rey.

Stipyotes dijo ahora:

— La mente y el espíritu de vuestra sacra Majestad está por encima de nosotros. Después de esta carta es de esperar que nos conteste, no con ejércitos, sino con emisarios. El peligro ha sido, por el momento, alejado. Pero es preciso añadir todavía una frase.

»Debemos escribir también, señor, que a los enemigos del Imperio, en Panonia, se les recibe siempre con los brazos abiertos. Esto lo propongo para el caso de que viniera aquí el más joven de los hermanos del monarca. También nosotros podríamos exigir que la corte húngara se comportara de esta misma forma con nosotros.

— Tus explicaciones deben mostrar respeto por Andrónico. Nadie puede sospechar que nosotros estamos al corriente de todos sus pasos. Sí, y escribe además eso: «para expresar el sentimiento de nuestro corazón, mandamos al príncipe de nuestro reino, que es casi como un hermano, al más valiente de nuestros hombres, Andrónico, a las fronteras de las que fueron expulsados los erineos...» Cuando la carta esté terminada, tráemela. La volveré a leer y deberás esperar a que yo diga amén para mandarla a la cancillería.

Se hizo silencio durante unos minutos. De nuevo Manuel levantó la mano.

— Juan Putzes, mis palabras van dirigidas a ti. Todos vosotros sabéis que el fruto de mi amor — de mi amor quizás pecaminoso — ha abierto sus ojos a la luz del mundo. Nadie conoce los designios de Aquél que está por encima de todos los tronos y reinos; sólo Él sabe por qué infunde en las almas este tipo de apasionamientos. He tomado la decisión de otorgar a Teodora una corte principesca propia, tal como corresponde a su rango...

El rostro anciano y reseco de Putzes se ensombreció; Stipyotes levantó la vista al cielo; sólo el corpulento y rechoncho Kamateros esbozó una sonrisa de conjuración. Los ojos de Manuel captaron perfectamente la sonrisa. Su voz sonó ahora violenta, apasionada, dispuesto a no admitir ningún tipo de consideración ni contradicción.

— Éstas son mis órdenes. El Imperio debe irse acostumbrando a su emperador. Sé muy bien lo que temes en tu interior, Teodoro... que la noticia llegue hasta las provincias. Dispongo y ordeno que se otorgue a Teodora una corte propia, similar a la imperial... — Titubeó unos segundos. No se oía ni el vuelo de una mosca; todos los oídos estaban en tensión —. Sí, y la princesa participará también, aunque en un grado menor, pero sólo aparentemente menor, de todos aquellos honores que, según ordenan las reglas de Constantino, deben concederse a la Basilisa... Por consiguiente, no debe llevar sandalias de púrpura, quizás solamente los tacones y también el manto... pero sin la imagen del Teotoko en él... Sólo abejas de oro, de manera tal que desde lejos se confunda con el manto de la emperatriz, aunque el ojo de cualquier cortesano diestro pueda distinguir perfectamente la diferencia... Todo eso, Putzes, constituye una de tus obligaciones. Debes abrir la cámara del Tesoro, y disponerlo todo tal como Nos acabamos de ordenar.

»Una nueva disposición, con la que no habíamos contado. En nuestra reunión olvidé rogarte relevaras de su trabajo a tu viejo criado. Los campesinos no cuentan, la cosecha es floja; los perros, las gentes armadas y las casas consumidas por el fuego cuestan mucho dinero. Y perdonad que haga también mención de esto: el nombramiento del señor Andrónico no ha aumentado tampoco el rendimiento... Y ahora algo más con lo que no habíamos contado. No puedo sentirme todavía satisfecho con este rendimiento tan pobre. La corte no es en la actualidad la misma que en tiempos de mi difunto padre. El número de príncipes es muy considerable, todos viven aquí y ninguno de ellos se encuentra en los campamentos, donde podrían comer el pan de los soldados...

— Comprendo. ¿Acaso deseas que reorganice la corte de pies a cabeza?

— Todavía no quiero ir tan lejos. No sé dónde ir a buscar un solo ducado.

»La zona destinada para la vivienda debe situarse en el ala sur del palacio Blacherne. Allí llega el aire salado del mar. Es preciso que los pulmones del niño se expandan.

— Vuestra Majestad debe decidir el rango, nombre y título del recién nacido.

— Un tema muy delicado. Ve en busca de mi tía Ana. Obséquiale con unos regalos, los hermosos códices armenios que me mandó el rey, y dile que la visitaré con ocasión de su onomástica. Pondré en manos de Ana el destino del niño, que es mi hijo.

*　*　*

El patio donde trabajaban las tejedoras de seda cuando hacía buen tiempo era espacioso y ancho. También este trabajo formaba parte de la maquinaria secreta del Estado; era como un tesoro celosamente guardado, en el que jamás tendrían acceso los bárbaros. Desde que existía el Sacro Palacio, las muchachas trabajaban y vivían aquí...

Abajo, en la bodega, habían unas enormes cacerolas llenas de púrpura de los más diversos matices. Era preciso colorear de forma distinta los vestidos de verano y los de invierno. La púrpura viva de las capas de ceremonia se diferenciaba de las sedas más pálidas de las ligeras ropas interiores; para el manto de la emperatriz se mezclaba menos cantidad de colorante que para el manto del emperador. La orla de púrpura, que podían llevar los príncipes y princesas, era más pálida todavía; en cambio, la levita de los patriarcas era de un color rojo muy llamativo, casi flameante. Estas costumbres estaban consagradas por un rito de muchos siglos, que pasaba de unos maestros de tejedores a otros a través de muchas generaciones.

En el tercer departamento se hacían los bordados. Los dibujos eran diseñados arriba, en las oficinas de la cancillería. El maestro de diseños, que vivía lejos de allí, era un sabio artista que conocía a la perfección las historias de los santos, y tampoco desconocía las leyes. Un ornamento de este tipo suponía años de trabajo; durante el transcurso de una vida no se podían preparar más que dos o tres verdaderas obras de arte del vestir; el maestro ponía su firma allí, o su signo, para que las generaciones posteriores supieran quién había sido el artífice y pudieran buscar en sus diseños.

Hoy los maestros tejedores no estaban en sus puestos, el trabajo de las muchachas había sido interrumpido; a primeras horas de la mañana, al despuntar el alba, aparecieron ya los eunucos en sus puestos. El trabajo había empezado ya.

— Dejad a un lado lo que tenéis entre manos — ordenaron las chillonas voces de los castrados — porque es preciso iniciar ahora un trabajo muy importante, el mayor de los trabajos que jamás se haya realizado. Nadie sabe para quién es ni tampoco por qué urge tanto.

Una especie de estremecimiento general recorrió todo el patio. Los maestros tejedores lo captaron. Sus rostros se ensombrecieron, algo debía haber ocurrido.

Pero el primer maestro no articuló una sola sílaba. Se limitó a indicar con una señal a las cuatro bordadoras más antiguas que se acercaran.

Una hora más tarde se había distribuido ya el trabajo.

La capa debía ser elaborada con la púrpura imperial más fina. Debía ser vaporosa, suntuosa y pesada al mismo tiempo, algo como jamás hubiera podido imaginarse ni en sueños. Así debía ser el manto cuyas medidas habían sido ya determinadas. Cuando las muchachas comenzaron el trabajo sabían ya que el Basilio quería honrar con esta indumentaria a la madre de su hijo. Teodora debía lucir esta capa en el momento de las primeras purificaciones.

XVI

Teodora había ya abandonado la cama. Descansaba en un suntuoso y cómodo lecho, indolente, sumida en sus sueños.

El ama mecía la cuna. Estaba pensando que cuando cayese el último grano de arena, abriría su blusa para dar el pecho al niño. La arena verde se iba deslizando a través de la garganta del reloj. Tenía que vestirse, la emperatriz vendría a visitarla.

La emperatriz vestía el hábito de las hermanas basilitas, una especie de túnica negra hasta los talones y el rostro cubierto. La mano de Berta acarició ligeramente las mejillas de Teodora y tomó sus manos entre las suyas.

— ¿Crees, Teodora, en la magia negra?

Ella no esperaba esta pregunta. Ahora la emperatriz abrazó a la favorita del emperador.

— Son cosas de los hombres, noble señora.

— Corren rumores de que mi cuerpo está poseído por las brujas.

— No he oído decir nada de eso, emperatriz. ¿Por qué te han echado este sortilegio?

— Impusieron sus manos negras sobre mi seno, me embrujaron. Una extranjera no debe mezclar su sangre con la sangre de Bizancio.

— Dios no distribuye sus dones a todo el mundo por un igual, noble señora. A unos les da una alegría y una mujer, a otros les da un hijo, sufrimientos y penas.

— Los ojos del padre resplandecen de júbilo cuando ve a su hijo, pero se ensombrecen cuando contemplan una hija.

— María ha cobijado en su seno al Señor Todopoderoso. Dime, noble señora, ¿por qué quieres honrarme con tu visita?

— ¡Quiero ver a su hijo! — exclamó con voz entrecortada, aunque tratando de dominarse.

Teodora recogió con una mano su capa, y contraviniendo las órdenes de los médicos, que habían prescrito un reposo absoluto de dos semanas después del parto, comenzó a andar tambaleándose. Llegó sobre sus propios pies hasta el umbral, apartó la cortina y se acordó en este momento de que la Basilisa le había rogado que no hubiese absolutamente nadie en sus aposentos cuando ella llegase. Acabó de retirar la cortina, se apoyó en el picaporte y abrió la puerta. El ama volvió su vista atemorizada y se levantó de un salto. La cuna era un cochecito con ruedas de plata. Permaneció de pie, junto a la puerta, pero todavía se encontraba demasiado débil para poder empujar la cuna. Las dos contemplaron al pequeño. Tenía el cabello negro, ensortijado en pequeños rizos, la nariz recta, como la de Manuel, y los labios delgados. Su boca, de rasgos duros y ariscos, era una verdadera boca de Comneno.

El hábito de monja se abrió por su parte media. La emperatriz sacó un valioso rosario de ámbar, y se dirigió hacia la cuna.

— Tú eres buena, noble señora — dijo Teodora —. Las dos vivimos en este mismo palacio. Tú pasas con él la noche, yo le veo por las mañanas, o por la tarde, a última hora, o no le veo y no tengo más remedio que esperar. Vivir de esta forma es muy duro, distinguida dama. Tú lo tienes más fácil, eres la Basilisa, y el manto de Cristo te ampara y te protege contra toda clase de peligros, tu alma está tranquila. Eres hermosa e inaccesible. Yo no soy más que un grano de arena que se desliza por la garganta del reloj cuando Manuel contiene la respiración.

— Pero comenta contigo las cosas del Imperio.

— Sí, el Sacro Palacio habla el lenguaje que Manuel y yo hablamos.

— ¿No temes que Dios te castigue por tus pecados? — dijo la emperatriz.

— Si fuera tan vieja como mi tía Ana haría penitencia. Cuando tenga su edad fundaré un monasterio y en él pasaré los últimos años de mi vida.

— Entonces no tenemos ya nada más que hablar, Teodora. No puedo rogar al padre que deje de amar a su hijo.

Contempló al niño. El rosario de ámbar color amarillo miel con la alargada cruz latina permanecía atravesado encima de la cama. Lo tomó entre sus manos, con el mismo cuidado y respeto que si se tratase de un objeto de desconocida y misteriosa magia, como si fuera incluso un presagio funesto. Su mano parecía la de un mago, al tocar este objeto inofensivo y agradable a Dios. Pensó en lo que Irene le había contado en cierta ocasión sobre una muñeca, a quien unas manos misteriosas habían dado una hermosa cabellera rubia y lindos ojos azules, y que le recordaba lo que ahora sostenía entre sus manos.

XVII

Habían estado cabalgando desde primeras horas de la mañana. Él vestía ornamentos eclesiásticos. El magnífico caballo blanco era un regalo del monarca, que le había sido entregado después de su nombramiento. El tenue brillo de la mitra se deslizaba, bajo la luz del sol, sobre aquel rostro de rasgos griegos, en el que las emociones del alma se ponían de manifiesto con especial relieve. También era una nueva costumbre, procedente de Roma, que los presbíteros de mayor importancia se rasurasen las mejillas. Lucas era un gran señor, con frecuencia su palabra era más escuchada incluso que la del rey. La gente le temía, y a no ser que todo el mundo sabía que por sus venas corría sangre de su misma raza, lo hubieran considerado como un extranjero debido a su rostro liso y a su modo de hablar el latín con santa unción y patetismo.

Cuando el rey Géza llegó, el campamento estaba ya levantado y distribuido en forma de amplias calles. El pabellón del monarca, con sus torres doradas y adornadas con púrpura, sobresalía por encima de los demás. También estaba levantada la iglesia.

Géza era un hombre apuesto, esbelto y pálido como un rey de cuentos de hadas. Una túnica de tafetán revestía su figura. Llevaba guantes de piel fina, siguiendo los dictados de la nueva moda. Una única piedra verde adornaba su dedo anular. Al descender de su silla de montar sonrió ligeramente. Todos admiraban al joven monarca, que cabalgaba delante y le daban la bienvenida, como dueño y señor.

Ésta era la obra de Lucas. Los derechos fraternales, que intentaban tender un lazo entre los dos hermanos. Luis había remitido ya su embajada: él mismo, juntamente con sus parientes reales, se entregaría como rehén en manos del rey. Sus ejércitos atravesarían el país como si atravesasen un país hermano, lo pagarían todo con dinero contante y sonante. Ésta era la embajada del rey, tal como la habían transmitido sus emisarios. Decía, además, que él mismo sería el primero en atravesar, como rehén, la frontera húngara, y que sería también el primero en presentarse ante Géza para ser retenido en sus manos. Todo esto después de mil palabras, después de haber cambiado muchas cartas.

¿No sería esto orgullo, Lucas? Procedía de esta forma porque el orgullo y la severidad iban con él. Yo, Lucas, he traído al rey hasta aquí, el primer soberano que, procedente de las Galias, pisa Panonia. Luis iba a venir personalmente y, en esta tierra, se convertiría en rehén de Géza. Un rehén de paz, una prenda de la amistad venidera y un huésped, según las leyes de la estepa, más valioso que el padre y el hermano.

Los jinetes de la vanguardia habían regresado. Escuchó la noticia en la voz entrecortada y excitada de un joven oficial:

—Ya no están lejos, señor. Los hemos visto dirigirse hacia aquí, no pueden ser más que unos quinientos. Todos van acorazados, como gigantes de bronce.

Los ojos interrogantes del monarca se detuvieron en el rostro de Lucas. Esta mirada planteaba una pregunta. ¿Habían de aguardar aquí o avanzar?

Él mismo siguió cabalgando hacia delante. El presbítero levantó el cayado de pastor e hizo una señal para que todos le siguieran, el primero el rey Géza.

Formaron un semicírculo; él se añadió a la fila, inmediatamente detrás de su señor.

El monarca levantó la mano.

Dos reyes, cada uno de ellos dos pasos al frente de sus tropas. Géza miró a través de la visera a aquel hombre severo y rígido de mirada impenetrable, ojos un tanto salientes, labios gruesos y nariz recta y atrevida de emperador.

Los reyes se acercan el uno al otro.

Los otros proceden de Occidente, no existe ninguna diferencia entre ellos, pues son hermanos en Cristo. Se contemplan mutuamente. Luis quizás esperaba encontrarse ante un príncipe bárbaro y omnipotente, cuyos antepasados habían mandado quemar los conventos, habían atravesado el Rin e incluso descansaron bajo la sombra de los Pirineos. Un muchacho rubio, de miembros gráciles, delgado y esbelto, está sentado en la silla de montar. Los caballos se acercaron con pasos lentos; las manos de ambos reyes se alzaron para abrazarse. Cada uno de ellos se hubiera anticipado de buena gana al otro.

Dos señores se encontraban junto al soberano de los franceses. Iban a pie, a pesar de que quizás tenían el rango de conde o de duque. Mantenían las palmas de sus manos, que parecían dos plataformas de acero, debajo del estribo del rey. Aquel cuerpo corpulento y pesado, dando muestras de una agilidad inesperada, apoyó un pie sobre las manos, y sus pies, finalmente, tocaron el césped. Géza siguió todos sus movimientos, él no necesitaba ninguna clase de ayuda. Le bastó un ligero salto para desmontar y plantarse, sonriente y con los brazos abiertos, ante su huésped.

Ahora habría tenido que entrar en escena Lucas, la cruz en alto, impartiendo su bendición, tal como es obligado en todos los encuentros que tienen lugar por la voluntad de Cristo. Pero los dos hombres se han abrazado ya, la voz de Lucas descendió sobre ellos, y sólo Luis levantó ligeramente la cabeza. El latín del príncipe de la Iglesia húngara acusaba señaladas cadencias parisinas, hablaba como los doctores de las escuelas francesas.

Luis VII tomó su espada, que un joven jinete arrodillado, le entregó. La colocó sonriente, como si de una ofrenda se tratase, en la mano de Géza, dando a entender con ello que él mismo en persona, el rey de Francia, se entregaba como rehén.

Lucas estaba detrás de ellos, escuchando atentamente todas las palabras que se cruzaban.. El más poderoso de los soberanos del otro lado del Rin ha atravesado la frontera húngara movido por intenciones amistosas.

— ¿Puedo preguntarte, hermano, por la salud de tus hijos? Por lo que sé, la gracia del Todopoderoso ha bendecido benévolamente tu matrimonio.

— Tres hijos — respondió sonriendo Géza, quien añadió todavía algunas pocas palabras relativas a su patria.

Luis estaba sensiblemente emocionado, pensaba en el castillo solitario, que en esta época del año estaba cubierto de moho, rodeado de nieblas e inmerso en una lluvia eterna.

— Yo he dejado también a mis hijas — dijo él, siempre bajo la atenta mirada de Lucas, que presidía la asamblea.

Parecía que estos primeros momentos de presentación no eran los más propicios para hablar de todo lo que en su interior estaban pensando.

— Ciertamente, estás muy cansado, señor... Habéis partido

muy de mañana y el sol todavía es fuerte en esta época del año.

— El camino ha sido largo y las corazas son muy pesadas.

— Nosotros, los húngaros, vamos a la guerra vestidos con indumentaria ligera, a pesar de que contra la caballería pesada no podemos combatir sin jinetes bien acorazados.

— ¿Acaso habéis tenido que enfrentaros con caballería pesada? — dijo Luis.

— Como puedes ver, hermano y señor, puedo decirte que estoy preparado para luchar contra los señores austríacos. Pero es preciso que sepas que el más grave de todos los peligros asoma por el lado sur.

— Por lo que sé, vives en paz con el Basilio — dijo Luis.

— Siento el peso de la mano de Manuel, y su mano no es ligera. Su mano está por encima de todo y nos oprime. El señor Manuel ha dirigido su mano contra nosotros.

— Tampoco su Imperio es pacífico. ¿Para qué quiere tu reino?

— El emperador sueña en Panonia... Su madre, que llevaba en sus venas sangre de los Arpades, inculcó en su alma este propósito — dijo Géza.

— ¿Acaso el señor Manuel ha cerrado algún trato con alguno de tus vasallos?

Lucas se esforzaba en captarlo todo.

— Sire — fue su respuesta —. Vuestra Majestad debe saber que en el país de Panonia no existe ninguna provincia y los nobles no tienen vasallos. Todos están sometidos a su rey. Aparte del monarca, no hay más señores que los jóvenes príncipes, que un día recibirán el cargo de gobernador de las regiones del sur.

Ambos monarcas tomaron asiento en el interior del pabellón real. Comieron allí el pan de mediodía y la conversación se prolongó hasta la hora de la cena. Las palabras afluían con facilidad, buscaban puntos comunes de contacto. El rey Luis habló de los ingleses, de los escoceses, que estaban siempre al acecho a lo largo de las costas esperando la primera ocasión para ocupar las provincias occidentales. Habló también de los castellanos, que habían disgregado en pequeños fragmentos las tierras del califa de Córdoba; de Alfonso, que había reconquistado Toledo, y que se hacía llamar emperador de España.

Géza habló de Bizancio. Todavía guardaba un vivo recuerdo

de la visita de Andrónico, de todo lo que éste le había dicho y de todo cuanto sus emisarios le habían comunicado. La negra sombra de Manuel se levantaba amenazante sobre el reino húngaro. Todos los rebeldes se habían refugiado en su corte pidiendo cobijo. Todos los descontentos y todos los señores despojados de sus honores y dignidades encontraban fácilmente el camino que llevaba a Bizancio. Bizancio era una ciudad eterna, y sólo Roma podía competir con ella. Todo eso explicó el soberano, sin dejar de agitar la cabeza.

Lucas percibió un ligero ruido. Era la voz del canónigo, que, apremiante y asustado, gritaba su nombre. Salió del aposento y encontró al anciano presbítero en compañía del alcaide de Presburgo.

— No te enojes, mi estimado padre — dijo el alcaide —, si he venido a interrumpir tus conversaciones. He visto a uno de los altos dignatarios que acompaña al rey de los francos. Sólo levantó la visera a medias, pero el rostro no me era en absoluto desconocido.

— ¿Y por eso me has mandado llamar? ¿Quién es, pues, este hombre?

— Mis ojos no me engañan. Se ha hecho cortar la barba al estilo francés, pero no hay duda de que es Boris y se encuentra entre nosotros.

— Tus ojos te han engañado. ¿Cómo es posible que el enemigo mortal de nuestro soberano se encuentre en esta nación amiga? ¿Dónde está ahora?

— No le he visto en la reunión de los caballeros. Mandé a un paje para que me informase, y dijo que se había retirado a descansar a su pabellón. No ha participado de la comida ni tampoco de la cena. Eso es lo que quería comunicarte.

Lucas se apoyó en una de las gruesas varas que sostenía la tienda. ¡Boris, al que nadie había visto en Hungría desde que había tenido que desalojar el castillo de Presburgo a instancias de las tropas de Géza!

Eran huéspedes, cada uno de los caballeros era un huésped. Su rey se había entregado en persona como rehén. No podía hacer rodear por gente armada una tienda en la que se alojaba un caballero que formaba parte del ejército francés y que llevaba en su escudo los blasones franceses. No podía sorprenderle en la oscuridad del crepúsculo y arrojarlo de allí, para llevarlo ante la presencia del rey. No podía hacer nada. Pese a su propia voluntad, tenía que limitarse a hacer vigilar la tienda para saber realmente quién era aquel hombre, para comprobar que era realmente Boris, a menos que el alcaide no hubiese sido víctima de una alucinación.

Entró nuevamente en el pabellón. Su mirada era sombría y en ella se adivinaba un cúmulo de preocupaciones. Los ojos de Luis repararon inmediatamente en este detalle.

— ¿Qué pasa, respetable padre? ¿Es que ha ocurrido algo? ¡Habla de una vez, con toda franqueza! ¿Es que acaso mis héroes se han alegrado un poco con el vino?

— Nada, sire. Eres muy bondadoso, señor, al preguntarme por qué motivo mi rostro acusa esta pesadumbre. Perdóname que, violando las costumbres tradicionales, me atreva a hacerte una pregunta: Dime, señor, ¿sabes quién es el jinete que en su escudo lleva los colores plata y rojo, flanqueado por leones en el lado derecho?

Géza enderezó su cabeza. Éste era el signo con que los Arpades solían pintar sus escudos desde hacía algún tiempo. Preguntó a su consejero:

— ¿Has visto tú nuestro escudo en uno de los caballeros?

— Estaba apoyado ante su pabellón, cubierto con un velo. El viento levantó un poco el pedazo de tela que lo recubría, y así fue como vi su escudo.

Luis se levantó. Mandó llamar a su capitán y le dio órdenes en voz baja. Se hizo un silencio muy tenso hasta que no regresó el caballero.

— Señor, el caballero extranjero que, si me permites refrescar tus recuerdos, te suplicó ante el altar le concedieras licencia para acompañarnos, dice que, de acuerdo con su voto de penitencia, tiene que recorrer todo el camino con la visera cerrada y el escudo cubierto. Tú, noble señor, no quisiste contrariar su juramento y le diste permiso para que nos acompañara en nuestro camino sin que se identificase ni descubriese su escudo.

— El alcaide ha visto a Boris — dijo Géza en voz baja —. Tú no tienes ninguna culpa de eso, señor.

— ¿Quién es este caballero que, como tú me has dicho, ha robado tu escudo?

— ¿Te es familiar acaso, hermano mío, el nombre de Boris?

— El prepósito Sugerios me lo presentó hace años. Desde entonces no había vuelto a oír hablar de él, ni tampoco le he vuelto a ver una sola vez. ¿Sabes con seguridad, respetable padre, que este caballero y Boris son una misma persona?

— Sí, es él; el azar ha puesto en nuestras manos a nuestro enemigo mortal.

El rey Luis se levantó de su asiento.

— No sé, padre, si te he comprendido bien. Tú eres un servidor de la Iglesia y no tienes obligación de conocer las leyes de caballerías. Sin embargo, no puedes ignorarlas en calidad de siervo de tu señor. El azar no ha puesto a Boris en tus manos. El caballero, si va con *mis* ejércitos, es mi caballero. Yo soy tu rehén, rey Géza, pero en mi propia persona y en la persona de mis parientes de sangre. Pero yo no te entregaré a tus parientes de sangre, cuya muerte deseas. Y dime ahora, hermano y señor, ¿son tus reglas de caballerías igual que las nuestras?

Géza contempló a Lucas, el presbítero bajó la cabeza y juntó las manos.

— Mi hermano tiene razón, Lucas, el señor no puede entregarnos a Boris.

— Yo soy un rehén tuyo, me he ofrecido como prenda. Mientras mis pies permanezcan sobre tu suelo, puedes darme órdenes.

— Me duele, señor, que te expreses en estos términos. Te suplico una cosa, vigílale y no le permitas que se separe de tu séquito, sobre todo en el sur, cuando atraveséis el río Save. ¿Quieres prometerme esto, señor?

Luis levantó la pesada copa de oro. Bebió y arrojó al suelo, en señal de corroboración, las últimas gotas de vino.

— Perfectamente, señor. Nada hay entonces que pueda interponerse en este acuerdo entre las Galias y Panonia.

XVIII

En los aposentos imperiales de la villa se trabajaba sin tregua. Conrado no estaba todavía totalmente restablecido de aquella dislocación de la pierna, que se había producido al caer de un gigantesco caballo en la orilla del río Maritza. Su cuerpo estaba cansado. Desde hacía ya cinco días, Conrado residía en la villa Philopation, y desde allí iban y venían los emisarios que servían de enlace entre Conrado y Manuel. Pero ya no adelantaban ni un solo paso más. «Rey de los alemanes» había dicho el deslenguado e impostor Miguel Paleólogo. Pero el sillón del trono, que se debía colocar en el palacio Blacherne junto al trono de Manuel, debería estar lo ancho de una mano por debajo del trono del Basilio.

Este ancho de una mano era el núcleo de todas las querellas.

— *Imperator sum* — había dicho Conrado con orgullo cuando despidió al Paleólogo —. Mi Roma es más auténtica que la del señor Manuel.

Cinco días y cinco noches duraron los litigios en torno a títulos y dignidades. También las gentes de Bizancio eran porfiadas. A través de los anales y de la historia se conocían a sí mismos mucho mejor que los alemanes, que vivían constantemente entre los libros y folios monacales.

No llegaron más allá. En el exterior permanecía el ingente ejército de cruzados que aguardaba impaciente aquella señal que les debía conducir al Asia Menor, Jerusalén o Bizancio. Los cruzados eran de la opinión que el emperador Conrado estaba precisamente allí para elaborar un victorioso plan de lucha. La potencia de sus legiones afectaría simultáneamente al sultán de los paganos y a la renegada ciudad de Bizancio.

Era al atardecer. Acababan de anunciar la llegada de un nuevo emisario procedente de la «ciudad». Era Axouch, que esta noche quería transmitir personalmente la palabra de su señor.

— ¡Noble señor, señor Conrado! He venido aquí para, con muy sencillas palabras, revisar todos los nudos gordianos tejidos por los emisarios durante estas jornadas. Mi mensaje es secreto. Escucha, pues, las palabras de mi señor. El corazón de Manuel se siente triste y acongojado porque las dos grandes potencias de la Iglesia Cristiana se encuentran en las orillas de la fe como dos niños con ganas de pelear y porque ninguna barquilla puede servir de enlace entre ellos. Mira, señor, yo traigo ahora esta barquilla. El emperador Manuel no puede abandonar Bizancio. No puede correr a tu encuentro y recibirte como emperador romano en las puertas de la ciudad. Si tú fueses a la ciudad, entonces, según palabras de tu propia gente, le honrarías y le reconocerías como único emperador. El señor Manuel ordena que te notifique este mensaje secreto. Mañana, tan pronto como oscurezca, quiere visitarte personalmente. No irán con él más que dos oficiales de su guardia imperial, el protovestiario de la cancillería y yo. Irá vestido con la indumentaria de un caballero occidental, con visera cerrada. Un escudero traerá su escudo, en el que puede verse la leona de oro amamantando a dos niños. Todo ello debe desarrollarse dentro del más estricto secreto. Nadie debe enterarse de esta visita, ni siquiera tu gente de mayor confianza. Manuel te suplica que le dediques la tarde del día de mañana, porque tiene la intención de indicarte fraternalmente el verdadero camino que conduce a la tumba de Nuestro Señor Jesucristo.

Conrado pasó la noche tranquilo. Se encerró en su aposento. Sólo estaba a su lado Otto von Babenberg, obispo de Freising. Estuvieron hablando sosegadamente en su lengua materna. Era la primera vez desde hacía muchos siglos que los emperadores de Oriente y Occidente iban a entrevistarse personalmente, cara a cara. Todavía no eran amigos, pero habían dejado de ser enemigos. Sus creencias no eran las mismas, pero algo tenían en común: los dos llevaban como título el nombre de Roma, la única palabra que les unía.

En el pasillo exterior del castillo habían sido dispuestos los centinelas que habían de conducir hasta los aposentos de Conrado al jinete procedente de Bizancio. Podía distinguirse perfectamente al jinete seguido de su breve comitiva, cuando llegó al recodo del camino, y, posteriormente, cuando comenzó a subir las escaleras del castillo que debían conducirle a los aposentos imperiales.

Con su coraza parecía todavía más fuerte y poderoso de lo que podía deducirse por los rumores que circulaban por Occidente. Su armadura, un regalo del emir de Córdoba, era realmente preciosa. Al llegar al vestíbulo alzó la visera, se detuvo y permitió que su paje le quitase el casco que cubría su cabeza. De esta forma, con la cabeza desnuda, con su figura esplendorosa irradiando la plenitud y potencia de un hombre que se encuentra en los mejores años de su vida, se dirigió hacia el aposento interior, en cuya puerta aguardaba Conrado.

Manuel era un hombre joven y hercúleo. Conrado era rechoncho, enérgico, de más edad. Los rasgos violentos de este emperador se adivinaban en su mirada. Conrado era el mayor, pero ahora era un huésped en país extranjero. Fue él quien, al reparar en la presencia de Manuel, extendió los brazos. No había ningún intérprete. Manuel hablaba el latín, y Conrado se servía del lenguaje que su maestro el obispo Otto le había enseñado, igual que Stipyotes. Sólo Axouch callaba para no traicionar con ninguna palabra si entendía o no el lenguaje de los lejanos romanos.

— Nuestras mujeres son hermanas, y por eso el destino ha querido que también nosotros seamos hermanos.

El semblante era sonriente, la mirada elocuente, los movimientos solemnes. Conrado se apercibió del donaire natural de su interlocutor.

— La voluntad del Señor ha querido que celebrásemos esta entrevista.

— Cuando subí a las torres del Blacherne vi a tus nobles acompañantes.

— Aguardaban a los que debían indicarnos el camino.

— Hoy se encuentran todavía aquí, debajo de los muros.

— Nosotros nos dirigiremos hacia Jerusalén.

— Las rocas, si un día caen, pueden sepultaros a todos bajo su peso.

— ¿Es que acaso temes, señor Manuel, que se desprendan bloques de roca y se detengan ante el Cuerno de Oro?

— Mi padre no me enseñó jamás a temer.

— ¿Por qué no nos permites paso franco a través de tu Imperio, Manuel?

— Deberéis seguir las rutas estratégicas.

— Algunos signos adversos intranquilizan al ejército. Fue precisamente por estas rutas donde, en tiempo de nuestros padres, fracasó la cruzada del ermitaño Pedro.

— Cuando uno alcanza la victoria, otro tiene que soportar la vergüenza de la derrota. Sólo quiero hacerte una súplica, señor Conrado.

— ¿El juramento de fidelidad?

— No, quiero pedir solamente tu palabra de que devolverás a Bizancio todo lo que conquistaste con tu ejército y que un día había pertenecido al Imperio.

Conrado dijo ahora:

— ¿Qué es lo que impide que nos demos las manos? ¿Por qué motivo nuestros reinos no pueden subsistir armoniosamente, como dos hermanos?

— Quiero ir a Roma e inclinar mi cabeza ante su Obispo. Quiero también destituir de su cargo a los patriarcas que pretendan interferirse en mis propósitos. Pienso hacer todo eso.

— Los reinos no se tocan entre sí. ¿Quieres ahora hablar de los quinientos jinetes acorazados o del dinero?

— ¡Hablemos de Panonia, señor!

— He cruzado pacíficamente el país de Géza. En estos años ha reinado la paz entre el país de los húngaros y el Sacro Imperio — dijo Conrado.

— Tú has atravesado el país en plan de penitente y de huésped.

— Sólo confían en Roma. Allí mandan ellos a sus legados. Nos odian a los dos por un igual, a ti y a mí. Es preciso aniquilar Panonia. Después nuestras manos se unirán sin tardanza.

— Hemos levantado nuestros fuertes y castillos. ¿Podemos hablar ahora de la forma más adecuada para obligar a doblar la rodilla a los húngaros, que, en su orgullo, no quieren prestar honores imperiales ni a ti ni a mí? — dijo Conrado.

— Tu voto te obliga a acompañarme, con la cruz en la mano, en mi peregrinaje hasta la tumba de nuestro Salvador. Pero yo te pregunto, Conrado: ¿Querrás ayudarme contra los húngaros, si me lanzo con mis ejércitos contra su país?

— ¿Empezarías la campaña en primavera?

— ¿Acaso lo harías tú en mi lugar, mientras mi país es atravesado por tropas? — dijo Manuel.

— ¿Quiere decir eso que quieres sellar un pacto con el sultán de Iconia?

— Yo no pienso en la diversidad de creencias, si los dos dejamos en paz las armas.

— ¿Es que has acordado con él una tregua?

— Ya que lo has dicho, ésa es la verdad, señor — dijo Manuel.

— Nosotros, los cruzados, debemos seguir el camino verdadero. Al mismo tiempo tú harás las paces con los paganos y les prestarás ayuda.

— Vosotros estáis aquí, bajo los muros de Bizancio. Es preciso que me proteja, que me ponga en guardia.

—Y si lográsemos una victoria, ¿no temerías luego que todos nos aliásemos contra ti? Yo, Luis, Roger y Géza. Si así ocurriera, ¿llamarías en tu auxilio a los paganos?

—Nosotros no podemos aceptar la cruzada.

Las palabras sonaron rudamente y fueron seguidas por unos momentos de embarazoso silencio.

Conrado bebió un trago de vino.

—Cátalo, Manuel. Bebe de mi vino a la salud de los dos reinos.

»Somos cuñados, y eso justifica que te reciba como a un hermano, aun cuando un día me viese obligado a dirigirme contra ti. Pero si así lo deseas, podemos llegar a un acuerdo entre los dos.

Manuel hundió su rostro entre los guantes de púrpura. Dijo en voz baja a Stipyotes:

—Trae los Santos Evangelios. Conrado, concédeme el honor de colocar tu mano sobre ellos.

—¿Cuál ha de ser la fórmula del juramento?

—Yo prometo estar a tu lado, Conrado. Tu ejército se encuentra bajo la protección del Imperio desde el mismo día en que abandonaste las vecindades del Bósforo. Yo me ocuparé de vuestra alimentación y mandaré que cuiden a los heridos. Pero si tus soldados causan algún mal, se abandonan al saqueo, al robo, al crimen o a la violación de mujeres, entonces serán todos juzgados severamente según ordenan las leyes del Imperio.

—¿Y qué exiges a cambio?

—No oprimir ni obligar a nadie por sus creencias. No incautarte de nada, pagar a cada cual lo que necesita, darles una muchacha, a la que se concederá el honor y el respeto debido si queda encinta. Debes ayudarme también en el caso de que surjan nuevas desavenencias entre yo y Luis. Devolverás al Imperio todas aquellas tierras que tus ejércitos conquistaron.

El obispo Otto inclinó su cabeza sobre ellos:

—¿Es preciso poner todo esto por escrito, señor?

—Estamos reunidos aquí. La palabra es más sagrada que la escritura. Quiero darte el nombre de hermano. Las palabras que hemos intercambiado son palabras pronunciadas ante Dios, que nosotros jamás podremos tergiversar.

Axouch levantó cuidadosamente la vela. Hizo una señal con

la vista a Otto de Freising para que levantara la otra. Todos se arrodillaron.

Sus manos se unieron en una sola.

Murmuraron unas palabras en voz baja. Otto las repitió en latín, Stipyotes las tradujo al griego. Manuel hizo una señal a Axouch para que salieran. Conrado estaba a su lado.

XIX

— ¡Al invitado que llega tarde no le corresponden más que los huesos! — exclamó sonriente Andrónico, mostrando sus resplandecientes dientes blancos.

Las pesadas cadenas chirriaron en sus pies. Permanecía en la torre norte del palacio Blacherne. Andrónico sonreía. Las cadenas tenían dos pasos de largo, lo que le permitía recorrer la pequeña celda.

— Ya sé, me traes papeles y un mensaje de Manuel.

— Yo no soy más que polvo y cenizas en la mano de mi señor. Me envía a ti para preguntarte: ¿has escrito tres cartas al rey Géza? ¿Has traicionado al Imperio en estas tres cartas?

— ¿Y quién me ha traicionado a *mí?*

— No lo sé, señor.

— Atiende un momento, Teodoro. Todo ello ocurrió a causa de Eudoxia, y no a causa de las cartas. Juan Comneno no da importancia al hecho de que sus dos hermanas descansen en lechos extranjeros. Manuel lo olvida porque es el emperador. Me envidia por este pequeño placer, y por eso son necesarias las supuestas cartas que yo he escrito al rey Géza o éste me ha escrito a mí.

— Dime, señor, ¿no resultan demasiado pesadas para tus pies estas cadenas de hierro?

— ¿Por qué has venido a hablar de estas cosas?

— Su Sacra Majestad se encuentra apesadumbrado, y si pudiera modificaría las leyes de Bizancio que pesan sobre quien ha traicionado el Imperio, para que tu sentencia fuese más ligera.

— Basta ya. Yo no tengo nada que decirle. Si da crédito a las palabras de Juan Comneno sólo porque es hermano de Teodora, puede dejarme aquí. Dile de mi parte: ¡Ojalá el Imperio no sea jamás traicionado de una forma más vergonzosa!

* * *

El peplo ha resbalado de su pecho. Su cuerpo parece una estatua de nácar de perfeccionados relieves. Teodora estaba acostada todavía. Manuel estaba ya junto a la ventana, contemplando el mar.

Tiene mil caras, pensaba Manuel, que recuerdan a los dioses antiguos, ya enterrados para siempre, que continuamente tenían que ir mudando la expresión de sus rostros, el acento de su voz, y a veces, incluso, el propio sexo. Los labios de Teodora se abrieron. En los rasgos de su cuerpo anidaba la sensualidad y la curiosidad. De pronto, abrió los ojos, la expresión de su rostro cambió al contemplar las zapatillas de púrpura. Se levantó y se vistió con una ligera indumentaria. Cogió un pedazo de grafito. Había resucitado en su memoria aquella poesía: «Escribo una carta», muy parecida a aquellos versos que muchos años atrás habían escrito las princesas de la casa de Macedonia.

Ella tenía también mil caras. Manuel no podía decidirse a partir. Le esperaban en la pequeña casa del Consejo. Hoy debía decidirse la suerte de los cruzados que habían sido hechos prisioneros. Si debía concederse a Conrado, con su ejército destruido, paso a través de las estepas y de Nicea. ¿Qué debía ocurrir hoy, a la hora del crepúsculo? Todas las cuerdas estaban muy tensas, a punto de desgarrarse. La maquinaria funcionaba perfectamente en estos momentos. El emperador se ponía en marcha y gritaba: «¡Adelante!» para que los encargados del sello imperial de la cancillería imprimieran la firma sagrada sobre la cera.

El emperador permaneció junto a la ventana, contemplando el mar, que hoy presentaba un color verde muy especial. Un color verde más claro y resplandeciente que los ojos de Teodora. Él no podía separarse de ella, y por eso, al tiempo que cierra su fíbula con la misma parsimonia que un hombre libre, le pregunta:

— ¿Quieres decir algo, Teodora?

— Nada, señor. La emperatriz ya ha hecho todo cuanto compete a los intereses del Imperio.

— No quiero que pongas en tu boca el nombre de la Basilisa.

¿Por qué la insultas y la ofendes, cuando ella jamás ha dicho una sola palabra contra ti?

— Yo respeto a Irene y la considero como mi soberana y señora desde que ella dirige la nave del Imperio.

— ¿Es que pretendes ponerme ahora en guardia? ¿Quieres obligarme a investigar el sentido secreto de tus palabras?

— Por las venas de la Basilisa y de Conrado corre la misma sangre.

— Conrado ya no es un enemigo.

— Pero también está el francés. Si pudiera se precipitaría sobre nosotros. Las cartas de Irene llegan allí muy rápidamente.

— El correo imperial transmite sus cartas.

— El correo imperial transmite sus cartas a Conrado, y otro correo lleva luego sus cartas al rey de Francia. Una mujer está sentada en el trono de Bizancio. Una mujer que, sin embargo, no habla. Pero su voz resuena por doquier. Todo el mundo sabe que los soberanos latinos están repletos de orgullo, desde que la señora Irene puede hablar.

— Soporto tus celos, comprendo tu odio, pero permanece en el *gynekeion,* en el pabellón de las mujeres.

— Los hombres aguardan en la sala del Consejo. Ahora te preguntarán: ¿Deseas que sobreviva alguna mota de polvo de los latinos? De buen grado levantarías tu mano, pero no puedes abrir la boca, señor, porque Irene está a tu lado, vigilándote, observándote: «No hagas ningún daño a Conrado, pues por sus venas corre sangre de mi sangre, es el esposo de mi hermana.» Todos vosotros pertenecéis a una mujer, y a ella solamente obedecéis. En cambio, has mandado encerrar en la cárcel a Andrónico porque crees que se ha vendido a los húngaros.

Manuel apoyó una mano en la jamba de la puerta. Las palabras resonaban por toda la estancia, era como si hablase Bizancio, la gente sencilla, los humildes, el pueblo. En Teodora se había condensado la voz de la calle; parecía como envuelta en una espesa nube. Sus dedos señalaban a esta pobre, resignada y desconsolada mujer, que en las jornadas festivas vestía sumisa el manto de púrpura.

— Una extranjera — murmuraba también el pueblo señalándola con su dedo.

De esta forma acostumbraban a señalar a los traidores.

También el emperador se sentía aturdido en estos momentos. ¿Por qué apreciaba a Conrado? ¿Por qué apreciaba también a Luis? ¿Tal vez porque estos reyes occidentales eran mucho más hermanos suyos que los príncipes de Oriente?

* * *

Constanza, la duquesa viuda, es la soberana de Antioquía desde la muerte del duque de Antioquía, Raymond de Poitiers. Una mujer bondadosa, afable, de belleza delicada, delgada, esbelta, de piernas gráciles, de movimientos graciosos. Está emparentada con el rey de Francia. También por sus venas corren unas gotas de sangre de Carlomagno. Su hijo es todavía joven, sus hijas, Filipa y María, son pequeñas. Su país es pequeño como la palma de la mano. No es más que una ciudad fuerte, la orilla del mar, estepas y unos vecinos malvados. Este es el retrato de aquel país que medio siglo atrás fundaron conjuntamente Tancredo y Bohemundo. Raymond de Poitiers había sido un señor noble, orgulloso, prudente, prevenido, reservado. Uno de los que mide primero sus fuerzas antes de emprender cualquier empresa. Fue así como se hizo fuerte en el castillo, cuando el emperador Juan Comneno trató de ocuparlo. Aguardaba un milagro, y el milagro se produjo: la flecha envenenada hirió la mano izquierda de Kalojuan. Había sido él quien luego había salido de Antioquía para ahuyentar al joven Manuel. Era orgulloso y majestuoso: «Marchad de aquí, que Dios os acompañe.» Manuel no había olvidado nunca estas palabras. Él siguió siendo dueño y señor de su diminuto país. De los nuevos hombres de una Antioquía amenazada por el manto de Mahoma. Raymond tuvo que ir a Bizancio, a la corte de Manuel, para rebajarse, humillarse y conseguir ayuda.

Manuel no había olvidado nada de lo sucedido. Las puertas no le fueron abiertas y tuvo que alojarse con los presbíteros. La palabra de Manuel era dura: «Durante tres días y tres noches tendría que hacer el peregrinaje, en el plan de penitente, a la tumba del emperador Kalojuan, de aquel emperador que tan bondadoso con él se había mostrado, y cuyo juramento de fidelidad había osado quebrantar». Esto había ocurrido hacía algunos años. Ya desde entonces Constanza se había ido preparando para el estado de viuda. Ahora era viuda y vivía rodeada de sus hijos, y también de aquellos hombres libres que se sentían atraídos por la fama de su belleza y las torres de oro de Antioquía. Eran franceses y seguían manteniendo lazos de unión con la lejana patria, pero sus ejércitos se dirigían a Jerusalén. Ninguno de ellos podía olvidar aquí al sultán ni a los príncipes de El Cairo. Así transcurría la vida de los hombres de Antioquía, bajo eternos desvelos, preocupaciones, angustias...

En los gruesos palos se movían al viento los blasones del huésped, el señor de Chatillon. Una petición de mano singular, extraña, triste. Los hombres libres han dejado ya de ser niños, incluso la mayor parte de ellos son también viudos. En los labios de Constanza se esboza, temblorosa, aquella sonrisa triste y extraña.

Ha visitado el castillo Raynald de Chatillon, el más valiente de los cruzados franceses. Parece como si ahora la sonrisa de Constanza fuese más dulce y bondadosa.

Permanecieron sentados hasta que se hizo de noche. Permanecieron unos minutos en silencio. Constanza hablaba en voz baja y las palabras salían lentamente de sus labios:

— ¿Seréis vos, noble señor, un buen padre para los niños? ¿No seréis para ellos un padrastro?

— Vuestra graciosa majestad sabe muy bien que yo lucho contra hombres. Defiendo una ciudad con mi sangre. Pero las muchachas jóvenes son para mí como palomas blancas.

— Gracias — dijo con voz tenue, y el señor Raynald pudo ver cómo las lágrimas se deslizaban por las mejillas de aquella mujer.

* * *

Andrónico hablaba consigo mismo. Debatía varios asuntos en su interior. Se encontraban nuevamente frente a frente. Por una parte, él, el brillante y magnífico Andrónico, por otra, un protegido ocasional de los dioses, el débil y veleidoso Manuel. La cárcel enloquecía a las personas. Andrónico había conocido los sinsabores de la soledad. Por sus venas circulaba, en lugar de sangre, una extraña y torturante sensación de desesperanza. Hablaba con Manuel, que le respondía por la noche. Nunca había doblado sus espaldas, jamás se había inclinado ante él. Podía escribirle.

Pero Andrónico no tocaba la pluma para nada.

«¿No ves, Manuel? Tratas en vano de ser emperador. Surcas con tu nave los mares, como un marinero que, en una barca con muchos agujeros, se ve obligado constantemente a achicar agua hasta agotarse. Eres un soñador. Caminas en medio de hileras de soldados, tu boca pronuncia las palabras que César dirigía a sus legiones... estás jugando. Has jugado con hombres débiles, porque para eso eres César y Augusto.

»¡Bienvenidos sean tus sueños, a falta de coronas de laurel! Todavía no has vencido jamás.

»Teodora es una vulgar ramera, pero sólo con ella puedes disfrutar del incesto. Te ha hechizado, y te ha podido convencer de que sólo en su cuerpo de mujer podrás saciar tus instintos y satisfacer los violentos impulsos del fuego de tu sangre. ¿Y lo crees realmente? ¿No te das cuenta de que a quien quiere Teodora es al emperador y no a Manuel? Ella necesita tacones de púrpura para sus zapatos, diademas, joyas, eunucos y palacios... un título. El título de "Nobilísima".

»Eres demasiado cobarde, Manuel, para hacerme matar. Hace mucho tiempo ya que hubiera terminado definitivamente y rápidamente contigo, de haber sabido que tu hermano Alexios iba a morir antes que tú y que también tu hermano Andrónico terminaría sus días prematuramente. Quizá te hubiera ahogado con una sola palabra, una palabra: odio. Yo no he ocultado mi odio. Una vez, en el campamento, me preguntaste por qué cabalgaba sin armadura, sobre el lomo de los ligeros caballos húngaros, pertenecientes a las yeguadas de Géza... ¿Recuerdas todavía mi respuesta? Sí, seguro, no puedes haberla olvidado. El secretario que siempre te sigue la registró en las crónicas: "Para poder huir más velozmente en el caso de que mate a mi enemigo, le decapite y sus hombres me amenacen". Ya ves, pues, que en ningún momento he disimulado, no puedes reprocharme que te haya mentido. Tu rostro palideció, sonreiste, dijiste algo, pero no quisiste reconocer la fuerza de aquellas palabras. Me incliné hacia ti; no tenía nada más que decir, y quería oír tus palabras. Me hiciste acosar por Juan Comneno, a quien yo odio y por quien soy odiado. Me mandaste aquí a tu hombre tuerto, que lleva una negra venda en su rostro. Es el único que en el juego caballeresco no sabe retirar a tiempo la cabeza para esquivar la lanza enemiga. Juan vino por la noche, se presentó, amparado por la oscuridad, en la celda donde me encontraba con Eudoxia. Hice que se quedara ella, a pesar de que la gente dice que su cuerpo es todavía más fragante y hermoso que el de Teodora, y que bajo su piel se esconden todas las delicias y artes de setenta y siete prostitutas de Alejandría. Pero yo sólo he querido que fuera mía para ser motivo de tus preocupaciones: Andrónico ha convertido a la muchacha en su favorita, y la ha repudiado, a pesar de que es la hermana de Teodora, de la "Nobilísima"... Sigo siendo todavía el más fuerte de los Comneno, aun cuando me hayas encerrado en una lúgubre mazmorra. Cuando quiera haré saltar los muros. Vivo y estoy despierto, ¡y mientras esté despierto, tú, Manuel, no podrás dormir tranquilo!»

* * *

Lucas contemplaba el rostro atormentado, desencajado y pálido del rey. ¡De cuán buena gana hubiera infundido en su sangre todas sus fuerzas para dar nueva vida a este cuerpo que amenazaba con derrumbarse de un momento a otro! ¡Para reanimar a este cuerpo que comenzaba a pisar la misteriosa senda mortal de los Arpades! Había rebasado ya los treinta años de edad y su salud parecía quebrantada por alguna grave dolencia. Vivían ahora en el palacio de Esztergom, el soberano era huésped de Lucas. Acababan de salir de la capilla. Lucas había celebrado la Santa Misa, y había visto al rey arrodillado mientras, atacado por los dolores de aquella dolencia, su boca había quedado desencajada en una terrible mueca.

Regresaron al aposento una vez terminada la misa. El arzobispo no cesaba de escudriñar el rostro, la mirada del soberano, su palidez, que apenas podía disimular aquella barbilla rubia y bien cortada.

—Después de Lázslo, también mi joven hermano Esteban ha traspasado la frontera.

— Noble señor, en tu casa el menor de los hermanos no soporta el yugo del hermano mayor. A tus hermanos también les ha atacado la enfermedad griega.

— Esteban y Lázslo...

— Dios les perdonará. Pero procedente de Bizancio no ha llegado todavía ningún soberano. Ni Álmos ni Boris reciben más que el pan de la caridad.

— ¿Qué sabes de Andrónico? Mientras residió en Belgrado y Barantsch, estuvimos más tranquilos por lo que respecta a las fronteras del sur. ¿Qué sabes tú de este gentil príncipe?

— Ha sido hecho prisionero.

— ¿Acaso Manuel le ha castigado por su amistad con nosotros?

— ¿Crees que un águila necesita algún pretexto para hacer su botín? Ni Manuel es un águila, ni nosotros somos tampoco un botín. A Andrónico se lo han tragado los muros.

— ¿Le cegaron?

— No le han hecho ningún daño.

— ¿Hemos dejado marchar a Esteban y a Lászlo? ¿Es que en Esztergom no hay ninguna mazmorra?

— El pueblo se declaró en rebeldía, así me lo contó mi abuelo, porque encerraron al príncipe Salomón en una torre. Yo no puedo hacer nada contra ellos. Los señores de las provincias del sur van adoptando masivamente las creencias griegas.

— Tu hermano Esteban simpatizaba con el viejo rito, porque Manuel le había prometido una princesa.

— Los pueblos del sur recibirán a Manuel con cantos griegos.

— El rebaño es mío, señor; no pertenece a los basilitas. El pueblo no se arrodilla ante las reliquias que Bizancio nos ha regalado.

— El hombre no es infalible, Lucas.

— Soy más viejo que tú, señor, y he tenido que soportar muchas penalidades. ¿Por qué no puedes tú, señor, superar tus dolencias físicas? Eres joven todavía...

— El tronco es fuerte, Lucas, sólo las ramas son débiles. Pienso en mi padre. Era ciego y agotó sus fuerzas con el vino. La borrachera le produjo una muerte prematura. Pero mi bisabuelo Álmos tenía el pelo blanco y llegó a muy anciano. Tuvo corte en Bizancio.

— Gracias a Piroschka. Y ahora es el hijo de Piroschka quien lucha contra el nieto de Álmos.

— Su madre inculcó en su corazón este afán por nuestro país. ¿No sería posible, Lucas, que los Comneno poseyesen el secreto de la vida prolongada? Ellos llegan a viejos y nosotros morimos. Tal vez sería mejor darles lo que hoy pretenden. Un par de ciudades de la costa y una parte de las regiones del sur...

— ¡No flaquees, señor Géza! Si comienzas a ceder me levantaré contra ti y también contra ti alzaré la cruz.

— Tranquilízate, Lucas, no dejes dominarte por la pasión. Eres presbítero. Sin embargo, eres tú quien pronuncia palabras arrebatadas. Mientras yo lleve en mi cabeza la corona de Esteban, la «res publica» de Roma te protege con las palabras de la fe.

— Tú posees, señor, la fuerza del apóstol.

— Me aterra oírte hablar así, Lucas. Son palabras nuevas que jamás nadie había pronunciado antes de que regresaras de países extranjeros. Te comprendo, te aprecio y confío en ti. Pero los magnates del país no te escucharán cuando oigan tus palabras. Se más suave, arzobispo Lucas, no les ofendas.

Se levantó de su sillón y permaneció de pie junto al arzobispo. El rey observó la expresión agria de su rostro y colocó una de sus manos en la derecha de Lucas:

— Si los prados vuelven a secarse para el día de San Bernardo, vamos a tener ocasión de hablar ante Zimony, de asuntos importantes.

PARTE CUARTA

DEL DANUBIO AL ÉUFRATES

XX

Era la primera vez, desde hacía quizás un siglo, que las galeras volvían a deslizarse aguas abajo del Danubio.

El sonido de las trompetas se extendía a lo lejos y regresaba en forma de breves y entrecortados compases.

Permanecían en cubierta, rígidos e inmóviles.

El fuego dormitaba en las gargantas de bronce. Los lanzallamas descansaban esta mañana. Se deslizaban por las aguas pacíficamente, sin obstáculos, aquellas embarcaciones romanas que apenas en nada se distinguían de las que en otro tiempo contemplaban las huestes de Trajano.

Era de noche cuando volvieron a levantar anclas. Debían atravesar rápidamente la amada tierra de nadie. Él mandaba la primera galera, la proa de su embarcación era la primera que debía surcar las aguas. Se dirigió a cubierta bajo las sombras de la débil luz del amanecer. Hacía frío en invierno; pidió una capa y se la echó sobre los hombros. Dejó de tiritar. Se inclinó hacia el elevado asiento ocupado por el jefe del fuego. Le hizo una señal con la mano para que abandonase aquel puesto. Manuel se sentó en el elevado banquillo.

La embarcación coloreada de púrpura se deslizaba rauda. Manuel señaló el ritmo de velocidad y el comandante cumplía las órdenes dadas. En las profundidades los remeros se miraron con expresión interrogante. Tanta velocidad era desacostumbrada a primeras horas de la mañana.

La corte se encontraba en la segunda nave. También Teodora

vivía allí, tal como lo exigía su rango cortesano. No deseaba verla. Este viaje era cosa de hombres.

Una pequeña embarcación marchaba al frente, era un bote de la costa, familiarizado con el camino.

Las pupilas de Manuel escudriñaron la orilla. Aquello era ya Panonia, aquel país del que su madre tanta cosas le había contado... Dio media vuelta, su voz era ahora más fuerte, desagradable e impaciente.

— No veo al señor Boris. Búscale, tengo que hablar con él.

Allí, en aquel punto donde confluían los grises del agua y de la tierra, se encontraba la frontera húngara.

Percibió los pasos de las botas de Boris, pero no volvió la cabeza. Ahora formaba parte de su séquito. Tenía siempre la mesa preparada y la cama dispuesta, como se hacía con todos los príncipes fugitivos. Así transcurrió la vida de Boris que, sin embargo, era más agitada que la de los demás. Su reclusión en el palacio del Cuerno de Oro no era voluntaria, pero de vez en cuando desaparecía. Visitaba a los príncipes del norte y a los parientes de su madre. Conrado la ha visitado y le ha instigado a declarar la guerra a Géza. Ya tiene cierta edad, y sin embargo sigue abrigando inquietudes.

Así fue cómo se adentró en Panonia, en medio de los cruzados franceses. Luis le había llevado con él, le respetaba. Boris llegó con la cruz colgada en la capa y, dando muestras de su temperamento obstinado y temerario, gritó a viva voz: «¡Hungría es mía!»

Es posible que por este motivo se le considerase un poco más que a toda aquella serie de holgazanes pretendientes que comían su pan de caridad.

Boris estaba a su lado. Aquí, en la embarcación, como en los campamentos militares, las costumbres cortesanas eran menos severas. El Basilio prescindía de todas las ceremonias.

— Mira, emperador; allí a lo lejos se ven columnas de humo; nos han visto ya. Ésta es la señal: las columnas se levantan en el aire y nos siguen por doquier. Cuando sea de noche encenderán las antorchas. Conozco muy bien todo eso. Son señales.

— Dime, Boris, ¿crees tú que mañana habrá algún encuentro?

Su curtido rostro se volvió hacia la orilla. Luego se dirigió a Manuel.

— No, señor, no se producirá ningún encuentro ni lucha, ni mañana ni más adelante. No habrá guerra durante mucho tiempo.

— El caballero Géza ha reunido sus ejércitos. La costumbre exige que crucemos nuestras armas en la frontera. Es una costumbre occidental, Boris.

— Si los húngaros se ponen en marcha, también ellos tienen jinetes bien armados y acorazados. Pero aquí, en las orillas, en las zonas marginales, es otro mundo, señor. Te seguirá una columna de humo, hogueras nocturnas. Nadie sabe dónde se encuentran las tropas.

— No he venido para dedicarme a la caza de columnas de humo.

— Eres impaciente y joven, señor. Pero este mundo es muy distinto al que tú conoces. Yo conozco mejor este mundo... Mándame ir delante. Yo estoy en mi casa. Yo puedo mandar otros signos. Donde viven todavía ortodoxos se sabe muy bien que estoy aquí, y me esperan.

— ¿Y a quién llevarías contigo? ¿Cuánta gente?

— Muy poca... unos doscientos jinetes. Permíteme que sea el primero en atravesar la frontera. Tú debes limitarte a parapetarte y aguardar. Yo haré que las tropas se lancen contra ti. Los de la región del Theiss se pasarán a mi lado, y también los del rincón de Maros, todos aquellos húngaros orientales que se acuerdan todavía de que vive la sangre de Colomano y de que el verdadero rey lleva esta sangre.

— Conocemos tu derecho. Debo hablar con los jefes del ejército. Si ellos están de acuerdo, que Dios te acompañe en tu empresa.

Boris no se sentía ahora tan inquieto y estaba más tranquilo. Manuel, sin apenas darse cuenta, colocó una mano encima de su hombro.

La nave de vigilancia dio una vuelta. El teniente hizo una señal con la mano, dando a entender que podían detenerse en la orilla izquierda, en este paraje sería posible echar el ancla. Era tierra firme.

Echaron una pequeña pasarela, y aquella interminable legión de gente armada comenzó a ponerse en movimiento. El primero de todos fue el Basilio. Su escudero iba detrás sosteniendo su casco. Le seguía también el Sebastos, Juan Comneno, con una venda negra cubriendo uno de sus ojos. Era el «más joven y querido de los hermanos del emperador», jefe de una misión especial: conquistar la Panonia meridional.

— Sacratísima Majestad, tú has sido el primero de los césares que, en dirección norte, más lejos ha llevado las águilas imperiales.

El acento era lisonjero. Sin embargo, lo que dijo le salió del corazón. Los ojos de Manuel buscaban inquietos a Boris.

— ¿Recorrió mi madre este camino cuando fue conducida a Bizancio?

Boris permanecía de pie contemplando el paisaje.

— Piroschka, la soberana, viajó por el Danubio. No hay nadie que pueda acordarse. Pero sólo pudieron seguir este mismo camino, señor.

Contempló los preparativos dispuestos por Boris. Aquella vieja águila podía levantar ya el vuelo. Boris estaba sentado encima de su caballo. No se oyó ninguna trompeta, tampoco se advirtió ninguna señal especial. Se vio levantarse un brazo en lo alto: era el brazo derecho de Boris. Aquel anciano que marchaba a la cabeza de su caballería ligera, orgulloso y feliz, tenía el mismo aspecto que un rey bárbaro de los desiertos.

*   *   *

El ejército construía acantonamientos.

Se organizó una cacería y sus objetivos eran: cabras, corzos y caza menor. El campamento no era un mundo cerrado, aislado; la gente se interesaba por todo lo de los griegos y mostraba su admiración por los ingenios bélicos y la fuerza de sus armas.

El invitado que venía a rendir visita al emperador era una persona rápida, ágil, pero un poco temerosa. Tocaba su cabeza con un esbelto gorro de piel y un largo y extraño caftán. Iba totalmente desarmado.

Hablaba griego, porque hablaba en todos los idiomas. Ni un solo anillo en sus dedos delataba la cuantía de su riqueza, que se ocultaba allí, en un arca de hierro. Astaforte iba solo.

Hablaba en voz baja cuando tuvo a Manuel muy cerca de sí. Era una persona de edad. Su túnica estaba bien cortada, al elegante y fino estilo nórdico. El color negro, que en Bizancio no se usaba jamás, daba a entender que era extranjero. Ante el emperador, hizo una profunda reverencia y aguardó sus palabras.

— Andrónico ha llegado a esta orilla al mismo tiempo que tus palabras.

— Serenísima majestad, el príncipe cazaba, ¿y quién puede sosegar a un cazador en sus febriles ansias?

— Busca dinero...

— También la corona es de oro, majestad.

— ¿Crees tú que todo puede comprarse? — dijo Manuel.

— Hace mucho tiempo que no he estado en la «ciudad». Entonces reinaba todavía tu padre.

Manuel enmudeció. Su padre había ido recogiendo oro, y ahora él lo gastaba. Astaforte disponía de una excelente memoria.

— ¿Qué te ha traído a mi presencia? ¿Qué es lo que deseas ofrecerme, Astaforte?

— La palabra es un arma muy peligrosa, señor. Los presbíteros latinos pronuncian diez veces al día la frase *Pax vobiscum*, pero, ¿quién piensa en la paz, señor? ¿Quién piensa realmente en lo que dice?

— Estamos en pleno campo, Astaforte.

— También pronunciaban el *Pax vobiscum* al otro lado de las fronteras, una frase muy bonita, Majestad... La paz sea con vosotros... Yo no soy más que una mota de polvo, señor. Guerra y paz no constituyen el objeto de mis negocios. Yo estuve en Bizancio y conocí a tu padre.

— ¿Sabe Géza que has venido hasta aquí?

— El humo nos sigue a todos por doquier, noble señor. La estepa tiene ojos y oídos.

— ¿Qué tratas de dar a entender con todo eso?

— Dicen *Pax vobiscum* y luego enmudecen. El Imperio está muy lejos.

— ¿Y has venido para decirme eso? — dijo Manuel.

— ¿Dónde han derramado su sangre? Muy lejos también.

— Roma estaba fatigada. Pero se ha remozado nuevamente como el pájaro fénix.

— Sólo el Señor sabe quién tiene el alma limpia de toda culpa y quién es, por el contrario, un verdadero usurpador...

— Las provincias meridionales han prestado juramento de fidelidad a Boris...

Astaforte guardó silencio unos instantes.

— Los encontré cuando me dirigía hacia aquí. Lloraban a un hombre.

— ¿A quién encontraste y a quién lloraban?

— Al anciano. Fue alcanzado por una flecha. Vivía todavía, pero sostenía dura y empeñada lucha con la muerte.

El emperador se levantó rápidamente y toda su sangre afloró en sus mejillas.

— ¿Estás seguro de que era Boris?

— Le reconocí. Los cuneos utilizaban este tipo de flechas.

— Astaforte, volveremos a hablar de todo eso. Veo que conoces muy bien el precio de todas las cosas. ¿Cuál es tu precio, Astaforte?

— Te serviría de buen grado, señor.

Le despidió con un simple y ligero movimiento de la mano. Pensaba ahora en Boris, que había luchado contra su propia patria, al lado de los jinetes del desierto, y al que ya no volvería a ver jamás.

* * *

Boris recorrió aquella vereda, que sólo conocían jinetes y caballos. Su gente le seguía, a caballo. Hizo un alto al llegar a la cumbre de la colina, seguido siempre por los jinetes del desierto, eternamente ávidos de sangre. Estaban dispuestos a luchar contra los que defendían este país.

Comenzaron a disparar a un mismo tiempo. Por todas las direcciones iban y venían flechas. Éste era un momento crucial, mortal, al que sólo los más afortunados sobrevivirían.

Un par de subjefes y el capitán bizantino, que había acompañado a Boris, rodeaban al anciano guerrero, que acababa de descender de su caballo lenta e inadvertidamente.

Vivían según las leyes del desierto. Extendieron sobre el suelo una gran piel animal y le tendieron encima. Colocaron también ante él una cruz. El oficial griego se inclinó sobre el anciano. Colocaron debajo de sus espaldas un manto de piel enrollado. El griego le presentó su espada, que tenía la forma de una cruz. Boris se inclinó sobre ella:

— Señor, cuando vayas a comunicar tus noticias, informa a Manuel de la marcha de nuestra aventura. Es preciso que obre con suma prudencia, pues nadie en las estepas está a su lado. No conviene que penetre en el país de los húngaros, en la tierra de mi padre. Le ruego que tome a mi hijo bajo su cuidado. Mi hijo no sabe que su padre jamás ha sido rey. Saca el anillo de mi dedo.

— ¿Deseas algo más, señor Boris?

— Llevadme con vosotros, aun cuando mi cuerpo quede sin vida. Pero quiero que me enterréis aquí, a este lado del río...

Los emisarios que asomaban sus ojos por detrás de las cañas, se dieron cuenta de que la comitiva conducía un difunto. Un caudillo que, como un buen padre, reunió en torno a sí a todos sus guerreros, los hijos. La tropa emprendió el camino de regreso llevando un cadáver y nadie podía obstaculizar su camino. El difunto seguía siendo Boris, el caudillo que supo dirigir pacíficamente, sin obstáculos ni impedimentos, a todos sus hombres.

* * *

Permaneció en su pabellón atormentado por los paroxismos de la fiebre. La púrpura imperial eclipsaba la luz del sol, que sólo penetraba furtivamente en el interior de la tienda. Mosquitos, pantanos y lluvias sempiternas. La ciudad se llamaba Bács, tenía una iglesia y un palacio. Era la residencia de un gobernador, a quien los húngaros llamaban Banus. El gobernador estaba en el campo de batalla, al frente de su gente montado a caballo. El obispo y sus presbíteros también han abandonado la ciudad.

El maestro de ceremonias aguardaba sus órdenes.

— Lee en las crónicas algo referente a los húngaros. ¡Mira lo que han escrito sobre los húngaros!

Habían llevado consigo al campo de batalla todo cuanto ellos creían que su Sacratísima majestad pudiese necesitar en el momento más inspirado. Fueron revisadas las crónicas. El hombre, con dedos ligeros, iba hojeando página tras página tratando de interpretar los deseos de su señor, enfermo...

* * *

A mediodía comió al lado de Teodora. Los lechos estaban uno al lado del otro formando un ángulo; los servidores instalaron dos pequeñas mesas doradas en el interior del pabellón. El emperador se lavó las manos con agua humeante y las secó en un paño.

Le gustaba estar al lado de Teodora en este momento tranquilo e íntimo de la comida. Era entonces cuando ella se comportaba más como una hermana que como una favorita del emperador. Los reyes bárbaros y los príncipes venían para llevarse princesas a sus casas. Thoros, el armenio, mandaba sus noticias. Recientemente se había enterado de que también a Roger le hubiera complacido en extremo poder sellar la paz con la mano de una hija de la familia Comneno. Las princesas eran delgadas, esbeltas, de cabellos negros y fragantes. Debía prometer la mano de Teodora a Enrique el Austríaco, con quien se había proyectado firmar una alianza. Ya había tomado esta decisión, pero inmediatamente tuvo la sensación de que una cuerda oprimía su pecho. Enrique de Austria pretendía la mano de la huérfana del hermano, Teodora. Las ostras tenían un sabor amargo; sus ojos estaban hundidos, acusaban una tonalidad oscura y cambiaban con frecuencia de color. ¿Dónde se encontraba el condado de Enrique de Austria? ¿No hay en Viena palacios e iglesias? ¿Acaso permitirá que Teodora se marche? ¿Dará su consentimiento para que Teodora emprenda el viaje a Viena?

La muchacha no sabía nada. La carta llegó sellada, era un mensaje secreto. Nikefor, el patriarca, habló en voz muy baja, casi en silencio. Hacía una semana que vivía pensando en la carta y que luchaba consigo mismo: ¿debía desprenderse de Teodora? Después de comer el pavo limpiaron la mesa; iban a servir ahora pasteles de harina, dulces y frutas extrañas. ¿Acaso presentía Teodora que él tenía que hablar con ella? Enrique de Austria, sin pedir dotes, provincias, ni dinero, se arrodillaría ante ella. Y a él le correspondía tomar la decisión de retener o entregar este maravilloso juguete en manos de un bárbaro, cuyo ducado no había reconocido todavía al Imperio. Tomó en sus manos un higo untado de miel. El espeso y dulce zumo gotea. Teodora extendió su mano y limpió las gotas con un gesto gentil y delicado. Sonreía *Sunt lachrymae rerum...*

Su latín tenía un acento extraño. Las lágrimas de las cosas. ¿Había pronunciado Teodora estas palabras alguna vez a lo largo de sus diez años de amor?

La muchacha se incorporó. Su rostro estaba junto al de Manuel, muy junto; nadie podía oír, quizás ni siquiera ellos mismos, las palabras que salían de sus labios:

— Déjame marchar.

«Déjame marchar» habían sido sus palabras, salidas de lo más profundo de su corazón. La lucha ha durado mucho tiempo. Ella le había concedido todo lo que podía desear. Había nacido un niño, un descendiente de los Comneno. Quizás era mejor que el niño no llegase a saber nunca que su padre era el emperador y su madre la favorita del emperador. Se miraron mutuamente. Manuel asintió con la cabeza. Abrió su túnica por encima del pecho, sacó una bolsita de cuero y buscó la llave del arca donde guardaba las cartas de Nikefor...

* * *

El catafractario, oficial de la poderosa guardia montada del emperador, estaba ante la tienda imperial esperando que se le concediera el solicitado permiso para entrar. Los tapices que cubrían la puerta se abrieron cuidadosamente. Manuel estaba sentado en el interior de la tienda y su mano descansaba sobre un pergamino. Teodora tenía la mirada absorta y perdida en el infinito.

— Algo se está preparando en la orilla opuesta, señor; así me lo acaban de anunciar los emisarios, que también me han informado que las fuerzas del rey húngaro están avanzando. Es la caballería ligera, solamente. La vanguardia de su ejército.

— ¿Has visto señales luminosas?

— Tan abundantes como la hierba, señor. Parece como si toda la orilla del río estuviera en movimiento.

—Habla con mayor sencillez, Demetrios. De acuerdo con tus noticias, ¿cuándo crees que llegará el grueso del ejército?

—Mañana al mediodía puede estar aquí. Mañana a estas horas habrá comenzado la batalla.

—¿Cuándo puede celebrarse la reunión del Consejo?

—Están todos reunidos, esperando a Vuestra Sacra Majestad.

—¿Lo sabe la tropa?

—Están muy intranquilos. Matan su tiempo jugando a los dados.

—Si la victoria es nuestra, Demetrios, todos percibirán triple soldada, como en tiempo de los césares.

—¡Que la gracia de Cristo sea con nosotros!

Teodora permaneció echada en la cama, escuchando la conversación en silencio. Sus ojos estaban fijos en el pergamino que Manuel destrozaba entre sus dedos... Conocía al emperador. En esos momentos no tenía ojos para ella. Hasta la noche.

El emperador se levantó y se dirigió a la tienda donde se había reunido el Consejo, a la que se llegaba desde la tienda imperial por un estrecho pasadizo cubierto de alfombras.

Contostéfano, Miguel Paleólogo y Juan Comneno estaban discutiendo. Tenían el plano allí, ante sus ojos, dibujado al mínimo detalle sobre una enorme hoja de papel. Contostéfano era el más precavido de todos. A él se le ocurrió la idea de proveer con muelles metálicos las rampas de disparos de las catapultas y confiaba en estas potentes máquinas de guerra más que en la caballería. Su plan consistía en colocar en fila un gran número de estos artefactos para proteger la marcha de la infantería ligera, la cual, en un momento dado, obedeciendo a una señal previamente acordada, debería echarse al suelo para que los disparos pasasen sobre sus cabezas.

Miguel Paleólogo mandaría los catafractarios, la guardia montada del emperador. Estas fuerzas estaban consideradas como las más valiosas y más caras, pues se decía que mantener diez docenas de estos soldados costaba más dinero que todos los gasto diarios del palacio imperial.

Los estrategas no cesaban de trabajar en los planos, trazando nuevos proyectos. Sus frentes estaban bañadas en sudor.

De pronto el emperador se levantó.

— ¡Permanezcamos unidos! — dijo.

Era como si Teodora hubiera sido olvidada hacía miles de años. Ese juego de hombres, la guerra, hacía estremecer todo su cuerpo.

* * *

El ruido del campamento se adelantó a la mañana. Para todo aquél que estuviera familiarizado con las prácticas secretas y siempre iguales de los campamentos de guerra, no podía dudar de que en ese día tendría lugar una batalla decisiva.

Desde la medianoche los sacerdotes estaban diciendo misas, confesando y dando la Comunión, la Sangre y el Cuerpo de Cristo, a los soldados. Todo el mundo estaba lleno de confianza y miedo al mismo tiempo y se preparaba para la lucha sin perder por eso las esperanzas de que el encuentro pudiera evitarse.

En la otra orilla las antorchas comenzaron a debilitarse. También allí había un campamento y un altar en la tienda principal en el que un sacerdote decía igualmente misa, y un rey tomaba la Comunión y se santiguaba.

Se esperaba una dura lucha, pues los enlaces habían visto los preparativos y además sabían la tradicional enemistad existente entre las gentes del desierto y los cuneos.

Manuel había subido a un pequeño promontorio. A su lado tenía un carro de combate ligero, tirado por cinco caballos, que en caso de que la fuga fuese necesaria podría hacerle escapar del peligro con mayor rapidez que el más veloz de los caballos. Manuel pensó en su querido y viejo amigo Axouch. Si «El águila» estuviese aquí, podría considerar segura la victoria en este día.

Géza montó a caballo. Las palabras del arzobispo Lucas seguían ardiendo en su alma. Fue un discurso emocionante, animador. El ejército real estaba compuesto casi exclusivamente por caballería ligera, pero eran gentes muy diversas y que no disponían de las armas a que estaban acostumbrados. La tropa real, los vasallos de las ciudades fieles al rey, que formaban el núcleo central de las fuerzas, eran jinetes acorazados y dotados con armas poderosas. Los procedentes de las ciudades y burgos reales poseían ingenios bélicos de clase inferior que no podían compararse, por su potencia, a las terroríficas *Tormentae* de los griegos.

No se trataba de un ejército bien organizado, pero los jefes parecían alegres y confiados porque Bélos dirigía las tropas. Regresó de la corte de su hermano y se reconcilió con Géza y Lucas.

Había que comenzar pronto la batalla, tan pronto como saliera el sol, porque en ambos bandos nadie durmió en toda la noche y la gente estaba excitada y llena de una tensión nerviosa que había que terminar de algun modo. ¿Qué sabían unos de otros? ¿Quién podía decir: conozco el plan de acuerdo con cuyas reglas se moverán los ejércitos? ¿Sabía Géza cuántos guerreros seguirían sus órdenes y en qué número eran inferiores a los atacantes griegos?

Ninguno de los caudillos dio la orden de ataque. La batalla comenzó por sí sola y cuando los jefes tuvieron la oportunidad de hacerse cargo de sus proyectos tácticos la lucha se había generalizado. ¿Dónde comenzó? Se hablaba de ello confusamente, en la niebla del recuerdo. En pocos minutos comenzó la lucha y los combatientes tuvieron a sus enemigos tan cerca que no pudieron utilizar las catapultas. Las cimitarras de la gente de la estepa, desgarraban las corazas y los caballos saltaban sobre los cuerpos de los infantes. De pronto cambió la suerte. La caballería cargó sobre las tropas auxiliares griegas, los servios del desierto y los macedonios, dotados de armas de muy diversas clases. Vasallos romanos del lejano imperio turco, chocaron con las tropas de la llanura que lanzaban sus flechas desde muy cerca, protegidos tras sus escudos. Después hubieron de recurrir a los sables y las hachas de guerra y la lucha fue cuerpo a cuerpo.

Los soldados parecían de buen humor y tomaban el combate como un juego. Manuel seguía sobre la colina contemplando la batalla. La lucha, falta de orden, sin reglas tácticas, acabaría por poner de mal humor a los soldados, ansiosos de triunfo, si duraba mucho.

Demetrios, el capitán de la guardia de corps del emperador, levantó la espada. Todos los ojos, todas las lanzas, se orientaron en dirección a la espada de Demetrios que brilló en el aire. Los catafractarios se precipitaron amenazadores colina abajo. Su peso pareció decisivo en la suerte de la lucha. La enorme masa barría todo a su paso. Sin embargo, era pura ilusión. Los ojos de los jinetes de la caballería ligera se apercibieron a tiempo. Una presión con los pies en los lomos de sus caballos y éstos comprendieron que tenían que escapar al peligro que amenazaba anegarlos, como una nube de sangre. Se apartaron por la pantanosa llanura, formando grandes círculos para después volver a reunirse. El ataque no fue ni victoria ni derrota, sólo una exhibición táctica de la caballería.

La caballería ligera se retiró hasta la parte atrincherada y nadie se atrevió a seguirla hasta allí en el primer momento, pero después atrajeron a la caballería ligera enemiga y al resto de los guerreros a pie. Los catafractarios se quedaron como dueños y señores del campo de batalla, pero apenas si encontraron enemigos en los que probar su superioridad.

El ala derecha de los húngaros avanzó en dirección al ala izquierda de los griegos. La caballería acorazada húngara se dirigió, lentamente, hacia la curva del río y los caballos lograron vadearlo. Llegaron a la otra orilla para encontrarse cara a cara con los guerreros griegos de infantería, poderosamente armados.

Se lanzaron unos contra otros. El grupo central de las fuerzas húngaras luchó y se confundió con los infantes griegos. Sobre sus cabezas, en la colina, comenzaron a hablar las máquinas de guerra. La batalla seguía indecisa. La infantería resistía, aunque retirándose, pero siempre firme y unida. Continuaron llegando nuevas compañías húngaras, que atravesaban el vado en amplia formación y llevaron la lucha a la orilla derecha.

Mientras que la infantería griega resistía, comenzó a reunirse el grupo central que componía el ala izquierda, formada por la caballería pesada, que empezó a atacar a los húngaros por la espalda. No conseguían éstos romper las columnas de la infantería, que retrocedían lentamente y, en ese momento, se acercaron las selectas tropas de los catafractarios.

Bélos se encontraba en medio de las filas de los combatientes y su rostro, contraído y viejo, mostró la rabia de que era presa, como si todo estuviera pasando en contra de su voluntad. La caballería húngara era mucho más móvil que los jinetes acorazados adversarios. Sus maniobras se realizaban con mayor rapidez y podían recuperar la velocidad perdida en un espacio de tiempo muy corto, con lo que restablecían rápidamente el equilibrio en la lucha después de cada ataque contra la infantería. Bélos se defendió unos minutos y después concentró las fuerzas que luchaban desperdigadas. Las trompetas lanzaron un grito largo y agudo y las dos columnas que venían en lineas amplias y cerradas formando cuadros, se lanzaron al ataque. El golpe fue poderoso, pero no logró destruir a los húngaros.

¿Cuánto tiempo duraba la lucha? Quizá una hora o tal vez sólo media... Es posible que sólo unos minutos. ¿Quién podía decir cuántos hombres, cuánta sangre quedaba en el suelo, cuántos caballos, sin jinetes en sus sillas, corrían por el campo enloquecidos...? Los encuentros aislados eran muy numerosos y desordenados y los estrategas perdieron el contacto con los diferentes cuerpos de sus ejércitos. Todos luchaban contra todos y las máquinas guerreras no se atrevían a disparar sus flechas y sus balas por temor a hacer blanco en su propia gente.

Los húngaros se encontraban en la orilla griega. Bélos buscó a Géza. No lo encontró. Finalmente se presentó un enlace que dijo que el rey estaba luchando en medio de la batalla rodeado de sus más fieles soldados.

¿Sería posible que Manuel y Géza llegaran a verse?

Los límites de la batalla no podían alcanzarse con la vista y los dos bandos se mostraban más fuertes y potentes de lo que se había pensado. Allí donde los disparos alcanzaban, no había húngaros. Donde llegaba la caballería acorazada no encontraba enemigos de frente, pero éstos atacaban sus flancos y su retaguardia tan pronto se alejaban de la protección de la colina.

La lucha comenzó a ceder en violencia. Los húngaros habían disparado ya la mayor parte de sus flechas. Los jefes perdieron el control de la batalla.

¿Cuánto tiempo más podía durar la lucha? El Onagro, «el asno salvaje», había disparado su última piedra. Ante el caudillo pasaban los soldados de un lado para otro, en desorden, sin hacer caso de las voces de mando y dispuesto cada uno a llevar la lucha a su manera. El maestro armero, en el barco, agitó los brazos en señal de desaliento dando a entender que había terminado con todos sus pertrechos... Los griegos no podían seguir haciendo fuego.

Se levantó un fuerte viento, un asfixiador viento del sur que trajo espesas nubes, que después se distribuyeron caprichosamente, y la lluvia empezó a caer, alternativamente, muy fuerte y muy débil. El espíritu de lucha se enfrió. Las espadas mojadas se hicieron resbaladizas. Se dieron algunas señales y las trompetas volvieron a sonar.

* * *

Los dos ejércitos se retiraron, como animales heridos que se refugian en la espesura de la selva para lamerse sus heridas. No había vencedor ni vencido. Panonia es infinita. Nadie conoce sus caminos, y sus pueblos son numerosos y capaces de alimentar el ejército del rey. También Manuel es fuerte y sus tropas conservan el orden. La máquina de guerra no ha sido destruida.

Manuel esperaba. El día fue difícil pero, en el fondo, victorioso. Los jefes se reunieron y pronto comenzaron a cambiar impresiones. Discutieron en voz baja con los ojos cansados, y los párpados a punto de cerrárseles. Cada uno tenía una opinión distinta sobre la batalla. No había sucedido nada decisivo, pues no se sabía lo que podía pasar al día siguiente. ¿Quién puede hablar de vida o muerte antes de saber si el enfermo se ha curado o no?

— Esta noche dormiré aquí, en la estancia exterior. Todo el mundo que me necesite puede despertarme.

— ¿Qué debemos decirle a los soldados?

— Que san Jorge nos dio sus favores y si sigue otorgándonoslos lograremos vencer. Pero eso será mañana. Mientras tanto los soldados deben esperar, creer y rezar.

El jefe de los servios se presentó en calidad de negociador. Era de noche.

— ¿Por qué deben exterminarse entre sí dos pueblos cristianos? ¿Por qué debe regar tanta sangre la tierra sedienta, Sacro Señor?

Era un pariente de Bélos. Se reconocía súbdito del emperador y asistió a la escuela en Bizancio. Hablaba convincentemente.

Estaban sentados junto a una larga mesa. Allí se decidía la paz. No discutieron ni se amenazaron mutuamente. Las palabras se cambiaron en tono bajo y en calma, sin pasión ni excitación. Manuel dijo:

— Éste es territorio romano. La sangre de las legiones lo ha consagrado y el Imperio no lo ha cedido nunca, ni por un solo instante, ni a Dacia ni a Panonia. Pero los húngaros han exigido tributos a Iliria y la Alta Moesia.

— Pero muy débiles, Sacro Señor···

La primera sonrisa brotó en el rostro de Manuel. El servio pareció leer su pensamiento:

— Hoy, Sacro Señor, el territorio de San Esteban está destinado al primogénito Géza, como Vuestra Sacra Majestad sabe. Con respecto al pequeño príncipe Béla, el rey no ha decidido nada todavía ni se ha hablado de ello en el Consejo.

— ¿Qué edad tiene Béla?

— Debe tener unos ocho o nueve años.

Manuel miró fuera. Estaba oscuro. Bebió. Un par de gotas resbalaron por su barba y fueron a caer al suelo.

Era de noche. En la tienda de púrpura se estaba decidiendo el destino del mañana: guerra o paz.

— Yo no tengo ningún hijo. Mi hija María es una doncella en flor. Si el Señor no se digna bendecir una vez más el vientre de la Basilisa, no tendré heredero varón y deberé dejar el Imperio a la persona más próxima a mí en cuerpo y alma. La mano de mi hija está libre. Dile esto al rey Géza. El río nos separa, pero puede convertirse en fuente de amor y de paz, antes de que sus aguas lleguen al mar.

* * *

El Basilio salió del palacio. Llevaba un manto de púrpura que hacía su silueta aún más estatuaria, y una corona de laurel en la frente. Se subió a un carro de combate que de acuerdo con los deseos del emperador estaba construido reproduciendo a los más antiguos modelos. Era de bronce y debía ser tirado por cinco veloces caballos. No se podía ir en él más que de pie y su único adorno era un báculo revestido de púrpura al que el emperador podía sujetarse.

Manuel iba delante. La guardia imperial galopaba detrás. El viaje, que comenzó a gran velocidad, se fue haciendo más lento. La mano tiró de las riendas ante el circo donde lo aguardaba el palco imperial. Un emperador piadoso volvía y celebraba su victoria como el triunfo de la Cruz.

En el palco había dos tronos dorados. El más alto, revestido de piedras preciosas y adornado con una corona, estaba vacío, esperándolo. En el otro, había una mujer sin pintar, profundamente inclinada bajo el peso de su corona de oro. Irene permanecía rígida e inmóvil. Pensaba en un día, pasado ya hacía mucho tiempo, en el que los caballeros, armados y con una cruz en el brazo, combatieron entre sí sólo por una sonrisa suya. En aquel mismo día lucharon dos enemigos mortales: Manuel y Andrónico.

Bajo el palco se oyó el tempestuoso griterío del pueblo celebrando el triunfo. El emperador se apoyó en la baranda, vestido con su manto de púrpura y la corona de laurel en la frente; levantó cuatro veces seguidas su brazo desnudo. La última vez hizo una señal. El desfile triunfal de las tropas de Manuel podía comenzar.

¿Qué diría la multitud si se le ofreciera todo lo que Manuel ganó en su campaña del Danubio? Las túnicas y guerreras de los jefes enemigos hechos prisioneros, ¿eran lo suficientemente magníficas? ¿Notarían que los prisioneros que seguían a la columna triunfal no eran rebeldes distinguidos obligados a hincar la rodilla sino sencillos prisioneros espantados, guerreros inquietos, que contemplaban con los rostros pálidos, la oscura multitud que les dirigía los más antiguos insultos? Los jefes debían ir a caballo y no a pie. Se tomaron los mejores caballos de las caballerizas imperiales, principescamente enjaezados y sobre ellos se hizo cabalgar a los más vulgares jinetes húngaros que de este modo fueron «ascendidos» a estrategas.

¿Sabía el pueblo, o lo presentía, que su dueño estaba jugando con él una desleal partida, un juego engañoso? La realidad y los sueños se mezclaban indistintamente. Los prisioneros tenían un aspecto magnífico, cuando descendieron de sus caballos haciendo sonar sus cadenas de plata y con túnicas majestuosas que oscilaban al viento.

La tropa dejó libre el circo. Manuel tuvo que volver a asomarse al balcón y levantó la mano. Los grillos fueron abiertos y las cadenas de plata cayeron. Los prisioneros, con sus espléndidos mantos de púrpura ascendieron las escaleras hacia el palco imperial. Por un momento el emperador posó sus sandalias de púrpura sobre sus espaldas. Después, comenzó, en el circo el juego mortal con los osos y los leones. Los gladiadores esperaban impacientes en los apestosos sótanos. Manuel levantó su mano y arrojó a su arrodillado pueblo las primeras monedas de plata acuñadas para celebrar ese día y cuya leyenda informaba que el Basilio había conseguido una gran victoria sobre el lejano pueblo de los getas.

XXI

Andrónico observaba las señales. Se había ocultado en un gran recipiente destinado a recoger la lluvia, que estaba vacío, situado cerca del muro, y abrió la tapa que lo cubría. Hacía tres días que vivía allí, muy cerca del ala de la prisión, en un patio solitario. Por vez primera desde hacía nueve años volvía a ver la luz del día.

Comprobó sus fuerzas. Sólo su vigor masculino y su energía hicieron posible su fuga. Comenzó con un clavo. Después todo le pareció adecuado para continuar haciendo mayor la abertura que había de conducirle a la libertad. Pasaba el día enfrascado en la lectura de libros piadosos y por la noche iba perforando la pared del palacio. El trabajo duró muchos meses.

Sí, durante meses, cada noche se metía en el túnel y a medida que continuaba perforando se iba acostumbrando a marchar y trabajar encorvado. Fue reuniendo toda clase de alimentos de fácil conservación.

Se habituó a deslizarse por el túnel excavado. Hizo dentro de él pequeños escondites en los que ocultó los tesoros, que logró ahorrar en el transcurso de diez años. Tenía dinero, pues jamás nadie tocó su oro. Su única arma era una daga que alguien le pasó a escondidas para que no estuviera solo e indefenso y pudiera acabar con su vida en caso de que lo sometieran a un penoso interrogatorio.

Cuando salió del patio logró alcanzar un muro ancho que sostenía el techo y, deslizándose por él, pudo aproximarse al muro exterior del palacio. Su túnica de esclavo le cubría el rostro. Iba descalzo, porque así caminaba más seguro. Se quedó tumbado arriba, sobre el gigantesco muro. ¿Cuánto tiempo faltaba todavía para que volviera el centinela, para que se hiciera de día?

Se deslizó del muro y quedó colgado, sujeto con ambas manos. ¿Habría oído alguien el ruido? ¿Era posible que nadie lo viera, ni desde arriba ni desde abajo del muro?

Saltó. Se levantó. Estaba sobre una roca puntiaguda y resbaladiza, carcomida por la sal de las olas del mar. Por vez primera en nueve años, volvía a ver las estrellas. Sabía que allí solía haber barqueros, pescadores y gentes de mar, un pueblo simple cuyo dialecto no había olvidado.

—¿Por qué te ocultas, hombre?

Era una voz brusca, ruda. El hombre tenía una pesada porra en la mano. Estaba comiendo cuando vio la sombra deslizarse a lo largo del muro y creyó que podía ser un ladrón.

—No me escondo y no sé qué adelantarías con hacerme daño. Al contrario, necesito tu ayuda.

—¡Deja que te vea!

—Estoy desarmado. ¡Llévame a la otra orilla!

—¿No ves que estoy comiendo? ¿Por qué habría de llevarte a la otra orilla?

—¿Conoces el aspecto del oro?

—¿Le has robado a tu dueño?

Andrónico se echó a reír.

—Me lo regaló... Me lo regaló... hace mucho. Antes de que llegara...

—¿Quieres huir?

—El palacio es estrecho...

—¿De allí?

—¿Quieres ver el oro?

Las sienes del pescador eran grises y su rostro curtido por el viento y el mar. Sus piernas fuertes. Examinó de arriba a abajo a Andrónico.

—Tú no eres un lacayo —dijo el pescador.

Unos ojos penetrantes observaron a Andrónico.

—Tú no eres un lacayo. ¿Quieres huir, señor?

—Y tú, ¿quieres oro?

— ¿Te ha visto alguien?

— Tú eres el primero. ¿Quién se fijará en un criado que camina por la orilla del mar y que, si tú quieres, llevará tu cesta?

— La gente me conoce y sabe que no tengo criados.

— Carga mis espaldas con un peso, puedo llevarlo. Extiende una red sobre mis hombros. Te estaré muy agradecido.

— ¿Quién eres tú, señor? Con esa ropa y huyendo, pero tus palabras me dicen que eres un hombre importante.

— Soy un oficial de la guardia imperial. Me he acostado con la mujer del comandante que se ha enterado y me persigue. ¿Me comprendes, hombre?

— Eres más que eso, señor. Y ahora que te persiguen necesitas a un pobre como yo.

— ¿Tienes un hijo?

— Lo tenía, pero me lo quitaron para enviarlo de soldado al Este.

— Si me pasas a la otra orilla, te daré dinero y podré liberar a tu hijo.

— No prometas tanto, señor.

— No te preocupes por ello.

— Aquí tienes un saco. Extiéndelo. ¿Sabes remar?

— ¡Dame los remos!

Poco más tarde llegaron a la otra orilla. El pescador se acercó a Andrónico. Lo miró durante un segundo y después bajó los ojos y sus palabras sonaron quedas y un tanto vacilantes.

— ¿Quieres que vaya contigo, señor?

— ¿Cuánto tiempo?

— Hasta que hayas cambiado tus ropas y conseguido un caballo. ¿Por qué no te santiguas, señor? ¿No rezas dando las gracias por haber burlado a tus enemigos?

Andrónico buscó sus monedas de oro. Cogió un puñado de ellas y se las dio al hombre.

Los perseguidores que venían de la orilla asiática tenían perros rastreadores. Todos buscaban al fugitivo.

Hizo sonar las monedas de oro en sus manos y emprendió el camino que conducía a las provincias de Asia Menor.

XXII

Aquí, en la estrecha celda de la ciudad montañesa de Esztergom, donde era prisionero y antes fue príncipe, no le quedaba nada más que el recuerdo. Lucas era un hombre viejo, como un árbol sin hojas apenas, pero fuerte todavía, encontraba vigor y amparo para resistir la tempestad. En esta tarde de invierno, su recuerdo erraba de calle en calle, entre las sombras de París.

Sus pensamientos volaron.

Bernardo. El mundo era todo suyo. ¿Quién podía olvidar la dulzura de su voz, de sus ojos... y explicar cómo era Bernardo, abad de Claraval? Y sin embargo... ¡Dios mío, cuánto tiempo hacía ya que no tenía sus rizos negros como ala de cuervo, que su espalda había dejado de ser recta y sus dientes se conservaban firmes en las encías!

Él, como los demás clérigos, estaba de parte de Abelardo. Era el maestro excelso, el valeroso y perseguido maestro a cuyas plantas ellos aprendieron más de una página de la Historia de Calamitatum.

Los clérigos se rebelaron. Por la mañana, temblando de excitación, fueron a sus sitiales. Soportaron el calor ardiente que pesaba sobre el Sena. El sol caía fuertemente en el coro. Abelardo estaba de pie junto al altar, a la izquierda. De todo esto se acordaba muy bien. Sí, estaba a la izquierda, un poco encorvado, y su negra capa de maestro dejaba caer su sombra sobre las imágenes doradas. Bernardo salió de la sacristía, el dulce y suave Bernardo, y fue el primero en subir al podio. ¿Ocupó un lugar en el coro, o había un púlpito para cada uno de los que iban a discutir el asunto? No lo recordaba. Muchos años, demasiados años habían pasado desde entonces.

Bernardo se exaltó. Todos los ojos comenzaron a brillar y los clérigos perdieron de vista a Abelardo. Bernardo abrió el infolio. En esos tiempos, este tipo de libros era raro, pues la palabra se escribía en pergaminos enrollados, que se llenaban de letras diminutas que contenían la sabiduría divina, pero que destrozaban los ojos.

El gran libro encuadernado en cuero rojo, se levantaba ante Bernardo y destacaba sobre su traje blanco de sacerdote, como una gigantesca mancha de sangre.

Leyó sin alzar la voz. La voz de Bernardo. ¿Podría uno olvidarse de ella? Era como un extraño instrumento, que sonara en tono bajo, hondo y doloroso. Leía y en la entonación de su voz dejaba ver que el texto no era suyo y que no estaba de acuerdo con él, que lo encontraba lleno de defectos y pecados y que no era digno de estar en aquel lugar. Pero no era él, el pecador, el prófugo, el perseguido, el pobre maestro, la persona llamada a discutirlo...

Abelardo tomó la palabra. Leyó. El rey se inclinó hacia delante, dejó caer su grueso labio inferior y entornó los párpados. No comprendía con detalle a qué conducía aquella lucha, aquella discusión de los teólogos, pero escuchaba las palabras de los doctores porque la Sagrada Bendición había sido hecha sobre su frente: porque era rey y debía pronunciar su sentencia en las grandes discusiones sobre la Fe, del mismo modo que el Basilio lo hacía en Bizancio.

Bernardo volvió a leer y con cada palabra, con cada frase, anudaba más fuertemente la cuerda en torno al cuello de Abelardo. ¿Era necesario mucho más? ¡Qué largo era el texto! ¿Dónde estaba el gusano de la corrupción que el lector ponía al descubierto y lanzaba al conocimiento de todos?

Hablaba... De repente, enmudeció, con un extraño cambio. Abelardo, que hasta entonces estuvo sentado en un banco del Capítulo Conciliar, se levantó excitado. Buscó palabras, para con este arma y el apoyo de su dialéctica, poder destruir al blanco sacerdote. Pero Bernardo no quiso discutir. El libro en tafilete rojo se abatió lentamente.

Lucas se levantó y se acercó a la ventana, por la cual entraba una luz pálida y vespertina, pese a que eran las primeras horas de la tarde.

El negro maestro, Abelardo, estaba de más allí. Sus ojos estaban secos y sus manos se cerraron amenazadoras.

— Yo apelo — dijo y su voz sonó tan fuerte bajo las bóvedas

del claustro, que fue la primera palabra que pudieron oír, horrorizados, los clérigos a los que no se les permitió entrar en la reunión.

Llegaron varios hombres... Traían comida, agua y vino. Limpiaron su vestido. El tirano no es cruel y envió también una manta para él. Parecía como si quisiera hacer las paces. La gente se acercó a él, con palabras de concordia y como si quisieran decirle: El arzobispo Miko lo hace de otro modo. Él es más flexible. Miko, el renegado, prisionero de un delirio de grandeza, llegó de Kalocsa para coronar a Lászlo que había arrojado del trono al pequeño Esteban, el hijo de su difunto hermano. El arzobispo lo coronó... y los señores griegos hicieron el signo de la cruz de acuerdo con su propio rito.

Sí, Lázslo y su sacerdote Miko eran muy amigos de los griegos. De ese modo traicionaban al país de San Esteban. Y un día el águila imperial los tendría a todos entre sus garras.

Percibió las palabras del alcaide, que sonaron suaves y suplicantes, como si trataran de concordar la opinión del rey y la suya propia.

—Eminencia, el rey Lázslo no desea nada malo para ti, sino que está en buena disposición hacia tu persona. Hoy es el día del nacimiento de Cristo y el rey deja que las puertas de la prisión se abran para ti. Desea que vayas a la Misa del Gallo.

Él estaba apoyado de espaldas a la puerta. El alcaide esperaba su respuesta.

—Ve y di a tu señor que estaré frente al altar a medianoche.

* * *

Antes de ponerse su hábito de fiesta, se arrodilló largo rato en la tierra desnuda y helada. Había dicho que iría a Misa del Gallo. Debía endurecer su corazón y prepararlo para esa hora que debía ser la última. Sentía la llamada de su patria, y quizá, también, la del pequeño Esteban sobre cuya cabecita puso la corona.

Subió la escalera, tomó la senda tan conocida y pronto se encontró ante la puerta de la Basílica. La puerta principal estaba enmarcada de resplandeciente mármol rojo. Nadie le abrió. Los cortesanos se aproximaban procedentes del palacio real, y todos habían venido a pasar la Nochebuena en Esztergom con las barrigas llenas, el cerebro turbio y las cabezas vacilantes. Nadie esperaba a Lucas, y nadie sabía que salía del sucio calabozo del palacio al aire libre; que llegaba solo y que se había detenido ante la «Porta Spatiosa». El báculo que llevaba en la mano se inclinaba hacia delante. Llamó y la puerta se abrió. Todos estaban ya en sus sitios correspondientes. El rey, el Consejo de Estado, muchos griegos con sus barbas espolvoreadas de oro y una sonrisa que quería ser amistosa en los labios.

El arzobispo cruzó la puerta de la Catedral. Su rostro estaba lívido, grisáceo, como consecuencia del aire malsano del calabozo y los reflejos amarillentos de los cirios. En la puerta de la sacristía el cuadro cambió. ¡Apareció en ella, para decir la Misa, Miko, arzobispo de Kalocsa, el rebelde!

La mirada de Lucas se posó en Lázslo. Estaba sentado envuelto en su túnica de color azul celeste y una ligera corona adornaba su frente. Tenía un aspecto más rechoncho y macizo que el del santo rey Géza. Su mirada descansó en Lázslo y el rey usurpador bajó los ojos.

Dirigió, igualmente, a Miko una sola mirada. Después desvió sus ojos, que fueron a posarse sobre el altar engalanado. Lucas se arrodilló, se quitó la mitra y dejó su báculo en las escaleras del altar. Su rezo fue corto y apasionado; sus mejillas estaban enrojecidas cuando se levantó. Él, el máximo sacerdote, tomó el más humilde utensilio, el sencillo instrumento del sacristán, el apagavelas. Pareció como si fuera a celebrar una ceremonia nueva y desconocida. Se acercó hacia los gruesos cirios colocados a un lado del altar, que se habían encendido en honor del rey presente y que, por ese motivo, son llamados por los sacristanes cirios reales. Un murmullo se extendió por la iglesia. La mano del siervo Lucas se elevó en el aire y la caperuza metálica del apagavelas alcanzó la llama de cirio real que se apagó chisporroteando.

La mano cruel continuó extinguiendo velas, hasta llegar al cirio encendido en honor del obispo, que estaba a la izquierda del altar, y que era más delgado y menos adornado que los del rey. En torno suyo la iglesia resplandecía como siempre. Sólo el altar mayor parecía triste, frío y solitario como un desierto; y esa frialdad era subrayada por el único cirio que aún prendía.

La mano de Lucas soltó el apagavelas. El arzobispo cayó de rodillas sobre las escaleras del altar, pesadamente, como si llevara en sus espaldas una carga de varios quintales. Después se levantó. Tomó algunos de los pesados candelabros de plata y los colocó en forma de cruz. Después abrió la puerta del Tabernáculo y sacó las sagradas formas. ¡El Cuerpo de Cristo estaba en manos de Lucas! Los cortesanos, los guardias imperiales, los sacerdotes, todos cayeron de rodillas. También el arzobispo Miko, que con expresión cruel en el rostro, contemplaba el desvalijamiento del altar mayor, tuvo que hacer lo mismo. Lucas, con movimientos solemnes, como si fuera bajo palio, escoltado por los altos sacerdotes y a los acordes de un coro celestial, se apartó del altar mayor.

Llevó así las Sagradas Formas por toda la iglesia hasta el último altar, a la izquierda de la entrada, el llamado «altar de los pobres», como si a los ojos de Dios no fuéramos todos iguales. Se paró ante él. Allí ardía solamente un cirio delgado y modesto, pero su débil luz fue bastante para que pudiera abrir la cerradura y colocar en la oscura abertura del cofre, la pesada y maciza Custodia de oro.

De nuevo, con paso silencioso, regresó a la escalinata del altar mayor, subió sin detenerse y una vez en el último escalón abrió los brazos y señaló al pálido Lázslo que miraba vacilante e indeciso lo que sucedía. La voz de Lucas, esa voz estática, poderosa, resonó en el templo, bajo este refugio que el Señor le ofrecía.

— ¡Sigue tu camino, falso rey! ¡Aléjate! Tu rostro debería palidecer de vergüenza. ¡Que Dios te maldiga en tanto sigas llevando esa corona usurpada en tu frente!

Las mujeres, los cortesanos se pusieron las manos ante los ojos, aterrorizados por lo que ocurría. La excitación fue general. Todo ocurrió en pocos minutos. Lucas, de nuevo con la mitra y el báculo, pálido y con los labios sin gota de sangre, con la silenciosa resignación de los mártires, llegó hasta la verja del altar mayor. La cerró con una llave que se guardó en el bolsillo como dando a entender que nadie debía subir hasta allí. Después, solitario, marchó por la nave del templo engalanado y logró llegar sin ser molestado por nadie hasta la maciza puerta de bronce, que había sido cerrada mientras duraba la misa, y que no debía ser abierta hasta terminada ésta, cuando el rey abandonara el templo para ser saludado por la multitud que aguardaba fuera y repartir entre ella, según la costumbre, plata y bendiciones. La gente vio cómo en la puerta, en vez del rey, aparecía Lucas, su antiguo señor, el auténtico amo. Sus palabras, prohibiciones y maldiciones, fueron llevadas por el viento como las cenizas y las chispas de un incendio.

Apenas salió del templo, el teniente de los arqueros reales se dirigió a él y en las manos de los guardias de corps del rey se levantaron las lanzas. Lucas sonrió. Una serenidad divina se reflejaba en su rostro, la tranquila satisfacción de quien ha cumplido con su trabajo.

Estaba nevando. Los hombres armados no debían tocar el cuerpo del arzobispo y las alabardas formaron en torno suyo como una muralla protectora. Esta brillante y extraña procesión navideña, se puso en marcha hacia las mazmorras de la ciudad de Esztergom.

XXIII

Se celebraba la vigilia de la fiesta y a las ocho de la mañana comenzó la gran recepción. De regreso de Nea, donde asistieron a la misa matutina, la multitud arrojaba flores a los numerosos organillos que se habían colocado junto a las cunetas del camino y llenaban el aire con sus alegres sones. Era un espectáculo maravilloso, celestial casi, como si los tiempos no hubieran cambiado la historia imperial en el último milenio.

La recepción fue fastuosa. Estaban sentados como dioses humanos, dotados de rostros maravillosos. Erguido y firme, Manuel; un poco más bajo que él, destacaba el rostro de monja, sin maquillar, de Irene, que soportaba el peso de la maciza corona de oro que llevaba en la cabeza. Ambos habían entrado por una invisible puerta que se abría al otro lado del gran salón. Parecían no tener sombra, tan resplandecientes eran bajo la luz de los cuarenta mil cirios que sus ojos, al entrar, quedaron como cegados. El embajador del sultán de Iconia inclinó su rostro de fino corte en el que lucía una bella barba. Hablaba persa, con el tono cantarino con que los maestros de retórica del Islam acostumbran a dirigirse a sus príncipes. Mientras hablaba cubría su rostro con las amplias mangas de su caftán de seda, como exigía la costumbre. El embajador habló del corazón de su señor, lleno de amistosos sentimientos. El intérprete estaba junto a Su Majestad Imperial y traducía a éste lo más importante del discurso.

El soberano, con la barba empolvada de oro, sentóse en el trono. Su voz era suave y sus frases bien formadas, como si las estuviera leyendo en un viejo papiro helénico. Los ojos miraban fijamente al frente.

El embajador del señor del desierto dejó de hablar. Las gotas coloreadas de la clepsidra, señalaban el paso del tiempo. El emperador percibió cómo el sonido metálico de una armadura substituía al susurro armonioso de la seda del caftán. Era un hombre rubio, joven y fuerte, quien llevaba la armadura. Un conde de los francos, enviado personal de Enrique, el duque austríaco. Se oyó una nueva voz, fuerte y dura, hablando el extraño latín de los bárbaros. El caballero teutónico siguió hablando y dijo su nombre que resultaba imposible de pronunciar.

¡Cuántos embajadores de ese tipo, cuántos condes rubios habían hecho acto de presencia allí desde los tiempos del emperador Alexios! Parecía como si la corriente de las palabras se esparciera por un imperio de invisibles canales. La voz del caballero extranjero de nombre impronunciable y bárbaro rompía el silencio. Traía los saludos de su señor y daba las gracias por el buen recibimiento que se le concedió. Un discurso lleno de retórica cuyo aprendizaje le costó al conde muchos sudores.

El sonido metálico de los zapatos del conde y también sus palabras de saludo, siguieron resonando mucho tiempo después de que dejó de hablar. Después entró la princesa que venía a despedirse del Basilio y a recibir su bendición.

Cada vez que una de las princesas imperiales se casaba con un extranjero era como si muriese. Todos los ojos se clavaron en la rubia y pálida Basilisa, una mujer piadosa y santa que no había logrado dar al Imperio un heredero varón. Sí, era una santa. No levantó sus ojos, enrojecidos por la oración, cuando la otra entró en la sala, envuelta en su túnica adornada con el león imperial: era Teodora que decía adiós.

La ceremonia exigía que Teodora se despidiera de ese modo. Que renunciara a su título que le envidiaban todas las princesas orientales. Que abandonara el palacio cuyos muros habían recogido sus palabras y la pasión ahogada de su amor. La princesa debía despedirse como exigía el protocolo, tras recibir la bendición del Basilio que significaba, al mismo tiempo, su exclusión de la familia y de aquella sociedad.

Se arrodilló tres veces. Se tapó los ojos para no ver con ojos terrenales al emperador, que se había levantado. Después de arrodillarse las tres veces, se alzó. Durante unos segundos sintió la mirada del emperador fija en ella. La princesa consiguió dar a su voz el tono cortesano que exigía el protocolo, y se oyó sonora y disciplinada. Durante mucho tiempo había aprendido de memoria las palabras que debía pronunciar. Y las dijo. El emperador, a continuación, inclinó su cabeza coronada. Y se oyó su voz:

— Nuestra muy querida sobrina Teodora, la huérfana de nuestro hermano, recibe nuestro saludo. Nos conocemos tu súplica y la hemos escuchado. El Imperio te abre sus puertas y se despide de ti y de los que han venido a buscarte desde un país lejano, para acompañarte al lado de tu prometido.

El guante de púrpura se alzó con gesto de despedida en el momento mismo en que la última gota roja se desprendía del cuello cristalino de la clepsidra. El orden celeste era eterno e invariable. Teodora se arrodilló. El Imperio no tenía nada más que decirle.

* * *

Apretó suavemente el pestillo, oculto tras las cortinas, pero antes de entrar dejó pasar un rato. Dio la señal. Golpeó con dedos ligeros, de acuerdo con su vieja costumbre y esperó hasta que su señal fue contestada con otra que significaba que no había ningún extraño y el emperador podía entrar.

Manuel cruzó la puerta protegida por la cortina. Teodora estaba sentada en su cama baja y amplia. Vestía la misma túnica, casi transparente, que llevó antes cuando se arrodilló bajo el trono. Con ojos ardientes y sin lágrimas contempló al recién llegado.

— ¿Has venido...?

La imagen de la mujer impresionó el corazón del emperador. Nunca antes la vio así. Sonriente y al mismo tiempo extraña, lejana, con una mirada que lo recorría de arriba a abajo y que tenía una expresión irónica indudable, y tan clara que también él se vio obligado a sonreír. Había venido para despedirse, una despedida dolorosa y difícil que no podía ser más que una mentira piadosa. Memorias de tiempos pasados, consejos y palabras que son como el sol de invierno que brilla, pero no tiene fuerza para calentar la tierra.

En los ojos de Teodora no había lágrimas; más bien sonreían. La nueva Teodora no se levantó para recibirlo. Cruzó las piernas y sus palabras sonaron entusiasmadas, casi alegres, un tanto burlonas. Las palabras de consuelo que el hombre tenía preparadas se quedaron en su garganta sin atreverse a salir.

— Esta noche me quedaré contigo. Hasta mañana por la mañana estaré a tu lado...

Él dijo «noche», y era la primera noche que en todo el tiempo que ya duraba su amor podían pasar juntos. Era un deseo que nunca fue expresado en palabras. Una noche. Algo que Manuel antes nunca pudo darle, y que ahora le concedía, como una preciada joya, precisamente en el día de su despedida.

Poco a poco se fueron apagando las lámparas. Teodora puso los apagavelas sobre las gruesas velas verdes. Bajo los iconos seguían brillando las macilentas lamparillas de aceite. Manuel pensaba que Teodora tenía que marcharse al día siguiente. Él podía hacer algo para retenerla, pero ella *tenía que irse*.

— Tienes que irte al Norte, Teodora, a la ciudad de Viena, para sellar así el pacto entre los Imperios Oriental y Occidental.

La túnica cayó. Ella tenía ahora un aspecto sagrado y al mismo tiempo lascivo, como las figuras de Creta. De la cintura abajo cubierta con la larga falda y de cintura para arriba completamente desnuda. Manuel comparó con su cuerpo ese cuerpo amado. No extendió la mano hacia ella, sino que sus poderosas y fuertes palmas acariciaron el rostro de Teodora. Buscó sus ojos y los cubrió con sus manos, acariciándolos. Los labios de ella besaron sus dedos. Manuel, el gigante, estaba sentado en el lecho. Teodora reclinaba la cabeza en sus rodillas.

XXIV

El primer día es el más difícil. Se despertó al amanecer y, de un salto, sentóse en la cama. Su cuerpo de muchacho, tostado por el sol, se inclinó hacia delante, como si se hubiera habituado a seguir los rítmicos movimientos del buque. El sabor de los manjares demasiado dulces y excesivamente cargados de especias, y el aroma de vinos extranjeros que formaron su cena del día anterior estaba todavía en su garganta. El joven bebía poco, como si aún estuviera bajo la sombra de Lucas, «el severo anciano».

— ¿Ya no está allí? — le había preguntado su hermano el rey Esteban, el sábado por la tarde cuando repartían sus tesoros.

También Esteban temía al señor arzobispo, que era tan terriblemente anciano y severo. Como si fuera de hierro y, al mismo tiempo, un poderoso árbol con las raíces fuertemente clavadas en la tierra. También Esteban temía a Lucas, pese a que era rey...

La primera noche fue la peor. No había nadie a su lado que fuera de los suyos. A bordo del buque iba una embajada; representantes, sacerdotes, notarios. Todos ellos eran gente severa y grave, que parecían tener miedo del agua, del buque, de los mares a los que se estaban aproximando. Eran ratas de tierra. Acostumbraban a montar a caballo y, cuando envejecían, viajaban en coches.

Béla descendía por el Danubio.

— Béla — le había dicho Esteban sonriendo, aunque haciendo un esfuerzo para evitar las lágrimas, cuando se bajaron del caballo al pie de las colinas de Buda.

Se despidieron. Se despidió también de su propio nombre, que tuvo que dejarlo, con su idioma y su túnica, como una doncella que parte hacia un largo viaje para reunirse con su prometido en una corte lejana.

— Béla — le dijo Esteban —, no olvides jamás que somos hermanos.

Éstas fueron las últimas palabras que traía de su tierra. No el discurso de Lucas, ni las palabras de los cancilleres o del obispo.

Y esas palabras las dijo Esteban, que sólo era un par de años mayor que él y a quien en los últimos tiempos sólo veía de tarde en tarde.

Lucas había triunfado. El usurpador Lázslo no pudo resistir su maldición más que medio año y al cabo de este tiempo entregó su alma, al compás de los rezos en latín de un sacerdote, y fue a reunirse con sus antepasados. A su muerte le sucedió «el otro» Esteban, que habría de llamarse IV y que por amor a su esposa griega asistía a la misa de este rito y tomaba los Sacramentos dobles. Este Esteban, su tío, deseaba su muerte y lo persiguió, porque para el usurpador resultaba peligroso cualquier muchacho de más de diez años capaz de montar a caballo y que fuera conocido por el pueblo.

¿Era también obra de Lucas el que se le enviara a él, a Béla junto a Manuel, como rehén en garantía de la paz? ¿Se había cansado el arzobispo de luchar contra el usurpador? ¿Deseaba Lucas que Esteban lo ofreciera a Manuel como rehén?

Béla tenía trece años y sabía que el arzobispo Lucas y su hermano Esteban querían que hiciera aquel viaje. Quizá hasta él mismo llegaría a olvidar el nombre con que su padre lo había bautizado.

Antes de la partida Lucas habló con él mucho rato. El instinto podría ser más fuerte que las raíces. Ahora el instinto le ofrecía ramas de púrpura, frutos purpúreos.

— Yo me refiero a tu raíces — le dijo Lucas —, que se desarrollaron aquí, en Panonia, en el palacio de Fehervar, donde tu madre te trajo al mundo. Mira, tu tío Lázslo se pasó a los griegos. ¿Sabes cuál fue su destino? Tu tío Esteban juró fidelidad a los griegos y ahora sólo es un prófugo que vive fuera de su patria. Dios no ayuda a los que alzan su mano contra su propio pueblo.

Al principio, el largo viaje fue para Béla motivo de alegría. Todo era alegre y hermoso: las semanas de preparación, las pruebas de sables, los nuevos vestidos y hasta, quizá las lecciones de griego. Era un muchacho y, como tal, sentía añoranza de países lejanos y aventuras.

Se puso en camino.

— Eres un pequeño puente — le dijo el arzobispo Lucas —. A través de ti trataremos de entendernos y vivir en paz.

¿Debía estar orgulloso de ello? ¿Orgulloso de que el Basilio lo hubiera elegido a él para hacerle su hijo, dejar las riendas del gobierno en sus manos, convertirlo en esposo de su única hija y sentarlo a su lado junto al trono que tal vez, por la gracia del Señor, un día llegaría a ser suyo?

Todo esto pasaba por su corazón. El Basilio había enviado a buscarlo a él, a Béla. No necesitaba llevar consigo más que su dominio de Szrem y de las ciudades dálmatas, única herencia, aparte de su dignidad principesca, que recibiera de su padre.

La herencia de Béla. Un camino, un puente sobre el cual Bizancio y el país de San Esteban podrían encontrarse en paz.

XXV

Antioquía es un pequeño principado. El primer príncipe juró fidelidad al emperador Alexios, pero jamás mantuvo su juramento. También el cuarto de sus príncipes juró fidelidad al emperador Juan, pero lo olvidó tan pronto como Raymond de Poitiers se enteró que el emperador había muerto y el trono pasaba a manos del inexperto y joven Manuel. Todo eso ocurrió hacía algunos decenios. Después el príncipe falleció y su viuda, que un día fue la más bella latina de Tierra Santa, le concedió su mano a Raynald de Chatillon, ese caballero valeroso y honrado que fue acompañando a Luis VII a reunirse con los franceses de Siria.

Manuel estaba dictando cartas en su tienda. Llevaba una capa de piel porque las mañanas en el desierto son frías. De vez en cuando consultaba con la mirada a su secretario, el eunuco.

— ¿Lo dirías tú también de ese modo? — le preguntó.

Sus ojos se fijaron en el reloj de arena. La gran ceremonia del cambio de ropa le llevaría una hora larga, el servicio divino, media hora más. Además, tenía que comer. Antes de que entraran los camareros debía estar terminada la carta que dirigía a Guillermo de Sicilia. También dictaba otra dirigida a Teodora. El emperador le rogaba que hiciera llegar un mensaje a Federico Barbarroja por medio del obispo de Ragensburgo. Debía decirle que Manuel no tenía intenciones de conquistar Italia y que la ocupación de Ancona se había efectuado sólo para asegurar las posesiones del sur.

— Sí, escríbele eso. Dile que no necesito Roma ni tampoco que el Papa Alejandro ponga la corona en mi frente, cosa que por otra parte le agradaría sumamente. Su Santidad se sentiría muy satisfecho si firmo con él un pacto en contra de Barbarroja, sobre cuya cabeza está a punto de caer el anatema... Escríbele, además...

El emperador añadió una palabra cuyo significado secreto sólo ellos conocían.

Teodora reinaba en Viena mientras su esposo, el duque Enrique, estaba en el campamento imperial como embajador de Barbarroja.

La carta a Teodora estuvo terminada.

—Añade en la carta, Theophilaktos, que le envío unas anémonas. El correo que le lleve la carta debe llevarle también semillas de esta planta.

El rumor del campamento militar entraba en la tienda.

— ¿Crees que Chatillon elegirá el camino de la razón?

— Sagrada Majestad, el príncipe esperará nuestra llegada o nos enviará noticias de su capitulación.

— Puede esperar. Todavía no han llegado todos nuestros ejércitos.

— Señor, la carta del príncipe de Antioquía la ha escrito el obispo Girard. La princesa piensa en su hija. No quiere perecer enterrada entre las ruinas de su ciudad.

— ¿Tienes el texto del juramento de vasallaje?

— Vuestra Sacra Majestad ha ordenado que el señor Chatillon preste exactamente el mismo juramento que Bohemundo pronunció hace sesenta años ante el emperador Alexios. Todos sabemos, señor, que el Imperio es eterno.

Manuel sonrió. Un vulgar escribiente y el emperador estaban sentados juntos. Manuel extendió la mano. Theophilaktos se inclinó como si estuviera ante una valiosa reliquia. Oyó la voz del emperador.

— Acabaré por confiarte una embajada...

Era el mayor honor que podía concederse a un eunuco.

Transcurrió una hora... Llegó el maestro de baños, el barbero, el perfumista, el sastre y los camareros. Desde la mañana, el emperador había vestido aquella sucia pelliza. Necesitó una hora para transformarse en la imagen del dios que debía ser para sus súbditos.

El trono portátil estaba en la tienda de campaña. Balduino y Esteban se sentaron en sillones más bajos. Había largos bancos para los demás dignatarios de la corte. De camino hacia Antioquía, se presentó, desarmada, la guardia personal de Chatillon.

Sólo uno de ellos iba armado, su jefe, el propio Raynald de Chatillon, que llevaba en la mano la espada ducal. Era un hombre fuerte y rubio, un conquistador por naturaleza, que esta vez se había roto los dientes queriendo sacar un bocado en las fronteras del Imperio.

Fuera, se oyó el anuncio del heraldo que dijo su nombre por tres veces, lo que significaba que el duque Raynald deseaba ser recibido por su señor el emperador.

Hasta entonces jamás se había arrodillado, ni siquiera ante Dios. Ahora, como vasallo tenía que avanzar caminando de rodillas sobre la alfombra púrpura que cubría los escalones del estrado en el que se hallaba Manuel, con la espada en la mano. La tomó por la punta y ofreció al emperador su empuñadura, adornada con dos águilas doradas.

La mano del emperador se extendió blanda y suave. Tomó la espada de campaña del guerrero, la levantó y dejó caer su hoja de plano sobre la espalda del duque penitente. Rozó su túnica suavemente y le devolvió el arma.

— ¡Levántate! — dijo el emperador alzándose.

Sonrió, y Chatillon pudo de este modo, soportar las horas que él, caballero viajero, el héroe de mil aventuras, tenía que hacer de penitencia por la ciudad de su esposa: Antioquía.

El juramento de fidelidad y vasallaje tuvo lugar bajo el cielo. Dios y todos los que se encontraban en el campamento fueron testigos.

Seguidamente se formó una columna a caballo y se emprendió la marcha, pues querían llegar a Antioquía antes del mediodía. Manuel subió a lomos de su caballo y Chatillon a un lado y al otro el conde de Trípolis, sujetaron las riendas cuando entraron en la ciudad. Era otra de las pruebas de vasallaje.

En la puerta de palacio, un cortesano, arrodillado sobre un

cojín de púrpura, ofreció al emperador una copia de la llave de la ciudad fundida en plata maciza. Manuel llegó a Palacio y las puertas se abrieron. En la gigantesca sala de armas, Constanza recibió a su señor. Un rostro de muchacha sólo fue visible un instante arriba en un balcón interior. Las costumbres y el protocolo eran aquí mucho más libres y menos forzadas que en Bizancio y no se notaba la rigidez de hábitos, propia de los que conservan milenarias tradiciones. La mirada del emperador no se apartaba del alto balcón donde vio a la princesa.

— ¿Me permite ver a los hijos de Su Alteza?

Constanza enrojeció. Estaba confundida. El Basilio la atacaba desde un ángulo imprevisto.

— Mi hijo Bohemundo está educándose en Jerusalén y, por ese motivo, no podrá hincar la rodilla ante Vuestra Sacra Majestad. Las demás son hembras. No sé si las costumbres del Palacio Sagrado permiten que sean presentadas al emperador.

— ¿Cuál es la costumbre de Antioquía?

— Mi hija María, en unas recientes justas ató su pañuelo en la lanza de un caballero. Entre nosotros eso significa que está dispuesta al matrimonio.

— ¿Ha elegido ya a su caballero?

— Sólo para las justas, donde da su divisa al vencedor.

— Mañana hay proyectado un torneo, con vuestro permiso, princesa, tomaré parte en él.

— El emperador ordena y sus vasallos obedecen. ¿Ha visto a mi hija Vuestra Sacra Majestad?

— Sí, arriba en la galería. Una vez más crece en Antioquía una flor maravillosa.

La princesa llegó a presencia del emperador. María era alta, de huesos delgados y muy flexible. La mirada del emperador adivinaba la belleza de su cuerpo desnudo. La muchacha se arrodilló y Manuel tomó una mano, besándola. Ambos sonrieron.

— Nos alegramos de conocer a la joven princesa. Nos tenemos la audacia de haceros una súplica.

— ¿Qué puede Vuestra Sacra Majestad suplicarme a mí?

Sus labios pronunciaron la fórmula cortesana mientras sus ojos alegres y sin cortedad miraban a aquel gigante cuya sonrisa caía sobre ella como un manto protector.

—· Estaría muy triste si su divisa la tuviera ya comprometida para mañana.

— Me la habían pedido...

— ¿Y la ha concedido, María? En caso contrario, y con el permiso de la princesa Constanza, me gustaría atarla a mi lanza. Según mis noticias, mañana la princesa dirigirá el torneo.

— Vuestra Sacra Majestad es fuerte y poderoso. Sólo mi padrastro sería digno de medirse con vos.

— María ha dicho la palabra decisiva, princesa.

— ¿Se batirá Vuestra Sacra Majestad con Raynald?

— Difícilmente volveré a tener otra oportunidad de medir las armas, aunque sean sin filo, con el más famoso de los guerreros de Siria.

— Lo que voy a deciros ahora, Majestad, es una súplica. El destino de Antioquía no debe depender de dos lanzas en una justa.

— No comprendo vuestras palabras, Alteza...

— Si Chatillon vence, se habrá atraído el odio del emperador. En el caso contrario, Antioquía no podrá resistir la derrota. Elegid otro caballero, Sacra Majestad.

— La maravillosa divisa de María debe ser defendida contra el mejor de los caballeros; en caso contrario, ¿de qué serviría?

— ¿Hasta tal punto desprecia Vuestra Majestad los restantes caballeros de nuestro principado?

—· Su reproche es fundado, princesa, como lo son vuestras preocupaciones. Las justas de mañana están en manos de María. Mediré mis armas con cualquier caballero que ella elija para mí. Pero mañana quiero tener su divisa todo el día y, si la suerte me favorece, la conservaré.

Los tres sonrieron. Las palabras perdieron su agresividad.

XXVI

Las honras fúnebres y el luto duraron mucho tiempo. Hacía ya una semana que la emperatriz había muerto y la corte seguía viviendo aún en las proximidades de la muerte, como los ritos prescribían.

Los cortesanos vestían de luto; el emperador llevaba su túnica blanca, como las reglas y la costumbre exigían. Irene murió tranquila, sin dar posibilidades a los médicos de ensayar con ella su ciencia.

El pelo de Manuel tenía ya bastantes canas. Un mechón de pelo blanco, como una serpiente, se retorcía en sus cabellos y daba a su rostro un blanco resplandor bajo el cual destacaban sus arrugas y su cansancio. Lloraba frecuentemente. Berta fue su mujer y estuvo a su lado en aquellos difíciles días. Berta estaba lejos de todo y de todos. Los asuntos amorosos del emperador no la enfadaban y no tenía, por tanto, necesidad de recurrir al veneno.

Calló el coro de los monjes basilitas. El luto debía seguir durante bastante tiempo en el país, pero el Imperio no podía esperar. El emperador, vestido de blanco y con las huellas del ayuno, se personó al mediodía en la celda del Patriarca, con sus tres consejeros, que querían hablar con él.

— La Basilisa era una santa, y seguiremos honrando su recuerdo como todo el mundo la honró en vida. Pero la piedad y la devoción no deben ser las principales obligaciones de la esposa del emperador. Debe repartir sus deberes; entre los ejercicios religiosos y los consejos, debe tener tiempo, también, para compartir su lecho y darle herederos.

— Sabéis ya que mi sobrino Béla se dirige hacia aquí desde Panonia. No pasará mucho tiempo sin que tengáis ocasión de conocer al príncipe. Después de ello podréis dar vuestra opinión sobre si elegí bien a mi heredero.

— Estábamos a tu lado, señor, cuando enviaste la carta a Esztergom. Pero algunos de nosotros solemos mezclarnos con las gentes de la ciudad. Bizancio está inquieta, preocupada porque estás solo. El pueblo honra a la santa que fue tu esposa, pero quiere una nueva Basilisa que no desprecie a su señor como hombre.

— Esas palabras son muy fuertes, Stypiotes. Pero las permitimos porque ya las permitimos en otras ocasiones. Vosotros tres, que sois enemigos en general, ¿os habéis puesto de acuerdo ahora?

— En un punto, sí, Sacra Majestad.

— ¿Qué punto?

— Que vuestra Majestad debe elegir entre todas las mujeres del mundo...

— ¿Eso es lo que deseáis los tres? ¿Habéis pensado ya quién puede ser mi prometida?

— Apenas llegamos a ese punto comienzan las divergencias, como los vagabundos de la leyenda cuando llegan a una encrucijada.

El emperador bebió un vaso de vino mezclado con agua en una proporción elegida por él mismo. Su manga, al beber dejó al descubierto su brazo, en el que brillaba una cicatriz. El recuerdo del torneo de Antioquía en que tomó parte. En el palco de los príncipes entonces se creyó que estaba gravemente herido. La pequeña María le vendó con un pañuelo y se inclinó ante él. Hizo un nudo muy fuerte en su brazo. Cuando hubo terminado le sonrió.

— Tan pronto como termine el período de luto, los embajadores deben salir de viaje. Su destino será Tripolitania y Antioquía.

XXVII

El emigrante no pensaba en la eternidad. Llevaba un escudero y un mulo cargado con el equipaje. A su lado caminaba un criado indígena. Así llegó bajo los muros de Akkon. En estos tiempos vivía allí una mujer que de acuerdo con el testamento de su esposo recibió la ciudad y sus posesiones como herencia.

Allí vivía la viuda del rey de Jerusalén, de veinte años de edad. En una corte «negra», entre el cielo y la tierra, entre la sal, el desierto, el mar flameante, los beduinos y los latinos rebeldes. La madre del rey apenas había pasado los veinte años. También ella era un miembro de la familia de los Comneno, hija de Isaac, hermano del emperador, y se llamaba Teodora. La vida en Akkon era para ella un poco como el destierro.

Dijo su nombre y el alcaide de la ciudad se inclinó ante él. Lo creyó porque conocía bien las facciones de los Comneno. No quería perjudicar a nadie ni convertirse en carga para nadie. Lo único que deseaba era un trago de agua y un alojamiento para pasar la noche, nada más. Eso era lo único que quería Andrónico, cuyo padre nació con derecho a vestir la púrpura.

La reina Teodora escuchó. Oyó el nombre pronunciado con acento extranjero, con mala acentuación, pero comprendió que quien había llegado era Andrónico.

Lo contempló con su túnica violeta, libre y audaz. Y recordó los rumores que oyó antaño en la corte, cuando algunas damas de la familia pronunciaban en voz baja el nombre de Andrónico que se pudría en los calabozos del palacio Blancherne; que se atrevió a alzarse contra Manuel y, en Panonia, vendió al Imperio.

La reina eligió entre sus vestidos caprichosamente y con cierta excitación. La seda susurraba y brillaba entre los severos muros del palacio.

— ¿Dónde me espera? — preguntó con débil sonrisa, un poco asustada y un tanto curiosa.

— En la sala de recibir, junto al comedor —, le respondieron.

Se inclinó cuando ella llegó. Sus palabras sonaban como música, pues hablaba griego. Su latín era duro y difícil, como suele ser en los hombres. Teodora comenzó a conversar con él buscando con cuidado expresiones adecuadas, como si al principio le costara trabajo hablar el idioma materno.

Bebieron vino, lo que en Akkon significaba una fiesta especial. Teodora bebía porque tenía sentado a su lado a un huésped que era casi un rey. Más que un rey, puesto que su padre nació en la púrpura.

«¿Se ha santiguado?» Esta pregunta se la hizo la joven reina viuda, cuando se entregaba a sus ensueños y escuchaba las palabras emocionadas de Andrónico. Todo era como un sueño que comenzó cuando se vistió la túnica verde hierba. Era como si la arena ya no cayera en el reloj, como si el tiempo se hubiese detenido y, con él, todo lo demás. Nadie quitó la mesa. Los criados cambiaron, sin ruido, las velas consumidas en los candelabros. El capellán se levantó, después el alcaide, el capitán de la guardia personal, el escriba. Pero la reina no dio por terminada la cena. Andrónico resistía, no se daba por vencido, no se veía desarticulado y vencido como las marionetas, que son bellas y vivas mientras alguien tira de sus hilos, pero que después caen vencidas y cansadas... Él no bebía en grandes vasos el vino seco y aromatizado con hierbas, como los caballeros latinos. Ponía agua en su bebida, mucha agua, de modo que al vino sólo le quedaba el aroma y el color. Tomaba su vaso con gracioso movimiento y dejaba que el contenido brillara en él antes de beberlo. Era una especie de ceremonia, una espantosa parodia, que hizo que el sacerdote sintiera escalofríos en la espalda, pues le pareció ver en ella algo de ateo. Una imitación de la forma como él levantaba el cáliz en la consagración. Andrónico, al hacerlo, tenía una expresión piadosa, como si estuviera rezando a una misteriosa divinidad.

* * *

El encanto de Andrónico comenzó a actuar lentamente. ¡Era todo aquello tan agradable! Teodora no conocía todavía las fuerzas ocultas que empezaban a jugar con ella.

¿Podía ser que viera en él a un pariente de sangre, como un hermano lejano y mayor, que en pasados tiempos despertó antagonismos y repulsas en palacio por sus aventuras, pero de las que en cierto modo los Comneno no podían menos de sentirse orgullosos?

Era posible que en ella, despacio y casi imperceptiblemente, se estuviera realizando una transición, pero Teodora seguía sentada, como encantada por aquellos minutos, escuchando atentamente las palabras del extraño invitado, sin acordarse de que era tiempo de levantar la mesa. Ella era la anfitriona, y durante años llevó la corona de Jerusalén. Andrónico no era sino un pobre hombre, un apátrida despojado de todos sus títulos y con la cabeza puesta a precio por el Consejo Imperial de Bizancio.

Le hizo algunas preguntas y él le contó que vagaba errante por el mundo. Un vagabundo sin patria que había viajado por muchos países y sabía bien lo que en ellos ocurría.

— ¿Te has enterado de la muerte de la alemana?

— Los emisarios llegaron a Antioquía y a Jerusalén con la noticia. La pena es grande, pero por otra parte, el pueblo se alegra, porque la extranjera no le ha dado al Imperio un heredero varón.

— ¿Sabes tú, Teodora, quién será el sucesor de Manuel?

— Yo vivo encerrada aquí en la ciudad de Akkon. Las noticias llegan siempre con retraso y desde muy lejos. Dime lo que has oído y a quién eligió el Basilio para sucederle.

— El emperador, a quien Dios dé todavía muchos años de vida, ha preferido el pueblo al que perteneció su madre. Tiene en mucha consideración a su abuelo, que fue un gran rey de los bárbaros.

— Hablas como si leyeras tus palabras en un pergamino.

— ¿Has oído hablar de un príncipe que se llama Béla? Un muchacho...

— Cuando aprendí en palacio la historia de los distintos países, oí estos nombres: Itsvan, Béla, Géza y Lászlo. Nombres muy difíciles de aprender, pero tuve que hacerlo. Ahora bien, no recuerdo quién es ese Béla ni su edad.

— Es el hermano menor del actual rey. De acuerdo con la ley le pertenecen Iliria y Dalmacia. Tal vez éste sea el motivo... La verdad es que la ambición de Manuel, su deseo de poseer Panonia crece con su edad. ¿Puedes creer que el Basilio desea más que ninguna otra cosa convertirse en príncipe de los jinetes de la estepa? Los mima. Tal vez hubiera tenido más que suficiente con una dura batalla, un guerrero valeroso, y el país hubiera caído en sus manos. Pero Manuel vaciló sin atreverse a atacar. Espera a los embajadores que sabe irán a verlo. Tal vez confía en que le ofrezcan la corona.

— ¿Para qué va Béla a Bizancio?

— Más que nada como rehén, al menos ése es el título que yo le daría, y es más potente que todos los títulos brillantes con que nosotros podemos adornarnos, como las nubes doradas envuelven a los dioses. Ahora ese muchacho entrará en el palacio de Blancherne con su idioma bárbaro, rompiendo su tranquilidad. Y mientras nosotros tenemos que abandonar Bizancio, como fugitivos...

— ¿Qué edad tiene Béla?

— Es mayor que la novia.

— ¿Sabe Manuel que estás aquí, primo?

— Las huellas pueden seguirme en el destierro. Pero sólo estaré aquí una noche. No quiero causarte dificultades.

— En Akkon soy yo Basilio y Basilisa. Me pertenecen también un par de aldeas, unas granjas y un poco de río con derecho a cobrar impuestos de tránsito al comercio.

— Yo diría que esto más bien es una prisión.

— ¿Adónde piensas dirigirte?

— Los príncipes de la estepa me han invitado.

— ¿Te irás con los paganos?

— ¿Cómo puede aquel a quien sus más allegados parientes de sangre lo meten en las más oscuras mazmorras seguir siendo cristiano? Aquel a quien se le da caza como a una fiera por todo el Imperio cuando logró escapar. ¿Quién de entre los sacerdotes me ha ayudado? Ninguno. Sólo un viejo pescador, un par de lacayos, algunas mujeres, comerciantes y tratantes de caballos. Y unos cuantos señores exilados de Bizancio. ¿Por qué voy a temer a los príncipes de la estepa?

— Lo que me cuentas es horrible. Esta noche soñaré con ello.

— Con gusto velaría tu sueño toda la noche, del mismo modo que en la canción Digenis Akrita vela a su novia que se ha quedado dormida a orillas del río durante su fuga.

— ¿Para qué quieres velar mi sueño?

Andrónico se levantó. Estaban solos. Los criados se habían alejado bajo las arcadas. Puso sus manos en los hombros de la reina acariciando suavemente allí donde terminaba su capa de armiño. El roce hizo que ella sintiera temblar su cuerpo bajo los dedos del huésped.

— Tú mismo lo has dicho, Teodora.

Su voz era suave. Sus manos, cubiertas de joyas, estaban a un pie de distancia. El solo contacto de sus cuerpos significaba para ellos un mundo.

— Ten misericordia, señora, del que vela.

— Has llegado hoy como un simple viajero, eres mi huésped y ya quieres ocupar la fortaleza.

— Esta noche es diferente a todas las demás.

— No lo sé. No conocí ninguna noche.

— ¿Cuánto tiempo me dejarás estar contigo?

— Todo el tiempo que la prudencia lo permita.

— ¿Después me permitirás partir?

— Si llega un mensajero de Bizancio…

— ¡Harás que me encadenen y que me entreguen al jefe de la guardia!

— Abriré la puerta del pasadizo secreto que va de mi dormitorio hasta el campo, por debajo de los muros del palacio, y te ayudaré a escapar.

— ¿Y si no quiero huir sin ti?

— ¿Cuántas veces has dicho ya esas mismas palabras?

Teodora tomó el crucifijo de marfil que había sobre la mesa para recordar que el rey de Jerusalén estaba muerto.

— ¿Quieres quedarte conmigo?

— No puedo seguir aquí, por tu bien.

— ¿Sabes que Akkon es una prisión?

— Tú tienes las llaves.

— ¿Con quién podría huir?

— Conmigo.

Teodora se levantó. La voz de él sonó espantosamente tranquila:

— Prepárate para una noche cualquiera.

— ¿Dónde me llevarás?

— Con los príncipes de la estepa.

— ¿Crees que me acogerán?

— Mi capa es amplia. La capa de Andrónico... y cubrirá el Imperio entero de Manuel si llego a encontrar un lugar en el que pueda estar tranquilo.

XXVIII

Béla estaba, con sus catorce años, prematuramente maduro, alto y ancho de espaldas. Había crecido en medio de persecuciones y estaba acostumbrado a cambiar frecuentemente de residencia. No obstante, por una vez tembló ante esa perspectiva. Se encontraba solo, muy solo desde que su amigo, el patricio Nikefor, se fue del campamento en su carro de combate. Se encontraba solo.

Se arrodilló en el reclinatorio. El rostro de Cristo era distinto, más severo, más rígido que en su patria. Pero sus facciones son iguales en todas partes. Se dio cuenta que alguien entraba en la tienda de campaña.

La voz sonó suave y se dirigió a él. Lo llamó por su nombre húngaro.

— ¿Béla?

Se volvió y su movimiento le pareció demasiado lento. Se puso en pie de un salto y se dio cuenta de quién era. Estaba frente a él y pronunciaba palabras llenas de ternura y calor. Se dirigió hacia él, pero no se arrodilló, sino que se limitó a tomar su mano y llevársela a los labios. Manuel vio que los ojos del muchacho se nublaban de lágrimas.

Puso su mano en la nuca de Béla, pero no para bendecirlo, sino en un gesto mucho más tierno y amoroso. Ahora tenía un hijo. Un hijo de catorce años. Los embajadores no mintieron. Era un guapo muchacho, casi un hombre. Estaban solos: el poderoso brazo de Manuel pasó por su espalda.

— ¿Sabes griego, Béla?

El joven enrojeció.

— No te avergüences.

El rostro del emperador se bañó con una dulce sonrisa.

— ¿Has tenido un buen viaje?

— Todo fue muy bien. Os doy las gracias por todo, Sacra Majestad.

— Cuando estemos solos puedes llamarme padre, hijo mío. Tu padre y yo hemos luchado el uno contra el otro duramente. Tú eres la paz, Béla.

— ¡Que Dios lo quiera así, señor!

— Estás hecho un hombre, Béla. ¿Me entiendes?

— Cada palabra, señor.

— Estamos solos. El pacto entre tu padre y yo dice así: en tanto que el Imperio no haya recibido tu herencia de príncipe, eres un rehén en mis manos y puedo hacer contigo lo que quiera. ¿Lo sabes, Béla?

— Me lo dijo así el mismo arzobispo Lucas antes de mi partida.

— ¿Lucas el obispo...? ¿Vive todavía?

— Vive y está fuerte como un roble.

— Pero yo te digo, Béla, que no debes tener el menor temor. Tu sangre es la sangre de mi madre. No te haré ningún mal, nunca. ¿Me crees, hijo mío?

* * *

Los dos rivales estaban uno frente a otro y discutían violentamente; el seco y delgado Stypiotes y Juan Kamateros, gordo y monumental.

— Mira, Teodoro, ambos servimos a nuestro señor del mismo modo. Yo sé que has alabado en su presencia la oportunidad de un pacto con Francia.

— Y tú trataste de que se reconciliara con el rey alemán.

— Has hecho que dirija sus ojos a Sicilia. Has alabado al máximo, ante él, la belleza de la joven normanda.

— Y tú desearías que, tras la muerte de la emperatriz Irene, ahora el Imperio occidental le diera una nueva emperatriz a Oriente.

— Espera un momento. Es lástima que desperdicies palabras. Lee lo que nuestro señor ha escrito:

«Cuando el pasado año te comuniqué que mi regente, la Basilisa de los romanos, Irene, se había marchado al cielo en paz y tranquilidad y congraciada con Dios, debías saber que yo, por el bien de nuestro Imperio y siguiendo el ruego de mis súbditos, debía romper el luto y olvidar la tristeza de mi alma, causada por la muerte de mi inolvidable esposa. Tú eres el primero entre los príncipes cristianos que es informado de que he elegido para esposa y emperatriz a la hija del difunto Raymond de Poitiers y la princesa Constanza. Mi matrimonio con María hará que tú y yo nos unamos por el parentesco de la sangre. Créeme que éste ha sido uno de los principales motivos de mi elección.

»Después de esto, mi manto protector se extenderá también a todos los latinos que allí luchan contra la marea pagana.

»He hecho mi elección y creo en el auxilio de Dios. Puedes creerme si te digo que, por doquier, espesas nubes me amenazan. El rey de los alemanes, el sucesor de Conrado, el señor Federico al que llaman Barbarroja, no quiere reconocer la línea fronteriza que sus antepasados se guardaron bien de cruzar. En su orgullo, el rey Federico va tan lejos que nos exige que le rindamos homenaje ante su trono, en Roma. Federico desprecia a Alejandro. Nos, tenemos el derecho de sancionar la elección de Roma. Sólo el pueblo romano, conjuntamente con el Colegio Cardenalicio, tienen el derecho de elegir al Papa.

»Es por ese motivo por el que Nos, nos dirigimos a ti, señor. ¿No es posible que vuelva a existir sólo un rebaño con un solo pastor y que el mundo se vea libre de falsos profetas? ¿Sabes a quién me refiero? Si el Papa Alejandro está dispuesto a facilitar ese camino de reconciliación, no estoy contra él. Nos, llevamos nuestra corona por la Gracia de Dios, desde hace muchos años. Pero por amor a la paz, volvería a dejármela ceñir por el Papa Alejandro, si con ello las dos ramas de la Iglesia cristiana volvieran a unirse. Lo más importante, hermano mío, es el alma y el Reino de Dios. Nos, somos vecinos del sultán y aunque es cierto que desde hace años no hay guerra entre nosotros, tampoco existe la paz. Ahora Federico Barbarroja quiere soplar en los rescoldos de las pasadas diferencias. Con eso puedes darte cuenta, señor, qué clase de príncipe cristiano es el que desea la ruina de otro príncipe de su religión y para ello no vacila en dar la mano de su hija, una niña aún, al hijo del sultán de los infieles, para así conseguir un pacto entre su reino y el del infiel.

»Nos, podemos referirnos también a las cosas de Italia. Federico se queja de que en Génova, Pisa y Milán están en curso ducados griegos y que el pueblo desprecia sus monedas de plata delgadas y de poco valor. En todas partes el rey teutón se cruza con nuestros intereses, también en Panonia. Este reino — tú lo sabes bien, señor —, está muy cerca de mi corazón a causa del recuerdo de mi madre. Desde que el sensato Esteban se casó con la hija del duque de Austria, el rey Federico los mira con disgusto, al igual que a Panonia, y trata de convencer a los príncipes checos de que ataquen este último país en su nombre. Tú sabes que el hermano menor del citado Esteban, que en su país es conocido por Béla, es un excelente joven que se encuentra en nuestra corte y que lo llamo Alexios en memoria de mi abuelo. Te doy todos estos informes para que tu real sabiduría sepa a qué atenerse. Tú sabes que el nuevo Imperio que deseo crear será tan poderoso que ni Federico ni su hijo podrán medirse con él y, menos todavía, en el terreno espiritual; han quedado muy detrás de nosotros desde que el Papa Alejandro pronunció su anatema. Es posible que el Papa se decida fácilmente a colocar la corona imperial del mundo, sobre la cabeza de nuestro honorable Alexios...

»Por todo esto, debes reconocer que trato de defender la Iglesia cristiana...

Kamateros levantó su potente brazo.

— Deja lo demás. Si mi cerebro de súbdito ha comprendido bien las palabras escritas en la carta, de ellas puede deducirse lo siguiente: María de Antioquía será la nueva Basilisa. Con esa unión, el emperador Manuel se inclina hacia un pacto con Francia. El rey de Francia deberá intervenir junto al Papa Alejandro, para que éste envíe embajadores a Bizancio, que tratarán de unir las dos Iglesias. Alexios, que dejará que el Obispo de Roma le ciña la corona imperial de acuerdo con el rito latino, tendrá en esa gran tarea un importante papel. Todo esto lo sabrá el rey de Palermo y también Arslan Kilidsh, que así se dará cuenta de que su hijo nunca tendrá una esposa alemana y reunirá sus cruzados contra Barbarroja. Aparte de esto, todo el que lo desee se enterará de que Alexios es el llamado a heredar el trono de Imperio y, si mientras tanto muere el rey Esteban, Panonia se fundirá con el Imperio Romano.

—Si el emperador lo desea así... *legis habet vigorem.* ¿Qué puedes hacer contra eso, señor? —respondió Stypiotes.

—Esperar. No levantaré un dedo por Barbarroja. Quería enviar a Brautwerber a Aquisgrán. Al menos en apariencia, Barbarroja se hubiera mostrado de acuerdo con él contra el Papa, lo que hubiera aumentado la confusión entre los francos. También evitaré apoyar con demasiado calor la postura que creo se vislumbra en nuestro señor, que ya en el pasado Sínodo defendió con excesivo ardor la tesis favorable a una aproximación a los ritos latinos. Esto, como sabes, hizo que muchos de los más piadosos obispos murmurasen por lo bajo la palabra «anatema». Yo hubiera utilizado la vieja y efectiva fórmula, es decir, convencer a Barbarroja de que debíamos atacar al reino de Hungría por los dos flancos. Esta fórmula la hubiera aceptado Conrado, pero cualquier emperador occidental es demasiado débil para atacar a Hungría, tan pronto como un príncipe del Imperio se alíe con ella. Tú me preguntas, señor, y yo te respondo. Así es como yo actuaría. Los años dirán quién de los dos tenía razón, quién de los dos sigue más tiempo en su puesto, tú, excelso señor, o yo...

XXIX

Federico parecía un gigante, fuerte y poderoso, cuando estaba sentado. De pie no llegaba a la estatura de Manuel. Sus movimientos no tenían la señorial arrogancia, signo común que distingue a los grandes príncipes del Imperio de Oriente, nacidos en el seno de nobles familias. Federico era un roble, un tronco rígido, fuerte e inamovible, incapaz de doblegarse. No entendía la música de tono intermedio. No cambiaba su color y cuando se enfadaba su rabia era auténtica y sus palabras llenas de pasión. Sin embargo, entonces permanecía de pie, pacífico y simple, escuchando las palabras de Teodora.

La mujer hablaba con él. En latín, suave y dulce. Jugaba con el idioma. Teodora hablaba frente a él, envuelta en su capa de princesa, ante el emperador. Unas hebras de plata brillaban ya en su cabello, que antaño fue negro como la noche. Seguía siendo una mujer maravillosamente bella y no había dejado de ser una digna bizantina.

Estaba ante el emperador un poco inclinada, pero jamás hacía una reverencia completa. En otro mundo, en el otro Imperio, su padre había nacido en la púrpura. Y seguía siendo fiel a aquel Imperio, al Imperio de Manuel.

Era la primera vez que se veían cara a cara. El emperador la temía. Sabía muchas cosas de ella, sobre todo por las informaciones de los monjes.

Barbarroja, de repente, se volvió y con un rápido movimiento se acercó a la mujer.

— Alteza y sobrina, vienes a mí con las palabras de tu primo Manuel. Yo creo todo lo que dices con sus palabras, es decir, que quiere ver unidos de nuevo a los dos Imperios. Hablas bien, querida sobrina. Pero, ¿sabes que las ciudades lombardas se sublevan contra mí con el dinero de tu tío Manuel? Por doquiera que voy me encuentro con revueltas. Y todas son obra de los embajadores griegos que reparten el dinero por las ciudades.

— Vuestra Majestad sabe que se habla demasiado. Es posible que haya armadores que transporten sus mercancías al Cuerno de Oro y de ahí provienen los ducados bizantinos.

— Tienes para todo un buen argumento. Pero, ¿por qué tengo que abrazar a Manuel? ¿Quizá porque desde Enrique IV ningún emperador ha logrado cobrar impuestos a las ciudades lombardas? ¿Porque Milán y Pavía no sólo se niegan a prestar juramento de fidelidad al Imperio, sino también a entregar su dinero? ¿Quién las ha alentado? ¿Crees que no veo la mano oculta de Manuel en todo esto? ¿Y tú, me pides que lo abrace?

— Os separa un país que está entre vosotros, por eso no puedes abrazarlo.

— Yo comprendo su embajada. Quiere decir: seamos enemigos en cualquier parte donde nuestros intereses se crucen, pero vayamos juntos contra Hungría.

— Manuel no quiere que apoyes a Hungría.

— ¿Qué ventajas tendría él con esto?

— Las palabras de sus representantes en Esztergom pesarían más.

— ¿Crees que nos da alegría cuando oímos las voces de los sacerdotes griegos que nos trae el viento desde Dalmacia y Esmirnia? No firmaré ningún pacto con Manuel. Si el rey de los griegos quiere rendirme pleitesía, que venga a Roma a recibir de mi mano la corona.

— No puedo ir a Bizancio con esa embajada.

— ¿Con cuál podrías?

— Te lo suplico, señor. Debes pensar en la victoria de la verdadera Iglesia de Cristo. Mira: ¡Manuel te ofrece la paz!

— ¿Estás tú también contra mí, Teodora? ¿Cómo podría confiar en ti lo suficiente para encargarte una embajada, como he hecho con tu esposo Enrique?

— Te lo suplico, señor, envíame. Conozco Bizancio. Si ahora no eliges la paz con Manuel, mañana sus tropas, los catafractarios, seguirán las órdenes de Béla y se oirán desde Esztergom hasta Antioquía.

Las palabras sonaron secas, apasionadas, amenazadoras. El emperador, que se había dirigido hacia la ventana se volvió a Teodora ¿Quién se atrevió nunca a hablarle de ese modo sobre cualquier asunto? Contempló su rostro, sintió el aroma que ascendía de ella como un velo, como si fuera el aviso de que se trataba de una encantadora, de una dominadora de la magia. Contempló sus ojos, que eran muy humanos y muy dulces.

— Si vas con tu marido con la embajada, ¿quién cuidará tu casa y tus hijos?

— ¿Quiere eso decir que permites que vaya con mi esposo a Bizancio?

— Puedes acompañarlo. Tú me has traído las palabras de Manuel, puedes, por lo tanto, llevarle a él mi respuesta.

— ¿Qué debo decirle? ¿Qué deseas, señor? ¿Cuándo quieres que partamos?

— Los estados se reunirán en el Reichstag, en Worms. Quiero cambiar impresiones con los príncipes, la nobleza y las clases y oír también a los representantes de las ciudades italianas. Después de esto volveré a hablar contigo y te daré la respuesta que debes llevar al rey de los griegos. Si Dios lo quiere, podréis emprender el viaje en el plazo de tres lunas.

XXX

Juan Kontostefanos y Theophilaktus estaban sentados en la habitación del torreón del palacio de Antioquía. La princesa Constanza solía visitarlo en las tardes de niebla para ver las grises nubes que se formaban al borde del desierto. Los griegos estaban todavía afectados por la fiebre del viaje. Durante el día se habían visto obligados a ocultarse, para caminar sólo de noche, hasta que lograron salir del territorio perteneciente al Condado de Trípoli. Todavía sufrían las consecuencias de las dificultades del viaje, pero se sentían dichosos y triunfantes por haber podido realizarlo y felices por haber escapado a la venganza del conde Raymond.

Por fin estaban en la piadosa y pacífica Antioquía; podían soltar la lengua y romper el sello de silencio que durante casi medio año les cerró los labios, durante todo el tiempo que se vieron obligados a soportar la hospitalidad del palacio de Trípoli.

La historia comenzó poco después de la muerte de la emperatriz Irene, después de las semanas de duelo, cuando el emperador les pidió que le trajesen una nueva Basilisa al palacio. Una mujer que pudiera hacer florecer, con nuevos frutos, las ramas de la dinastía de los Comneno. Manuel designó a Balduíno, rey de Jerusalén, como árbitro que decidiera quién de entre dos jóvenes princesas, Melizanda de Trípoli y María de Antioquía, debía ser la solicitada. Melizanda era su prima y había visitado con frecuencia la corte de Jerusalén. Así que la decisión del rey cayó sobre ella, la hermana más joven del conde de Trípoli.

Los embajadores del rey de Jerusalén informaron a Melizanda y consiguieron el «sí» de la princesa. Pero Bizancio siguió guardando silencio. Manuel todavía no había tomado una decisión. Los caminos estaban intransitables y antes de la primavera sería imposible recibir noticias, afirmaron los embajadores del Imperio que tuvieron que disfrutar, sin auténtico entusiasmo, las hospitalidades del conde de Trípoli. Ellos tampoco recibieron noticias del emperador.

Veían, día a día, cómo Melizanda se preparaba para el viaje. Y un día, llegó un emisario secreto del emperador con la orden concreta: Partir para Antioquía v pedir, en nombre del emperador, la mano de la princesa María, la huérfana del conde de Poitiers. Los embajadores pasaron aquella noche en vela. La embajada era sumamente peligrosa, sobre todo si en Trípoli se enteraban de que la Corte de Bizancio rechazaba a Melizanda y que todos los preparativos de ésta resultaban inútiles. Era muy probable que los enojados latinos se vengaran quitando la vida a los embajadores del emperador. Así que éstos se procuraron sendos disfraces y decidieron alejarse de allí, caminando a lo largo de la costa, por la ruta que conducía a Antioquía.

— ¿Por qué hace esto el emperador? ¿Por qué desprecia y avergüenza a Melizanda y a los piadosos tripolitanos?

— Todo es a causa de Antioquía. Es un truco para ganar tiempo. De todos modos el emperador no podrá casarse hasta que haya pasado el año de luto que exige el protocolo.

Llegaron a Antioquía, donde nadie esperaba a los embajadores bizantinos. Una vez más, la princesa Constanza estaba sola, pues el señor de Chatillon se consumía en una prisión infiel desde principios de año. En Antioquía todo el mundo estaba enterado de lo que sucedía en Trípoli y, por ese motivo, se recibió con gran sorpresa la embajada.

La primera audiencia transcurrió con el máximo de ceremonia, fría y rígida. Theophilaktus había decidido ser él el primero en hablar con la princesa. Cuando el sol se ocultaba, envió a buscar al señor Kontostefanos, que se hallaba un poco enfermo. Por fin la embajada pudo transmitir a la princesa, con toda solemnidad, el mensaje de Manuel que solicitaba la mano de su hija María.

Las mejillas de Constanza enrojecieron de excitación.

— ¿Debo hacer venir a María? — preguntó un tanto temerosa, como si no estuviera segura de sus palabras.

— En Bizancio deciden los padres sobre el destino de las hijas. Es posible que los latinos tengan otras costumbres.

Nadie habló. Sonó la campanilla. El destino de Bizancio, el destino de Manuel, el destino de Antioquía, se habían cumplido.

María entró y los dos embajadores se alzaron para inclinarse ante ella profundamente. María se dio cuenta de la excitación que reflejaban las facciones de su madre.

— Su Sacra Majestad nos ha honrado, hija mía. Te ruega que aceptes ser su esposa tan pronto transcurra el año de luto que debe guardar por la muerte de la Basilisa Irene.

— Pero Melizanda se prepara para ir a Bizancio. Nosotros enviamos ya nuestros regalos a Trípoli.

— Estos honorables embajadores traen la carta del emperador. Si lo quieres así, a partir de hoy el destino de Antioquía está en tus manos. Y mañana, tal vez, el de todo el Imperio.

María abrazó a su madre. Después se volvió a Kontostefanos.

— ¿Qué es lo que ha hecho que Su Majestad se dirija a nosotros?

— Os vio, princesa.

— ¿Cuáles son las condiciones de nuestro señor?

— Te espera a ti, nada más.

— Señor, todo esto ha ocurrido de modo demasiado imprevisto. ¿Qué puedo hacer en dos meses? ¿Cómo puedo prepararme para ir dignamente a Bizancio en tan poco tiempo? ¿Con las manos vacías... en una galera bizantina? Pero Antioquía tiene también buques y remeros.

— La añoranza es la semilla que más pronto fecunda. Una vez sembrada, da flores continuamente. También el Basilio es un hombre y siente, ahora, el más bello de los deseos del hombre. Soporta difícilmente las últimas semanas de su obligada viudedad.

— ¿Conocisteis a la difunta Basilisa? Se dice que la pena destrozó su corazón.

— Irene era un alma grande y piadosa. Quiso ser una servidora de Dios. Era tierna y humilde y sus pies hacía mucho tiempo que no pisaban la tierra. El Imperio necesita y desea una mujer llena de vida de cuyo vientre bendito pueda nacer un varón.

Eran palabras fuertes y duras, con una concisión poco corriente y a la que no estaban acostumbrados los oídos de una doncella. Pero María mantuvo la conversación con firmeza y no bajó los ojos ni su mirada se turbó.

— El emperador Manuel ha hecho ir a Bizancio a un joven pariente, el príncipe húngaro Béla. Las noticias que tenemos de él nos lo describen como un muchacho excelente y noble. Está prometido a la hija del emperador y el Imperio será suyo.

— Alteza, ninguno de nosotros podemos saber lo que el destino decidirá. El emperador es fuerte y cada día será más potente, aunque el tiempo no lo hará ser más joven. Si Dios lo permite, es seguro que ocupará su trono mucho tiempo todavía. Tú, princesa, serás su compañera bendecida por el sacramento. Y debes saber que en los asuntos del Imperio también la Basilisa tiene bastante que decir.

PARTE QUINTA

BÉLA O ALEXIOS

XXXI

Béla estaba presente en la reunión del Consejo y guardaba silencio.

Se leyeron los informes de los embajadores y en esas ocasiones Manuel acostumbraba a hacer algunas preguntas.

El joven estaba sentado, observándolo todo con los ojos muy abiertos. A su lado sentábase el viejo Nikefor, que le musitaba al oído algunas palabras frutos de su fantasía. Nikefor poseía el arte de hablar en voz baja, sin molestar a la persona que en aquellos momentos dirigía la palabra al Consejo. Conocía a fondo la acústica de la sala y sabía cuándo de la boca del que hablaba no salían más que palabras vacías de significado. Entonces decía un par de frases con voz seca y susurrante que en ocasiones reflejaban el mundo entero con más precisión que todo un discurso.

La cabeza de Béla estaba a punto de estallar, llena de las graves palabras que aquí oía. ¿Qué sabía él de todo aquello? ¿Quién se molestó en enseñarle algo en los días agitados y aventureros de su niñez?

El mundo que Béla conocía era estrecho, pero amable. Una comunidad de jóvenes, de tres muchachos unidos fraternalmente. Cerró los ojos y su fantasía lo llevó a Szekesfehervar. La sala del Consejo le recordaba la gran sala de los monjes en el convento. El cuadro se ensanchaba y el mundo se hacía más confuso. No podía medir las distancias. ¿Cómo medían el tiempo y el espacio en su patria? No podía recordarlo.

Tenía que aprender muchas cosas. En su patria, comenzaba

el día haciendo práctica de esgrima y tiro de arco. Aquí, se pasaba los días enteros sin salir de Palacio.

Recibió instrucción sobre los pueblos, las naciones, amigas y enemigas. Sonaron en su oído un gran número de nombres nuevos, nuevas fronteras... un nuevo mundo. Había que saber lo que ocurría a orillas del Danubio, en El Cairo, en Roma, Buda y Kiew. Cuando se descubría una nueva reliquia, no podía seguir oculta para Bizancio. Si algún político huía, el cónsul de alguna ciudad italiana o un rey destronado, debía dirigir sus pasos a Constantinopla. Allí recibiría alojamiento, alimentos y servidumbre en la medida precisa para que pudiera continuar viviendo de acuerdo con su rango. ¡Una boca más que alimentar en la corte! Pero esa boca cuya hambre se saciaba, en muchas ocasiones, después, significaba un aliado eficaz, un tratado favorable, un nuevo vasallo.

Todo hubiera sido grato para Béla de no ser por las discusiones sobre asuntos de fe que tenía que oír con mucha frecuencia. Sus ojos lucían entusiasmados cuando se hablaba de armas, países, fronteras, imperios, dinastías que caían, embajadas y viajes. Pero cuando se tocaban asuntos religiosos, se quedaba helado, como si las palabras le dieran frío, porque no significaban nada para él. En esas horas se sentía triste.

En ocasiones, María, su prometida, también asistía a las reuniones del Consejo de Estado, porque el emperador lo deseaba así y podía apoyar su opinión con múltiples ejemplos históricos en los que otras mujeres también participaron en ellos. María tomaba asiento junto a Béla. Nacida en la púrpura y primogénita del emperador, no había en el país ninguna otra mujer que pudiera igualar su rango y dignidad. No era guapa, pero su rostro reflejaba las audaces y decididas facciones de su padre. Era una muchacha temperamental, de genio pronto, burlona y segura de sí. La novia de Béla. En el palacio imperial, las princesas se ofrecían en matrimonio a los cuatro puntos cardinales. Ahora había ocurrido algo distinto y el destino de María parecía decidido por completo allí mismo.

Béla también debía conocer las leyes, él, «el bárbaro», precisamente por su origen extranjero. Lo llamaban así con cierto aire de menosprecio. Béla estudiaba y aprendía mucho, con firmeza.

El Sínodo discutía en torno a esta frase: *Pater meus major est.*

La frase era terriblemente difícil y todas las fuerzas de la ortodoxia debían utilizarse en la discusión. Béla se sentaba junto al emperador, en un sillón con los brazos tapizados de púrpura.

Cuando el emperador, cansado, se levantó de su trono, Béla lo siguió entre las filas de los inclinados súbditos hasta la calle. Le hubiera gustado no tener aquellos pensamientos, sino poderse asir a algo más seguro y firme. Le hubiera gustado hablar con Nikefor, al que ahora no podía molestar.

La cabeza le hervía. Tenía mucha hambre. Le faltaban palabras, Estaba lleno de confusión e ignorancia, abrumado por dudas, como si el diablo jugara con él lentamente. Su pensamiento, un pensamiento pecador, le decía: ¿Para qué sirve todo esto? *Pater et filius.* La esencia, el contenido de las palabras, era impenetrable y difícil.

Béla no podía dormir la siesta. No estaba acostumbrado a ello, pues en su patria no solía hacerse. Esas horas las aprovechaba para pasear por el palacio, que parecía muerto. Daba un vistazo a la Cancillería y, después, se dirigía a los talleres, que le atraían y al mismo tiempo le causaban temor. ¿Quién hubiera creído que aquel que esperaba heredar el trono del Basilio y que tenía asiento a su lado, bajaba a los subterráneos de palacio para hablar con los más humildes obreros?

Béla se quedó de pie en medio del taller. Un poco asustado, pues aquel era un mundo desconocido para él, con un idioma extraño.

El maestro Demetrios lo condujo a través de la sala de los dibujantes, escultores y arquitectos de iglesias. Allí se separó de él. Continuó andando, como impulsado por una misteriosa fuerza. Quería conocer aquella ciudad en sí misma que era el Sacro Palacio. Pasó junto a la guardia, que le rindió honores inclinando sus lanzas. Se encaminó a la torre donde estaba la cámara del Tesoro. Pasó por entre las filas de guerreros armados que prestaban allí una vigilancia mucho mayor que en cualquier otra parte del palacio.

Un hombre alto y delgado se levantó tras su mesa de ébano. Su rostro parecía de pergamino. No llevaba armas y su vestido era negro y sin adornos. Su única joya era un anillo que, sin duda, guardaba escondido un veneno. El hombre se inclinó ante Béla, pero no lo hizo profundamente, al estilo oriental, sino como era costumbre en Occidente.

— ¡Salud, príncipe Béla!

Las palabras sonaron con acento extranjero, húngaro, pero al mismo tiempo diferente. Sin entonación, frías, como desarraigadas, aunque pronunciadas con toda corrección. Béla sabía quién era el hombre que se sentaba en aquel lugar, ante la puerta herméticamente cerrada de la cámara de la torre.

— ¿Tú eres Astaforte? No te conocí hasta ahora. Pero hasta mí ha llegado tu fama y sabía que vivías aquí. Nunca vas a la corte.

— ¿Qué deseas ver?

— Dime, Astaforte, ¿cómo llega el oro hasta aquí?

— ¿Has visto tú, mi príncipe, los canales por los cuales los frutos de la tierra llegan hasta aquí desde las orillas del Asia Menor? El agua es distribuida en secciones; las distintas secciones se cierran con compuertas y las barcas navegan despacio, cargadas con verduras, corriente arriba. Las compuertas se van abriendo ante ellas y así, aun en tiempos de sequía, el agua basta para transportarlas. Una vez que ha pasado la barca, la compuerta se cierra, pero ya tiene bastante agua bajo ella para que pueda seguir navegando hasta la próxima esclusa. Delante y detrás de ella, el canal está apenas humedecido, casi seco. Sólo queda el agua suficiente para que la barca pueda navegar el trecho necesario. ¿Lo comprendes, señor?

— Explícamelo con mayor claridad. Se dice de ti que hablas en imágenes. Yo no puedo comprender su sentido...

— Hay poco oro. Y se dice que más de la mitad del oro del mundo está en curso aquí, en Bizancio. Y a pesar de todo no bastaría para saciar a todos los hambrientos.

— ¿De dónde proviene este oro? ¿Vive el Imperio de los impuestos sobre el comercio?

— Los buques de los príncipes rusos transportan pieles y huevos de pescado por los ríos y por tierra. Los persas nos suministran tejidos, piedras preciosas y tapices. A través del Cáucaso llegan hombres de rostro amarillo que traen sedas y perfumes; a través de Siria recibimos especias procedentes de. lejanas islas. Hispania nos envía muy diversas mercancías por vía marítima; de Egipto vienen cereales y vidrio; el Califato de Bagdad, libros, acero y bordados; el Califato de Córdoba, túnicas y vestidos de

seda. Desde Islandia llegan pieles, y ámbar de las costas nórdicas...
¿Basta con esto? ¿Quieres saber algo más?

— ¿Cómo has llegado hasta aquí? ¿Quién te llamó? ¿Quién
eres tú, Astaforte?

— Su Majestad el emperador me llamó. Yo custodio el oro del
mundo.

— ¿Y repartes, también, lo que recibes?

— Un buen tesorero se encuentra siempre en lucha aun contra
sus propios señores.

— Se dice que puedes conseguir oro de las piedras... y el
pueblo no tiene más que piel y huesos.

— Los impuestos pesan, oprimen, pero siempre son mejor que
lo que viene después. En Bizancio nada se pierde. Las cuentas
conservan mejor las cosas que la memoria y con mayor precisión.
En tu patria no se escribe tanto.

— Sólo en la corte se entiende la escritura y los sacerdotes
en los conventos. Tú conoces mi país, Astaforte. Es posible que
antes Bizancio fuera igual, pequeño y sometido. Es posible que tú
seas un mago, como tantos otros que han llegado hasta aquí desde
Oriente; es posible que sepas interpretar los sueños y que de ellos
puedas deducir consecuencias más exactas que los astrólogos de
la corte que se ocupan de adivinar el porvenir. Dime por qué en
mis sueños siempre se repite la imagen de mi patria. ¡Es siempre
el mismo sueño, Astaforte! Yo quisiera hablar con mi gente, con
mi pueblo, pero en mi sueño no puedo, olvidé mi idioma natal.
Sé las palabras, pero no puedo pronunciarlas.

— Ven a ver el oro de Bizancio, príncipe. Eso tal vez pueda
curarte.

Entraron en un corredor subterráneo que llevaba a una cámara,
también bajo tierra, atestada de toneles llenos de oro. Sobre ellos
había escritas cifras y letras. Siguieron descendiendo hasta llegar a
la roca donde se sustentaban los cimientos de la torre. Después
ascendieron a otra cámara. Brillaba una antorcha que reflejaba su
luz sobre montones de oro.

Béla estaba junto a uno de los barriles y lo contemplaba.

— Se huele el aroma del oro — sonaron las palabras de Astaforte en su oído.

XXXII

María de Antioquía tenía dos caras. Cuando se hallaba en la cubierta de la galera, inclinada sobre la borda contemplando el juego de las olas, sonreía, tierna, dulcísima y un poco coqueta. Pero cuando comenzó el cortejo, uno de los más señoriales y magníficos que jamás conoció Bizancio, iba vestida con la púrpura imperial y adornada con oro y brocados. Pero en su frente, conservaba todavía la diadema con las flores lis. Sentada en un cojín, la imagen de María era como la maravillosa estatua de una diosa desprovista de vida.

Conservó sus dos rostros. El francés y el bizantino, como símbolo de su cambio entre el ayer y el presente. Seguía irradiando esa excelsa frialdad y aquel incalculable orgullo, en el momento que el emperador se presentó ante ella, con toda la magnificencia de su viril madurez.

La ceremonia fue solemne, un tanto impresionante, porque el protocolo de la corte había previsto hasta el menor detalle. Ese día, María seguía siendo una princesa, sometida en vida y muerte a su señor. Al día siguiente, cuando el Óleo Santo hubiera ungido su frente, María de Antioquía se convertiría en la copartícipe del trono de Bizancio. Sólo entonces, como compañera y esposa del emperador, con igual rango que él, podría estrechar su mano.

¿Cuál de sus dos rostros dirigió a Manuel?

Las costumbres de Bizancio exigían que María se arrodillara y besase el borde de la túnica del Basilio. Pero ese movimiento fue interrumpido porque el propio emperador se inclinó un poco frente a ella, al estilo de los caballeros de Occidente. ¿Qué rostro vio Manuel?

La princesa se quedó rígida por un momento. Después recuperó su autodominio, fue dueña de sus movimientos y sus palabras sonaron seguras y reflexivas. Cuando equivocaba el acento, se corregía a sí misma, orgullosa y libre. No tenía el menor temor ni estaba confusa.

«Berta», pensó Manuel. Y la vio tumbada en la camilla. Siempre aquel rostro y nunca el de los primeros años, cuando Berta vivía en aquel pequeño palacete, lejos de él, porque Conrado no había enviado los quinientos caballeros armados que le había prometido...Pobre Berta... Con los pies desnudos con sandalias, como las otras monjas... Pidiendo limosna. Así vivía ella, sin esperar ya que él una noche llamara a la puerta de su celda.

Llevó a María a su lado, junto a la ventana. Comenzaron a hablar en voz baja.

— ¿Has tenido buen viaje?

— El barco era hermoso y yo jamás hice un viaje tan largo.

— María, si lo deseas así y eso te sirve de satisfacción, visitaremos juntos el Imperio. No tienes más que decir una palabra, María.

— Antes, cuando era niña, sólo sentía verdaderos deseos de hacer un largo viaje. Un viaje al que tú no puedes llevarme, señor.

— ¿Por qué hablas en enigmas, María?

— Pienso en Roma...

— ¿Por qué te interrumpes, María?

— No debo hablar de Roma. Perdóname, señor.

Manuel se quedó mirándola y sonrió.

— También tendrás que ser como una escolar, María. La vida del emperador tiene su límite, y es muy posible que el Imperio exija que tú también formes parte del Consejo. Mira, Roma no está lejos; está cerca de Nápoles. Dime, ¿te duele tanto el convertirte en una griega y tener que renunciar al rito latino?

— Mi madre me lo ha enseñado y entre nosotros todos rezamos de ese modo...

— Lo has dicho con palabras muy bellas, María. Ahora no debemos ni queremos hablar de ello...

La princesa se inclinó hasta el suelo, tomó el borde de su túnica y la besó. Con la más completa humildad, porque estaban los dos solos.

* * *

— Vengo a hablar contigo de la mujer latina, Alexios.

María Comneno, la hija del emperador, estaba de pie, en el

centro de la cámara de los tapices del gineicón. Tenía dieciséis años, se había convertido en una muchacha guapa y decidida. Sus ojos eran como los de su madre y las facciones firmes y fuertes, así como el color oscuro del cutis, de su padre.

Alexios siguió de mala gana al eunuco que le llevó el recado de la princesa que deseaba verle. Hacía ya varios días que venía presintiendo el estallido de la tormenta. El noviazgo, de acuerdo con las costumbres de Bizancio, apenas significaba gran cosa, pues los novios casi nunca tenían ocasión de verse, hasta el día en que el patriarca bendijera su unión.

—Hablo contigo de la latina —repitió ella y Béla se dio cuenta que se refería a María de Antioquía.

»Todos parecéis girar en torno suyo. Mi padre, también tú y todo el mundo en la corte. ¿Crees que no me he dado cuenta de que te estás alejando de mí y no tienes ojos más que para ella?

Todos giraban en torno a María de Antioquía. La otra María, la hija del emperador, estaba allí, llena por completo de odio y amargura. Estaba celosa. Ella y María de Antioquía se habían saludado, se besaron, se abrazaron y escucharon las palabras del emperador.

Pero el veneno de la humillación obra lentamente. María sabía de qué se hablaba en Bizancio. El viejo Pródromos, cojeando a causa de su gota, espiaba en la ciudad para ella. Él le trajo los rumores. Sus palabras reflejaban la opinión del pueblo.

—Odian a la latina —dijo—. En su superstición, creen que la belleza de esta mujer tiene algo de mágico, de sobrenatural. Las capas más bajas no la quieren. Quizá otros se guardan todavía su opinión. Observan su rostro y odian su sonrisa. También Berta era una extranjera. Pero ella sufría. Esperó a Manuel durante años y era una santa cuya carne se desprendía de sus huesos y caminaba en sandalias por la senda de la santidad. El pueblo de Bizancio sólo puede representarse a la esposa del emperador en púrpura o hábito de monja. La Basilisa, que se persigna al estilo latino, camina por la ciudad con trajes de color claro.

—También tú has estado frente a ella, Alexios, la has mirado y te ha encantado.

Béla sonrió. María no lo molestaba, no lograba sacarlo de sus casillas, porque era su novia y la hija del emperador. Además,

¿qué hubiera podido decirle? María de Antioquía sabía que era aún más guapa que Teodora.

También lo sabía la hija del emperador. Pero lo que en verdad sucedía en la ciudad, al otro lado de los muros de palacio, en Bizancio, no lo sabía nadie, más que ella y sus espías. Y el propio emperador, Manuel, gracias a su servicio secreto.

Béla estaba esperando frente a su novia. ¿Qué podía hacer?

— Tú eres el «Despotos», Alexios, y todos se vuelven contra ti. Mi padre te ha adoptado como hijo y a tus manos irán a parar las riendas del Imperio.

— ¿Serías capaz de hacer algo contra tu padre?

— Mi padre, al fin y al cabo no es más que un hombre y, como tal puede cometer errores.

— El emperador ha sido bondadoso conmigo, es mi padre. ¿Quién puede hacer nada en contra de su voluntad?

— ¿No lo harías ni para complacerme a mí?

— Le estoy agradecido. Mi padre me recibió con los brazos abiertos. Ha formado mi espíritu. Me doy perfecta cuenta, siento en el fondo de mi corazón que me ama.

— Eres un extranjero.

— ¿Quieres herirme, María?

— En el caso de que tuvieras que decidirte a declarar la guerra a tu antigua patria, o romper la palabra que has dado a mi padre, ¿qué decisión tomarías, Alexios?

— Bizancio es sabio y no querrá que el hijo levante la mano contra su propio padre.

— ¿Sabes que para la primavera se prepara una guerra contra Panonia?

— Esas decisiones son tomadas en Consejo, María.

— El Consejo decide, y tú estás sentado en él y guardas silencio.

— Se trata de ti y de mí, María. Tu padre ha decidido que para la Pascua tú y yo nos sentemos a su lado y le ayudemos a regir los destinos del Imperio.

— La Pascua está lejana. El encanto de la latina es muy grande. De aquí hasta entonces puede ocurrir que hayas perdido tu influencia.

— La latina no es una encantadora, no conoce la magia.

Las palabras resbalaron, pero el fuego siguió encendido.

XXXIII

El otro Andrónico estaba junto a la puerta. La ceremonia fue larga y complicada. Comenzó en los primeros puestos fronterizos del Imperio, en el Este. Incluso puede decirse que empezó antes, en una mañana nublada y gris, cuando la confusa reina de Jerusalén, Teodora, fue a caer en manos de los soldados griegos.

Desde la primera noche en Akkon, Andrónico y Teodora no se separaron. Poco después, Teodora, con su nuevo señor, se marchó al desierto y durmió con él en la tienda de campaña destinada a los invitados en los campamentos nómadas. Andrónico seguía haciendo su juego: conspiraba contra su propia patria, feliz en apariencia, pero calculador, cuando se refería a Armenia, al oro, a la posterior desmembración del Imperio.

Después de sus conversaciones, volvía a su tienda y se sentaba junto a Teodora con los ojos llenos de añoranza e impaciencia. Así estaba, sentado en la cama, cuando se presentaron los primeros dolores de parto para Teodora y las mujeres sabias del desierto se presentaron en la tienda para apartar de allí a los malos espíritus con incienso y conjuros. Así, en un campamento de los príncipes nómadas del desierto, bajo una tienda de campaña, rodeado de hierbas aromáticas y falsas pitonisas, habría de nacer su hijo.

Así vivía Andrónico con Teodora, con la traición en el corazón. Algunas veces no tenía dinero; otras le sobraba y lo tiraba a manos llenas, como cuando se hacía pagar tributos por alguna caravana que se dirigía a Bizancio y caía en sus manos. En otoño, Teodora, después de una larga fiebre como consecuencia del parto, que estuvo a punto de llevársela a la tumba, recuperó la salud. Durante el tiempo que duró la enfermedad, Andrónico apenas si se separó del lado del lecho de la única mujer que de verdad había amado. Contempló a su hijo, un bastardo que por ambas ramas descendía de los Comneno como el hijo primero de Manuel y de la otra Teodora, prematuramente muerto. La más pura sangre, la sangre sagrada de los emperadores bizantinos, y al mismo tiempo, un bastardo. El recuerdo de un amor vergonzoso, incestuoso y pecador: un niño guapo y de rostro muy pálido, el hijo de Andrónico Comneno.

Bizancio no permanecía inactivo. Andrónico personificaba el peligro. No era un vulgar mortal. Andrónico atentaba contra las leyes, vivía como los infieles y en un incestuoso amor, contrario a las leyes de Dios, con su sobrina y amante.

Las tribus, como una marea de arena, recorrían el desierto. Montaban sus campamentos nómadas para cambiarlos de emplazamiento poco después. Y los soldados de Bizancio seguían sus movimientos, en busca de la ocasión de hacerse con Andrónico y, al mismo tiempo, con la reina de Jerusalén. Teodora fue la primera en caer en la trampa.

Recibió una embajada procedente de Akkon. Amigos y parientes le escribían a su reina, rogándole que les diera una oportunidad de mostrarle su vasallaje, en secreto, casi avergonzados, porque el joven rey de Jerusalén lo había prohibido. Pero el alcaide de Akkon y sus parientes habían prestado juramento de fidelidad a Teodora, y por eso, el día de San Demetrio, cargaron unos mulos con oro, vino, especias y otras mercancías y se dirigieron con los animales hacia la orilla del río. Estuvieron juntos unas horas. Teodora vio que su viejo reino, pese a su estado de decadencia, podía resurgir. Sin esperanzas de ser ellos quienes lo vieran, en voz baja, hablaron el alcaide y la reina.

Poco después se separaron. Un grupo de jinetes del desierto escoltaban a la reina y a los animales de carga. De pronto, en el horizonte se destacó una nube de polvo que fue creciendo a medida que se aproximaba a ellos. Los caballos se pusieron nerviosos, como los guerreros, que parecieron adivinar que se acercaba algo con lo que era imposible luchar. Era una tribu enemiga. De acuerdo con las leyes del desierto, no robaron ni asesinaron a nadie, y trataron a la reina con el debido respeto. El jefe que mandaba la tropa, un anciano casi, tomó las riendas del caballo de Teodora.

Comenzaron a marchar en dirección noroeste y Teodora no tuvo ya ninguna duda de que había sido traicionada y puesta en manos de Bizancio. Volvía a ser un miembro de la familia imperial. Iba seria, rígida y orgullosa sobre su caballo y no se dignó dar la menor respuesta al jeque. Y se negó a aceptar la leche que le ofrecieron para apagar su sed.

Así fue cómo Teodora cayó en manos del emperador. Recordaba los caminos, los interminables caminos que tuvo que recorrer y los que aún le quedaban por hacer hasta llegar a su destino. Teodora era una reina, pero también la concubina de un traidor: Andrónico.

Andrónico se quedó solo. Más solo de lo que nunca estuvo con anterioridad. Sentado en su tienda se consumía de tristeza. Estaba triste por la mujer cuyos ojos tanto había amado; unos ojos en los que la expresión tenía cambiantes matices de esperanza y desilusión. Ahora, ella estaba en poder de Manuel. ¿Dónde estaría su amada Teodora?

¿Debía enviar un mensajero?

La primera palabra le fue muy amarga. Pero tuvo que acostumbrarse a ella... y a las que siguieron, por mucho que le costara hacerlo. Así nació el mensaje dirigido a Manuel.

El emperador desdobló las hojas finísimas de papel.

«Ama a esta mujer — se dijo —. El tiempo que lleva lejos del Imperio se le hace demasiado largo e insoportable.» Continuó leyendo: «Si a Teodora no le sucediera nada malo... si pudiese volver a verla... Si Manuel los perdonara...»

Éste era el texto del mensaje. El emperador tenía en su poder a Teodora, pero no a Andrónico. Cuando se enteró de que Teodora había caído en poder de las tropas de Bizancio, pensó otra cosa. Venganza y castigo ejemplar. Pero desde lejos, escrito en un delgado papel, le llegaba la voz de Andrónico. ¿Era el amigo o el enemigo?

Escuchó la voz y fue débil.

La respuesta era la voz del Basilio, pero el otro leyó también la voz de la sangre. El mensaje decía: «En el asunto de Andrónico, el hijo traidor de nuestro Imperio, el emperador dictará, personalmente su sentencia. Pero Dios, que había visto sus maldades podía ser también el que juzgara. Todo jefe de guarnición en la frontera del Imperio, de acuerdo con la ley, tiene el derecho de detener y presentar para su posterior juicio, a todo aquel que se presente ante él, sin armas, dispuesto a someterse. Actúa en nombre del emperador.»

En una de las incursiones de los infieles, Andrónico, que iba con ellos, se separó de su lado y a galope de su caballo, tan rápido que las flechas no pudieron alcanzarlo, se dirigió hacia el Imperio. Tuvo suerte.

El comandante del puesto fronterizo lo recibió como a un príncipe real. La cena fue fría y ceremoniosa, pero nadie le quitó su espada.

— La espada de Su Alteza le pertenece al emperador — dijo el comandante.

Andrónico se había presentado voluntariamente y era un príncipe. Únicamente el emperador podía dictar sentencia.

Sólo le hizo un ruego al jefe de puesto.

— Deje que le escriba una carta a Teodora y procure que llegue a su poder — le dijo.

Su mano temblaba cuando le entregó la misiva al oficial. Después continuó su camino. Un jinete veloz. Tenía añoranza por Teodora y por Bizancio, por la corte, por su encuentro con Manuel... y quizá por el mismo Manuel.

Andrónico demostró ser un maestro en el arte de la penitencia. Se mostró humilde y obediente, como si su alma y su cuerpo se hubieran purificado. Así llegó hasta las puertas de la ciudad. Tres días antes, la guardia personal del emperador salió a hacerse cargo de su custodia, y lo acompañó hasta el Sacro Palacio. Había calculado que tendrían que pasar varios días, quizá semanas, antes de que fuera llevado a presencia de Su Sacra Majestad. Pero la suerte le fue favorable, como si Manuel estuviera deseando mostrar su benevolencia.

El primer día de su llegada, el maestro de ceremonias le comunicó la hora en que debía presentarse ante el emperador para rendirle vasallaje y hacer ante él pública penitencia. Debía ser al tercer día de su llegada. Durante esos tres días, Andrónico ayunó. Adelgazó mucho y su robusto cuerpo presentó síntomas de cansancio y vejez. Las arrugas de su rostro se hicieron más profundas y su pelo más ralo. Parecía como una vela que se hubiera consumido en penitencia.

Llegó, por fin, el día en que fue llevado ante Manuel.

Llevaba un sayal de penitencia. Su cabello era gris y no se había espolvoreado la barba con polvo de oro. Iba armado, pero no se ciñó la espada sino que la llevó en la mano, dentro de su vaina. Sus hombros caídos, como rendidos por la pesadumbre.

El Consejo pareció estremecerse y los embajadores presentes cambiaron entre sí expresivas miradas. ¿Había perdido Andrónico todo su valor?

Andrónico se adelantó, paso a paso, llevando en alto la espada cuya empuñadura estaba adornada de piedras preciosas, puesto que era uno de los privilegios de los príncipes imperiales el poder acercarse, armados, al emperador. Éste lo miró. Andrónico abrió su capa. Bajo ella llevaba su hábito de penitente casi completamente desgarrado, y al cuello el dogal del arrepentimiento. Todos callaron en espera de oír las palabras de Andrónico. Había venido desde muy lejos.

— Señor, no soy digno — esto dijo Andrónico *para sí mismo,* frente a la brillante asamblea allí congregada.

La voz del emperador fue baja y suave. Su respuesta hermosa y sencilla:

— Las preocupaciones y dolores del Imperio son mis preocupaciones y mi dolor, Andrónico — dijo.

Y el silencio que siguió a estas palabras fue más expresivo que todo lo que pudiera haber añadido. Los presentes se dieron cuenta de que el emperador hacía esfuerzos para dominarse. Pudo contener un sollozo violento que amenazaba con brotar de su pecho. Algo pareció pasar entre los dos. ¿Era el encanto, el recuerdo de los días de la niñez?

El emperador hizo una pausa en su discurso que continuó en voz más baja, aunque en seguida sus palabras volvieron a resonar vibrantes:

— El penitente tiene que cumplir su penitencia, pero conserva plenamente su rango, pues es el emperador quien fija su lugar entre los súbditos del Imperio. Se le devuelve su espada. Puede quitarse el dogal del cuello, símbolo de su penitencia y arrepentimiento, besar el borde del vestido del Basilio y marcharse de rodillas y hacia atrás, por el mismo camino que ha venido.

Una hora después estaban juntos los dos, frente a frente. Dos Comnenos. Andrónico estaba radiante en su vestido principesco, mientras Manuel se había quitado la capa imperial y se puso el jubón de mangas cortas y los pantalones que, siguiendo la moda de los caballeros occidentales, solía usar en sus estancia privadas, cuando no tenía que seguir ningún rito protocolario.

Abrió sus brazos y estrechó entre ellos al hijo pródigo. ¿Era el mismo Andrónico de siempre? Manuel tuvo la impresión de que había perdido un poco. Andrónico habló. Sus palabras estaban llenas de añoranza, pero observaba a Manuel como un perro de caza.

Ninguno de los dos pronunció el nombre de ella. Manuel la había hecho encerrar en un convento, para evitar que continuara aquel amor pecador. «Teodora — pensó el emperador —, Teodora... los dos hemos pecado y los dos con nuestras sobrinas... Teodora, el mismo nombre para los dos...»

Ése es el destino de los hombres que aman a demasiadas mujeres y a veces hasta llegan a olvidarse de que son de su misma sangre. Había alzado su mano, pero no trazó ningún círculo que Andrónico no pudiera cruzar.

— Vive como quieras, los ojos del Imperio te vigilan.

El emperador había decidido que el príncipe Andrónico siguiera en la corte y se le abrieran, de nuevo, las puertas del Consejo Imperial.

XXXIV

Era el Jueves Santo. Manuel tenía que pronunciar un sermón. Habló del pecado, que como una planta trepadora se iba arrollando en torno del mundo.

María, la emperatriz, vestida de blanco, oía las palabras de su esposo desde una galería cerrada. ¿En qué pensaba? ¿Creía, tal vez, que verdaderamente el Basilio se parecía a los apóstoles? ¿Suponía que era un sacerdote, cabeza de la Iglesia y príncipe de los obispos?

María de Antioquía ocultaba su rostro tras un manto. No sentía la presencia de Dios. Las palabras de su esposo, le parecían más bien una declaración de amor, y resonaban celosamente envueltas en el antiquísimo idioma del Palacio. Era un sermón de Jueves Santo con el que se despedían de la carne y del placer.

Después, visitaron los hogares de ancianos, como era costumbre, en procesión. Juan Comneno y Kontostefanos, el gran duque, galoparon con sus caballos por el camino fangoso, rompiendo la marcha. Los demás iban a pie tras Manuel, el tercero, el «bárbaro», el príncipe húngaro luciendo un jubón, distintivo de su rango. Su perfil ya casi parecía griego.

Los pies y las piernas estaban llenas de barro, cuando llegaron al hospital. Apenas si podían resistir el repulsivo olor, pero nadie debía llevarse un pañuelo a la boca o aliviar su mareo con sales olorosas. Fueron de sala en sala. Los criados dejaban grandes cestos con comida y el Basilio llegaba a las camas de los moribundos para besarlos.

La Basilisa mantenía un rostro convencional, apropiado a la ceremonia como si se diera cuenta de que todas las miradas estaban fijas en ella. ¡En Antioquía resultaba todo mucho más fácil! No había procesiones, ni siquiera este desfile de los grandes de la Iglesia y del Imperio. María, recta como un huso, tenía que sujetarse con la mano contraída al borde de un mesa, para vencer el mareo que sentía. Su malestar era más fuerte que su voluntad. Sus ojos buscaron los de Manuel. Sus miradas se encontraron y él se dio cuenta que la naturaleza no puede ser vencida.

Ni siquiera él podía romper la procesión. Miró en torno suyo, buscando... y su mirada tropezó con Béla. Se acercó a él mientras se dirigía a la última fila de camas.

— ¡Ve hacia tu señora y acompáñala al aire libre!

María se dio cuenta de la señal y dio la vuelta.

— *Merci* — dijo, olvidándose dónde se hallaba, en su idioma materno.

Béla, ante ella, sonreía. Estaban solos los dos, dos extranjeros. Y María sabía que los burlones llamaban a Alexios «bárbaro», «franco» o «latino». ¿Por qué tenía que odiar ella a ese «otro» extranjero?

— Puedes sentarte, señor...

— De muchacho, en mi patria, no tenía título. Los dignatarios del reino solían decirme, simplemente, Béla.

— El segundo día de la Pascua florida será la fiesta de tu proclamación como heredero. ¿Te sientes feliz?

— Pienso en mi madre. ¡Si pudiera verla!

— Según creo, después te irás al frente. ¿Sería ésa tu primera guerra? Se trata de tu herencia.

— Dime, Majestad, ¿piensas frecuentemente en Antioquía?

— ¿Por qué me lo preguntas?

— El primer año de estancia aquí, lloraba con mucha frecuencia. Después, poco a poco, me fui acostumbrando. Ahora, en mis sueños, casi nunca oigo la voz de mi padre. Hasta empiezo a olvidar las palabras en ruso de mi madre. Las raíces crecen, como dice el viejo Theophilaktus y mientras más crecen más profundamente se clavan en la tierra. ¡Si no hubiera tantos que me odian!

— ¿Quién te odia?

— A veces tengo la impresión de que... todos. No se tratan conmigo. Me desprecian y me toman por un bárbaro.

— Así llegarás a ser más fuerte. Y tu novia está a tu lado y de tu parte, dispuesta a ayudarte.

— Eres bondadosa al hablar así de mí. Pero, fíjate, María, también mi novia ve en mí a un extranjero.

— ¿No sientes el deseo de ver la corona en tu frente, amigo mío?

— La pregunta es espantosa, señora. Yo honro y amo al emperador como si fuese mi padre. ¿Puede un hijo desear la muerte de su padre para subir al trono?

— Sé que amas a Manuel y sé también que él confía en ti. Pero todos vosotros habéis sido educados para el poder. Por lo tanto, tienes derecho a soñar que un día llegarás a ser emperador romano.

— Sí debo, Altísima Señora, porque el deseo es mudo y no desvergonzado. El emperador me ha enseñado a saber esperar.

— Eres muy cortés... Pero si hablas de tu patria... Tu patria donde está lo que te pertenece y que no te quieren dar.

— Altísima Señora, los territorios del sur me pertenecen. Pero, a pesar de eso, siguen formando parte de Panonia y no del Imperio, del Sacro Imperio. Perdóname, señora, que te aburra. Pero como has tenido la bondad de dejarme hablar, quizá mi falta sea más pequeña y hasta ridícula.

— Hablas muy bien. Seguro que has tenido un buen maestro en este menester.

— El príncipe Andrónico, recientemente, dijo de mí que era un bárbaro que no respetaba el idioma de los antepasados. Lo dijo en voz tan alta que tuve que oírlo.

— Desde que está de nuevo en la corte, todo es espantoso. Su mirada no puede soportarse.

— Se le llama un pecador arrepentido, pero sigue disfrutando de su rango y su dignidad. Todos son bárbaros para él. Odia a los extranjeros.

— Tus palabras son amargas y duras. Hace mucho tiempo que dejaste de ser un niño, Alexios.

* * *

El Dromos estaba preparado para la fiesta. Los miembros del Consejo fueron los primeros en poner su juramento en manos del «déspota» Alexios que, de acuerdo con la voluntad de Manuel, era el heredero de su trono y el prometido legítimo de su hija.

El emperador no improvisó nada. La tranquila cadencia de sus palabras demostraba que, en la calma de su estancia, a solas consigo mismo había pulido aquellas frases. Gracias a Alexios, Roma adquiría brillo y un nuevo sentido. Nunca el heredero de un trono pudo ofrecer a la eterna Roma un regalo de novia más rico y valioso: Béla llevaba un Imperio en sus manos.

Debían saber que el príncipe Alexios no podía abjurar públicamente del viejo rito latino, porque de hacerlo así, quedaría excluido de toda posibilidad de volver a ser coronado rey en su patria, el reino de Panonia, ni ceñirse las coronas de los que ahora se repartían el reino. Abjurando perdería la confianza de su pueblo. Si Alexios era coronado en Panonia, el Imperio ganaría nuevas provincias. Todo esto valía la pena de ser reflexionado.

— Alexios es joven. Pero vosotros, consejeros, conocéis su brillante inteligencia. Yo, sin embargo, lo conozco mejor que vosotros, lo vengo observando desde el primer día. Lo he rodeado con el amor de mi corazón. Y lo juzgo, porque Dios me da derecho y al mismo tiempo el deber de hacerlo y un día me pedirá cuentas de mi acto. Vosotros sabéis que al entregar la mano de mi hija entrego también, para el futuro, las riendas del Imperio, porque una mujer que se queda sola es débil y capaz de muchos errores. Ella es una fuente de fuerza y un gran apoyo, al lado de un hombre. Juntos pueden realizar las más bellas empresas. He considerado y sopesado las cualidades de Alexios y lo considero digno de sucederme en el trono, compartiéndolo con mi hija, cuando llegue el momento en que, de acuerdo con Su Voluntad, yo tenga que devolver al Creador todo lo que Él me entregó. Os lo ruego: poned las manos sobre el corazón y prestad juramento.

Alexios no estaba presente. En compañía de María esperaba, en el cuarto de los logotetas, a que se abriera la puerta y el eunuco de servicio viniera a buscarlos a ambos para conducirlos al salón de Consejos. María estaba junto a la ventana, con la cabeza erguida. Se sentía completamente segura y satisfecha de sí misma al saber que el Imperio, legalmente, le pertenecía.

En la Sala del Dromos se pronunciaban grandes palabras, tranquilizadoras y amables. Todos alababan a Alexios. Uno tras otro los consejeros se fueron aproximando al rey, calificando al príncipe de piadoso, inteligente, excelso y buen hijo. Manuel recibía con agrado estas palabras y respondía en voz baja y brevemente dando las gracias por fidelidad. De repente su mirada se encontró con la de Andrónico.

El rostro de éste permanecía rígido y hermoso.

—¿Por qué no dices nada, nuestro querido Andrónico?

Andrónico fingió:

—Te pido disculpas, señor, porque mis palabras son inseguras y vacilantes, pero debo aprender de nuevo todo lo olvidado. Me he hecho viejo y apenas si puedo recordar ya los tiempos en que me permitías dar mi opinión en los asuntos de la administración del Imperio. Ahora me siento como un simple mortal nacido del polvo, como uno de los hombres que deben ganarse el pan con el trabajo de sus manos cada día, y por las noches, después de su jornada, se reúnen con sus iguales para discutir con simpleza los asuntos políticos. Tú sabes, señor, que has elegido justamente. Tú eres la Ley que determina el curso de las estrellas.

Hacía su papel a la perfección.

—No puedo contestar —continuó Andrónico— porque no soy digno de opinar en los asuntos del Imperio. El Señor ha medido mis pecados y ha dejado que mis años pasen de vacío.

La voz del emperador resonó fría, como desde la altura. Ordenaba, no discutía.

—Andrónico, estás solo con tus dudas. Que Dios las acepte

y te dé la paz del alma. Si tus sentimientos así lo exigen, limpia tu interior de su basura espiritual; júzgate a ti primero y después a los demás. Con mi imperial permiso, puedes marcharte.

Se abrió la puerta. La orden era cruel y breve. El emperador esperó. Todos estaban en silencio, tranquilos. Lo que el soberano quería, era la Ley. Nadie más dijo nada.

XXXV

— ¡Han visto a Béla bajo las murallas de Zimony...!

— Se aproxima a Sirmia al mando de la caballería ligera.

— La sangre se convierte en agua, agua y veneno.

— No ofendas al hermano menor de tu rey, Paladín.

— ¿Lo defiendes tú, señor arzobispo?

— En tanto que no haya puesto mis dedos en sus llagas, en tanto que no vea a Béla con mis propios ojos, no lo creeré.

— ¿Qué es lo que esperabas? Apenas si era más que un niño de pecho cuando abandonó Hungría. Desde entonces...

— No era ya un niño. Se mantenía a lomos de un caballo, disparaba el arco y, en el último año, formaba parte del pequeño Consejo. Sabíamos que Manuel quería hacerlo su hijo.

— Y lo ha hecho así. Hasta ha cambiado su nombre. Va desarmado y viste larga toga. ¿Qué queda de Béla?

— Su sangre...

— El Paladín imperial conoce las costumbres de Bizancio. Lo sabe todo. Sólo una cosa no: si las mejillas de Béla enrojecen de vergüenza porque conduce las tropas contra su país, hacia Sirmia.

— Le han enseñado a Béla que es el soberano de Dalmacia y Croacia. Así consta en el contrato que tú también juraste. Y ahora nos negamos a darle sus tierras.

El rostro del arzobispo Lucas parecía de marfil. El tiempo parecía resbalar sobre él y en los últimos años no había cambiado lo más mínimo. Estaban sentados en el Pequeño Consejo. La voz del Paladín sonaba preocupada y monótona:

— También Boris ataca al país, y lo mismo hace Lázslo.

— Yo hablo de Béla. Me parece como si fuera hoy cuando le

pedí que no olvidara a su patria ni a su hermano. Dices que tiene diecisiete primaveras. Eres viejo y sacerdote y puedes perdonar y olvidar. No me interrumpas, Lucas. No me tomes a mal si veo a Béla con ojos distintos. Él lo juró todo cuando subió a bordo del buque. Yo creí que Béla viviría en el Sacro Palacio, pero seguiría siendo de los nuestros. Nunca creí que fuera a disparar sus flechas bajo las murallas de Zimony.

— ¿Tienes noticias fidedignas?

— La guarnición de la villa está cercada. Sólo podrán resistir una semana o dos.

Callaron. Los jóvenes caudillos que esperaban a sus tropas formando un grupo, junto a la salida también guardaron silencio. El Paladín tenía noticias más abundantes y más amargas de lo que habían esperado.

— ¿Por qué no envías auxilios a la ciudad?

— Sus buques son más potentes. Hemos empezado demasiado tarde. ¿Sabéis dónde está la falta? No podríamos ponernos en marcha antes de tres semanas y, entonces, el Basilio habría cubierto de sal el lugar donde ahora está Sirmia. Ningún animal hallaría una brizna de hierba para alimentarse.

— ¿Y si atacamos con la caballería ligera? Tal vez podríamos debilitar el cerco de Sirmia y coger un buen botín.

— Sólo piensas en el botín. Su campamento está protegido por potentes máquinas de guerra, cañones de fuego, y... ¡los poderosos catafractarios! Solamente esperan que llegue el ejército de reserva. ¿Quieres correr a tu propia perdición?

No hablaron más de la guerra. La cuestión de si Béla era un traidor pesaba más sobre su corazón. Béla, el pequeño Béla que había jugado con él en la corte de Feherver. Nadie debía atreverse a comparecer ante el rey para decirle: «Tu hermano menor conduce el ejército enemigo».

Todos miraron al arzobispo.

— Era un gran muchacho cuando lo hice marchar — había lágrimas en sus ojos —. No digas que Béla es un traidor. Quizá nos encontremos algún día.

Palabras difíciles y enigmáticas. Todos callaron.

* * *

El corneta dejó caer su instrumento. Era una buena mañana. El ejército se preparaba para el ataque.

El emperador apareció en la puerta de su tienda de campaña. Los Comneno eran viejos soldados. El arma que Manuel llevaba al cinto procedía del viejo Alexios. Se volvió para mirar al joven Alexios, que estaba detrás de él. No era el bautismo de armas del joven, pero sus mejillas estaban ese día extraordinariamente pálidas. Cuando atacaran las murallas, se enfrentaría consigo mismo, con Béla.

El corneta, en posición de firme, esperaba la orden del emperador. Éste movió la mano y se quitó los guantes de púrpura que no quería llevar durante la batalla.

El gran duque le dijo en voz baja:

— Ten cuidado, señor. Las escalas son débiles y las murallas muy altas.

— ¿No hay ningún traidor entre la gente de la villa?

— Los que han salido para darnos noticias no han podido volver a entrar. La ciudad no está todavía a punto. Si esperásemos una semana más...

— ¡Aproxima las escalas!

El rostro de Manuel estaba enrojeciendo por la emoción. Una aventura de caballeros, un juego de hombres. Eso era para él la guerra. ¿Lo estaría viendo la Basilisa desde la cima de la colina próxima?

Se puso en marcha y, tras él, Alexios.

No son los primeros en atacar. Desde hace minutos, quizás un cuarto de hora, se combate en las torres.

No hay nadie que dé la señal de capitulación, la bandera blanca. Entre las almenas de las murallas aún se ve un buen número de soldados. Los griegos atacan en un frente cada vez más amplio.

Como en todas las batallas, también en ésta llega un momento en que los combatientes parecen cansados. Los hombres, agotados, bajan las armas.

La ciudad es grande y bella. Tiene iglesias. El círculo se estrecha y los húngaros son empujados cada vez más hacia el interior de la ciudad, en dirección a la «citadella» de débiles murallas.

Suena la trompeta. ¡Victoria!

Alexios está detrás del emperador y Manuel se vuelve para mirar al joven que lo acompaña. Había subido los muros a pecho descubierto, protegiéndose sólo con el escudo en el que se clavaron muchas flechas. Manuel le gritó algo, pero Alexios no lo oyó; continuó avanzando.

La trompeta vuelve a sonar. Su sonido se extiende sobre el ejército sitiado. La vida parece detenida sobre Sirmia.

Alexios estaba en el marco de la puerta amurallada. Cualquiera podía clavarle una flecha en la espalda o, desde arriba, echarle un caldero de agua hirviendo. Se arrodilló ante Manuel.

El gesto es de sobra conocido. Así se arrodilla el comandante supremo de las tropas ante el emperador, después de la lucha, para que la ciudad fuera saqueada libremente. Pero el comandante supremo es el gran duque Kontostefanos. Alexios se le ha adelantado.

Los que están próximos a ellos, oyen estas palabras:

— ¡Piedad, señor, para los supervivientes!

Manuel esperaba. Miró los semblantes de los que le rodeaban. Kontostefanos, el comandante, hizo una señal de asentimiento. Pensaba que Manuel ya no era joven y que Alexios lo sucedería en el trono. ¿Por qué no salvar las vidas de unos cientos de húngaros?

El emperador bajó la mirada para mirar a Alexios, que seguía arrodillado, y vio la sangre resbalar por su frente. Se dio cuenta de que si Alexios, que estaba destinado a ser su sucesor, se sentaba un día en el trono del Imperio, jamás lucharía contra Hungría.

El emperador sintió un gran vacío en su alma. Pero estaba cansado y amaba a Alexios. ¿Llegaría el príncipe a lamentar un día el haber concedido la gracia a Sirmia?

El puñado de defensores se dirigió hacia ellos. Sólo entonces se dieron cuenta de cuán escaso era el número de supervivientes de la guarnición de Sirmia.

Manuel estaba a un tiro de flecha de distancia de ellos. Reconoció sus ropas y su rango. Sabía quién era cada uno de ellos. Se aproximaban. Cuando llegaron ante él no se arrodillaron ni pidieron gracia. Estaban de pie, inmóviles, pálidos. El emperador habló y su voz sonó sencilla y un poco triste.

— ¡Los prisioneros pertenecen a Alexios! — dijo.

Todos ellos pasaron a ser propiedad del brillante y maravilloso Alexios.

Éste estaba en medio de los soldados y los prisioneros. Su mirada pasó por encima de los jefes, después dio la vuelta y se adentró en las filas de los soldados magiares prisioneros que mostraban en su rostro pesadumbre y tristeza y aguardaban silenciosos.

XXXVI

El embajador de Barbarroja se desperezó en su cama de la pequeña habitación. Ante ella tenía un vaso de vino, y al lado frutas secas y distintas clases de queso y miel. Las flores se habían marchitado con el calor del mediodía.

El embajador se quedó mirando el techo del cuarto, cubierto de mosaico que representa la bóveda celeste. Todo había cambiado mucho en Bizancio desde que salió de allí. Pero los mosaicos seguían siendo los mismos y continuaban teniendo su alegre colorido.

Frente a ella estaba el emperador, con los codos apoyados en la mesa al estilo antiguo. Estaban solos y dejaban pasar el tiempo observándose mutuamente. Tal vez la única que había cambiado era Teodora, mientras Manuel seguía siendo el mismo que siempre fue, la imagen de un dios vivo para quien el tiempo no cuenta.

¿Había cambiado tanto Teodora? Su rostro seguía siendo suave y terso. Las hebras de plata se habían hecho mucho más numerosas, pero su cabeza continuaba erguida y bella. Sus ojos eran como espejos, brillantes y negros. Todavía era una gran belleza, una belleza que empezaba a decaer, pero que aún seguía en su total plenitud.

Los ojos del emperador descansaban, con una mirada suave, en su rostro. Una mirada como sólo él podía tener, el multifacítico emperador, que podía ser agua y fuego, una combinación de todos los más diversos elementos: el señor de la gracia y de la tortura.

Las palabras buscaban su forma. Teodora habló. Su voz estaba un poco velada y no porque le costase trabajo volver a usar su antiguo idioma. Seguía usando las formas de hablar y las frases típicas de los Comneno, ya pasadas de moda, como si no supiera que eso también había cambiado y las cosas no eran tan rígidas y sagradas como antes. Teodora no podía suponer que en Bizancio todo se había relajado.

Ella venía en calidad de embajador, con un mensaje del emperador de Occidente, pues su esposo, el príncipe Enrique, sólo la siguió hasta Sofía y se quedó allí, invitado por los nobles locales a una gran cacería, como consecuencia de la cual enfermó y no podría reunirse con ella hasta dentro de varias semanas.

Los dos Imperios tenían mucho que decirse, y urgentemente. Sobre todo después de que recibieron la noticia que hablaba de la preparación de una nueva cruzada. Ella era la embajadora. Traía instrucciones secretas, el mensaje de Barbarroja. Tendría que recibir la respuesta, que debía ser sabia y excelsa, puesto que sería pronunciada bajo las cúpulas doradas del palacio, entre las cortinas purpúreas de la sala imperial.

Pero aquí, junto a la mesa puesta, todo tiene un significado distinto. Teodora ocultaba su rostro entre las manos. ¡Hacía tanto tiempo que no volvía a oír su idioma, que no estaba junto a Manuel! Tanto tiempo que no recibía las golosinas que ahora le traía un eunuco de rostro de serafín. Transmitió al emperador las palabras de Barbarroja.

—Federico se muestra dolorido por el asunto de Milán. Continuamente habla de esta ciudad y de los lombardos. Como si éstos fueran, para él, mucho más valiosos que todo el resto de la península italiana. Sufre cuando se entera de que los consejeros se dirigen a ti, y su alcalde te pide un título... que todos ellos sueñan con vestir la toga... o cuando se entera de que los señores de Venecia se reúnen y te rinden pleitesía y que en el día de tu santo, el patriarca de Grado leyó tu nombre en el libro de oro, mientras que el día del suyo guardó silencio absoluto. Todo esto es mucho para él. Le duele que en Italia sólo circule una moneda, el sólido, con tu efigie a un lado y al otro la de la Virgen, rodeadas de letras griegas.

—Contemplo tu rostro, Teodora. Sigues siendo guapa, muy hermosa.

—Al emperador de los alemanes le escuece también Ancona, que tú has conquistado. Y Apulia y Génova. Pero sus palabras vuelven siempre a referirse a Milán. Es verdaderamente terrible cuando se le oye hablar del «Mediolanum». O de los consejeros de Lombardía, a los que califica de duros e intransigentes, o del Arzobispo de la ciudad, que se atreve a resistírsele y que se ha negado a aceptar un edicto de la cancillería de San Ambrosio, que a su juicio es tan intransigente como los propios señores de Consejo, que ha hecho construir un foso en torno a la ciudad por el cual dejan correr las aguas del Po. Como, Lodi, Bérgamo, todos tienen los ojos puestos en Milán. Y todos se vuelven a ti, pronuncian tu nombre en sus rezos. En todas partes está tu imagen. Tú eres el emperador... y a él sólo lo consideran el rey de los alemanes. Eso le escuece.

— Tu voz suena muy agradable, tan bella como antes, Teodora, cuando me contabas la leyenda de las hetarias que habitan en el desierto. Fíjate, aún me acuerdo de esa leyanda, pese al mucho tiempo que hace que me la contaste.

— Federico odia a los normandos. Es como si pusiera la guerra y la paz en los dos platillos de una balanza y usara dos balanzas. Dos guerras, dos enemigos. ¿Debe reconciliarse con los normandos y con el rey de Sicilia? ¿O con el rey de Francia? ¿Debe buscar un acuerdo con el Papa Alejandro y dejar abandonados a su suerte a los húngaros? ¿Debe dirigirse contra ti, señor, contra Bizancio, contra el viejo Imperio al que considera como un poder de arcilla, un campamento de curas, una ciudad de mujeres charlatanas? Así habla cuando siente cólera y se enfada. ¿O deberá firmar la paz contigo y renovar el viejo pacto que firmó Conrado y significó para los dos Imperios una bendición y la paz? Si tú opinas así, señor...

— Sigues usando el mismo perfume de antaño, Teodora. Desde que te fuiste nadie lo ha vuelto a usar. No lo hubiese permitido. Tal vez hubiese hecho matar a quien se atreviera a robártelo, como a quien se apodera ilegítimamente de un trono. Tu cabello es de plata cuando inclinas la cabeza. Veo en tus ojos que has llorado. Frecuentemente, muy frecuentemente... Dime, corazón mío. ¿has tenido que llorar mucho en Viena?

Ocultó ella su rostro entre las palmas de sus manos. El movimiento fue bello, armonioso. Era su mismo cuerpo de antes, ágil y flexible como una serpiente. Se movía apenas un poco, y, sin embargo, con ello cambiaba de posición todo su cuerpo. Sus manos quedaron libres para taparse la cara, para ocultar tras ellas su confusión, la confusión de una mujer que ha sobrepasado el límite de su capacidad. Aquel movimiento tenía la gracia juvenil de quien lo aprendió siendo muchacha. Levantó la cabeza. No lloraba, no se veían lágrimas en sus ojos. Más bien, parecían sonreír. Se quedaron mirando el uno al otro. Las palabras eran dolorosas, pero al mismo tiempo portadoras de felicidad.

— Mi hija está a punto de casarse, Manuel. ¿Crees que aun puedo llorar? ¿Permitirías mis lágrimas? ¿No puedes creer que a veces las lágrimas vencen? ¿No puedes aceptar la idea de que en el mundo hay otros seres humanos además del Basilio? También los demás son hombres, seres humanos. ¿Crees que en Viena no hay caballeros? «Llorar»... Tú lo dices... porque eres el único capaz de notar en mí cuándo he llorado. Nunca nadie notó en mis ojos si había llorado. Ni siquiera Enrique, ni mis hijos. Manuel, tú has aprendido de los castrados, de los eunucos, el arte de leer en el rostro de las personas. Ellos, como los ángeles, conocen el camino de las lágrimas y de la risa. Sólo ellos pueden leer estas misteriosas señales. Tú lo has aprendido de ellos, que son los mejores maestros. En Occidente no hay eunucos. Las gentes aprenden a leer con los sacerdotes, en gruesos libros muy piadosos. Lo que no es piadoso no sirve de nada, sólo son palabras. Los besos y las canciones están prohibidos. Son cosas ardientes, vergonzosas, pensamientos pecadores... que no dejan huellas, porque nadie copió y nadie puede aprenderlo. ¿Quién puede leer, en Viena, lo que hay escrito en la expresión de un rostro?

— ¿Fue muy difícil para ti... en los primeros años?

— No.

— ¿Cómo puedes decir eso?

— Yo llegué a un país pequeño. Enrique es bueno, un caballero fiel. Veía en mí a la nieta de un emperador... de Bizancio, Imperio al que casi ni se atrevía a nombrar. Su país es una nación... Se construyen casas, viven allí hombres que aprenden nuevas cosas, aun cuando lo hagan lentamente. Yo también tuve que conocer muchas cosas nuevas. Su idioma, sus costumbres. Los rostros de las mujeres, que los llevan descubiertos al sol... No se maquillan, ni se cuidan, ni usan perfumes. Yo vivía allí, en medio de ellas, que son todas como fue Berta al principio. Pero Berta era más hermosa, más bondadosa y dulce que todas las demás. Berta fue la emperatriz. Ayer visité su tumba. Nadie me reconoció. Me arrodillé y recé.

— ¿Conoces a Barbarroja?

— ¿Tú también le llamas como los milaneses?

— Se llama así. Mi padre, que era bajo de estatura y de color oscuro, fue llamado burlonamente, Juan el Pequeño. ¿Por qué no puedo llamar Barbarroja a Federico, ese caballero errante que va por el mundo latino preocupado sólo por los que no quieren darle el título de emperador?

— Sí, señor. Conozco a Federico y puedo decir de él que es un auténtico emperador. Es firme, fuerte y no se doblega ante nadie. Un roble. Lo que promete, lo mantiene.

— Es muy amable. Pero quiere tenerlo *todo*.

— ¿Qué más puede ambicionar, señor? Lo tiene todo. Su único sueño, como tú sueles decir, es Bizancio. ¿Por qué te extraña que se encolerice y cierre los puños cuando ve que no hay un mundo fuera de Bizancio?

— Estoy cansado...

— ¿Por qué no quieres hablar conmigo de Bizancio?

— Ya no se quién eres, Teodora. Conozco a muchas mujeres que sirven lealmente a sus nuevos países. Y también otras cuyas miradas siempre estuvieron pendientes de sus padres y sus hermanos.

— ¿No confías en mí, Manuel?

— Cuando me escribiste lo hiciste utilizando las maneras y el estilo de un embajador. Me costó trabajo creerlo, no podía confiar en ti, porque tienes hijos y una nueva patria. Ahora te veo y sé que estás unida a mí. Igual que aquella noche cuando...

— ¿Te acuerdas todavía de aquella noche? Un minuto antes, el gong sonó tocando a vísperas y tuviste que marcharte, porque el protocolo así lo exigía. ¿Te acuerdas todavía?

— El Imperio era entonces como un niño alegre y caprichoso. Había aventuras caballerescas en las cuales probar la fuerza de la lanza. Era rico y espléndido. Repartía el oro a manos llenas, el oro que mi pobre padre había acumulado. Amaba a las mujeres bellas. Le gustaba que vinieran hermosas extranjeras para inclinarse a sus pies. No pensaba que eso cuesta dinero, mucho dinero. No sabía de dónde venía el oro.

— ¿Y hoy lo sabes?

— Quizá. Los ancianos me lo ocultaron durante mucho tiempo. Ahora compruebo las cuentas personalmente. Las cuentas que mi tesorero Astaforte me presenta. Él me explica el curso del dinero, quién lo paga y por qué. Las fuentes de donde procede. El Imperio es ahora algo distinto de lo que fue antaño, cuando vivíamos en la época de la prosperidad.

— También el mundo de los francos ha cambiado. Yo vivo en su centro. Conozco sus lenguas. Los francos han dejado de ser niños. Cada uno de ellos desea ser más y mejor que su padre. Son muchos los que saben leer y escribir. En los conventos se instruye también a las muchachas. Por extraño que parezca, Manuel, también hay jóvenes mujeres que saben leer y escribir. Y hablar. No son sólo los sacerdotes. Tal vez ya dejaron de ser bárbaros.

— Nosotros hemos levantado un muro a nuestro alrededor. Quien está fuera de él, pertenece a los bárbaros. Pero tenemos que reforzar ese muro que se muestra vacilante en algunos puntos. Tal vez sería necesaria una nueva puerta. Un terremoto podría derrumbar una parte del muro. En la actualidad, ¿quién puede decir dónde está el muro? ¿Quién puede ser un aliado digno de confianza para Bizancio? En tanto que no existían más que pequeños reyes y príncipes, con ojos inyectados en sangre que se asesinaban unos a otros y se vestían con pieles de animales, aun cuando llevasen coronas de oro, nosotros éramos el único Imperio. Tal vez ahora las cosas son diferentes. En estos días no sólo hay poetas en Damasco y Bagdad, sino en muchas otras partes, incluso en vuestros estados. Como tú has dicho, saben ya leer y escribir. Leen en Reims, Esztergom, Worms y Toledo. Y quien sabe leer ya no es un bárbaro del todo.

— ¿Me despides, Manuel?

— Desde hace muchos años no veo a ninguna mujer en las diecinueve mesas del triclinio. Esta noche serás nuestra huésped. Federico te ha nombrado su embajador y yo quiero honrarte como tal.

— Te doy las gracias, señor. Pero, ¿cuál será tu respuesta?

— Los secretarios y los eunucos conocen muchas veces la respuesta mejor que el propio emperador. Pero no siempre saben lo que va a ocurrir. Por eso, en Bizancio, raramente se da una respuesta concisa y clara.

Por unos instantes reinó el silencio. Se miraron. Fue como si tuvieran que liberar del mortero muchas palabras que se levantaban como muros.

La duquesa abrió puertas de olvidadas habitaciones, corrió las cortinas, observó y estudió el significado de las voces y los colores, de las tinieblas y los lugares iluminados, en donde se mezclaban, con mano maestra, los colores del arco iris.

Pensó en la comparación que se hacía con tanta frecuencia y que ella misma trajo a colación. Federico Barbarroja era como un doble. ¿Quién sabía lo que era Manuel? Quizá sólo su propio mundo. Él no tenía forma concreta porque tenía miles. Era un león y una marta. Un príncipe y un curtidor. Quizá un hombre y una mujer en un solo cuerpo, un mago griego-latino, creyente y ateo al mismo tiempo. Si lo deseaba así, Julio César era su antepasado y cuando lo prefería, descendía de los magiares, de los jinetes de la estepa. ¿De quién no descendía Manuel?

Levantó la mano. Ese gesto de Teodora seguía invariable, instintivo, no podía olvidarse. Su anillo, su único anillo, que recibió al dar a luz a su hijo y que tras su muerte nunca más se puso, brillaba ahora en su dedo. Era un rubí, una gota de sangre. Se lo mandó un príncipe indio como prueba de vasallaje.

¿Pensaban ambos sólo en el muchacho que una profecía les negó?

— ¿Podré ver a María?

— El eunuco de servicio te llevará esta noche a su presencia. Podéis ir por el paso subterráneo y nadie os verá.

— ¿Cómo debo hablar con ella? Una latina... joven y bella y con una corona imperial.

— Sí, exactamente así debes hablarle. Joven, bella, latina... y con la corona imperial.

— Se dice, Manuel, que espera un hijo. El rumor lo he oído en palabras. Faltan aún seis meses, pero lo espera.

— Sí, su primer hijo.

— Tu padre tuvo ocho.

— A mí sólo me queda María.

— Ella es fuerte, como si fuera un chico.

— He adoptado a su prometido como hijo. Dos hijos. María es como un hombre. Me recuerda a Ana, a la vieja Ana.

— ¿Quieres a Alexios? ¿Confías en él?

— No es un Comneno. Lo reconozco como a un hijo, de acuerdo a lo que regulan las leyes de adopción. Lo mismo que los antiguos emperadores adoptaban a sus hijos. Él está a la altura de los Comneno. Es un príncipe real, señor de Dalmacia y Sirmia. Y pronto será suyo todo el reino de Panonia. Nadie podía haber traído un regalo de bodas mayor, para el enriquecimiento del Imperio.

— Pero, ¿y después de ti, Manuel? No sólo están los príncipes del desierto con los que tendrá que enfrentarse. Están los normandos, cada vez más fuertes y que aspiran conquistar Apulia. El rey de Francia sueña con una nueva Cruzada. Federico quiere también tomar la Cruz. En Panonia miran con malos ojos a quien has sentado a tu derecha. Los turcos aparecen ya en las proximidades de Jerusalén. ¿Qué será de Bizancio despues de ti, Manuel? ¿Podrá ese joven entender este lenguaje?

— Tú has dicho que Barbarroja es un roble. El muchacho que aquí se llama Alexios y en su patria Béla... Sí, aquí se llama Alexios y allí Béla... Es flexible. No es un roble. Es elástico. Su inteligencia es radiante, brillantísima y lo mismo su fidelidad. Tiene continuamente frases de agradecimiento, como los hombres de la estepa. Cuando el Señor me llame a su lado, Alexios no hará sufrir a mi hija...

— Manuel, la Basilisa espera un hijo. ¿Si ese niño...?

El emperador se levantó. Quizá era ésta su última conversación. Se besarón. El beso tuvo un poco de sabor a lágrimas y un tanto de resignación. Después Teodora se inclinó y besó la mano del emperador.

XXXVII

Andrónico eligió entre todas sus máscaras. Se sentía humillado, de buen humor, ofendido y cortés. Era el puro bizantino, ortodoxo inconmovible, el baluarte más firme de la Fe y de la Virtud, el defensor caballeresco de los más piadosos conventos.

Ésta era la máscara que con más placer llevaba. Su palabra era fácil y persuasiva y podía darle miles de significados ocultos, con reticencias e insinuaciones. Se mezclaba con los fanáticos y con los que hacían de la Fe casi una superstición. Oía sus quejas y parecía hallarse a sus anchas en medio de aquellos infiernos tenebrosos del descontento.

Conocía muy bien las palabras que debía emplear. Bastaba una frase, una insinuación, un juego de pensamientos. Decía, por ejemplo: «El emperador es grande y magnífico... pero la latina...» O en otras ocasiones:

«El joven ignora la sintaxis, los discursos del trono deben ser mas fluidos...»

Nunca hablaba de Manuel más que con un sentimiento mezcla de amor y ternura, pero al mismo tiempo con cierta compasión, como si estuviera relatando la leyenda del gigante que fue hecho prisionero por los enanos, debido a un encanto mágico que no pudo descubrir a tiempo. Enamorado de la maga latina, sintiendo en su cuerpo el encanto misterioso del cuerpo de aquella mujer bella e intrigante, ligera y sonriente.

La risa y la luz reinaban donde estaba María. No había oscuridad ni tristeza. Su palabra era clara; su risa sonaba limpia, como el sonido de una campana, por todo el palacio. Se persignaban al estilo latino y rezaba el Ángelus en latín. Ella estaba detrás de toda esa magia: María de Antioquía. Andrónico extendía sus manos:

— El terrible encanto de las mujeres — decía —. Todos cometemos faltas.

En esas ocasiones se quedaba mirando al cielo, se golpeaba el pecho y hablaba del pecado de la carne. El palacio estaba lleno de latinos. Los condes, vasallos de María. Ya lo verían todos. Tan pronto como Manuel cerrara los ojos, aparecerían los generales extranjeros, Alexios defendería a su Hungría y la gente de la estepa ocuparía las ciudades.

Así, o de modo parecido, hablaban también las grandes damas que habían marchado a los conventos y se arrojaban a los pies del magnífico Andrónico al que hacía años, también amaron carnalmente. Ahora estaban dispuestas a servirlo, sólo en virtud del recuerdo y porque habían envejecido, y Andrónico, alto y varonil, seguía siendo joven y ardiente.

¿Sabía Manuel algo de eso? Los canales de la cancillería se

deslizan convirtiéndose en arroyos que recorren todo el país. Después, vuelven otra vez y el emperador sabe, día a día, todo lo que los bizantinos hablan. Sabía demasiado, oía demasiado. Lo sabe todo de todos y esto le cansa y casi deja de interesarle. Él está tan alto que las olas de la palabrería de los hombres y sus maldades no pueden sorprenderle. No esperaba nada de los hombres que mezclan palabras de traición y de fidelidad.

¿Qué sabía de Andrónico?

Su primo, el príncipe Andrónico, vivía todavía, al menos en apariencia, haciendo penitencia por su traición y una vez al mes se ganaba la autorización para visitar a Teodora, la viuda del rey de Jerusalén, que vivía en un convento, en una mitigada clausura, entre damas amables, visitantes, recuerdos y esperanzas. Esto era lo que el emperador sabía de él. Cuando leía informes escritos de las palabras de Andrónico, no cambiaba en lo más mínimo su opinión. Los hombres siempre son iguales. No puede cambiarse su alma. Así pensaba.

Tenía que tener cuidado con él y por lo tanto la sensación de que el aire de Bizancio no le convenía al primo. El gobernador de Cilicia era débil y eso hacía peligrar el equilibrio del Imperio. El país era grande y el gobernador debía trabajar duramente. Debía invitar a los príncipes de los territorios vecinos, planear intrigas, cobrar los tributos, sellar documentos y hacer y deshacer acuerdos y alianzas en nombre del emperador. Nadie mejor que Andrónico para ese trabajo, en medio del cual aún le quedaría tiempo para amar, puesto que la puerta del convento se abrió para Teodora, que al día siguiente también se marchó al lejano país. Había cumplido ya el año de penitencia impuesto por el emperador. Así partió Andrónico, un tanto orgulloso pero, al mismo tiempo, disgustado. El emperador lo encerraba, no como antes hiciera en los calabozos del palacio, sino que esta vez le daba poder y cadenas de oro. Podía llevarse a su esposa, porque la costumbre así lo exigía, y también a la otra mujer, a la que amaba con pasión ardiente y casi incestuosa, que lo seguiría un día después.

La audiencia de despedida terminó y Andrónico, tras las ceremonias de rigor, besó el borde de la túnica del emperador, y durante la cena en el triclinio recibió instrucciones concretas. Después María y el emperador hablaron de él. La emperatriz se sentía preocupada. No podía dormir, porque el infante que llevaba en su seno se agitaba continuamente. Manuel velaba con ella, hasta que su cuerpo, mortalmente cansado, no podía evitar que sus ojos se cerraran. Antes de dormirse hablaban, quizá con mayor confianza que en el primer año de su amor y su matrimonio. María acostumbraba a pasar un rato rebuscando en su joyero, contemplando las piedras preciosas que tanto amaba, a la luz de una vela.

— ¡Estarás mucho tiempo sin ver a Andrónico!

— Cuando el ejército se ponga en marcha esta primavera, él también se incorporará a la tropa.

— ¿Lo echas de menos?

— He vivido con él mucho tiempo y también mucho tiempo sin él.

— ¿Por qué querías que se fuera, Manuel? ¿Le tienes miedo? Si le temes, ¿por qué lo envías tan lejos? ¿Cómo puedes confiar en quien no hace mucho traicionó a Bizancio? La Corte habla de ello.

— Tú rehuyes su mirada, ¿le tienes miedo?

— Tal vez es un mago que embruja a todo el mundo que quiere. No está emparentado conmigo. He oído hablar de él, conozco su fama, como la conocen todas las mujeres y muchachas del país. Soy una mujer y, por lo tanto, puedo temerle.

— Sus manos están vacías. ¿Puedes figurarte lo terrible que debió ser para él todo este tiempo sin tener nada que hacer? En su interior se siente como un emperador. Aquí, en palacio, vivía como el sediento que está junto a una fuente cercada a la que no puede llegar. Cada día que pasaba era un tormento para él. Tú me preguntarás por qué... Todos nosotros somos así. Nos gusta poseer algo. Mi abuelo luchó con el emperador por este algo. Era muy joven. Después llegó a ser jefe del ejército y luchaba entre sus soldados. Mi padre sacó el anillo de los dedos, que empezaban a enfriarse, de mi abuelo Alexios, para obtener la corona. Yo envié a Axouch, porque tenía hermanos, dos muertos y uno vivo. Ninguno de ellos me hubiera dejado el trono, porque todos eran mayores que yo. Andrónico, también, debe marcharse a Cilicia. El país está lejos. Cuando yo muera, Alexios estará a tu lado y no Andrónico.

— ¿Por qué hablas de muerte, mi señor? Cuando nuestro hijo haya nacido, se cambiará el sentido de todas las cosas. Si es un muchachito...

— Si es un varón, será emperador.

— ¿Qué pasará con Alexios? Lo acabas de nombrar heredero.

— Esperaremos. El mensaje de los astros no está claro todavía. Si nuestro hijo es una hembra... Tengo miedo de que lo sea, porque sobre mí pesa una maldición. Sí, el antiguo patriarca me maldijo. «De tu simiente jamás saldrá un varón.» Esperemos, María. Las estrellas aún no hablaron con claridad.

— ¿Temes al futuro?

— Lo temo. Hace casi cien años que nuestra dinastía gobierna el Imperio. Mi abuelo, mi padre y yo. Nuestras vidas fueron largas, presenciamos muchos nacimientos y muchas muertes. En medio de todos nosotros vive el Imperio. Ahora todo es mucho más difícil. Cada día más difícil. ¿Comprendes, María, que con eso quiero dar a entender que se acaba el caos en el resto del mundo? Ya no resulta fácil incitar a los bárbaros a luchar y destruirse entre ellos. Empiezan a entender nuestro idioma y saben leer lo que ocurrió en pasados tiempos. Leen a Tácito y a Herodoto y saben cómo se organiza una nación. Muchos de ellos son más inteligentes que nosotros, pues se trata de un pueblo joven. Desde que mi padre murió, las cosas han cambiado notablemente. Por eso tengo miedo, María. Si nuestro hijo es una niña, Alexios se quedará. Si es un muchacho todo cambiará. Pero ¿puede el Imperio proteger a mi esposa y mi hijo si yo muero prematuramente?

— ¿Crees en los astros, Manuel?

— Toda la sabiduría humana, el principio y el fin, puede leerse en ellos.

— ¿Qué has leído sobre ti mismo?

— Aún puedo vivir catorce años.

— ¿Lo dices tú o los magos?

— Lo hemos leído juntos. También hicimos tu horóscopo.

— ¿Qué has visto en él?

— Las imágenes no estaban claras. Seguramente se cometió un error.

— ¿Cómo es posible que la imagen de Andrónico estuviera presente en tu horóscopo como una sombra?

— El destino de Andrónico influía mal sobre el mío. No se puede leer en las estrellas como en un libro. Pero los magos lo creen así.

— Siento miedo de Andrónico, Manuel. Te agradezco que lo hayas alejado de aquí. ¿Volverá?

— Volverá cuando lo llame. Quizá abandone el gobierno y se vuelva otra vez con las gentes del desierto. Pero Andrónico no está solo. Cada uno de sus pasos es vigilado.

— Los hombres lo vigilan y las mujeres le ayudan. Cada paso que da le es más fácil, porque siempre le ayudan las mujeres. Sin ellas, haría mucho tiempo que estaría muerto, Manuel.

— O sería emperador. Algunas veces, hace años, me hubiera cambiado gustosamente por él. Su vida era fácil. Hacía lo que quería, y amaba a quien quería. Iba donde le apetecía sin dar cuentas a nadie. Hoy ya no me cambiaría por él. Ahora ya no es el ansia de mujeres lo que lo domina. ¿Sabes tú, María, que la ambición por la púrpura imperial, envejece... envejece mucho? No, ahora ya no me cambiaría con él.

* * *

Las mesas estaban puestas, en el gran triclinio, para los prisioneros de guerra. Ser prisionero de guerra en Bizancio era un extraño destino.

El pie del emperador se posaba sobre sus espaldas en el circo. El pueblo se sentía satisfecho al ver que las lágrimas brotaban de los ojos de los humillados guerreros. Pero cuando terminaba el desfile triunfal, a los atormentados prisioneros les esperaba muy distinta suerte. Se hacía una selección. Recibían vestidos y joyas. Se les enseñaba el idioma nacional y a veces se les permitía que salieran en grupos a pasear por la ciudad. Los guardianes de palacio los acompañaban y les mostraban las bellezas de Bizancio, que eran las bellezas del mundo. Vivían entre sorpresas y esperanzas, sin saber nunca lo que les traería el mañana. Algunos de ellos ingresaban en la guardia imperial; otros hallaban empleo como intérpretes en la Cancillería. Los que llevaban un año de prisioneros, al cumplirse el aniversario, eran invitados por el emperador a comer con él en el triclinio. Sólo había un Imperio: Bizancio.

En esta ocasión se habían reunido en el triclinio doscientos veinte hombres. Se cubrieron los ojos con las mangas de sus túnicas, pues nadie debía mirar al emperador cara cara.

Manuel subió los escalones hacia el estrado. Extendió los brazos y bendijo a la multitud. La potencia de su cuerpo de gigante los impresionó. Después, pudieron mirar, sin temor, a aquel que era igual a los apóstoles.

Nadie se sentó en la mesa de los doce cubiertos, reservada a los apóstoles, cuyos asientos quedaron vacíos. Los carros de plata con los manjares rodaban silenciosamente, de mesa en mesa, sobre el suelo de mármol. Ensalada, pescado, platos fríos, langosta, caviar helado; entremeses para abrir el apetito. El emperador se levantó y bendijo la comida, pronunciando cada frase lentamente y acentuando cada sílaba. La acústica de la sala hacía audible hasta el más pequeño rumor. Cuando se levantó, los demás hicieron lo mismo. Se quitaron sus mantos y la reunión de los prisioneros de guerra empezó a sentirse cómoda. Vestían ropas fastuosas y tenían vasos en las manos en los que las luces de las velas reflejaban en mil colores.

Aparecieron los bufones de la corte y demás «monstruosidades». Enanos, gemelos siameses, alegres monstruos que bailaban al compas de la música, que andaban por la cuerda floja, que se perseguían unos a otros dando gritos con sus voces de niño, parodiaban bailes, declamaban o se batían con sables de madera. Aquello producía risa, pero había algo de espantoso y conmovedor que se reflejaba en los rostros severos de los curtidos soldados.

Finalmente todos acabaron por reír: los jeques árabes, con sus chilabas blancas; los prisioneros latinos de la nobleza; los aristócratas normandos; los upanes servios; los caudillos persas. Hasta los más tristes y susceptibles, los húngaros, comenzaron a reír. Sabían que, tal vez, todo aquello se hacía precisamente por ellos: la comida del emperador, el brillo y el lujo del triclinio. Todo por amor a aquellos centenares de tristes húngaros elegidos entre los diez mil que tuvieron que seguir el carro de combate del emperador en el desfile triunfal camino del cautiverio. Era posible que todo se hiciera por ellos y estuviera relacionado directamente con su futuro, pues Alexios estaba allí, sentado sólo unos escalones más abajo de la tribuna del emperador.

En efecto, todo parecía hecho para los húngaros, pues el emperador no mencionó en su discurso más que a Panonia. ¿Quién podía leer lo que reflejaban aquellas facciones, aquellos rostros?

La fiesta transcurría animadamente, cuando llegaron los salmos que marcaban el fin. Se sirvió el último plato. Una ceremonia extraña y sagrada durante la cual el emperador no estaba en este mundo, sino que se elevaba con el poder sagrado de su apostolado. El último plato era un trozo de pan y un sorbo de vino en un vulgar recipiente de madera. Todos tenían que arrodillarse ante el Basilio que les daba un trozo de pan y un poco de vino, en recuerdo del Señor.

Tan pronto como el emperador salió, el orden terminó.

Alexios, el «despotos», no siguió al emperador, sino que se quedó solo en su mesa, sin mezclarse tampoco con los demás señores de la corte. Él todavía no era igual a los apóstoles, aún no lucía el guante de púrpura, pero ya era un personaje envuelto en la gracia del emperador, que lo rodeaba como un manto protector del cielo y la tierra.

El prisionero gespán ([1]) de Csanad se alzó de la tumbona en la que tuvo que echarse. Un mueble suave y blando, al que no estaba acostumbrado, un poco femenino pero muy cómodo y apropiado al descanso. Su cabeza hervía. El cambio había sido demasiado brusco desde sus miserables cuarteles hasta el brillo fastuoso del triclinio. Una mano maestra organizó todo aquello, para conmover profundamente sus sentimientos y hacerles ver un nuevo rostro del mundo. Los prisioneros lo sabían porque hablaron de ello entre sí y los guardianes habían dejado llegar hasta ellos más de un comentario. El prisionero gespán tenía los ojos fijos. No encontraba palabras, pero sabía que un día todo aquello terminaría.

Era un hombre en lo mejor de su edad. Tenía hijos y esposa en la patria. Había luchado contra los griegos porque su rey le había encomendado el mando de la plaza fuerte y antes, en la guerra civil entre el tercero y el cuarto de los Esteban, probó su valor.

(1)   Señor húngaro, jefe del Gobierno de una provincia o plaza fuerte.

Estaba herido cuando fue hecho prisionero, pero los médicos bizantinos lo curaron. Le extrajeron la flecha y aceleraron la cicatrización de sus heridas con un aceite especial. Ahora vivía en Bizancio. Llevaba una túnica al estilo de su patria, valiosa y nueva, que un sastre griego hizo para él. Y no sabía quién pagaba al sastre, ni quién había pedido aquel jubón que lucía en la fiesta. Sí, ¿quién pagaba al sastre, al joyero, al peletero?

Una sombra se inclinó ante él. El secretario le rogaba que honrara al brillante, instruido y altísimo señor Alexios con su presencia. Se levantó. Sintió en su alma un terrible vacío y casi le faltó la paciencia. Se llevó la mano al cinto, instintivamente, pero no llevaba arma alguna. Los prisioneros no podían llevarlas. El gespán no podía resignarse. Era un hombre que se llevaba las manos al cinto, donde no había un sable.

Se acercó a Alexios y oyó la charla dulzona y fluida del idioma húngaro de palacio, que tenía siempre, para él, algo de extranjero. Notó los matices y cambios de la entonación y se sintió a disgusto, casi mareado. Estaba ante Alexios y oyó las palabras del intérprete.

— Inclínate profundamente, señor, haz una profunda reverencia. Pero no tienes necesidad de cubrirte los ojos.

Alexios estaba frente a él; le ofreció la mano derecha y sonrió. Sus palabras no se parecían en nada a las del intérprete. No tenían el tono palaciego. Eran palabras de la patria, en húngaro auténtico del pueblo.

Alexios le dio la mano. Se sentaron uno al lado del otro, pues el protocolo se había dislocado. Había vasos sobre las mesas bajas y las más caras frutas en lujosas fuentes. Un criado llenó los vasos de Alexios y del gespán, que brindaron. El «despotos» fue el primero en hablar.

— ¡Partirás mañana!

— ¿Adónde, señor?

— A tu patria. Puedes elegir treinta jinetes.

— ¿Y el dinero del rescate? No hemos hablado de ello. No ha llegado oro de la patria.

— No necesitas rescate. Aquí nadie precisa oro. Le he rogado al emperador y éste ha dejado vuestro destino en mis manos. ¿Crees que soy vuestro enemigo?

— Se cuenta que ibas en cabeza de la tropa con lanza y arco.

Subiste a las murallas de la fortaleza con las armas en la mano. Esto es lo que se dice. Yo estaba en el interior de la ciudad luchando. Intenté hacer una salida con un grupo de jinetes y una flecha me alcanzó. Fui hecho prisionero. ¿Qué es lo que deseas de mí, señor?

— Te llamas Georg y eres un gespán. El día de San Jorge podrás tomar un vaso de vino en tu casa. ¿Tienes esposa e hijos?

— Es posible que me crean muerto. Las noticias van despacio, sobre todo si son buenas. ¿Por qué me dejas partir? ¿Por qué no dejas libres a los demás?

— Sois prisioneros. Habéis luchado contra el emperador, pero nadie os odia. Sois demasiados: diez mil. El emperador no puede dejaros partir a todos de una vez. Es ambicioso cuando se trata de hombres. Necesitamos soldados y campesinos. No podía dejaros ir a todos, pero me autorizó a elegir a unos cuantos. Te he elegido a ti, porque eres el más fuerte y el más importante de los húngaros prisioneros.

— ¿Qué quieres de mí? ¿Qué deseas a cambio de mi libertad? No me dejarás libre por nada.

— Quizá alguna vez volvamos a encontrarnos. La mano que ha estrechado la tuya, es una mano amiga. No olvides eso. Yo no tensé la cuerda de mi arco ni levanté mi sable contra vosotros. No llevaba más que un escudo para proteger mi cuerpo.

— Sé que en Sirmia se evitó la matanza del pueblo. Había mucha gente allí y tú hiciste que se le diera agua y pan. ¿Cuál es el precio de todo esto, mi señor Béla?

— Hacía mucho tiempo que no oía mi antiguo nombre. Te agradezco mucho, gespán, que no lo hayas olvidado.

— Tampoco tú has olvidado tu idioma. ¿Recuerdas a tu patria, señor?

— Pienso en ella con frecuencia. Y sueño. Mis sueños comienzan siempre del mismo modo. Estoy en la frontera, a orillas de un río. Me espera el caballo y la barca. No tengo más que cruzar el río y estaré en mi patria. Y el caballo se escapa o la barca se hunde. En sueños hablo siempre en húngaro. Cuando quiero hacerlo con vosotros no puedo.

— Porque eres un extranjero, señor. Representante del emperador. Los prisioneros te conocen y te señalan con el dedo. Los afeitados infieles, los caballeros latinos, los nórdicos bárbaros, los guerreros y los califas. ¿Ves cuánto he aprendido, mi señor Béla? He visto hombres y pueblos de los que jamás antes oí hablar. He visto que el mundo es grande.

—También a mí me ocurrió lo mismo. En nuestro país nadie quiere reconocer esta verdad: el mundo es grande. Ahora te das cuenta de ello, puedes comprenderlo, porque has estado aquí, en el palacio imperial. ¿Quién podía seguir teniendo aquí el mismo nombre, el mismo aspecto con que llegó de su patria?

—Cuando seas emperador conducirás tus tropas contra tu propia patria.

—Si la voluntad de Dios lo permite, Panonia será más potente que con sus primeros reyes. Será la mitad mejor del Imperio... Tal vez ni siquiera la incluya en el Imperio... Algo distinto, independiente. Como puede leerse en los libros: «Los ejércitos del infierno no tendrán poder sobre nuestro país».

—Yo conozco la llanura, las fortalezas, las villas y ciudades. El país, al norte está rodeado de montañas y al sur de ríos. ¿De qué nos serviría el Imperio? ¿Debemos estar a su sombra o dominarlo? ¿Debemos compadecernos de nosotros mismos porque aún vestimos pellizas, llevamos bigotes, barbas y el pelo largo y luchamos con la cimitarra y el martillo de combate? ¿Debemos avergonzarnos por que no decimos el *Kyrie eleison* y rezamos nuestras oraciones en latín y entendemos mejor este idioma en boca de nuestros sacerdotes que el vuestro? ¿Para qué necesitamos el Imperio, mi señor Béla?

—El polvo de plata ya cayó en el reloj de arena, gespán Georg. Hablaremos sobre todo esto antes de tu partida. Antes deberás elegir los jinetes que quieres que te acompañen. Recibiréis caballos de mis cuadras. Te daré una carta-salvoconducto que te abrirá todos los caminos y también un escrito para mi hermano. Le diré que te he elegido a ti porque tal vez fuiste el más valiente de los guerreros de nuestro pueblo. Te daré también un cofrecillo que deberás entregar a mi madre. Dile algunas palabras cariñosas de mi parte, que me has visto y que sigo siendo yo. Habla con ella como hablarías con tu propia madre, gespán Georg. Eso es todo lo que te pido a cambio de tu libertad. Y también hablarás con Lucas, el arzobispo...

— Tengo miedo de él, señor. Mira, estoy aquí ante ti y también puedo resistir la mirada de tu emperador. Me vencisteis porque éramos menos. Pero tengo miedo de Lucas, príncipe Béla. Su mirada es más penetrante que cualquier arma. Es viejo, pero el tiempo no le afecta y los años no pasan para él. Es el único ante quien no debe pronunciarse tu nombre.

— Le llevarás una carta. Te inclinarás ante él y le besarás la mano. Y le dices que ése es el beso de su discípulo que está muy lejos de él. Alexios o Béla, dejo el nombre a tu elección. Le dirás que has visto cómo rezo mis oraciones vespertinas. Lo has visto, ¿no? ¿Has visto cómo hago la señal de la Cruz? En presencia de todos y no en privado.

— Lo vi y creí que mis ojos me engañaban. Como dices, he visto que te persignabas en nombre del Padre, del Hijo y del Espíritu Santo, como hacemos nosotros, de izquierda a derecha.

— Cuéntaselo a Lucas. No añadas nada más. Cuéntaselo y, cuando te marches de su lado, vuelve a besarle la mano en mi nombre.

XXXVIII

Habían pasado ocho días desde el nacimiento del niño y la fiesta de su presentación y bautismo comenzó muy de mañana.

Los salones púrpura estaban decorados en esta ocasión de modo muy distinto que cuando nació María, la hija de Berta. Miles de velas y las luces de los candelabros, iluminaban las columnas rojas como la sangre. Todo brillaba en púrpura, oro y mármol. Luces frías, pesadas, que eran reflejadas en las brillantes paredes y se encontraban con los nuevos rayos.

Los coros se sucedían unos a otros continuamente. La luz tenía fuerza ultraterrestre, hasta tal punto que muchos ojos debían cerrarse y en bastantes había lágrimas. Tal vez estas lágrimas eran el auténtico motivo de la ceremonia.

La sala era enorme y pequeñas salitas la unían a la alcoba propiamente dicha, donde nació el hijo del emperador hacía ocho días. Estaba rodeada de espesos muros que ahogaron los gritos de dolor de la partera, porque una Basilisa no puede tener miedo ni sentir dolor. Los espesos muros se tragaron también los primeros sollozos del niño, las fórmulas mágicas de los médicos, el murmullo de los rezos de los sacerdotes y monjes.

El maestro de ceremonias se alzó las mangas de su levita y condujo a los invitados al lugar que les correspondía de acuerdo con el protocolo.

En medio de la vasta alcoba púrpura, estaba la amplia cama en la que descansaba la hierática belleza de la Basilisa. Llevaba la diadema como una corona en su frente. Sus mejillas estaban pintadas y sus ojos tenían un brillo ultraterreno. Había sido colocada de modo que las largas horas de la ceremonia no la cansaran, medio sentada y medio acostada. Estaba rígida e inmóvil. Sólo sus ojos, maravillosos pájaros alados, estaban vivos, reconocidos, sonrientes y saludaban a sus amigos. Así estaba echada en su lecho María de Antioquía. Su mirada acariciaba la cuna purpúrea cuyas cortinas alzadas permitían a todos ver el pequeño cuerpecito y comprobar que era un varoncito y estaba vivo.

Los capitanes de la guardia imperial mantenían grandes antorchas junto a la cuna, pero, a pesar de ello, cada uno de los visitantes llevaba su propia vela en la mano, que después conservarían como recuerdo de su visita y de que habían comprobado con sus propios ojos que el Basilio, en verdad, tenía un heredero. Eran millares de personas las que pasaron ante la cuna y su aliento llenaba la sala. Los pequeños surtidores fueron abiertos, se pulverizaron perfumes y se quemaron pastillas aromáticas. El desfile de los dignatarios era una cadena sin fin que incluía a todas las provincias, quizá al mundo entero, sin el cual, Bizancio, la emperatriz y el emperador carecían de sentido.

El emperador mismo fue el que inició la ceremonia. Ahora era padre, conocía el misterio de la paternidad y pareció como si él mismo hubiera participado en los dolores del parto, que duraron una noche y una mañana enteras. Estaba allí, de pie, con una túnica blanca y ligera que hacía destacar el color oscuro de su rostro y el negro de su cabello, en el que cada día eran más numerosas las hebras de plata que brillaban bajo la luz que se reflejaba en su corona.

Era mediodía. Los primeros participantes se alejaron. Los extraños se fueron retirando y comenzó la fiesta familiar. Los ojos de los eunucos iban, intranquilos, de un grupo a otro. Debían mirar todos los rostros y tratar de averiguar lo que pasaba en las almas. Podían ver en el rostro pálido de la Basilisa atormentada, las huellas de la vigilia, del cansancio, que sus facciones no hermosas pero sí maravillosas y duras no lograban ocultar bajo los afeites.

La intranquila mirada de Alexios iba del emperador a su prometida, aunque sin el menor rastro de dolor o disgusto. Sus ojos estaban alegres, como si disfrutara de verdad contemplando aquella ceremonia inédita para él.

También Andrónico estaba presente, llegado especialmente desde su lejano gobierno. Estaba radiante, dichoso y el polvo de oro asiático brillaba en su barba. Parecía tan contento como si fuera su propio hijo el que yaciera allí entre el mármol y el porfirio.

El patriarca, con sus cansados hombros hundidos, estaba presente también.

Él era una de las columnas que soportan el edificio del Imperio. El patriarca cerró los ojos. Un hombre piadoso, un tanto acobardado. No le agradaba el que la emperatriz profesara el culto latino ni tampoco que en la actualidad hubiera muchos dispuestos a hacer la mitad del camino hasta Roma llenos de buena voluntad para tender un puente. Cristo sólo tiene un *rebaño* y un solo *pastor*. El patriarca pensaba en Cerulario, el renegado de Roma, y en Kozma, que contara con la ayuda del emperador.

Pero para el patriarca también ese día era su fiesta. El niño había nacido en la púrpura y era un varón. Tan pronto como creciera y fuese capaz de hacer la señal de la Cruz, lo haría como los auténticos creyentes y no como Alexios, que aprendió a persignarse en Panonia, de izquierda a derecha.

La emperatriz estaba cansada y dijo en voz baja que el niño estaba despierto y había que cambiarle los pañales y alimentarlo. La vida interrumpió el protocolo y la ceremonia. ¿Qué dijo el emperador? María estaba cansada e impaciente. El rostro del emperador estaba radiante, como en sus días de muchacho. Desapareció su palidez; las arrugas se hicieron menos apreciables, y su espalda se irguió, al tiempo que sus hombres se enderezaban. Con mucho cuidado, como si tocara una frágil y delicada rosa, se dirigió a la cuna y tomó al niño con las dos manos. Se adelantó al centro de la sala, donde se había sentado el patriarca. Y comenzó el diálogo prescrito por la tradición,

— Dime, emperador, ¿el niño que tienes en tus brazos, es de tu sangre?

— Que Dios sea testigo, es de mi propia sangre.

— Dime, emperador, ¿es hijo legítimo?

— Apelo al nombre del Señor como testigo. El niño es mi hijo. Soy su padre y aquélla que comparte conmigo el trono y el poder del Imperio es su madre.

— Dime, oh emperador, ¿el niño ha nacido en la púrpura?

— Tú lo dices, señor. Nació en la púrpura.

Había llegado el momento del bautizo, de decir el nombre, la palabra que lo colocaría en la lista de los emperadores. De nuevo sonó la voz del patriarca.

— Dime, oh emperador, ¿qué nombre quieres darle a este niño nacido en la púrpura? ¡Dinos el nombre a todos los presentes!

El emperador levantó al niño. Los parientes se hincaron de rodillas. Sólo el emperador, el patriarca y María, la hija del emperador, siguieron de pie.

La voz resonó fuerte y victoriosa por las bóvedas de palacio y más allá, como si quisiera que se oyera en todos los puntos de su vasto Imperio.

— ¡El nombre del niño es Alexios!

El coro ahogó el rumor de las gentes que presenciaban la escena. No quedó más que el brillo de los ojos, el resplandor de las luces y el juego de luz y sombra sobre los rostros. El coro tapó todo: el grito mitigado de María Comneno, las palabras de asombro, el murmullo de Andrónico. Manuel bajó lentamente al niño. El patriarca, con su gran barba blanca, se inclinó sobre el diminuto cuerpo del pequeño Alexios.

El nombre... un mundo. El nombre del más grande de los emperadores de la dinastía de los Comneno. Significaba la continuación directa de la familia que antes estaba supeditada a un extraño, a un joven venido de lejos, que en su patria se llamaba Béla y que debía prolongar el mundo de los Comneno, porque el emperador, hasta entonces, no tuvo heredero varón.

Alexios, el «despotos», se levantó de su reclinatorio. Algo ocurría en torno suyo, un misterioso movimiento que lo envolvió como una serpiente. Las voces y los pasos volvieron a agitarse y se dio cuenta que empezaba a encontrarse solo, que todos se alejaban de él como si fuera un apestado que se hubiera escapado del lazareto. Se quedó solo, él, a quien Manuel había llamado Alexios, que tenía el rango de heredero y «despotos», y que hasta entonces se consideró como el llamado a suceder en el trono a Manuel. Se había quedado solo y cuando se levantó no hubo un sólo dignatario que acudiera a mantener la cola de su manto. Sus ojos se fijaron en la emperatriz. María era maravillosa, amable, como si estuviera con él en esa hora difícil, como si su rostro afrancesado, cariñoso y ligero, fuera el más bello de todos los que habían pasado por Bizancio.

El emperador quiso dejar al niño en la cuna. Su felicidad tardía de padre, le llevaba a olvidarlo todo. María, desde su cama, dijo en voz alta:

— ¡Alexios, toma al niño y déjalo en la cuna!

Se veía que su feminidad la llevaba a hacerle esa gracia. Béla, con sus grandes manos de muchacho un poco temblorosas, tomó al niño con todo cuidado, al nuevo heredero del Imperio, y lo dejó sobre los cojines de oro. Antes contempló su rostro, el simpático rostro del bebé, con esa admiración ilimitada y un tanto extrañada que tienen los hombres jóvenes cuando miran a los recién nacidos. La Basilisa extendió sus manos. Alexios se inclinó humildemente para besarlas. En ese difícil momento de su existencia, Alexios se dio cuenta de que no estaba solo por completo.

* * *

Béla se levantó después de su tercera puesta de rodillas. No había nadie más en la sala. Hasta el último de los lacayos que guardaban las puertas se retiraron. Manuel extendió los brazos hacia él, lo abrazó y le dijo que se sentara en el último escalón, junto a él.

— Quiero hablar contigo sobre el Sultán de Jonia.

La voz parecía llegar de muy lejos. Los dos sabían que aquella conversación significaba el fin de algo y el principio de una nueva relación entre el emperador y el «despotos». Béla, sorprendido, levantó la cabeza. El tono que el emperador empleó era nuevo y, al mismo tiempo, el de antes, como si en medio de sus preocupaciones y pensamientos el Basilio buscase un hombre en quien confiar y sólo le tuviera a él. Para eso lo llamó. Como si no quisiera hablar de la otra cosa, de aquello que conmovía a todo el palacio desde que el nuevo y *auténtico* Alexios vino al mundo. Béla se quedó mirando al emperador, en silencio.

—· Arslan Kilidsch quiere denunciar el tratado de paz que hace diez años firmó con el Imperio. Tú lo sabes, Alexios.

— Pero por medio de sus embajadores el sultán ha pedido que continuara el armisticio.

— Lo que pedía era que derrumbáramos las murallas de nuestra fortaleza fronteriza de Dorileo, que llenáramos los fosos por encima de los cuales sus jinetes del desierto pueden invadir el Asia Menor tan pronto lo deseen. Ésa es la clase de paz que desea Arslan Kilidsch.

— Señor, además de Dorileo, el Imperio tiene un gran número de fortalezas. Si dejas una de ellas en manos del sultán, no será éste un precio demasiado caro para comprar la paz... si él la ofrece a cambio.

— Te he hecho venir, Alexios, para oír tus contradicciones. Sé tú la otra voz. Hablamos a solas, nadie nos oye. Desde hace diez años no puedo defender mejor al Asia Menor. Cada primavera me empujan más hacia Occidente. Cada vez nos aproximamos más, retrocediendo, a las orillas del Danubio. Necesitamos nuestros puestos defensivos y también los ejércitos aliados. Los Balcanes y Panonia llaman a la guerra popular contra nosotros. Durante diez largos años vengo luchando contra tu pueblo. Tú sabes que no lo hacía ni por mí ni por ti. Era preciso mantener Dalmacia y Sirmia en nuestras manos hasta que...

— ¡Viene una nueva guerra, señor!

— Quizá no. El arzobispo y el paladín son viejos. Esteban, tu hermano, no empezará una nueva guerra. Y es por eso por lo que Arslan Kilidsch tiene la impresión que las cosas han cambiado desfavorablemente para él.

— ¿Vas a atacar, señor?

— Estoy obligado a ello. Mientras vivió mi padre, las fuerzas de los partidarios del Profeta estaban divididas. Los guerreros del

Islam nos odiaban, pero luchaban unos contra otros. Yo le enviaba dinero a cualquiera que estuviese dispuesto a atacar a su vecino. Ahora sólo hay dos rivales: el sultán de Jonia y el príncipe de Mosul. También ellos lucharon entre sí y ese año pude respirar. Desde Asia no había peligro para el Imperio. Pero ahora Nur Eddin, el príncipe de Mosul, está desangrado, inerte. ¿Comprendes lo que eso significa?

— No en balde pasé mucho tiempo en la cancillería estudiando las cuestiones orientales. Arslan Kilidsch es hoy tu más potente enemigo.

— Hay otro del que tú quizá no hayas oído hablar; Guillermo, el arzobispo de Tiro, embajador del rey de Jerusalén, ha visto la carta que Barbarroja le ha escrito a Kilidsch. Barbarroja ofrece unirse a los infieles contra mí. Ofrecía una de sus hijas al hijo de Arslan Kilidsch como garantía del cumplimiento del pacto.

— ¿Cuándo escribió esa carta Barbarroja?

— La carta no pudo seguir desde Jerusalén, hasta que terminó el período invernal y los caminos se hicieron transitables. Tenemos que apresurarnos.

— Tu espíritu brilla más que el sol, sabes más que todos. ¿Por qué me cuentas todo esto a a mí?

— Tú sabías, Alexios, que teníamos que hablar.

— Lo sabía, señor. Pero las palabras que yo tengo que decir son sólo de amor y fidelidad.

— Cuando firmé la paz con tu hermano, tú fuiste el rehén que garantizaba el cumplimiento del pacto. Tu país te dio Dalmacia y Sirmia. Yo, la mano de mi hija María. Cuando llegaste te proclamé prometido oficial de mi hija y te nombré «despotos», es decir, mi segundo. Estabas un escalón más alto que todos los demás príncipes. Luché por tus provincias. Estuviste conmigo bajo las murallas de Sirmia. Pero no te confié nunca un ejército en Occidente.

— Es mi patria, señor. No puedo luchar contra ella.

— Ahora me refiero a Arslan Kilidsch. El Imperio es grande y quien luche contra el sultán no tendrá que pelear en el Danubio. Te he elegido a ti. Es posible que pasen todavía muchos años antes de que construya una cadena de fortalezas. Las defensas deben ser revisadas y los fosos dragados de nuevo. Precisamos nuevas máquinas de guerra y también necesitaremos un año o dos de paz para que se vuelvan a llenar las arcas de la tesorería. Pero estoy dispuesto a terminar con el poder del sultán. Los latinos buscan alianzas entre sí. Guillermo de Tiro ha visitado a todos los poderosos. Le he rogado al Papa, al rey Luis de Francia; ha estado en Londres con los ingleses. Ocupó su puesto en Letrán cuando se unieron los príncipes y obispos. Es posible que se preparen a unirse contra el infiel. Pero pasarán muchos años antes de que Luis de Francia y Federico beban el agua de la paz en el mismo vaso. Yo quiero adelantarme a ellos. Bizancio será quien derrote a los infieles de Asia. Tan pronto como el Asia Menor esté libre, tendremos abierto el camino hacia Egipto. ¿Te das cuenta que a ningún joven se le ha ofrecido jamás una tarea tan bella y honrosa? Ningún príncipe de Bizancio se ganará la gratitud de su pueblo en la misma medida que tú, hijo mío, cuando el águila del Imperio flote sobre tu cabeza en la frontera.

— Yo no soy sino uno más entre tus súbditos, señor. Tienes un hijo...

— Sí, tengo un hijo que cuando sea hombre heredará el Imperio. No serás tú quien lo herede. ¿Es eso lo que querías oír, Alexios?

— Ya lo sabía.

— Recientemente celebraste tu compromiso con María. Los astros guardaron silencio. Ahora tampoco podrás tenerla nunca.

Béla se levantó. Sus mejillas ardían. Eran palabras muy duras. Pero Manuel pasó su brazo sobre los hombros y lo acarició.

— Tengo que hablar contigo así porque eres un hombre. Mi hijo debe reinar en Bizancio. Por lo tanto María, la hembra, debe abandonar el país. Con mucha frecuencia han reinado aquí las mujeres. María fue educada para el trono. No puede amar ni querer a su hermano menor ni a la emperatriz. María lo ha perdido todo y, por ese motivo, debe abandonar el Imperio y marchar al mundo de los latinos para hallar allí un esposo y una nueva patria. Tú, sin embargo, te quedarás aquí, en el Imperio.

— Señor, ¿deseas verdaderamente que me quede?

— Yo te acepté como hijo. Mis sentimientos hacia ti no han cambiado. Llevarás las zapatillas de púrpura.

— No te comprendo, señor. Todo lo que dices es tan difícil de entender...

— No seguirás siendo «despotos». Serás mucho más... y mucho menos. Haciendo uso de mi poder te concedo el título de César y llevarás la «campagia» que hasta ahora no tuviste derecho a usar. Pero dejarás de ser mi heredero y no tendrás, tampoco, a mi hija María. Te quedarás en el Imperio. Será tu deber luchar por su defensa y proteger a mi heredero. Estarás al lado de mi esposa, la emperatriz, cuando yo muera y mientras mi hijo sea demasiado joven para empuñar las riendas del poder. Tú serás César, pero nunca Augusto.

— ¿Por qué me das tu confianza, señor?

— Tú no eres un Comneno, ni un Ángelo, ni un Duka, y sin embargo eres de mi sangre. Confío en ti. En Dalmacia y Sirmia conocen tu nombre. Pondrán tu efigie en sus monedas y rezarán en tu nombre. Pero tú vivirás en Dorileo y defenderás la frontera asiática. Tienes la impresión de haberte quedado muy solo, ¿no es así?

— ¿Lo sabe ya María?

— Ella conoce la ley. No quiero que se convierta en una nueva Ana, tal vez más terrible todavía que la anterior, que conmueva cielo y tierra para evitar que su hermano menor suba al trono. María sabe cuál es mi decisión desde el momento en que vio que mi hijo era un varón.

— Es como si tu voluntad moviera montañas. Como si llegara el momento de que el orden cambie por completo. Yo no hallo el camino para continuar adelante ni para retroceder.

— La emperatriz te aprecia y está a tu lado. Tiene muchas cosas que decirte.

— ¿Y si te pidiera, señor, que me dejaras volver a mi patria?

— Quien ha comido el pan del Imperio, sólo puede abandonar Bizancio como rey o como enemigo. ¿Tanto deseabas que el trono fuera tuyo?

— Muchos me odian y, al fin, han conseguido triunfar sobre mí. Yo sólo podré continuar aquí, en tanto cuente con tu favor, en tanto que tengas tu mano protectora extendida sobre mí. Tan pronto yo me haya marchado con el ejército, ellos vendrán a ti, cada día y te dirán que el bárbaro, el extranjero Alexios, ha vuelto a hacer algo malo. Y yo no estaré aquí para decirte que no es cierto, sino una falsedad de su parte, y poder probarte la veracidad de mis palabras.

Con el tiempo llegarás a creerlos. ¿Por qué debo ir con el ejército del Imperio a Asia, si yo también tengo un principado y una patria?

— Pienso en Esteban, al que envenenaron en Belgrado. No vivirías mucho tiempo. ¿Quién te seguiría si ahora volvieras a tu antigua patria?

— No lo sé, señor. Mi corazón está acongojado.

— Reza, hijo mío, para alejar tu amargura. El Señor, que ha bendecido mi semilla, lo ha querido así.

— Eres bondadoso y condescendiente conmigo. ¿Por qué me elevas por encima de mis merecimientos?

— Si María no hubiese tenido un hijo varón, como antes no lo tuvo Irene, a la que embrujaron, hubieses sido mi sucesor. Te había elegido para ello.

— Gracias, señor, por tus palabras. ¿Debo ir a ver a María? ¿Debo ser yo quien se lo diga?

— Yo hablaré con ella. Ella me comprende y como todas las mujeres de los Comneno, acepta y entiende los cambios de la fortuna. No puedo mirar en el fondo de su alma. Ahora no está aquí. Se ha ido...

— ¿Se ha ido?

— Se ha trasladado a la Isla de los Príncipes para ver a su tía. Se quedará allí hasta la Pascua y participará en una cacería. Cuando vuelva, podrás hablar con ella. Ahora vete. Un día la emperatriz te llamará y pasarás la velada con nosotros. Vete ahora y lee los textos de los viejos autores, Herodoto y Jenofonte. Lee las leyendas de los héroes griegos que condujeron nuestras tropas hacia Oriente.

* * *

El Sumo Sacerdote de Tiro era un hombre alto y delgado, como si estuviera hecho solo de ojos y nervios. El cabello en sus sienes brillaba como la plata. Era un eterno viajero que había recorrido todo el mundo en calidad de embajador. Educó al heredero del trono de Jerusalén, había llegado a ser arzobispo de Tiro y dirigía la Cancillería real. Conocía todo el mundo. Había estado en Toledo, en Damasco, en Londres, en Alba Regia. Los griegos decían de él que era un mago. Y se aterrorizaban cuando los miraba con sus ojos color castaño.

El arzobispo de Tiro estaba de pie en Chrisotriklinio entre los demás embajadores.

El coro calló y sonó la voz de Manuel, la voz hierática del Basilio en las grandes solemnidades.

— El Imperio sangra por muchas heridas. Tu pecho, César Alexios, debe ser la muralla que proteja las fronteras. Defenderás al Imperio y morirás en la lucha si el destino así lo exige.

La voz de Alexios respondió fuertemente y con palabras sonoras pronunció el juramento. Habló del Imperio regido por la razón divina y la humana. El Imperio es eterno y no hay tarea más bella ni más digna que defender la ciudad y el país de acuerdo con la voluntad del Señor.

Los coros volvieron a cantar. Se abrió la puerta del sagrado recinto y apareció el patriarca, a la cabeza de un grupo de monjes que portaban las insignias de la dignidad de césar. Alexios cayó de rodillas. No había nadie a su lado, y él no oía más que la voz pausada del jefe de los eunucos, que le decía el texto del ceremonial y después, de rodillas también, lo acompañaba hasta el trono dorado. Cuando Alexios se sentó, el eunuco tomó en sus manos las zapatillas de púrpura, adornadas con perlas. Los pies de Alexios estaban desnudos y el eunuco, cuidadosamente, le puso las «campagia». En ese momento, se encendieron centenares de velas y el coro volvió a cantar. Alexios sintió la dureza de las suelas nuevas. Los bordes de la zapatilla le apretaban. El eunuco, quizá con mala intención, se las había apretado demasiado.

El pueblo de Bizancio comenzó a lanzar vítores y gritos de júbilo. Desde los balcones de palacio comenzaron a arrojarse monedas de plata sobre la multitud que se alegraba de tener un nuevo césar que debía defender el Imperio y que nunca heredaría el Trono Sacro.

* * *

— Yo también me acuerdo de mi patria, de Antioquía. Mi madre enviudará pronto, y entonces empezarán todos a rendirle tributo de cariño. Todos le prometerán algo, harán algo hermoso por ella.

Deberías conocer Antioquía. Algún día irás allí. Cuando tomes el mando de la frontera oriental, en la próxima primavera, podrás visitar mi país.

— ¿Piensas con frecuencia en la ciudad, señora?

— Cuando cierro los ojos veo sus torres doradas. A veces brillan con reflejos azulados y dorados, cuando el sol cae sobre la ciudad. Todo parece resplandecer... Sí, Alexios. Pero el más hermoso espectáculo de todos es la puesta de sol... una hora antes de la llegada de la oscuridad. Nosotros llamamos a esa hora «la hora azul». Nos asomábamos a los balcones para ver la ciudad en «la hora azul». Éramos tres. Filipa, yo y la pequeña Agnes.

— ¿Piensas mucho en tus hermanas?

— En Filipa no tanto. Nos ha dado disgustos y durante mucho tiempo su nombre no debió pronunciarse. En la que sí pienso frecuentemente es en la pequeña Agnes.

— Está creciendo sin padre, también ella.

— Mi pobre madre ha tenido una vida muy triste y difícil. Nosotras temíamos a nuestro padrastro y lloramos cuando nos enteramos de la decisión de nuestra madre de conceder su mano a Chatillon. Pero la primera vez que éste llegó a palacio, se inclinó ante nosotras como si fuéramos ya unas damas. Nos trajo regalos de Francia, guantes y perfumes. También bordados de seda y encajes que parecían manteles para los altares. Nos dijo que en Francia las mujeres se hacían vestidos con ellos. Dejamos de temerle. Era el más guapo de los caballeros. Nuestra madre lo amaba. Estaba verdaderamente hermoso cuando se vestía para participar en las justas o ir a la iglesia. Y él sabía que era guapo. Tardaba horas en arreglarse y su barba siempre estaba perfumada y limpia... me acuerdo perfectamente de ello. Cuando recibimos la noticia de que los infieles lo habían hecho prisionero, oímos cómo mi madre se pasaba llorando la noche entera. Aquel mismo día quiso tomar las cruces de oro de las iglesias y enviárselas al emir para pagar su rescate. Aquella misma noche escribió una carta a varios príncipes y otra al Papa. Pedía dinero para el rescate de Chatillon, que estaba sufriendo cautiverio por todos.

— ¿Se sabía algo de él?

— Sabíamos que vivía. El emir lo trataba bien, cabalgaba e iban de caza juntos. Había dado su palabra de no huir, así que procuraba vivir lo mejor posible, quizá mejor de lo que era necesario. ¿Lo sabía mi madre? En una ocasión, Andrónico vino a vernos. Pasó toda la noche contándonos cosas alegres y a la mañana siguiente nos despertó cantando. La noche siguiente vino con un grupo de cantantes enmascarados bajo nuestras ventanas para darnos una serenata. La luna se reflejaba en su capa de color violeta. Hasta nuestra madre sonrió, lo que no hacía desde mucho tiempo, al oír las canciones. Andrónico mismo cantaba muy bien los versos helénicos. ¿Hace falta que te diga que el corazón de Filipa comenzó a latir llena de amor por él? Andrónico estuvo una semana entre nosotros. Después se marchó a Kilikia y todas lloramos. Filipa estaba pálida, muy pálida... ¿Te interesa todo esto, Alexios? Te cuento cosas sin preocuparme de si te importan o te aburren. Dame algo de beber. Pon un poco de agua en el vino de Chipre, que es demasiado fuerte para mí. Suelta la lengua, hace hablar demasiado y revive los recuerdos.

— Me gusta oírte hablar, señora.

— Eras un muchacho, casi un niño, cuando llegaste aquí. Ahora eres un hombre, el césar, y esperas que llegue la primavera para emprender la campaña contra Asia. Dime, Alexios, ¿sientes, en ocasiones, pesadumbre en tu corazón? ¿Te das cuenta de que estás solo?

— No puedo hablar de María, que no ha querido devolverme mi palabra. Se ha marchado sin querer romper nuestros lazos. Estuvo de caza en la isla con los caballeros normandos. El hijo del margrave Menferrat fue quien mató el jabalí. Me preguntas, señora, si me encuentro solo. Tú sabes que en Bizancio están siempre solos los que nacieron al otro lado de la frontera del Imperio.

— Hemos bebido el vino de Chipre que tiene sabor de especias y endulza los recuerdos. Pedí al emperador que no asistiera hoy a nuestra conversación. Un hombre y una mujer se comprenden mejor, en Bizancio, si los dos son extranjeros.

— Sabes, altísima señora, que desde que llegaste aquí soy tu más devoto siervo.

— Hablas muy bien, Alexios.

— Señora, las palabras son velas que el viento puede apagar o dar más brillo, según su fuerza. Tú sabes, incluso sin palabras, lo que pienso. Tú has sido buena y me has dado tu gracia, incluso cuando podías tener motivos para odiarme cuando podías creer que yo era un obstáculo en tu camino y tú y tu hijo podíais temer algo malo de mí.

— Ni yo ni el emperador tememos lo más mínimo de tu parte ni contra el niño ni contra mí. Sabemos que lo defenderás y lo apoyarás. Por eso quiero que no sólo estés unido con lazos de sangre al emperador, sino también a mí.

— Habla con mayor claridad, señora.

— Tú has nacido al otro lado de la frontera occidental del Imperio y yo más allá de la oriental. Yo soy Basilisa y tú César. Griego es el idioma en el que conversamos. Dos extranjeros en el Imperio y tal vez llegue un día en que seamos nosotros dos quienes tengamos en nuestras manos sus riendas y el poder. Por eso deseo que nunca podamos ser enemigos.

— Habla con mayor claridad, altísima señora.

— Los lazos de la sangre son más fuertes que los demás. Tú sabes que tengo en mi país una hermana pequeña, Agnes.

— Eres bondadosa y amable conmigo. Mi alma está llena de confusión, y tu voz es como si estuviera oyendo la de mi madre. ¿Qué edad tiene Agnes?

— No es mucho más joven que tú. Hace muchos años que no la veo. El arzobispo Guillermo me ha dicho que es la flor más bella de Antioquía.

— Desde que a ti te trasladaron a la rosaleda de este palacio.

— Me gusta tu forma de hablar. Hablas en griego y tus palabras suenan como si fueran latín. Tus ojos parecen volar muy alto, como las aves del desierto. Hablábamos de Agnes... No olvides que su madre es Constanza y su padre Renaud de Chatillon, el hombre más guapo y la mujer más bella de Antioquía. Chatillon era mucho más guapo que mi padre.

— Todo lo que me dices es difícil de entender. No encuentro palabras para contestarte. Dime, señora, ¿es ése el deseo de tu corazón? ¿Sabe el emperador lo que estás contando?

— ¿Hubiera hablado contigo sin tener el consentimiento de Manuel?

— ¿Lo quiere así el emperador?

— Sí, también lo quiere así. Cuando el arzobispo de Tiro le habló de Agnes, pronunció tu nombre.

— ¿No fuiste tú?

— Frecuentemente, este pensamiento cruzó por mi mente, pero deseaba que fuera él quien lo mencionara.

— ¿Debo pedirte la mano de tu pequeña hermana Agnes, a la que nunca he visto?

— Agnes es mi hermana. Si tienes confianza en mí, espera. Pero no tendrás que aguardar mucho su respuesta.

— ¿Cuánto tiempo?

— El viento ya sopla en las velas de los buques.

— ¿Traen a tu hermana?

— El emperador desea que pase el otoño con nosotros.

— ¿Conoce tu madre vuestras intenciones? Tal vez ella eligió ya otro caballero para Agnes.

— Mi madre es vasallo del emperador. El Imperio tiene fronteras con su país. Un césar se presenta y pide la mano de su hija. Tiene derecho a usar el borceguí púrpura, pero, al mismo tiempo, se persigna como nosotros los latinos. Mi madre se alegrará de ello y se lo escribirá a Chatillon en Alepo.

— Tenía trece años cuando llegué a Bizancio. A mi llegada vi a María por vez primera. Ahora tu hermana viene de Antioquía exactamente igual que yo. Se ha decidido su destino y no conoce a su prometido, no lo ha visto nunca. ¿Cómo puedo darte respuesta hoy a todas esas cosas, altísima señora?

— No te pido una contestación. Lo único que te ruego es que si tu corazón está libre, lo guardes libre hasta el día de San Demetrio.

* * *

Agnes era hermanastra de María. Había heredado de su madre, Constanza, la agilidad y la flexibilidad de una gacela, la gracia de su paso cadencioso, las caderas delgadas y los anchos hombros. De Chatillon, su padre, la barbilla enérgica, la firme y estatuaria cabeza de perfecto corte latino, los fríos ojos que parecían pasar con su brillo azul sobre todas las cosas, y los dos hoyitos en la comisura de los labios en los que nacía y moría su sonrisa. Pero esta sonrisa era coqueta y desmedida como la risa de la Basilisa, suave, amplia y contagiosa, que había ganado el corazón del emperador.

Agnes era tranquila, dueña de sí misma, y ya de niña casi nunca iba de un lado a otro sin saber qué hacer, ni se entretenía jugando. Era hermosa, pero muy diferente de María, cuyo padre, Raymond de Poitiers, fue en Francia un gran señor y no un ardiente y legendario guerrero de las Cruzadas como el aventurero Chatillon. El rostro de María estaba lleno de aristocrática dignidad y no hacía falta una mirada profunda para descubrir la belleza de su alma. María despertaba admiración en los aguadores, los esclavos, los vendedores del mercado de flores y los castrados, con los que no vacilaba en conversar cordialmente; y lo mismo sentían por ella los caballeros y los más altos dignatarios del Imperio. Manuel vivía en la cima de este monte Ararat del amor. Vivía allí y lo gozaba con el esplendor otoñal de su virilidad.

Agnes era casi una niña. Su cuerpo estaba en pleno desarrollo. Sus pechos comenzaban a adquirir consistencia juvenil y la dura línea de su espalda empezaba a tener la suavidad y flexibilidad de la mujer. En sus movimientos se reflejaba la dignidad de su nacimiento, el rango de Constanza y Chatillon. Agnes era una mujer hermosa para quien al contemplarla tenía en cuenta todos sus movimientos, sabía leer en su rostro y descubrir sus gracias. Agnes nunca se sintió perdida en los grandes salones, mares de mármol, del palacio, ni en el triclinio ni en el palacio de Magaura. Vivía en el Sacro Palacio como si estuviera en su propia casa y tomó posesión de un sillón, una sala, una esquina y un reclinatorio. Se movía libre, sin el menor temor ni temblor. Cuando se encontró por vez primera ante el emperador, se arrodilló tres veces, como señala el protocolo y la costumbre y habló francés con él porque Manuel se dirigió a ella en ese idioma, y después en un griego duro y lleno de acento extranjero. Sus frases eran cortas y calmosas.

Agnes miró a Alexios. Sus ojos no parpadearon cuando, durante unos segundos, ascendieron desde las zapatillas purpúreas hasta su rostro y sus ojos. Fue un momento un tanto extraño en el que ambos se inclinaron mutuamente, en un cortés saludo. En Antioquía, tal vez, las cosas se medían de otro modo. Para los latinos, aquel adolescente desarmado, con las mejillas afeitadas y la túnica adornada con piedras preciosas, cuyos cabellos caían en bucles ceñidos por una fina diadema, podía ser considerado cualquier cosa antes que un guerrero. Ésta fue la primera impresión que ella tuvo de Alexios, nacido en el extranjero, en un país muy lejano y que había llegado a alcanzar la dignidad de césar, pero que por sus antepasados los príncipes de Dalmacia y Sirmia tenía derecho a la corona de estas dos provincias, cualquiera de las cuales era mucho mayor que Antioquía.

Alexios contempló a la hermanastra de María. Buscaba su rostro auténtico, que debía ocultarse bajo sus facciones, escondido. Miró el fuego de sus ojos, su sonrisa, aquel incomprensible fluido que tanto encantaba a todos los que se encontraban con la Basilisa. Y poco a poco, empezó a ver a la auténtica Agnes con su verdadero rostro. El frío azul de sus ojos, su duro rostro latino, la alta frente, que brillaba blanca a la luz de los cirios. Comenzaba ahora a ver a Agnes y no a María.

Su herida empezaba a curarse. El recuerdo de aquella hora difícil que pasó a la sombra de las columnas de porfirio, mientras el emperador levantaba al pequeño Alexios, al *legítimo* Alexios, y su mirada buscaba inútilmente el rostro de María Comneno, hallando solamente la cabeza de una medusa que le empujaba a la rebelión y la lucha. De la simiente de Manuel nació un niño varón, y ella no sería emperatriz; el Imperio no sería para ella.

Así comenzó Alexios a acostumbrarse a mirar a Agnes y a verla. Estaba solo. Únicamente los viejos seguían viviendo a su alrededor, las mujeres piadosas. Y, en algún lugar de su misteriosa torre, el friolero Astaforte, envuelto en sus pieles y obteniendo oro como por encanto. ¿Quién suponía lo que pasaba por él? El embajador partió ya para Weisenburg. No era María Comneno, sino Agnes Chatillon, la novia.

Su carta fue como una ola que tuvo efectos dilatados. Pero hasta que llegara a Alba Regia y llegara la respuesta, sería ya invierno. Podía ocurrir que los embajadores tuvieran que pasar el invierno en los montes búlgaros y no pudieran continuar hasta llegada la primavera.

Sólo entonces tendría la respuesta de la madre. Mientras tanto le quedaba solamente olvidar su primer y extraño compromiso matrimonial y comenzar a amar a Agnes, porque así lo quería la emperatriz.

Pero ¿cómo le hablaría a Agnes? ¿Cómo vivirían en ese mundo extraño y cerrado que era el Sacro Palacio? ¿Se verían? ¿Conversarían entre sí cuando no hubiera reuniones en las que el protocolo y la costumbre así lo exigiera? ¿Llegarían hasta Agnes las palabras que el joven césar pronunciaba en el Consejo, en las Cancillerías, en los astilleros en los que se construían los nuevos buques de guerra, en los arsenales donde se mezclaba la terrible piedra de fuego de los griegos? ¿Cómo veía Agnes a Béla? ¿Y cuándo?

Agnes observó al otro extranjero con ojos fríos y críticos. Y así pasaron el otoño y el invierno. Una noche, Agnes habló con su hermana María. Días después se fijó la fecha de la boda para el día de la festividad de San Jorge.

XXXIX

El caballo conocía el camino de vuelta. Lo sacaron, bastante tiempo antes, de las cuadras de Béla, eligiéndolo entre los mejores. Se lo entregaron al gespán Georg, cuando fue dejado en libertad y autorizado a volver a su patria tras haber sido prisionero de guerra en Bizancio.

El gespán golpeó cariñosamente en las ancas del potro como si quisiera decirle que dejaba la elección del camino a su instinto, tan pronto la pequeña tropa hubo cruzado la frontera. Los caballeros que acompañaban al gespán Georg eran jóvenes y fuertes. Podían pasar la noche en la silla del caballo, soportar la dureza de los Balcanes y resistir las terribles tormentas de nieve.

Tras ellos quedaba el caos. Esteban, el joven rey, había ido a reunirse con sus antepasados, del mismo modo que lo hicieron algunos de ellos, su padre y su abuelo, muy joven y víctima de una misteriosa enfermedad.

El mal entró en él de repente; lo fue devorando poco a poco, inclinando su cuerpo y empalideciendo su rostro. Los más viejos reconocieron en seguida los síntomas de la vieja enfermedad de los Arpades. Su madre permaneció sentada junto a su lecho, cuando él ya no podía levantarse y la cocción de adormideras no bastaba para mitigar sus dolores más que por períodos muy cortos. La vida seguía fuera de palacio; el país de San Esteban se debatía en una situación política muy agitada, con grandes luchas de los partidos y agitadas discusiones, porque todos sabían que el rey Esteban III pronto cerraría los ojos para siempre.

Georg llevaba consigo una carta a Bizancio. Palabras de la madre y del moribundo. El arzobispo Lucas no salió de su cuarto. No quiso dar su bendición a la embajada. Seguía rígido, helado, silencioso, como una prohibición personificada. Esta forma de ser no se mitigó ni siquiera en los días de la muerte del rey, aunque fueron muy amargos. Veló junto al lecho del rey Esteban sin que su mirada se suavizara ni adquiriera calor humano. El arzobispo Lucas cerró los ojos de Esteban como años antes hiciera con el otro Esteban, su padre.

Georg dirigía su caballo hacia el sur. Recorría ese camino por segunda vez. Recordó el anterior viaje, cuando lo llevaban de Sirmia a Bizancio, con otros prisioneros servios y húngaros. Se hundían en la niebla y el barro, pues únicamente el camino militar estaba empedrado y sobre él sólo podían caminar las tropas del Imperio.

El logoteta les facilitó un guía hasta Sofía. El general residente en Filípolis les indicó el camino hasta Adrianópolis. En los años que estuvo en Bizancio como prisionero de guerra, aprendió el griego; así que era embajador e intérprete. Conocía el poder de la palabra, capaz de vencer todas las dificultades. Llevaban ducados húngaros y sólidos griegos en sus bolsas de viaje porque el dinero es útil para abrir muchas puertas.

El caos quedó atrás. Un país en el que sólo una mujer, un niño y un anciano, Lucas, mantenían el poder. Un país que deseaba tener a Béla por rey. A Béla que ahora estaba a los pies del emperador y tal vez esperaba que Panonia le cayera del cielo.

Algunos de los gespanes pensaban así y lo decían, lo mismo que el duque checo, el soberano de Polonia y hasta el emperador de Occidente, Barbarroja.

¿En qué pensaba el silencioso Lucas? ¿A quién consideraba él digno de convertirse en soberano único de Panonia? No quiso enviar su bendición a Béla, ni ningún mensaje; ni parecía dispuesto a colocar la corona sobre su frente. Tampoco quiso bendecir al gespán Georg que iba a llevar, a un príncipe rebelde, el mensaje de fidelidad de su pueblo.

* * *

El camino transcurría entre olivares. Pasaron junto a casas de campo y pequeñas ciudades. Llegarían a los muros de Bizancio antes de que se hiciera de noche. Las preocupaciones cabalgaban con ellos. Estaban impresionados, apesadumbrados, sin saber lo que ocurría en la patria ni lo que les esperaba en aquel otro mundo hacia el que caminaban.

¿Y el hombre para quien llevaban la embajada? Quizás encontraran a un príncipe nacido en Hungría, pero que, en un idioma extraño, les diría que ya no se consideraba un Arpade, ni se llamaba Béla... que usaba las sandalias de púrpura, que tenía el alto rango de un césar y era el comandante supremo de los ejércitos imperiales en el Este. Se enteraron de todo por el gobernador que los recibió como invitados en la primera ciudad del Imperio. Estas noticias les alarmaron. Supieron también todas las otras novedades ocurridas, entre ellas el compromiso matrimonial de Alexios con Agnes y el matrimonio celebrado con una extraordinaria pompa y lujo, como casi nunca conoció Bizancio. Podía ser que Alexios amara a Bizancio para siempre; que aquel país se hubiera apoderado de su alma y ya no pensara en su patria. Pero Béla tenía sangre de los reyes de Panonia y esto podía ser mucho más fuerte que todo: los títulos, los honores, la mano de la cuñada del emperador...

La ciudad de Bizancio se anunció mucho antes de que pudieran divisarse sus torres. Las villas y las granjas de los alrededores se extendían por una gran superficie y parecían dormir al sol de la tarde. En los jardines había pequeños lagos. La gente vivía en casitas blancas y limpias y sembraban sus huertas y jardines pues sabían que todo lo que producían tenía fácil venta en Bizancio. El aliento de la gran ciudad se presentía en aquellos lugares, pero faltaba aún bastante. La carretera era tan ancha que ocho jinetes podían caminar uno al lado de otro. Pasaban carros arrastrados por bueyes o búfalos y otros más pequeños tirados por mulos. De vez en cuando se cruzaban con un jinete vestido de negro que parecía un santo salido de un cuadro religioso de los que adornaban las paredes de las alcobas, un arconte que se dirigía a alguna casa de campo. Se acercaban a la ciudad propiamente dicha. Pasaron algunos coches con las cortinas cerradas en los cuales iban damas. Oyeron sus risas. Espolearon sus caballos cubiertos de polvo, pues querían estar en el palacio antes de que anocheciera.

Los rodeaba un mundo milenario, el corazón de un Imperio junto al mar. Cuando ascendieron a una colina tuvieron ocasión de contemplar los buques que entraban en el puerto. Navíos latinos con sus velas cuadradas y galeras extranjeras de brillantes colores.

Después, galoparon de nuevo por la llanura, por un excelente camino. Divisaron una pequeña tropa armada a cuyo frente campeaba un estandarte con un águila, símbolo de la dignidad de «strategos» de quien la mandaba. El jerarca no se dignó siquiera dirigirles una mirada y se cruzaron sin saludarse. De vez en cuando el gespán se paraba para preguntar el camino. Casi siempre los interrogados le ofrecían comida y agua fresca recién salida de las fuentes; pero no confiaban en el extranjero que se persignaba de manera distinta a ellos.

Los llevaron de un lugar a otro, de mano en mano. Sus guías siempre eran personas de rango, como corresponde a unos embajadores. Venían desde Panonia para traer un mensaje a Alexios, el césar. Y su embajada era de la máxima urgencia.

Se abrieron para ellos las puertas exteriores de la muralla de palacio. La guardia formó con antorchas y los condujeron por extensos patios interminables. Las herraduras de los caballos resonaban en el suelo marmóreo. Unos criados tomaron las riendas y se hicieron cargo de los fatigados corceles. Los húngaros descabalgaron. El suelo pareció vacilar bajo sus pies, pues los cuerpos apenas podían resistir más. Pero el alma trató que los que presenciaban su llegada no se dieran cuenta de su cansancio, a la luz de las antorchas. Georg conocía todo aquello, la entrada, la escalinata que antes, como prisionero, no podía cruzar.

Los condujeron a sus apartamentos. Los labios dijeron las palabras normales en esas circunstancias, pero los ojos tenían miradas inquietas, como si trataran de encontrar una grieta en la muralla de silencio de los embajadores. Georg lo que más deseaba era cumplir la misión que lo había llevado allí; dar su mensaje a Alexios.

Los eunucos se mostraron amables pero ceremoniosos. Repitieron sus palabras. Estaban a completa disposición de los bárbaros, que podían pedir todo lo que desearan. Les ofrecieron túnicas de seda y oro, comida, dinero, servidores, danzarinas y músicos que los animaran y compensaran de su largo viaje hasta su primera entrevista con el emperador.

Así hablaron a aquellos raros forasteros barbilampiños, fría y amistosamente, haciendo muchas reverencias. Cuando los eunucos golpeaban con sus bastones, acudían los criados, que complacían inmediatamente sus deseos. El gespán Georg conocía su idioma. Y les habló de su embajada, de la urgencia que tenía para que llegara su mensaje a conocimiento de Alexios. No podía esperar toda la noche. El mensaje era como un ave que volara sobre las cúpulas de palacio y tuviera que pasarse lo antes posible.

— Tengo que hablar con el césar hoy mismo...

Los eunucos sacudieron la cabeza con incredulidad. No comprendían la prisa. Al menos no una prisa que rompía el ceremonial de siglos y el orden preestablecido. ¿Para qué tanta urgencia? Bizancio vivía y seguiría viviendo. Nunca, en el curso de milenios, Bizancio tuvo prisa ni sus emperadores tampoco. El gespán Georg hizo sólo un ruego: que le permitieran escribir su nombre en una tablilla de madera y ésta fuera presentada a los ojos del césar. Estaba seguro de que Alexios sería generoso y lo recibiría esa misma noche, o al menos, fijaría la hora de la entrevista.

Los mensajeros habían traído con ellos bastantes ducados y el jefe de los eunucos aceptó un puñado de oro. Tomó la tablilla con las líneas escritas por el gespán y la fue pasando de mano en mano. Cada uno de los lacayos de guardia en las puertas fue tomando la tablilla y el dinero que fue disminuyendo en su camino. El mensaje llegó hasta las habitaciones privadas del césar en una hora en que éste no solía ocuparse de los asuntos de Estado. Estaba cansado del protocolo y las ceremonias y dispuesto a descansar.

Alexios leyó el nombre. Estaba sentado en un sillón bajo esperando la llegada de Agnes, que estaba en el cuarto de tocador en manos de sus doncellas, que la vestían para la noche. Había estado leyendo a la luz de la lámpara de aceite. Era la hora tranquila del descanso. Se inclinó sobre el libro, dobló las páginas y lo enrolló de nuevo. El lacayo que le dio la tablilla entró y se acercó a él, en silencio.

— Los bárbaros están en sus alojamientos. No quieren acostarse; como es costumbre en la estepa, hablan en voz muy alta en su idioma y no piensan en la fatiga del viaje y menos en que mañana deben estar frescos y descansados para asistir a la Misa mayor...

Alexios leyó todos los nombres. La imagen del gespán volvió a su memoria. Ahora venía hasta él, había cruzado la frontera desde Alba Regia y ahora estaba tratando de ganar algunos minutos para presentarse ante él lo antes posible. Minutos, muchos minutos, millares de minutos en ese larguísimo viaje desde Alba Regia hasta Constantinopla.

Se levantó. Tocó la campanilla de plata cuyo sonido cristalino hizo llegar a un eunuco, al que dio un recado: la señora debía esperar sin impacientarse, podía leer, si le apetecía, o apagar la lámpara y dormirse cuando estuviera cansada. Él volvería tan pronto como le fuera posible. El eunuco sabía lo demás, quiénes eran los recién llegados, de dónde venían y que traían noticias muy importante. Pero nadie en palacio sabía qué noticias eran ni por qué el césar se vestía de nuevo. Solo, sin más compañía que un escudero, Alexios se dirigió al alojamiento de los húngaros.

— Adelántate y diles que ahora voy.

Eso fue todo.

El capitán de la guardia personal marchó a cumplir la orden.

César, el hombre elegido por Dios, se presentó en aquella hora poco corriente en las habitaciones de los embajadores que eran sus huéspedes.

Se abrieron las puertas ante él. Sólo lo separaba un estrecho corredor de la sala de los invitados, del comedor. Un centinela le dijo que era allí donde esperaban... y ni siquiera habían tocado la comida.

El césar llegó solo y sin escolta. Llevaba una túnica de raso azul oscuro adornada con bordados de oro, larga y amplia bajo cuyos pliegues podía ocultar perfectamente las manos. No llevaba guantes, pero bajo la falda de la túnica se veían sus sandalias purpúreas. Su rostro estaba pálido y había sido afeitado aquella tarde por el barbero de la corte.

Los húngaros estaban de pie, formando un semicírculo, y sus ojos miraban ansiosos la puerta. ¿Quién entraría por ella? ¿Quién era el que corría el pestillo? ¿Vendría el gran señor solo o con sus servidores y guardias? ¿Quién cruzaría la puerta, Béla o Alexios?

Las antorchas flameaban.

Entró el césar. La mayoría de ellos no lo habían visto con anterioridad. Alexios notó cómo todos los ojos estaban fijos en él. Los rostros le parecieron extraños, lejanos, pero eran los rostros de sus hermanos, de sus compatriotas.

El gespán se quedó mirando al césar, con sus mejillas recién afeitadas, la larga túnica, desarmado... como lo vio por primera vez. Pero reconoció el rostro: eran las facciones de Esteban, de Géza, de Lászlo... Todos ellos tenían un parecido innegable, con sus labios duros y contraídos, la prominente y aristocrática nariz... El rostro antiquísimo de los príncipes de la familia de los Arpades.

«En tanto que haya seres humanos no reinará en Hungría otro príncipe que no sea de la sangre de los Arpades...»

Tal vez esta frase pasó por el cerebro de Georg cuando se inclinó, no demasiado profundamente, y se dirigió al césar con estas palabras:

— Mis saludos, señor. Te traigo preocupaciones y disgustos.

Habló el idioma de la patria... La embajada... Allí podía verla. Unos veinte hombres formados en semicírculo se inclinaron un tanto tímidamente. Su saludo fueran palabras varoniles y no reverencias cortesanas.

De la túnica bordada de oro del césar salió su mano derecha, su mano blanca y llena de sortijas, que parecía incapaz de manejar un arma, como si hubiera olvidado por completo la práctica de la guerra. Su rostro tenía un gesto que les resultaba familiar a todos. Era la expresión del hombre de la estepa, precavido y astuto, aunque disimulado por los perfumados rizos, la barbilla afeitada y la diadema de oro.

— Gespán Georg, te saludo y os saludo a todos vosotros, señores. Ésta es mi casa y, por lo tanto, el palacio es vuestro palacio. Sois mis huéspedes. Sentaos cómodamente. Gespán Georg, háblame de hombre a hombre y dime todo lo que tengas que decirme.

— Te traemos disgustos, señor.

— Mi madre...

— La reina viuda vive y te envía sus saludos. Tenemos que hablar de tu hermano, el rey. El rey Esteban ha ido a reunirse con vuestro padre...

— ¿Mi hermano ha muerto? ¿Lo han asesinado? ¿Qué es lo que ha pasado?

— La fiebre lo ha matado. La misma fiebre que mató a tu padre. Los médicos se mostraron incapaces de hacer nada por él. Vino un médico de Venecia; el duque de los checos envió al suyo personal. Veíamos ya la muerte en su rostro. El día de San Gregorio cerró los ojos para siempre. ¡Que Dios se apiade de su alma!

Se hizo el silencio entre los presentes; las cabezas se inclinaron y las manos hicieron el signo de la cruz sobre las frentes. Uno de los presentes rezó el padrenuestro en latín. El hombre de las sandalias de púrpura, frente a ellos, no podía ocultar su emoción. Sus ojos ardían, pero no sentía la dulzura de las lágrimas. Veía a Esteban, más fuerte y mayor que él, cuando lo abrazó despidiéndolo, y le entregó una bolsa llena de ducados que hasta ahora nadie había visto ni tocado. Conservaba todavía aquellas monedas de oro...

Esteban había muerto como su padre y nadie podía explicar por qué los Arpades morían tan jóvenes. Nadie los asesinaba, no pesaba sobre ellos ninguna maldición, pues Lucas sólo maldijo al rey Lászlo. Lucas. Le dolía que el gespán no hablara en su nombre y no hubiera empezado su discurso con estas palabras: «El arzobispo te envía su bendición. Que la paz sea contigo». No, el embajador no empezó a hablar así, sólo se refirió a la vida y a la muerte.

— El país...

Así empezó a hablar el gespán Georg.

— El país — dijo — se encontraba en periodo de luto cuando lo dejamos. Las almas llenas de preocupación. Tu hermano y señor yacía en su catafalco y el arzobispo pronunció su discurso fúnebre con voz de trueno. Las mujeres de la familia real y tus hermanos menores se arrodillaban en los estrados y todo el pueblo se reunió en la Basílica, llorando al despedir a su rey. Yo no pude quedarme a presenciar el entierro, porque el viaje era urgente. Y Lucas no quiso darme su bendición.

Las palabras brotaban lentamente y Alexios no podía preguntar nada porque se daba cuenta que sus interrogantes no harían más que aumentar la agitación de los recién llegados.

— Nosotros deseamos, y el país también, que nuestro rey sea el varón de más edad de la rama de los príncipes Arpades. Eso fue lo que pidió el difunto rey en su lecho de muerte, cuando se despidió de sus familiares. Por eso venimos a ti, príncipe Béla, a decirte: te traemos la corona.

Sólo las lámparas de aceite repartían su luz tenue que no dejaba ver otra cosa que la palidez de los rostros y el fuego de los ojos. Béla se apoyaba en una columna y los señores húngaros lo rodeaban. Contempló sus rostros. En algunos ojos brillaban las lágrimas.

— No creas, señor, que no había temor en nuestros corazones cuando decidimos venir a traerte este mensaje de duelo a tu propia ciudad... y el mensaje de que los húngaros te esperan como rey. Todo el mundo tiene la mirada puesta aquí, en ti, con amor y preocupación. La esperanza es grande, pero en ella hay unas gotas de miedo. ¿Qué sabemos de ti? En nuestro país se sabe que has cambiado tu nombre, que te sientas a la diestra del Basilio con ropas extrañas, que conduciste a los catafractarios bajo las murallas de Zimony. En el fondo del alma reconocen que eres el hijo de tu padre, sucesor de tu abuelo y una de la más brillantes ramas de tu dinastía. Pero no han faltado agitadores que han proclamado que besas las manos de un soberano extranjero que no es amigo de los húngaros. No te conocen del todo. Te fuiste de tu patria cuando eras un niño, príncipe Béla. ¿Quién será el que vuelva? ¿En qué idioma hablas? ¿Sigues conociendo la lengua de tu padre? Todo esto es lo que el país ignora. Será una difícil tarea para ti, porque todos desconfían, incluso los más fieles. Tú debes hacer que todo vuelva a su camino justo, con inteligencia y sabiduría.

— Si no confiáis en mí, ¿por qué habeis venido?

— Señor, los temores tienen tanto derecho a hablar como el amor. Somos libres y hablamos libremente, de acuerdo con lo que nos dice el corazón. Mira, yo hubiese muerto por ti si alguien del consejo real, entre los que no deseaban oír tu nombre, hubiera tomado las armas. Yo soy tu partidario, pero no tu servidor en tanto que no seas mi rey, príncipe Béla. Tienes que oír mi voz, mis palabras, porque si yo no te digo lo que el país piensa, te lo dirá cualquiera de los caballeros que están aquí conmigo y han oído, exactamente como yo, la opinión del pueblo. Nosotros confiamos en ti, señor, pero deseamos oír tus palabras. ¿Quién eres? Dínoslo: ¿Eres Alexios, el césar de la Roma de Oriente, caudillo de sus ejércitos en la frontera Este, y cuñado del Basilio? ¿O eres el príncipe Béla, al que dejamos partir hace diez años y llegó aquí, después de haberse despedido de su madre y su hermano, y te persignaste arrodillado ante el arzobispo? ¿Quién eres tú, señor? Yo he contestado a esas preguntas en nuestra patria porque soy aquel a quien liberaste de su cautiverio hace años y lo dejaste volver a la patria sin pedir nada a cambio.

—Es como tú dices, gespán Georg, y te agradezco tus expresivas palabras. Sabes que toda la sabiduría de los pueblos que han existido hasta ahora ha sido acumulada aquí y escrita en libros para que nosotros y nuestros sucesores puedan aprender lo que deseen. En tiempos del primer señor de los Arpades, reinaba aquí un emperador que escribió, refiriéndose a Hungría, que ésa era una nación que sólo podía ser gobernada de acuerdo con sus propias leyes. Tú sabes, señor, que yo conozco esas leyes. Me preguntas si soy Alexios o Béla. Me preguntas si soy vasallo del emperador cuyo pan como. La respuesta es difícil, pues a palabras de hombre yo respondo con palabras de hombre. Cuando llegué aquí, hace unos diez años, el emperador me abrió los brazos y me estrechó contra su corazón. Mi país no quiso entregarle mi herencia y arrojaron de las provincias que me pertenecían a las tropas griegas que las habían ocupado en mi nombre. El emperador no me culpó de nada, no me humilló y siguió queriéndome como antes. Puso en mis manos, que casi eran las de un niño, toda la sabiduría del Imperio, que aprendí de él porque estaba llamado a ser su sucesor. Sabéis que después ha tenido un heredero varón. Y no me envió a casa, con las manos vacías, cubierto de vergüenza y casi como un enemigo. No me hizo matar para evitar que mi llanto por el Imperio perdido pudiera molestar el sueño de su hijo recién nacido. En vez de eso me ha dado la mayor dignidad de este mundo, que es envidiada por los más grandes y poderosos reyes de la tierra, que se conforman muchas veces con recibir de manos del emperador el título de «patricios». Me hizo césar, colocándome por encima de todos los demás dignatarios del Imperio y sólo un escalón más abajo que él mismo. Vosotros sois húngaros de la nobleza y sabéis que el agradecimiento es un don de Dios, y que es un villano quien lo niega a su benefactor. ¿Lo comprendéis, señores?

— Lo comprendemos. Pero es la patria la que habla. ¿Qué le has prometido al emperador hasta ahora y qué le prometerás?

— Todo el agradecimiento que une a un hombre con otro. Conozco el Imperio. En estos momentos llevo la túnica de Bizancio y los más altos dignatarios se inclinan ante mí. Durante diez años largos he estudiado, leído y escrito. Conozco la más pequeña línea que se escribió sobre Bizancio. Amo al Imperio porque es una obra de Dios y reconozco que el mundo cristiano no tendría forma propia sin esta Roma oriental. Pero Panonia no es el Imperio. Quien se siente en el trono en Alba Regia, con la corona en su frente, debe vigilar y guardar sus fronteras.

— ¿Qué le has prometido al emperador, señor?

— Cuando recibí la «campagia» y besé su mano, como hacen los más poderosos señores del mundo, me habló de su madre, que en nuestra lengua se llamaba Piroschka. Él la llamó así. Si volvieras un día — me dijo —, ¿seríamos enemigos? Ved, pues. Me preguntó esto y se quedó mirándome esperando una respuesta, como ahora la esperáis vosotros. Tampoco dije nada más que lo que os he dicho a vosotros. Bondad se paga con bondad. ¿Por qué no puede el archirreino vivir en paz con el Imperio?

— ¿Y cúal es el precio de esa paz?

— En tanto que el emperador viva, estoy unido a él por la gratitud. Es decir, no recuperaré ni Dalmacia ni Sirmia de sus manos. Ésta es mi palabra, señores húngaros.

— Has dicho en tanto que el emperador viva.

— En tanto que el emperador viva. No me considero unido ni atado a nadie más. Ya lo habéis oído. Ésta es mi respuesta. Os la he dicho porque habéis venido a oírla. Os doy las gracias por vuestras fatigas. Ahora me voy. Podéis hablar entre vosotros, cambiar impresiones, sin que nadie os moleste. La noche es corta y vuestros cuerpos están cansados. Os prometo inmunidad total y os concedo el derecho de hablar con completa libertad. Si desde ahora hasta mañana pensáis que debéis retirar vuestra embajada y vuestra petición para que yo vuelva a Hungría, podéis marcharos. Abandonaréis el palacio en paz y con la dignidad debida a vuestro rango. Si deseáis que os acompañe, darle el mensaje a los servidores de la puerta. A cualquier hora de la noche vuestra respuesta llegará a mí. Debéis estar hambrientos, señores. Sentaos, tomad vuestra cena y descansad un poco.

Hizo un gesto de despedida y se dirigió a la puerta. Nadie se movió. Todos se habían quedado inmóviles, rígidos. Contemplaron la silueta de aquel hombre que vestía una túnica extranjera, que llevaba las sandalias púrpura, hablaba su propio idioma y se comportaba como un rey. La voz del gespán Georg rompió el silencio. Sus palabras sonaron suaves y entrecortadas.

— Rey Béla... Es la voluntad de Dios que seas rey de Hungría. Te exhorto a que vuelvas a tu patria como rey. Mi palabra es ahora la palabra del pueblo, de la nación entera. ¿Me oyes, rey Béla?

Se volvió Béla. Tenía un aspecto hermoso y noble, en la plenitud de sus fuerzas varoniles. Era el primer *hombre,* desde hacía muchos decenios, desde Kalman o Esteban II, que sano de cuerpo y alma, en plena juventud, era llamado por su patria y se encaminaba a Alba Regia por la voluntad del país y no para luchar contra otro rey coronado. El arzobispo pondría la corona en las sienes de un hombre, de aquel hombre que ahora estaba ante ellos, sabio y dotado de profunda inteligencia, que vivió durante años al lado del emperador.

¿Quién sabía todo eso? Aun vestido con la toga, sin armas ni barba, Béla era un Arpade, hermoso y fuerte en cuerpo y alma, más potente que cualquiera de los que le precedieron.

El gespán se acercó a él y dobló la rodilla, pero no totalmente, como si la plenitud de ese movimiento estuviese reservado sólo para Dios. Después extendió los brazos y abrazó a Béla. Los bellos ojos azules se llenaron de lágrimas. Uno a uno los caballeros húngaros se fueron acercando a él y se llevaron su mano a los labios.

Sí, los más viejos besaban la mano del más joven, porque ellos lo eligieron como rey.

Fuera se cambió la guardia, pero las pesadas alabardas de bronce apenas si sonaron al golpear contra el suelo de mármol. Béla sabía que la noche comenzaba en Bizancio, cuando el emperador se retiraba a descansar.

* * *

La noche fue larga. Veinte mil almas, en el Palacio Sacro, sabían que la rueda del mundo había dado un giro, aunque no conocían cómo. Los muros de este húmedo gigante milenario, que tal vez pudo ser contemplado por Constantino el Grande, lo decían así. Los funcionarios, los secretarios, los eunucos, la guardia imperial, los comandantes de puesto, hablaban de ello. Las luces eran un idioma delatador. Velas, cirios y antorchas, brillaban en las ventanas a una hora insólita. Una serie de lámparas de aceite seguía encendida en las habitaciones privadas del emperador. Una serpiente de luces que se prolongaban hasta la cancillería de la corte y la cancillería de Asuntos Occidentales. Los jefes y ministros estaban preparados. No querían dormir, pues sabían que algo ocurría en palacio... y esperaban.

Hacía frío. Se añadió otro tronco y las llamas en la chimenea tomaron nueva vida. Se encendió la gran lámpara de plata y sus rayos iluminaron a su alrededor.

Estaban sentados los cuatro: el Basilio, el césar y las dos mujeres de Antioquía con sus túnicas de noche... Fuera, en la antesala, esperaba el logoteta Teodoro Stypiotes, a quien el emperador envió a buscar.

Llevaban sentados mucho tiempo sin hablar una palabra. El fuego se reflejaba, rojo, sobre los vestidos. La luz de las lámparas sobre los cabellos de las mujeres. Nadie llevaba diadema ni corona. Las mujeres se habían quitado el maquillaje de sus mejillas y sólo se pusieron un manto sobre las batas. El rostro del emperador mostraba cansancio. Su cuerpo potente respiraba fatigosamente y, de vez en cuando, la tos salía de su garganta. Sus ojos relucían con destellos enérgicos. Se inclinó y, distraído, destrozó entre sus dedos una pequeña astilla de leña.

En su vida tuvo muchas noches como ésta, en la que el capitán de su guardia entró en su cuarto para comunicarle que en el mundo había ocurrido algo que era mucho más importante que el descanso del Basilio. Era un servidor del Imperio, podían interrumpir su sueño, y tuvo que levantarse con la barba revuelta y el pelo canoso despeinado.

Tomó un trago de vino caliente, al que se añadieron especias. Su fuego reanimó su cuerpo. Poco a poco fue despertando totalmente a la realidad de la vida y de su deber. Extendió sus manos para que Béla hablara, y escuchó sus palabras.

—¿Es el país entero quien te llama?

—Los caballeros se pusieron en camino el mismo día del entierro. Tal vez no sea toda la nación, pero sí la mayor parte del país... y también mi madre. Y los grandes señores, si he de creer las palabras del gespán Georg.

—¿Por qué no el país entero?

—Se pregunta si recuerdo mi viejo nombre. Tienen miedo de mí. Ya conoces a los húngaros.

—Los pueblos fronterizos del norte están en armas. Puedes llevarte las tropas de Sofía hasta Belgrado. Kontostefanos recibirá hoy mismo la orden de estar preparado para ponerse a tu lado tan pronto llegues.

—Perdóname, señor. Pero mis planes son otros. También los húngaros piensan de modo distinto. En Panonia se sigue considerando a los griegos como enemigos. Ya sabes que en los últimos años ha corrido mucha sangre. El pueblo no sabe que los griegos pueden llegar de otro modo a como lo hicieron hasta ahora, derribando sus fortalezas y ocupándolas. Los catafractarios no son queridos en el país.

—¿Quieres llegar como un mendigo, con las manos vacías? ¿Quiénes te acompañarán? ¿Qué podrías hacer si tus hermanos menores te esperan con un ejército? Cualquier príncipe puede levantar un ejército y tratar de conquistar el trono si tiene en sus venas sangre de los Arpades. ¿Quieres llegar al país, como antes lo hizo Boris, con sólo unos cientos de hombres, para tener que refugiarte en los bosques, luchar con los lobos y huir de los hombres? ¿Quieres marchar con cien hombres de los cuales la mitad se quedarán a lo largo del camino, a causa de la dureza y dificultades del viaje?

—¿Puedo preguntarte algo, señor?

—Hijo mío, somos hermanos por nuestras esposas.

— ¿Con qué sentimientos te despides de mí?

— Con el corazón dolorido. Durante mucho tiempo te consideré como el sucesor mío que habría de tener en sus manos las riendas del Imperio. El tiempo no transcurre en balde sobre el alma. He visto la transformación de una vida y la he vivido. Cuando nació mi hijo, sabía que tú lo protegerías. Pero ahora eres rey y tu pueblo te llama. La palabra con la que te diré adiós será pesada y triste. Sabes que sólo tengo un deseo y lo tuve siempre: que Panonia sea el puente occidental entre el Imperio y la otra mitad del mundo. Cuando te hayas ido este proyecto será más fácil, y, al mismo tiempo, más difícil de realizar.

— El proyecto sera más fácil, señor, porque ni por tu voluntad ni por la mía habrá jamás guerra entre el Imperio y el reino de Hungría.

— Y más difícil porque no sacaré la espada contra ti. Confío en ti, hijo mío. Sé que cumples lo que prometes.

— No es fácil prometer cuando se hace en nombre de un pueblo.

— Prométeme la paz, Alexios, nada más. Tú sabes cuáles son las heridas del Imperio. Nuestra brújula señala ahora al Este. ¡Y tú no podrás mandar ya nuestros ejércitos...!

— No puedo ir a Panonia como antaño lo hizo Boris, pero tampoco como césar, y con las sandalias de púrpura y la túnica cortesana. Debo llevar tropas conmigo, pero pocas. Debo demostrar a mi pueblo que es Béla quien vuelve y no Alexios.

María dijo:

— ¿Te llevarás a Agnes o se quedará con nosotros?

— Yo te pregunto, Agnes, si quieres acompañarme. Te hago esa pregunta y debes contestarme concretamente en presencia sólo del emperador y de tu hermana. Tú has sido la esposa de un príncipe del Imperio. En Bizancio eres la cesarina. No puedes ser, en ningún lugar del mundo, nada más importante; eso lo sabes tú, Agnes. Pero el país en que he nacido me llama y me pide que vuelva, como rey. No sabes de Panonia más que lo que yo te he contado. El camino es largo y difícil y puede ser que al llegar a mi patria deba luchar. Respóndele a tu hermana y respóndeme a mí. ¿Vienes conmigo a Panonia?

La joven, todavía casi una niña, estaba sentada, inmóvil en

un sillón muy bajo. Su voz era tranquila y honda, su rostro muy pálido. Cuando habló, pareció como si las palabras que pronunciaba se las hubiese dicho a sí misma anteriormente:

— Aquí los dos somos extranjeros. El viento puede cambiar, Alexios. Al menos que uno de los dos esté en su propia patria. Conoces tu país, yo no sé nada de él más que lo que te oí contar. Tú dices que es un archirreino, mayor que todos los demás reinos y que se extiende hasta la frontera con Francia. Dices que serás el rey y yo la reina. Si lo deseas así, iré contigo.

— Tengo miedo por mi hermana, temo por Agnes. Ve solo, Alexios, con tus tropas y la gente que vinieron a buscarte. Podréis ir a toda carrera, a galope, mientras que Agnes necesita reposo. ¿Por qué exponerla a tantas dificultades? Ve solo, así podrás ver cómo están las cosas en tu país. Si todo pasa como los enviados prometen, entonces te seguirá Agnes como reina.

— María, yo tengo otra opinión. Si Alexios cree que ése es su país, entonces iremos juntos, pues la voluntad del Señor es que la esposa siga al hombre cuyo nombre y rango comparte. Si Béla se va, yo lo acompañaré.

— Manuel, ¿cuál es tu voluntad?

— María, creo que te he hablado de aquel viaje... cuando murió mi padre y yo galopé por los caminos del Imperio, sin más protección que la del viejo Axouch. Entonces tenía, más o menos, la misma edad que Alexios, que ahora quiere ser otra vez Béla. Agnes lo ha llamado así.

— ¿Cuál es tu voluntad, Manuel?

— Deben marchar juntos. La esposa debe seguir a su marido. Tú defenderás al Imperio de los peligros de Occidente. Contra Barbarroja. No debes firmar ningún pacto con él que vaya dirigido contra mí. Eso es lo único que te pido. Ése será tu agradecimiento, Alexios.

— Agnes se va. Alexios nos abandona. Cada vez nos quedamos más solos, Manuel. A veces creo que estamos rodeados de enemigos en número cada vez mayor. Tengo miedo por las noches, cuando me despierto.

— Luchas contra sombras, María. Vosotros, los latinos, sois amigos de los fantasmas. Tenéis miedo de las leyendas. En Bizancio sólo cuenta la realidad, todo está medido y controlado, no hay grietas en tal orden. Aunque circulen rumores en la ciudad, aunque Andrónico consiguiera alzarse en su provincia, yo estoy acostumbrado a todo eso. Hace ya treinta años que visto la púrpura.

—¿Cuándo deberán marcharse Alexios y Agnes?

—Los húngaros han llegado hoy. El viaje es urgente. Si se retrasa, tal vez crean en el país que no quiere volver y los agitadores tendrán tiempo de alzarse contra él. Entonces sería demasiado tarde. Las órdenes saldrán esta madrugada, dirigidas a las fuerzas fronterizas. Si Dios lo quiere así, podréis partir pasado mañana de madrugada, hijo mío. Los enviados irán antes y todo el mundo en Panonia sabrá, días antes de vuestra llegada, que el país espera a su rey.

XL

El anciano estaba sentado en su celda de Esztergom. Tras el funeral de Esteban, los gespanes emprendieron el viaje a Constantinopla y el arzobispo Lucas se encerró en su vieja celda. Guardaba silencio y rezaba.

Se convirtió en una negativa hecha carne ¡No! Tal vez estaba en sus manos el destino del país. Sólo podía ser rey aquel a quien él pusiera la corona en sus sienes. No fue él quien envió a buscar al joven príncipe y no quería recibir ni a la reina Eufrosina ni a ningún dignatario del reino.

Por el sur se aproximaba la corrupción. Las nubes se acumulaban cada vez más espesas en el horizonte. Ese día sólo llegaban a su nariz las palabras dulzonas, pero el aroma del desengaño picaba ya en sus aletas. Había algo femenino y narcotizante en ellas. El ritmo del sur, la belleza de sus cantos, las sedas doradas de sus túnicas, su piedad y religiosidad teatrales... Pero las almas estaban llenas de mentira y engaños y sólo pensaban en su propio beneficio. Así eran los bizantinos, más listos que sabios. Jugaban en el campo. Los arcontes con sus tiaras puntiagudas y su conocimiento de su alfabeto, que consideraban el más perfecto, se burlaban de los barones húngaros de la corona. ¿Qué hombre era el que llegaba? Los que esperaban decían que era Béla. Pero venía con guerreros griegos armados de punta en blanco. Y el que va frente a ellos es césar.

El joven príncipe vivió aquí. La primera comunión la tomó de sus manos y confesó con él. Lucas conoce a la reina madre. Un alma vacilante, que no acaba de decidirse concretamente por uno u otro de sus hijos. Un día prefiere a Géza, otro siente añoranza de Béla. Todos viven esperando y tienen los ojos fijos en la frontera con Sirmia. ¿Cuándo llegaran hasta aquí los caballos de los catafractarios? Así viven los húngaros desde hace muchos días, desde que el gespán Georg se fue hacia Constantinopla y el cuerpo del rey Esteban recibió sepultura en la cripta de Alba Regia, entre sus antepasados.

¿Sentía nostalgia, deseos de ver a Béla? ¿Quería Lucas el anciano volver a ver al muchacho que se marchó hacía ya diez años? ¿Al niño que al despedirse de él se inclinó para recibir la bendición de su mano?

Pasaban los días. El pueblo vivía y esperaba fuera de la celda del arzobispo. El joven príncipe se retrasaba. La reina madre vacilaba. Los dignatarios esperaban. Había inquietud en el país, miedo y esperanza. No había ningún alzamiento, porque nadie sabía contra qué o contra quién debía alzarse. No podían acusar a Béla de ningún pecado, ni reprocharle nada. Decían de él que era un griego, pero en realidad ninguno conocía su rostro, con la excepción de aquellos prisioneros de guerra a los que liberó. Pero eran pocos y podía pensarse que tal vez fueron sobornados con oro y, además, les perdonó la vida. Era lógico que entonaran sus alabanzas.

No podía negarse que el gespán Georg era un hombre honrado. El arzobispo recordaba sus ojos cuando se arrodilló ante él y le dijo:

—Béla, al que llaman Alexios, te envía un mensaje, señor arzobispo. Me ha dicho que debía informarte que él siempre, y en todas partes, se sigue persignando *in nomine Patris, Filius et Spiritu Sancti,* y reza como tú le enseñaste...

Este mensaje era el que le hacía guardar silencio. A él, al arzobispo Lucas, que volvió voluntariamente a la celda en la que muchos años antes lo encerró Lázslo, a quien él maldijo en una Nochebuena.

* * *

El camino nadaba en la niebla. El recuerdo era más fuerte que la vida porque ésta cambia continuamente en sus formas. Recordaba el país que dejó muchos años antes, cuando se llamaba Béla, y pensó que nunca más volvería a él con este nombre. Recordaba las palabras, las palabras del pueblo, de los magnates que murmuraban el Ave María ante él, piadosamente, pero sin saber ciertamente a qué atenerse.

Los paisajes cambiaban, pasaban. Con ojos muy abiertos buscaba Béla algún recuerdo en aquellos lugares. Plazas en las que jugó de niño y que ahora estaban llenas de gentes que acudían a besarle las manos, espontáneamente, sin protocolo, porque se habían enterado, por los soldados armados que le precedieron, que él era el rey. Los gespanes y barones salían a recibirlo a las fronteras de sus respectivas provincias. Los más ancianos llevaban las riendas de su caballo, se descubrieron ante él y después le estrecharon la mano varonilmente. ¿Cómo podía uno conservar los guantes y ofender así a aquellas duras manos de guerreros? ¿Podía seguir con el rostro afeitado y su túnica de seda? ¿Había cambiado Béla desde que no oía el nombre de Alexios ni el título de césar? ¿Cambió porque la barba empezaba a llenar su cara y su pelo crecía al estilo húngaro, sin ser cortado, y llevaba un cubrecabezas con una pluma?

— La realeza se refleja en su semblante — dijo el capitán que lo acompañaba desde Bizancio y fue testigo de su paulatina transformación.

Los gespanes lo llamaban rey y lo agasajaban. Él respondía en húngaro culto, con un especial acento.

— Todavía no he sido coronado.

Y bajaba la cabeza.

Los señores se lanzaban miradas de entendimiento. Traía soldados griegos, sí, pero no demasiados, los suficientes. Cinco mil jinetes, la mitad de ellos de caballería ligera y los otros de caballería pesada. Los generales besaban cada mañana el borde de su túnica. En la frontera de Sirmia la tropa se dividió y sólo quedaron con él dos mil quinientos soldados griegos que se perdían en medio de la gran masa de húngaros que se unieron a él para acompañarlo en su regreso a la patria, a su paso por los pueblos y ciudades.

Los griegos se dieron cuenta del cambio. Se sintieron afectados aunque no dolorosamente porque Béla seguía siendo bondadoso con ellos, les daba las gracias en griego por sus servicios y les regalaba ducados, mucho más oro del que debía pagarles por su soldada. Pero les estaba prohibido mezclarse con los húngaros.

Atravesó el país. Los paisajes cambiaban. Llegó a lugares que no recordaba o que tal vez no conocía. Sin embargo, en cada curva del camino creía recordar el paisaje, como si ya hubiese estado alguna vez allí. El mundo apenas si cambiaba en Panonia. Los rebaños, pastando en los prados, y los pastores eran los mismos de siempre. Y los niños miraban el paso de los guerreros con los mismos ojos fijos y admirados de siempre. Se subían a los árboles para verlos mejor y desde allí les lanzaban sus pequeñas flechas de juguete.

Béla regresaba. Hablaba con los barones que querían prometerle fidelidad, que eran muchos y los más potentes.

Llegaban un tanto llenos de dudas y con el rostro serio, como si temieran al príncipe extranjero, que supusieron habría engordado con los griegos, llevaba las sandalias púrpura y compartía la mesa con el emperador. Llegaban, lo miraban cara a cara y veían en su rostro el semblante de un rey. Un hombre lo miraba a los ojos y a veces le hacía sonreír. No, él no era como ellos creyeron. Fueron unos desconfiados y muchos lo seguían siendo. No era posible ganar sus simpatías con una sola mirada y matar sus desconfianzas, pero, poco a poco, se iban confiando a él. Le hacían preguntas y esperaban sus respuestas. Analizaban sus palabras. Observaban su caballo y se daban cuenta de que se sentaba en la silla de modo diferente. De manera extraña, que identificaba al caballo y al jinete, con un ritmo que tenía bastante de religioso y sagrado, como si fuera en un cortejo solemne, en la procesión magna de una solemne coronación, lleno de dignidad.

No podían negar que había mucho de agradable y simpático en ello. Béla repartía en torno suyo pompa y lujo, como el aroma de un frondoso jardín. Su vestido era lujoso, como sus joyas y sus adornos. Y en las casacas de los oficiales de su guardia había tanto oro que bastaría para comprar pueblos enteros. Tenía la costumbre de bajar un poco la cabeza, y su rostro de halcón parecía fijar en el suelo sus profundos ojos.

Cuando se aproximaba a Esztergom, la residencia del arzobispo, la nación casi confiaba en él. Hablaba con cada uno en su propia lengua, por las tardes se detenía y esperaba la llegada de los carros. Cada noche quería tener a su lado a Agnes, que venía acompañada de sus damas de honor.

Así hizo el viaje desde el sudeste al noroeste, hasta que pudo enviar a sus mensajeros reales a través de las puertas de las murallas de Esztergom para anunciar a la ciudad arzobispal que el rey iba a hacer su entrada en la villa en que nació Esteban, el santo rey de los húngaros.

* * *

Estaban solos en la celda. La silla ocupada por Béla era dura e incómoda. El arzobispo tenía su mirada fija en las montañas que se veían a través de la ventana. Sus labios estaban pálidos, desprovistos de sangre y apenas si destacaban del resto del rostro.

Béla contemplaba sus manos. Descubrió una mancha de tinta en uno de los dedos del anciano. Había en ellos algo maravilloso y tranquilizador. El arzobispo, un anciano en el ocaso de su vida, renunciaba al descanso y se pasaba la noche escribiendo hasta que llegaban las luces del alba.

Ninguno de los dos se inclinó ante el otro. Béla no dijo nada. En Bizancio aprendió a callar y callaba. Sería más fuerte si sabía esperar. Aprendió de Manuel que los sacerdotes excitados y malintencionados se suavizan si uno guarda silencio ante ellos. Los ojos del arzobispo estaban entornados, descansaba. Sueño y muerte eran hermanos. De pronto abrió los ojos. ¡Él era el más débil! No era capaz de seguir guardando silencio.

Contempló a Béla y le pareció ver al niño que antaño se arrodilló ante él, que él bendijo, enseñó y educó. Su antiguo discípulo, hoy rey. Béla se dio cuenta de que no sería necesario que él rompiera el silencio. Su adversario era más débil. Lucas se lo quedó mirando, levantó su dedo manchado de tinta y lo agitó violentamente en el aire.

— ¡No!

El monosílabo sonó como un latigazo. Pero fue un signo de debilidad, puesto que había hablado. Habló el primero y en sus palabras se descubrió algo así como impaciencia y el deseo de oír una explicación. De sus labios no brotó una maldición ni una ofensa.

— ¿No quieres coronarme, Lucas, porque no conoces a quien está hablando contigo?

— No, no te conozco. Mis ojos son demasiado débiles. Oigo tu voz. Has crecido y has renegado. No puedo recordar todas las voces que oí a lo largo de mi vida.

— Te envié una embajada, un mensaje con el gespán Georg, que éste te transmitió.

— ¡Conozco a los creyentes de conveniencia! Tú te persignas de acuerdo con el lado de donde sopla el viento. Rezas el *trisagion* o el *Paternoster*. ¿Y pretendes que te crea?

— No he venido aquí a defenderme. Solamente hay una voz en el país que me acusa. El viejo Esteban huyó de tu voz. Lászlo te encerró en un calabozo, hasta que lo maldijiste. Te temieron y huían de ti. Yo vengo a ti, señor arzobispo, cara a cara. No te temo. Sólo quiero hablar contigo porque tengo que hacerlo.

— Soy un anciano y ya no tengo nada que decir en el mundo. Vivo en la misma celda en la que antaño me encerró el falso rey. ¿Qué deseas de mí? ¿Por qué no llamas para tu coronación a un sacerdote de los simonitas? ¿No hay otro sacerdote en todo el mundo que pueda coronar a un rey? ¿Por qué te diriges a mí? ¿Como un pecador que regresa al lugar donde ha pecado? Ya no vivo en el mundo. Estoy muerto. No puedo bendecirte.

— Tú representas a la nación, eres la nación, y lo seguirás siendo en tanto sigas por el camino justo. Yo no tengo por qué tener miedo de ti, como tú no debes temerme. Presta atención, Lucas, y no cargues tu alma con malas intenciones. Que nadie pueda acusarte nunca de que fuiste testarudo e injusto, amargado por tu propia rabia y sacrificándote al odio. Quiero leerte Los Levitas, arzobispo Lucas. ¿Qué le he hecho de malo al país o a ti? ¿Dónde está mi falta? ¿He saqueado mi tierra y la he invadido con ejércitos extranjeros? ¿He obligado al emperador a que nos declare la guerra? ¿He puesto de acuerdo a Barbarroja y Manuel para que se dieran la mano y se repartieran entre ellos el santo reino de Hungría, atacado por dos frentes distintos? No he hecho nada de eso y, por lo tanto, no vengo aquí a defenderme. Hablo contigo y ahora te acuso, porque eres testarudo e injusto. ¿Crees tener derecho a pronunciar una sentencia en este juicio que existe entre tú y yo por el derecho de Cristo y de los Arpades?

— Sólo digo esto: ¡No! No ceñiré la corona en tus sienes. Soy el arzobispo de Esztergom, que de acuerdo con la tradición y las leyes corona a los reyes. Pero no pondré la corona en tu cabeza. No te acuso ni te condeno. No has hecho nada malo. Pero no te pondré la corona de San Esteban. Búscate otro sacerdote.

— ¿Quién te da a ti el poder, arzobispo Lucas, para atar y desatar?

— ¿Quieres darme una lección? ¿Con qué derecho examinas mis conocimientos de Catecismo?

— ¿Quién es el único que puede atar y desatar en nombre de Cristo, arzobispo Lucas?

— Pedro y todos los que sucedieron al Pescador en su trono.

— Oye mi voz, testarudo e irrazonable Lucas. Esperaré, rezaré pidiendo al Señor que te conserve la vida y te haga ver todo lo que deberías ver y no quieres. Si no cambias, apelaré al sucesor de San Pedro. Esta noche mandaré una carta a la Urbe. ¿Me crees, arzobispo Lucas? No soy un apóstata ni negaré el orden divino. No mandaré buscar un obispo de los simonitas para que me consagre rey. No quiero que haya un solo húngaro en todo el país que pueda decir, señalándome con el dedo: «Un rey de los perros, pero no mío. No fue un auténtico obispo quien lo coronó». Créeme, señor Lucas, en Bizancio he aprendido mucho. Por eso, después de a ti, sólo me dirigiré al Santo Padre, que también es tu señor y tu superior. Oye mi voz, Lucas. Esperaré tus palabras esta noche. Pero mañana al amanecer saldrán jinetes para Roma con mi mensaje al Papa, con las palabras del rey de Panonia. Espero tu respuesta. En tanto ésta llegue, la corona no rozará mis sienes. ¿Quieres seguir acusándome, testarudo arzobispo, tú que fuiste para mí más que un padre?

Se levantó. Ambos se miraron de frente, pues ahora Lucas mantenía los ojos muy abiertos. Su mirada no era triste ni vencida, sino más bien juvenil, alegre y dispuesta a la lucha. Pero su voz, al despedirse, seguía siendo extraña y lejana.

— ¡Que la paz sea contigo! Si el Papa Alejandro así lo quiere, puede enviar un legado Pontificio para que te corone. Lucas no pondrá la corona en tu frente. Mientras viva no te coronará a ti, pero tampoco a ningún otro.

XLI

La mañana empezaba a clarear. En la vereda pedregosa apareció un jinete. El caballo estaba protegido por una gualdrapa de malla de hierro y el caballero, de plateada armadura, llamaba la atención por su robustez y la fuerza de sus miembros. Llevaba el escudo colgando a un lado del caballo, y en la diestra empuñaba la lanza. Al cinto colgaba una pesada espada, y un hacha de combate en uno de los lados de su silla de montar. Las plumas de su casco debían ser de garza, pero ahora flotaban en el viento polvorientas y ajadas. La armadura mostraba señales de golpes, cortes y sangre. La punta de la lanza quedó rota en algún combate.

El caballo se detuvo, como si mirara en torno a aquellos lugares completamente nuevos para él. Dio unos cuantos pasos adelante, tanteando cuidadosamente el terreno con sus herraduras, para conocer su consistencia.

Tras él, en la lejanía, aparecieron sus acompañantes. Su caballo era el más fuerte y subió la colina con mayor velocidad y menos fatiga. El caballero se detuvo y tomó una bolsita, que pendía de la silla, con sus dedos agarrotados. Despacio se quitó el guante de púrpura y durante unos segundos dudó, pero después lo arrojó lejos. Tomó unos higos de su bolsa y mordió la dulce y fresca fruta impulsado por el hambre y la sed. Su rostro no sólo estaba manchado de sangre y magullado, sino bien golpeado y herido. Era alguien para quien parecía haber sonado la hora decisiva; luchaba contra su destino e iba perdiendo poco a poco sus fuerzas, pero no quería entregarse.

Mordió los verdes higos, que eran el único alimento que el

emperador tomaba desde la noche anterior. En alguna parte, en el llano, debía existir su campamento donde estarían Kontostefanos o Paleólogo, o cualquier otro príncipe con sus soldados. Los que venían con él lo acompañaron durante toda la noche.

Manuel había galopado por caminos rocosos. Nadie se atrevió a detenerse ni un minuto, o a encender el fuego para librarse durante una hora del frío de la noche y las tormentas de la montaña. En torno suyo pululaban los lobos y nadie se sentía seguro. Él, emperador por la Gracia de Dios, escapó de la batalla de Miriokefalón como por milagro y vagaba por entre las montañas y los precipicios, en compañía de doce de sus caballeros.

¿Se portó como un cobarde? ¿Abandonó demasiado pronto a su ejército caído en una emboscada, en un estrecho desfiladero y atacado por ambos lados por los soldados enemigos? ¿No debió quedarse más tiempo al lado de los suyos?

Había huido a galope por los desfiladeros aún no ocupados por los infieles. Él, el emperador, que ahora no llevaba el estandarte con el Águila del Imperio; la severa jerarquía del mundo del bronce, de la plata y el oro, se había derrumbado, la púrpura, que parecía pegada a su cuerpo, era algo peligroso. Tan pronto el sol saliera, los distintivos púrpura y oro de su rango imperial brillarían, pues su armadura no los cubría por completo, y podían convertirlo en presa propicia de cualquier patrulla enemiga.

¿Fue cobarde por no querer morir con los demás? Sólo tuvo una imagen ante sus ojos: la de un emperador apresado, encadenado, el emperador Diógenes Romano, que cayó en manos de los musulmanes, doscientos años antes, en una batalla que perdió de modo tan estúpido, tan loco, como él se metió en aquélla. Fue el único emperador, desde el nacimiento de Roma, que ahora radicaba en Bizancio, que un bárbaro pudo encadenar a su carro triunfal. Sí, pensó en Diógenes Romano, al que cubrieron de cieno y fango, y se convirtió en la única mancha vergonzosa en la gloria de un milenio. Por eso encaminó su caballo hacia el desfiladero rocoso para buscar refugio en la montaña mientras los demás, millares y millares de combatientes, se preocupaban de defenderse contra las enormes rocas que caían sobre ellos, la lluvia de flechas, o de librarse de los lobos hambrientos Tuvieron que formar una barrera con el bronce de sus escudos, mientras otros cavaban cuevas en las rocas, con sus hachas de guerra y sus espadas, para proteger sus vidas y sus cuerpos.

¿Fue un cobarde? Luchó sólo contra cinco o seis caballeros enemigos poderosamente armados. Una aventura de caballeros. ¿Podía llamársele cobarde porque, como los caballeros latinos, luchaba con la espada y la lanza y protegido por una fuerte armadura? Peleó a solas contra cinco adversarios, heroicamente, pero al mismo tiempo preocupado de que a sus espaldas pudieran surgir nuevos enemigos. Imposibilitado de ver lo que ocurría tras él, si lo atacaban por la espalda, lo perseguían y lo alcanzaban, todo estaba perdido. Sería el fin.

¿Fue cobarde Manuel en la batalla de Miriokefalón? Las sombras de los muertos vagaban por la noche. Dos de sus caballeros, con ligeras armaduras de cuero, cayeron víctimas de las gentes del desierto, ágiles jinetes, jóvenes de piel oscura, delgados y con los turbantes cubiertos de suciedad. En ese día asesinarían, robarían, saquearían, o dormirían un sueño eterno poblado de bellas huríes.

La mano del emperador se alzó. Estaba sobre un promontorio de rocas, hasta donde los habían llevado sus caballos dejados a su libre instinto.

No consintió que le quitasen la armadura para ver sus heridas. No sentía esa debilidad que llevaba a la pérdida del conocimiento y que era consecuencia de la hemorragia y las heridas graves. Volvía a ser un hombre. Su caballo pareció darse cuenta de ello y reemprendió su paso, con trote solemne y armonioso, como era su costumbre. El cuerpo del emperador pareció recobrar su ritmo vital normal. Era un cuadro extraño, aquel desfile del emperador y sus hombres, sucios y cansados, sobre la colina rocosa, con sus armaduras destrozadas, pero armados al fin y al cabo. Estaba con ellos el mariscal de campo, el único que se comportó con talento, precaución y reflexión: Paleólogo, que en el último Consejo Imperial fue tildado de cobarde, porque fue el único en hablar de los peligros de los desfiladeros y las montañas, de aquellas rocas que parecían alzarse hasta el cielo. Cuando los demás hablaban de la expedición contra el sultán Arslan Kilidsch y aseguraban que lo cogerían de la barba y lo traerían para que se postrara derrotado y humillado ante los pies del emperador. Sus palabras no fueron escuchadas.

Un emisario los alcanzó. Buscaba al emperador y a Paleólogo y vagó toda la noche hasta dar con ellos. Le dijo al emperador que los soldados se helaban, se habían refugiado en cuevas y lograban resistir. No tenían más alimento que higos secos que se repartían entre ellos. Las noticias no eran nada satisfactorias. El desfiladero en el que se hallaba cercado el ejército bizantino, parecía rodeado de demonios. Durante la noche se hizo el silencio, pues los árabes, supersticiosos, temían a los espíritus de la noche. Descansaban y rezaban...

Éstos fueron los informes del enlace. El emperador comprendió sólo una cosa: su ejército existía aún. Y había un camino libre, quizá demasiado estrecho para que pudiera escapar toda la tropa, pero sí lo suficiente para que unos cuantos pudieran salir, sin que los cercadores se diesen cuenta de ello. Los jefes de los distintos cuerpos del ejército se habían reunido y enviaban este mensaje al Basilio:

— ¡Regresa, señor! — decían —. No podemos vivir sin ti. El ejército te espera y aún tenemos esperanzas. La furia del ataque del enemigo ha disminuido. Hemos cavado trincheras y refugios en la montaña. Tenemos vituallas para unos días. Pueden pasar muchas cosas, pues son muy numerosos los hombres que pueden manejar las armas. Tú eres nuestro señor y nuestro caudillo: no puedes dejarnos solos.

El enlace se puso en marcha y los doce lo siguieron. El emperador estaba herido en el brazo izquierdo, que pendía inmóvil, caído. La herida estaba vendada con un trozo de su propia camisa. Otra herida profunda le surcaba el rostro. Pero conservaba puesta la armadura.

La estrecha senda estaba vigilada. Los que enviaron enlaces en todas las direcciones de la rosa de los vientos, confiaban que el emperador viviera y regresara antes del amanecer, trayendo con él la esperanza.

Tuvieron que atravesar un estrecho camino sobre un precipicio. La senda no estaba expuesta a los ataques, pero era tan estrecha que los caballos tenían que caminar uno tras otro. El ejército tardaría muchas semanas en cruzarlo si quería escapar por allí, y mientras tanto, el enemigo tendría tiempo de escalar, saltar por las estrechas y abruptas vertientes y atacarlos desde arriba.

Pasado aquel camino, galoparon hacia la cumbre rocosa. En ese mismo instante salió el sol, y envió sus primeros rayos sobre el paisaje. Una imagen maravillosa de aterradora fuerza. El emperador mantenía las riendas de su caballo con la mano derecha. Debajo, el valle que la naturaleza adornaba con los lechos de los arroyos, ahora secos; vegetación salvaje y hendiduras profundas. Los regimientos imperiales estaban allí como a las puertas del infierno. Los muertos habían sido llevados al interior de las grutas donde se ocultaban los supervivientes. Había un círculo de hogueras. No se había producido todavía el ataque de flanco. Vivían, sufrían, tenían hambre y cansancio.

Manuel no era la personificación de un milagro. Sólo un emperador, pero desde los tiempos de Constantino, también un símbolo para los supersticiosos soldados a los que su presencia dio nueva fe. Sonaron las trompetas anunciando su vuelta a todos los rincones del campamento. Manuel pasó entre ellos a lomos de su caballo y saludó levantando el brazo derecho a todos aquellos que en su nombre resistieron y lucharon toda la noche.

La tropa empezó a recuperar su moral, a encontrarse a sí misma. Donde quiera que el emperador ponía los pies, cuando descendía por el estrecho camino, los soldados se arrodillaban ante él, le extendían la mano y le rogaban que descansase y se tranquilizara, porque si él estaba tranquilo todos lo estarían con él. Compartían con su caudillo la febril espera del ataque que podía producirse en cualquier momento y que significaría la muerte antes de que cayera la nueva noche.

El ejército podía escalar las rocas, lanzarse al ataque de Arslan Kidilsch. Era posible que mil o dos mil hombres lograran llegar a la altura. Pero ¿y los otros? Tan pronto como alguien se dejaba ver, empezaban a caer sobre ellos enormes bloques de rocas.

El emperador buscó su tienda, que levantaron bajo una roca protectora, para que no pudiese ser alcanzado por las piedras que arrojaba el enemigo. En su interior levantaron el altar y había una mesa con alimentos en fuentes de oro.

Recordó la profecía:

«Te quedan todavía catorce años de vida», le dijo el primer mago de la corte, y los demás asintieron.

¡Catorce años! Ahora el espejo le decía algo muy distinto.

Contempló su rostro cubierto de arrugas; su pelo repentinamente encanecido; la palidez de su piel y los hombros caídos. ¡Sí, el espejo tenía muy distintas palabras!

No tenía otro deseo que echarse un rato sobre su cama de campaña, aunque sólo fuese por un minuto. Anillos de fuego parecían danzar ante sus ojos. Era ya de día. Tomó un trozo de pan y empezó a comérselo sin esperar la carne.

¿Dónde estuvo Manuel? Nadie le hizo ninguna pregunta, nadie se atrevió a seguir diciendo que había sido un cobarde. Ante la presencia de la muerte, las leyendas heroicas crecen como los hongos en el bosque después de la lluvia. El emperador subió arriba, a la cumbre de la montaña, para tener una conversación con Dios. Tuvo que luchar con los demonios que lo hirieron, pero a los que acabó por vencer.

Había algo en el sol que producía cansancio incluso a los hombres del sultán. El aire era húmedo y abrumador. Al cabo del mediodía resultaba difícil empujar hasta arriba a las rocas redondas para dejarlas caer luego sobre los soldados imperiales. Desde el campamento de las tropas bizantinas podían oírse las voces de sus enemigos, sus amenazas.

«Mañana las hienas devorarán vuestros huesos, y los picos de las aves de presa desgarrarán vuestros cuerpos...», así hablaban los infieles, que se creían seguros de su victoria. A pesar de todo, el día resultó más soportable que el anterior. Menos muertos, menos piedras arrojadas y menos flechas, quizá. Las trincheras levantadas por los bizantinos se cubrían cada vez que una roca caía sobre ellas, y cada vez eran menos los soldados alcanzados. Ya conocían, más o menos las trayectorias que seguían las piedras y cuando las veían venir o las oían daban un salto y escapaban, se ocultaban tras otras rocas y evitaban también las heridas que podrían causarles los trozos de las piedras que saltaban al chocar la roca contra las defensas naturales o las levantadas por ellos. Los que habían logrado conservar la vida, formaban una fuerte cadena, muy extensa. Eran de nuevo hombres, soldados, y no un rebaño que huía acosado y no escuchaba la voz de sus jefes.

Manuel abrió los ojos. Sus miembros le pesaban. Le dolía el brazo izquierdo, cuya herida comenzaba a infectarse; también sentía de nuevo un intento dolor en la cadera. Había en su cuerpo como un terrible peso que casi no podía soportar. Su alma, no obstante, estaba libre y los pensamientos cruzaban ordenados por su mente. Había estado acostado una hora, sin ser molestado por nadie.

Los jefes esperaban. El emperador, al que encontraron cubierto de barro, herido, sangrando y muerto de cansancio, no podía decirles gran cosa de nuevo. Quizás era cierto que estuvo arriba, en la montaña, hablando con Dios y los diablos.

El silencio se prolongó casi hasta el anochecer. Los más veteranos sabían que la muerte se aproximaba, que estaba muy cerca y que tal vez a la mañana siguiente no quedase nada de las tropas romanas en Miriokefalón, porque con las primeras luces del alba los soldados del sultán saldrían de sus guaridas.

Se habían sentado esperando al emperador, pensando si despertaría alguna vez, si se llegaría hasta ellos para explicarles el *otro* sentido de la vida, que hasta ahora no conocían.

— Permanezcamos unidos — dijo Paleólogo.

Todos hicieron un gesto de asentimiento. Los soldados, fuera, sabían que habían empezado las deliberaciones de las cuales dependía su destino. Esperaban. Los servidores llevaron frutos, que era lo único que había en abundancia, porque el carro de provisiones del emperador estaba cargado con ellos casi exclusivamente.

— ¡Sigamos unidos!

Cuando el emperador, de improviso, apareció a sus espaldas, casi se asustaron. Casi un anciano. El hombre alto y poderoso, fuerte y erguido, el emperador, el guerrero, el héroe de muchas aventuras, que incluso el día antes, unas pocas horas antes, había luchado victoriosamente con los guerreros musulmanes, era un anciano inclinado, con movimientos cansados, de aspecto débil y con la mirada fija en el horizonte. Pareció como si no reconociera a aquellos que desde hacía años o décadas se unían con él en sus deliberaciones y consejos, se arrodillaban ante él, como ordenaba el protocolo, quien representaba el poder divino y temporal.

Le dijeron:

— Sacra Majestad, señor nuestro, no hay salvación. Nos hemos metido estúpidamente, irreflexivamente, en este infierno. Hicimos nuestros cálculos sin contar con Arslan Kidilsch. Nos cegó nuestra sangre guerrera, nuestras ansias de ataque nos cegaron. Creímos necesitar menos de un día para salir de este desfiladero y entonces toda el Asia Menor estaría abierta a nuestro ejército, con sus ciudades, sus valles, sus colinas, las viejas provincias que nos robaron los turcomanos. Hicimos nuestros cálculos sin contar con Dios. De hora en hora nuestros muertos aumentan. Dinos, señor, ¿qué ocurrirá mañana cuando de madrugada empiece el ataque decisivo?

— Confía en un milagro, Juan.

La mano trazó en el aire el signo de la Cruz, con piedad. Todos parecieron más tranquilos. Eran hombres creyentes y conocían el poder del milagro y confiaban en ello. Pero los milagros se presentan allí donde existen hombres con el alma limpia. Los milagros sucedieron en el pasado, pero ninguno de ellos llegó a conocerlos.

La arena seguía cayendo en el reloj. Tan pronto cayera el último grano, empezaría el ataque.

— ¡Confiad en el milagro! — repitió el emperador, y tal vez creía en él, pues apretó la mano voluntariamente.

Paleólogo dijo algo. Pasó su dedo sobre la alfombra que cubría el suelo de la tienda. Los hilos se inclinaron como abriendo paso para el dedo y que quedara una huella tras él. Podían ser una fila de hombres, protegidos por ángeles armados con ardientes espadas. Dijo:

— Si emprendemos la retirada por el desfiladero que está medio protegido, las tres cuartas partes del ejército podría proteger a la cuarta parte en su retirada. Podrían escapar durante la noche, sin ser observados, mientras los demás atraían la atención del adversario y se sacrificaban por ellos. Pero ¿quién podía elegir a los que habían de salvarse y a los destinados a la muerte cierta? Por otra parte, los que hubieran logrado huir, ¿serían capaces de abrirse camino, después, hasta Dorileo? Una tropa agotada y diezmada...

— ¡Confiad en un milagro! — repitió el emperador con amargura.

Paleólogo esperó. Lo que dijo era lo único razonable, todos lo sabían. Era la única decisión que un caudillo militar podía tomar en semejantes circunstancias.

Manuel ocupaba un sillón. Los demás estaban sentados sobre la alfombra. El emperador parecía la estatua de un ídolo, con sus ojos cerrados. No dijo nada. Esperaba. Faltaban horas todavía antes del anochecer, antes de la oscuridad. Entonces debía suceder algo.

Un día más sería demasiado tarde, porque se terminaría el agua.

Se presentó un oficial.

— Sacra Majestad, llegan unos parlamentarios. Enviados de Arslan Kidilsch. Se han presentado al otro lado del desfiladero con bandera blanca, y afirman vienen con intenciones pacíficas. Traen una embajada para Vuestra Sacra Majestad. Ahora están en la mitad del campamento. Les hemos vendado los ojos. Esto es todo, Sacra Majestad. Espero tus órdenes.

— ¡Confiad en el milagro! — dijo el emperador.

Sus ojos se reanimaron. Los parlamentarios traían una embajada de Arslan Kidilsch, la última embajada, llena de orgullo: El sultán era grande y poderoso, estaría dispuesto a perdonar la vida de los soldados, pues el Imperio tenía bastante dinero para pagar el rescate de sus soldados y su emperador y librarlos del cautiverio. Seguramente eso era lo que le dirían los enviados del infiel.

Él mismo estaba herido. Se presentaron cortesanos que hasta entonces quizá habían estado escondidos bajo los carros de provisiones, pálidos y muertos de miedo. Trajeron mantas, tapices, alfombras, un trono y hasta flores. Vasos de oro, comida y cerveza de miel se colocaron sobre una mesa, para ofrecer algo de beber al infiel.

El emperador se sentó en el trono, que no era tan lujoso como el de palacio; un trono portátil, cubierto con un baldaquín. Se vistió su capa púrpura y se ciñó a las sienes una ligera corona. Enfundó sus manos en los guantes y tomó el cetro en su mano derecha. Y su corte, los soldados que tan cerca estaban de la muerte, los generales, los consejeros, los cortesanos y los príncipes, formaron una guardia de honor en torno suyo.

Así esperaba el emperador, en la antesala de la muerte, a los emisarios de su adversario.

La embajada recorría lentamente el campamento. Llevaban los ojos vendados. Cada diez pasos eran detenidos por centinelas que pedían la consigna del día. Todo era una pura comedia, una comedia aprendida en el libro del protocolo para el caso de que un emir, un sultán o un jeque, enviara embajadores al Sacro emperador. Se aproximaron entre los soldados de la guardia imperial formados en doble fila, erguidos y firmes e inmóviles. El sol de poniente se reflejaba en las alambradas.

Les quitaron las vendas de los ojos. Los emisarios parpadearon deslumbrados por el sol. Su jefe hablaba griego. Los otros no, pero lo entendían. Tal vez habían esperado otra cosa, el que un sueño se convirtiera en realidad, estos hijos del Profeta. Quizá pensaron que el emperador de los infieles estaría muerto de miedo y se arrojaría a sus pies para besar las manos de los verdaderos creyentes, pidiéndoles misericordia, aunque sólo fuera para salvar su vida y la de los suyos, aceptando a cambio la prisión y el cautiverio.

Los emisarios llegaron a la entrada de la tienda imperial, inclinaron sus cabezas, aunque con orgullo. Los tapices que hacían de puerta se cerraron tras ellos.

¿En qué pensó Manuel durante esos minutos? Todo se derrumbaba: el Imperio que creyó poderoso y milagroso, hasta sagrado e inmortal, porque protegía y guardaba al mundo cristiano. El Imperio y la mística dignidad del Basilio se derrumbaban allí, en un desfiladero rocoso. Allí moría todo. ¡Cómo pasaba la gloria de este mundo, la gloria de Bizancio! ¡Oh, Señor!

Sentado en el trono oía el murmullo del maestro de ceremonias, que informaba a los emisarios sobre los usos y costumbres. Mientras, las enormes rocas seguían cayendo sobre el campamento y se oían los gritos de los heridos quizá mortalmente.

El ceremonial es más fuerte que la propia vida. El Orden celestial es permanente. ¿Lo sabían y lo entendían así los embajadores, que contemplaban a aquellos cortesanos con su túnicas doradas, silenciosos junto al trono?

El caso era que estaban allí, y ellos, los victoriosos, siguiendo una señal del jefe de protocolo, tuvieron que arrodillarse ante quien ya casi era su prisionero y besar el borde de su túnica.

No hicieron falta intérpretes. Uno de los embajadores vivió mucho tiempo en Bizancio y hablaba el griego a la perfección. Las palabras sonaron en sus labios un tanto silbeantes:

— Te hemos traído regalos, Altísimo Señor. Arslan Kidilsch, el sultán de los verdaderos creyentes, te ruega que aceptes estas pequeñeces.

La puerta de la tienda se abrió de nuevo y el emperador pudo contemplar el más bello caballo de la estepa, un purasangre enjaezado con una maravillosa silla de puro estilo mulsumán. El embajador abrió también un cofrecillo lleno de piedras preciosas sin montura: jaspe, ónix, ópalos, rubíes... Después sacó una cimitarra de hoja curva en cuyo acero fueron grabadas frases del Corán que ofreció al emperador. A continuación levantó el brazo y señaló al emperador la lejanía.

—Si lo permites así, alto señor, se abrirán las montañas y los valles y cientos de carros con provisiones llegarán a tu campamento, cargados con todo lo que podemos ofrecerte.

«Confiad en el milagro», se dijo a sí mismo el emperador. Sus ojos se posaron en las espaldas inclinadas del que hablaba. Después recorrió en círculo la tienda. ¿Estaba soñando? ¿Era aquello un producto de su fiebre? Pero todos los que se sentaban en torno suyo, príncipes y dignatarios, lo miraban con las mejillas encendidas, como si sintieran de nuevo el hábito de la vida. Recuperó la voz, y con tono digno, propio de su jerarquía, habló:

—Nos, agradecemos a vuestro señor, el valeroso y sabio príncipe del desierto, sus regalos. Estamos en guerra y la guerra es cosa de hombres. Cuando regreséis, llevaréis los obsequios con que, a su vez Nos deseamos regalar a vuestro señor. Ahora habla sin temor. No tenemos demasiado tiempo. Confiamos en el Señor, y estamos dispuestos a aceptar su voluntad. ¿De qué forma quiere vuestro señor hacer la paz con nosotros?

—Sí, tienes poco tiempo, altísimo señor, pues verás caer las murallas de rocas, de basalto y porfirio, y tendrás que aprestarte a detener el ataque que se desencadenará tan pronto nuestras tropas oigan la próxima señal de las trompetas. Pero mi dueño el sultán es sabio y justo. No quiere vuestra perdición. No desea botín ni sueña con conquistas territoriales. Mi señor vivía en su palacio, en paz; rodeado de sus árboles preferidos, de sus caballos y su hijos. Mi señor no atacó al Imperio, sino que ha sido el Imperio quien se lanzó a la guerra contra él. No desea ni odio ni que la sangre corra. Respeta la virtud de Roma y sus armas, aun cuando, como ahora, estén en desgracia... aun cuando estén bajo los malos presagios de los astros. Las armas hablarán y la batalla no puede tener más que un triunfador. Esto lo sabe mi señor, que conoce perfectamente vuestra situación. Pero, repito, no desea ni venganza ni sangre. El sultán es anciano y sabio y sabe que también sus hijos necesitarán al Imperio y que ambos países marcharán hacia su ruina si no viven en paz y buena vecindad. Hoy, mi señor es el más fuerte y tiene la suerte de la batalla en sus manos. Por eso es él quien viene a ti a ofrecerte la paz

— ¿Qué exige de mí?

— Vuelve de donde has venido. Marchad en paz, sin ser hostigados. Tal y como habéis venido, con vuestros soldados y material. Nadie os molestará en la retirada. Si lo estimas preciso, mi señor está dispuesto a entregarte mil rehenes como garantía de que cumplirá su palabra, porque sabe que sus guerreros acatarán sus órdenes. Vuelve, señor, pero antes derrumba las murallas de Dorileo.

Todos esperaron la última frase, que sabían sería la condición de la retirada y que sonó en sus oídos como si una enorme roca se derrumbara sobre un lago en calma.

Todo eso era un milagro, podía decirse. Podían ver ya a las tropas en formación, siguiendo a sus estandartes flameantes al viento, bajo las águilas broncíneas. Oían el sonar de las trompetas y el paso de los soldados que hacía temblar la tierra. «¿Dorileo?», se preguntaron. Una potente fortaleza, la clave para el control de territorios muy amplios, el único dique que hasta entonces cortó el paso al odio de las hordas del Profeta. Si se perdía Dorileo, así solía decirse en el Consejo Imperial, en Bizancio, si había que entregar la fortaleza y la plaza fuerte, el Asia Menor estaba perdida.

¿Pero qué importancia tenía eso ahora, en comparación con esa tumba de rocas en la cual el sultán podía dejarlos morir de hambre a todos, en cuestión de días? Lo peor era que en caso de que prefirieran la muerte a la paz, después los musulmanes podían poner cerco a Dorileo y ocuparlo, destruyendo sus murallas con las propias armas de guerra que les capturarían. ¿Qué significaba la fortaleza en comparación con todo el ejército y sus pertrechos, cercado y condenado en Miriokefalón? Un nombre. Se borraba del mapa y, un año después, se levantaba otra fortaleza, cientos de fortalezas, plazas fuertes, porque el emperador seguía con vida y el Imperio no conoció la vergüenza de una tal colosal derrota que de otro modo permanecería en el recuerdo durante cien años, y jamás podría ser borrada de los anales del Estado.

Dorileo era la palabra mágica. ¡Destruye sus murallas hasta sus cimientos! De camino hacia allí, el emperador vio la plaza fuerte y vivió en ella. Habló con sus gentes principales. Llamarían loco a todo el que fuera allí, cumpliendo sus órdenes, con picos, palas y azadones, para derrumbar los muros. «Si Dorileo cae — le dijo antaño su padre —, el camino hasta el Cuerno de Oro quedará abierto.»

Tenía que pensar en todo eso. Hizo un gesto amistoso a los emisarios y les prometió que les daría la respuesta dentro de una hora. Vio cómo los musulmanes se inclinaban, se arrodillaban tres veces y se alejaban, no sin que antes el maestro de ceremonias vendara sus ojos con pañuelos de seda.

* * *

Sus ojos llenos de vida observaron a los componentes del Consejo. Se había hecho de noche y tenían que decidirse pronto. Los emisarios insistían pidiendo una respuesta. El emperador estaba sentado ante la vasta mesa de madera sin pintar, bajo la luz de las antorchas que caía sobre los pergaminos. Los jefes de los ejércitos se hallaban entre ellos. Los soldados ya no los necesitaban. Habían dejado de caer piedras y flechas, desde las altas peñas que circundaban el desfiladero. Las tropas del sultán esperaban la respuesta y sabían que sólo podía ser una.

El emperador y sus dignatarios, mientras, estaban sentados en torno a la mesa del Consejo, y vivían asombrados el milagro. Durante día y medio todos estuvieron en la antesala de la muerte. Se habían despedido entre sí y tomaron la Santa Comunión, el Cuerpo y la Sangre de Cristo, hicieron sus testamentos y liberaron a sus esclavos. Desde el día anterior al mediodía vivieron así, sin esperanzas, hasta ahora, en este atardecer, cuando las palabras de Arslan Kidilsch en boca de sus embajadores produjo el milagro. Estaban casados. Eran romanos y les dolía la vergüenza y el fracaso. Recibieron el peso de la Cruz de ese calvario: los bárbaros, los infieles, les perdonaban la vida.

Dorileo era una potente fortaleza, una gran plaza fuerte, pero aunque fuese sólo un pequeño rincón con casuchas de adobe, lo hubieran defendido igualmente hasta el último hombre, porque así lo juraron en Santa Sofía ante el emperador.

Estaban sentados y callaban en tanto no les tocaba el turno para dar su opinión. La expresaban en frases cortas, sin poesía ni retórica. Hablaron de los muertos, del pan, de los carros y los portadores, de las armas, de los heridos que habrían de morir, de todo lo que se perdería en esa noche. Así hablaron los jefes y todos dijeron más o menos lo mismo: «Miriokefalón es la tumba del Imperio. Si tú quieres vivir, debes huir y contigo aquellos que han puesto su destino en tus manos y aún sobreviven». Así hablaron los comandantes supremos y sus más próximos subordinados que se hallaban presentes con sus gestos.

Paleólogo dijo:

— Recemos una plegaria en memoria de los prisioneros y de Dorileo.

Isaac Ángelos se arrojó a los pies de Manuel. Era su pariente y uno de los más altos dignatarios del Imperio.

— Construiremos un camino para ti — dijo —, un camino ancho y hermoso.

Su voz sonaba insegura. Ángelos miró en torno suyo y vio que las cabezas se agachaban como si ocultasen algo. Sí, en efecto, ocultaban el temor de una elección difícil: ¿el Imperio o bien la simbólica y única Dorileo?

El emperador tenía la campanilla de plata en su manos y sonó como dolorosa y conmovida. Entraron los criados.

— ¡Que vengan los enviados!

Así habló el emperador y todos los que se atrevieron a mirarle pudieron ver una gran palidez en su rostro, inusitada en él, y notaron que tenía que hacer un esfuerzo para evitar que las palabras se entrecortaran en sus labios, que adquirían una fea sonrisa que quedaba fija en ellos como si la mano burlona de un escultor la hubiese esculpido en el mármol.

Los embajadores dieron las gracias a Su Sacra Majestad por sus palabras y por la paz que debía ser eterna e indisoluble. Así lo quería Arslan Kidilsch y así lo quería también el Basilio. Ellos habían visto ya mucha sangre derramada entre sus pueblos y estaban cerca del trono de Dios. Conocían ya los preliminares oficiales, protocolarios y cortesanos del escrito: los títulos, los poderes, el deseo de reconciliación, como si fuera el último escudo con el que el emperador protegía su dignidad malparada. Después vinieron los títulos de Arslan Kidilsch, el Khan de los turcomanos a quien su pueblo llamaba sultán. La palabra del logoteta repitió en voz alta esas palabras, esas fórmulas casi olvidadas porque son bellas. Los embajadores callaban. Lo comprendían todo porque se hacían cargo de la situación de sus enemigos.

Así nació el texto de aquel documento de paz. Ya no había un emperador victorioso, que reinaba por la Gracia de Dios, ni un indigno infiel. Manuel y Arslan estaban cara a cara, como si se mirasen a los ojos y el que podía decir palabras de victoria era el infiel.

El texto fue copiado con tinta púrpura. Era la tercera copia, la definitiva y oficial. Los embajadores ya no miraron el pergamino para tranquilizar sus dudas, cuando, en algún punto de poca importancia, parecía desviarse de las instrucciones concretas que tenían de su señor. El texto era claro y en su forma hablaba de una solución pacífica. Pero quien podía y sabía leer entre líneas, no podía menos de sentirse avergonzado.

El emperador se inclinó, para firmar, mucho más profundamente de lo que solía hacer. Su hombro izquierdo casi cubrió el texto. Tomó la pluma con la mano derecha y puso su firma, su rúbrica y su signo sobre los tres ejemplares. Esperó. Los logotetas preparaban el pergamino para su sellado. El emperador sacó el sello del Imperio, hecho de cristal de roca, de una bolsita que llevaba en el cinturón, como era su costumbre cuando partía para una campaña militar. El lacre no podía ser púrpura ni oro, como era costumbre en los mensajes de paz.

— No tenemos otra en el campamento — dijo el maestro de ceremonias al poner la cera verdosa cerca del pergamino en presencia de su señor, como si se disculpara.

El emperador leyó una vez más el pergamino, desde el principio al fin. Cuando terminó pareció como si quisiera leer algo más todavía. La historia de su vida, los años vividos, sus sufrimientos y sus amores. El Imperio, ahora, sufría una dolorosa conmoción. Recordó los años en que vivió con la esperanza de su grandeza, sabiéndose potente, pero con una ambición cada vez mayor que le hacía adivinar una especie de forzada pequeñez y despertaba en él, después de cada victoria, el deseo de una nueva. La ambición de nuevas provincias lo llevó al otro lado de sus fronteras. Le pareció ver al viejo Axouch, que bajaba la cabeza y cómo los jinetes del desierto, en nombre del nuevo y joven Basilio galopaban en plena carrera hacia Bizancio. Vio los buques subiendo Danubio arriba, vigilados desde las orillas por ojos enemigos. ¡Alexios! Esa campaña era la que le estuvo destinada. ¿Hubiera caído él también en esta trampa rocosa? ¿Hubieran bastado estos muros de piedra para apresar también al césar?

Todo aquello podía leerse entre las líneas del pergamino escrito con tinta púrpura que tenía en sus manos, como las palabras del Apocalipsis. Y también esto: :«Nos comprometemos a derribar la muralla antes de seis semanas». Todos los que estaban cerca del Basilio en esos históricos y decisivos momentos, lo vieron sonreír. Se inclinó sobre el sello de cristal de roca, que brilló en su mano, y el monograma sagrado quedó grabado en el pergamino, que con ello se convertía en parte del Imperio y adquiría valor de Ley de acuerdo con el derecho.

Los ojos del emperador vivían. Observó a los embajadores que se arrodillaron ante él. El más anciano estrechaba el valioso pergamino, atado con un cordón rojo, contra su pecho. Sus ojos ya no estaban obligados a mantener expresión severa, lo que era un signo de armisticio y paz. Las trompetas lanzaron al aire su antiquísima señal. Significaba el fin de la batalla, y, al mismo tiempo, la vida y la libertad.

Hizo un gesto con el que daba por disuelto el Consejo. Theophilaktus, que dirigía la Cancillería, se quedó mirando al emperador. Conocía los mil rostros de Su Majestad y ahora veía, con pavor, aquella sonrisa helada que rompía el semblante del emperador. Tenía levantado el ángulo de sus labios, y en aquella arruga anidaban los demonios. Los ojos del canciller pasaron sobre el cuerpo fuerte del emperador. Observó sus hombros agachados y su espalda inclinada. Buscó los ojos de emperador: el Basilio aún vivía, quizá aún sintió la mano que tocó la suya. Los ojos aún veían, los labios quizá todavía podían hablar, pero el cuerpo de Manuel ya jamás volvería a pecar.

PARTE SEXTA

ANDRÓNICO EL MAGNÍFICO

Los dos hombres buscaron refugio de la tormenta entre las columnas del Partenón.

— Mira — dijo el de más edad, que vestía el hábito sacerdotal —, mira, Niketas, aún me acuerdo de que su nombre fue grabado aquí. Lo hizo en uno de sus viajes, hace aproximadamente unos treinta y cinco años.

En la lisa pared, en efecto, había muchos nombres grabados: ruegos, recuerdos de una vida agradable, el nombre de alguien ya muerto hacía muchos cientos de años. Todo seguía viviendo en el antiquísimo mármol que durante mil años estuvo al servicio de Pallas Atenea, y más tarde — en el rito católico griego —, a María.

Miguel conocía las señales y rápidamente encontró en el bloque de mármol, a unos seis pies de altura, unas letras purpúreas, cuyo color debilitó el tiempo. La inscripción decía: «Andrónico y Eudoxia».

La mano del obispo de Atenas descansó sobre la inscripción.

— Me acuerdo como si fuera hoy. Desde entonces no he vuelto a ver a Andrónico, pero no puedo olvidar la hora que estuvo aquí y pude hablar con él. Parecía ser la máscara de Dionisios y estaba dominado por la potencia del dios pagano.

Niketas, que llevaba una túnica de cortesano, se empinó sobre la punta de los pies para ver mejor las palabras grabadas en el mármol.

— Mira, Miguel, hay otras dos palabras bajo los nombres, parecen borrosas. Creo que son letras latinas.

El sol caía sobre la superficie marmórea. Como si millares de lámparas se reflejaran en ella, su gris se transformaba en un resplandor brillante. Los dos hombres pudieron leer: *Semper Augustus*.

Palabras que renacían bajo la capa del olvido.

Niketas, el joven hermano que huyó de Bizancio, comenzó a hablar febrilmente y olvidándose de sí mismo. Sus ojos parecían pájaros asustados. Miraban como si tuviesen miedo de descubrir a un enemigo escondido..

— Miguel, tú eres sacerdote y debes recordar cosas pasadas. Tú vivías aquí, en Atenas. En tu imaginación está todo igual que en los tiempos antiguos. Ves el areópago. Levantas tu corazón entre estas columnas. Vives en un mundo antiguo y dijiste de Andrónico que sus facciones te recordaron el rostro de Dionisios. Lo llamaste con este nombre y lo admiraste. Noto en tu voz que te encadenó en la hora en que estuvo aquí en Atenas y visitó la Acrópolis en compañía de la mujer a la que estaba unido por un amor incestuoso.

— Tú le podías ver a diario, en palacio, Niketas. Sólo que le tenías miedo. Decías que tenía que temerle todo aquel a quien en tiempos pasados Manuel o María le hubiesen dirigido una palabra amable.

— Desde entonces hasta ahora han transcurrido treinta y cinco años. Vino a Atenas sólo por unas horas, y tú, arzobispo, recuerdas lo que te dijo Andrónico. Todo aquel que busca el significado de una comprensión, debe pensar en los viejos dioses paganos. Todo aquel que tras la muerte de Manuel fue a verlo al palacio de Chalcedon, regresó como si hubiese visitado la isla de los muertos, y volviera deslumbrado por el sol.

— Tenía dos rostros, como Jano.

— Cambiaba. Era joven y viejo. Parecía a punto de desfallecer y de pronto encontraba de nuevo las fuentes de la vida. Ordenaba que se repartieran ducados entre el pueblo y al mismo tiempo cientos de recaudadores de impuestos fueron ahorcados porque no dieron cuenta exacta de los denarios recaudados. ¡Créeme, Miguel, Nerón, en comparación con él, fue benevolente y sabio! Los verdugos no podían con su trabajo. Los cadalsos apestaban. Se decapitaba y se colgaba a millares. Los nobles, en el circo, morían asesinados y en palacio el veneno trabajaba sin cesar...

— Hasta aquí raramente llegan las órdenes y las leyes, hermano. Los dignatarios apenas son más que un grano de polvo. Cuando llegaban los comisarios imperiales, tenían que presentar sus cuentas exactas, y pobres de ellos si explotaban al pueblo o tomaban un cobre más de lo que ordenaban las leyes. El pueblo suponía que algo terrible iba a producirse, porque de acuerdo con las palabras de Andrónico, se les informó que podían y que les estaba permitido presentar cargos contra sus señores. ¿Lo comprendes? Todo aquello por lo que nosotros los sacerdotes del Ática luchamos y temblamos durante años, es decir, una palabra de auxilio para los pobres, órdenes que frenaran el poder de los señores y cortaran las desmedidas ambiciones de los recaudadores de impuestos, todo eso se hizo realidad auténtica, pero de una manera tan violenta, con tal cortejo de sangre y tormentos, que no era posible sentir satisfacción ni alegría por ello. Quizás el único que la sentía era él, Andrónico.

— Un nuevo Dionisios, tú lo has dicho, Miguel. Vives aquí, en Atenas y no pueden borrarse los recuerdos y las tradiciones de tu mente. Piensas en Dionisios; nosotros en Nerón y Heliogábalo. Yo no sé cómo representarme al viejo Dionisios. Pero Andrónico era un hombre extraordinariamente sabio y realista que no perdía el tiempo en fantasías. Su entendimiento no se nubló jamás. No cantaba ni componía poesías en presencia de las viejas ruinas ni nombró senador a ningún caballo. En todos sus hechos se respiraba la lógica, pero precisamente era esa lógica la que destruía y desmembraba el Imperio, y lo separaba por completo del pasado.

»Parecía como si ese príncipe, cuyo padre nació en la púrpura, fuese un ser caído en la tierra desde la luna. Vistió él mismo la púrpura y pareció como si quisiera, en unión de los siervos y campesinos del Imperio, destruir al mundo entero y ahogar en sangre todo lo que reza en las escrituras.

— Tampoco amaba demasiado a los servidores de Dios.

— Sí, también a los sacerdotes les obligaba a rendir cuentas. Ni siquiera el patriarca se libró de ello. Tal vez lo mantuvo en su puesto sólo para que pudiera coronarlo. Porque se reía de todo y de todos. Del patriarca, de las solemnidades, de las tradiciones. Se sentía contento cuando podía derrocar alguna vieja orden o ley y llenar de fango algo que era sagrado y divino para los viejos creyentes. Miguel, yo no viví en la oscuridad. Vi todo lo que pasaba en palacio. Pródromos me enseñó, anteriormente, a mantener los ojos abiertos. Tú me dijiste en más de una ocasión que no era lo suficientemente piadoso y que la vida de palacio, que me rodeaba, me era más querida que los ejemplos de los santos en cuya lectura te refugiabas tú en los momentos difíciles. ¿Qué puedo pensar de Andrónico que aquí grabó en latín, bajo su nombre, *Semper Augustus,* dos palabras que podían haberle costado la cabeza si entonces alguien las hubiera descubierto y leído?

»Andrónico, un loco extraño. Pero tú no podías notarlo en sus palabras. No, sus palabras eran pavorosamente ordenadas, seguras, cortantes, mortales. Sus leyes parecían hablar de auxilio a los pobres y él quería que se cumplieran al pie de la letra. Era como si deseara sustentar en sus poderosas manos a todos los pobres, alzándolos y protegiéndolos. Pero esas mismas manos se cerraban en puños coléricos tan pronto se refería a los ricos. Era como si se mantuviera fiel a las palabras bíblicas que dicen que antes pasará un camello por el ojo de una aguja que un rico por las puertas del cielo. Nunca jamás un emperador atacó de modo tan rotundo y tempestuoso el orden preestablecido en el que todos participamos. Hasta entonces nadie se atrevió a hacer la pregunta: «¿Es permitido que tú tengas más que los demás? ¿Es permisible que tú, señor, explotes a tus campesinos, vivas del sudor de su frente, te lleves a sus hijas a la cama y hagas de sus hijos soldados que den la vida por ti?» Nunca hasta entonces un Basilio utilizó ese idioma, esas palabras que pronunció Andrónico. Es posible que los viejos profetas judíos hablaran así, y los anacoretas del desierto que viven lejos de los hombres, o los que gozan del cielo. Pero aquí fue el emperador, el Basilio, Andrónico, quien usaba esas palabras, el que disolvía el orden preestablecido sobre el que se edificaron los fundamentos de Bizancio. Dionisios bailaba, Miguel, amaba a las mujeres, y las destruía con su peculiar estilo, porque él había disfrutado de todo, pero no tuvo pena de los viñedos que produjeron el vino que él bebió. Destruyó los sarmientos, las huertas y los árboles.

— Puedo ver los decretos que publicó. No hay la menor devoción ni religiosidad en ellos. Solamente sangre, violencia, venganza y odio. Si el pueblo no hubiera tenido miedo que los señores pudiesen volver a recobrar el control del país y castigarían con la muerte a todo el que hubiera dicho una palabra en su favor, estoy seguro que le hubieran alzado un templo. La gente en las aldeas escuchaba con devoción a los que venían hasta ellos para hablarles de Andrónico. Los enviados forasteros se alojaban en casa del jefe del distrito o del comandante de la guarnición. Después se dirigían a los campesinos y los arengaban contra aquellos que les robaban el pan. Eso es todo lo que sé, Niketas. Hace casi cuarenta años que vivo en Atenas. Aquí arriba, en la Acrópolis. He visto mucho, pero los tiempos pasados no pueden compararse con los actuales, desde que el cadáver del emperador Manuel fue enterrado en el convento de Pantocrátor. Dime, Niketas, ¿por qué destruyó Andrónico tantas vidas?

—Se pasó en la prisión casi diez años. Vivía con el deseo de venganza como la carcoma en la madera. El Señor lo había dotado de un cuerpo fuerte y maravilloso y de un potente espíritu. Tan potente que no puede tenerse sin ser castigado por ello. Cuando pienso en el pasado... Debía tener unos sesenta y cinco años, pero cuando se le veía no podía creerse que tuviera más de cuarenta. Era fuerte como un abeto. Su pelo y su barba apenas si tenían unas cuantas canas, pero incluso estas pocas las cubría con polvo de oro. Su voz era como el sonido de un órgano, o como un huracán. Sabía jugar con ella como los mejores cantantes. Nadie que los viera podría olvidar sus ojos. Tenían vida propia. Como el mar, decía la gente. ¿Sabes que en palacio se decía que los ojos de los Comneno recordaban al mar? Pero los de Andrónico eran distintos, no tenían color definido, cambiaban continuamente. Había en ellos la espuma blanca del mar y de repente se encendían de odio, y se convertían en asesinos. Se agrandaban a veces como si, al igual que las hetairas, usara algunas de esas gotas mágicas que aumentan su tamaño. De pronto volvían a ser tranquilos y confiados. Pensaba en el mundo, cuyos pecados compartía y no en sus amigos. Fue entonces cuando apareció ella, en medio de los arcontes, los dignatarios y los consejeros. Ella, la danzarina. Hasta su nombre sonaba bárbaro. Se llamaba Maraptiza y nació en África. Llegó, se movió... No era una danza, ni siquiera una sonrisa. Su baile fue como un despertar. Los ojos de Andrónico comenzaron a sonreír. Se estiró en su asiento y sus manos comenzaron a seguir el ritmo de la danza. Maraptiza lo llamó: «Ven, Andrónico». Quizá lo dijo no con sus palabras, pero sí con su cuerpo. Ella no conocía el alma, sólo vivía en sus piernas y en sus caderas. Andrónico dejó plantados a los senadores. Desde la puerta dijo algo a los que se quedaban. Palabras más importantes que todas las que había dicho hasta entonces, aunque fueron nuevas leyes o condenas a muerte. Liberaba una nueva provincia, levantaba nuevas fronteras, ordenaba que los gobernadores de aquella provincia fueran desmembrados en vida, y admitía una tribu de bárbaros en la comunidad de pueblos del Imperio. Y esto lo hizo desde el umbral de la puerta por la que se disponía a seguir a la hetaira.

»Calificaba a los funcionarios de usureros. Escribió que se debía ahorcar a todos los cobradores de impuestos: «Sois garrapatas y sanguijuelas», les decía. Ése era el idioma que entendía el pueblo. Nosotros podíamos hacer muy poco, casi nada. Pensábamos que la vida de un hombre era demasiado corta para conseguir en el transcurso de ella que la suerte de los hombres mejorara en lo más mínimo. Andrónico cambió radicalmente estas ideas. Sacudió violentamente el árbol y sus frutos cayeron. Pero no se conformó con ello, sino que arrancó hasta las raíces de la tierra. Yo vivo aquí, soy un sacerdote. Si dirijo mis ojos hasta abajo, desde aquí, desde la Acrópolis, veo el mar. Muy poca tierra y muy pocos hombres, pero estos pocos son campesinos. ¿Cómo vivíais vosotros en Bizancio? ¿No había nadie que pudiera frenar esa locura desbocada?

— Cuando Manuel murió, María comenzó a llevar una vida alegre al estilo latino. Los caballeros latinos bailaban y cantaban en palacio. Los eunucos decían que la viuda pasó con Alexios, el «sebastos», sus primeras noches de pecado. Oyeron cómo hablaba en francés con Ana de Francia, la novia del pequeño emperador Alexios y que sus labios musitaron el nombre de Andrónico. Éste vivía como un condenado al ostracismo, al que persiguen las cosas del mundo incluso en la finca donde se había retirado. Durante casi un año no hizo nada. Estaba en Calcedonia y resistió a toda llamada. No fue al entierro ni hizo su panegírico en el Dromo. Andrónicos estaba envejecido, cansado, enfermo de gota y no parecía tener ganas de hacer nada. Ni siquiera llevaba armas ni cazaba. Hizo que su legítima esposa, con la que estaba casado legalmente hacía muchos años, volviera a su lado. Los espías que lo vigilaban no tenían nada que decir. En la ciudad y en el palacio la gente se burlaba y se reía de él. «El ogro ha envejecido», se burlaban los jóvenes. Y lo mismo decían los caballeros latinos de la corte de María.

— ¿Y de repente se alzó contra ellos desde Calcedonia?

— No de repente. Muy despacio. En su palacio había logrado formar un antiguo campamento militar, un consejo de ancianos, una auténtica asamblea. Un círculo de ancianos descontentos que desaprobaban el estado de cosas actual en Bizancio. Andrónico logró la colaboración de los espías, pues hacía tiempo que preparaba el golpe. Envió un mensaje a palacio: «Voy — dijo — como el último de los servidores del Imperio, para salvar lo que los latinos están deshonrando y derrochando». Llegó con sus mercenarios, su corte y sus regimientos de Cilicia. Eran muy pocos, pero Andrónico poseía mucho oro. Prometió botín. Cuando fue preciso se adelantó para pronunciar alabanzas de Manuel. «Mi buen padre», llamó con lágrimas de huérfano al difunto Basilio. Así empezó su juego con las voluntades. El pueblo se precipitó a su encuentro; oyó las quejas de los campesinos y les prometió justicia. Colgó de las ramas de los árboles a los funcionarios que habían abusado de su cargo, y sus cuerpos quedaron tras él como una estela sangrienta. Los gobernadores enviaron sus soldados a luchar contra Andrónico, pero ninguno volvió porque todos se pasaron a sus filas. Por donde quiera que aparecía, las mujeres lo cubrían de flores, le ofrecían sus hijas y levantaban a sus bebés para que él los bendijera. Andrónico cruzó las provincias asiáticas, la frontera y sus tropas fueron creciendo como la bola de nieve que cae desde la montaña. En nombre de María y del pequeño Alexios, salió a su encuentro Ángelos. La batalla comenzó con una serie de amenazas e insultos. Los soldados de Ángelos se pusieron en movimiento y formados en regimientos se pasaron al campamento contrario. Ángelos fue capturado por su propia guardia y tuvo que arrodillarse ante Andrónico y pedirle gracia.

— ¿Así fue como llegó a Bizancio?

— El senado lo esperaba. Todos, en palacio, lo esperaban. Sólo el «protosebastos», el amante de María, ocupó los bastiones con sus soldados y quiso resistir. Andrónico le ofreció oro. Se limitó a presentarse bajo los bastiones y éstos se rindieron. Aquella misma noche, el «protosebastos» fue cegado. Andrónico habló en el Consejo. Sus ojos estaban húmedos. Lucía una túnica destrozada, gris, como si llevara luto por Bizancio, a quien el destino trágico le había arrebatado a uno de sus mejores emperadores. Se pasó un día en el convento Pantocrátor.

»Se arrodilló ante la tumba de Manuel y lloró. Pero nadie oyó lo que le decía al muerto. Tal vez fue esto: «Ahora estoy aquí, Manuel, y como puedes ver, soy el más fuerte. Tu hijo y tu esposa están en mis manos. El Imperio está en mis manos. Puedo jugar con ellos. No los mataré, todavía no. Soy demasiado inteligente y demasiado cruel. Los atormentaré, les daré esperanzas y esperaré el momento oportuno, cuando intenten huir, busquen ayuda extranjera o se rebelen. Soy el más fuerte, porque soy el viejo Bizancio, el inclemente Bizancio. Soy el emperador y el pueblo». Algo así debió decir Andrónico a Manuel cuando se arrodilló ante su tumba.

— ¿Por qué huiste tú, Niketas?

— Cada noche ocurría algo terrible. María podía seguir confiando en los latinos. Gentes de Pisa, de Génova, de Francia, que habían engordado a la sombra de los Comneno y que esperaban conseguirlo todo de María y del joven emperador. Los latinos ofrecieron soldados, armas y oro. Pero María no recibió la armas. Andrónico mandó asesinar en los primeros días a Astaforte, que por la gracia de Manuel administró el oro del Imperio. Los latinos siguieron manteniendo el palacio. Ellos pagaban a la guardia, por lo tanto, los mercenarios estuvieron a su lado, puesto que ellos los pagaban.

»Una noche todo se derrumbó. ¿Recuerdas lo que escribió Psellos sobre la noche en la que Miguel Cerulario lanzó al populacho contra los latinos? Lo mismo que ahora, sólo que ellos no lo hicieron en nombre de Dios ni con palabras encubridoras. Llamaron prostituta y perdida a la emperatriz. Se incendiaron casas, palacios, iglesias. Donde quiera que los latinos se ocultaban, eran hallados y pasados a cuchillo. Quien no supiera hablar el griego con la perfección de un indígena, podía contar con que se le cortaría el cuello y su cuerpo iría a parar al montón de cadáveres que se alzaban en las plazas. Andrónico dejó suelto el huracán. Finalmente, hasta los mercenarios pagados por los latinos se unieron a la plebe. Todo el barrio donde vivían los francos quedó reducido a cenizas y escombros. En las proximidades del faro, en Fanar, no quedó una sola madre que hablara en latín a sus hijos.

— Tú no eras latino y te salvaste.

— Ése fue sólo el principio de la tragedia que todos representábamos y en la que el coro, es decir, el pueblo, recitaba los versos. Después el coro se retiró. Sabes que pronto volvió a actuar de nuevo. Andrónico, de acuerdo con el ceremonial, no era todavía emperador, pero el Dromos se inclinaba ante él. ¿Quién no habría de hacerlo? Aún después, cuando se debilitó, fue derrotado y cayó en desgracia, despertaba admiración y entusiasmo. Entonces el poder descansaba en sus manos, pero no tenía ningún rango. No era más que una sombra, pero una sombra más potente y aterradora que cualquier otra.

— ¿Por qué no se vistió la púrpura?

— Disfrutaba por adelantado pensando en el momento en que llegaría a hacerlo. En voz alta decía que no aspiraba a nada para sí mismo. Sólo quería vengar la vergüenza que echaron sobre el nombre de Manuel y, como portavoz de los ancianos y los viejos creyentes, apartar a María y llevarse al joven emperador a un ambiente donde tuviese mejores ejemplos.

— ¿Apresaron a María?

— No, todavía no, cuando yo huí. Pero no podía abandonar el palacio. Seguía viviendo allí y vistiendo la púrpura. Tenía su corte y sus damas; nada había cambiado aparentemente. Recibía aún a los embajadores y sonreía en su presencia. Aparentemente, para quien no conocía el palacio y su vida, nada había cambiado. Pero nosotros lo conocíamos. Temblábamos durante la noche. Yo quise huir y tuve suerte. Un buque me admitió a bordo y logré esconderme entre unos pellejos de aceite. Ahora como tu pan.

— ¿Dónde estaba María, la hija del emperador?

— María y su esposo, el joven Monferrato, al principio estuvieron en el campamento de Andrónico. María Comneno siempre odió a su madrastra, tal vez a causa de su belleza. Quizá porque era una latina y le cerró el paso al trono al tener un hijo. Andrónico, según ella pensaba, era un instrumento de su venganza. Estaba cegada por el odio. No veía más que a su madrastra y a su hermanastro, Alexios, al que odiaba. Tal vez odiaba también a su esposo, porque pensaba en el otro, en el que fue su primer prometido y que desde hacía años reinaba en Panonia.

— ¿Qué pasará con el Imperio?

— La Cancillería de la corte sigue existiendo y actuando. En tanto que los eunucos continúen escribiendo, los mercenarios cobrando sus soldadas y no pise un sacerdote del rito latino la catedral de Santa Sofía, seguirá viviendo Bizancio.

El arzobispo de Atenas contempló el pequeño cubo de mármol, la inscripción, las palabras sobre las que pasaron ya casi diez años; *Semper Augustus*. El tirano estaba en el umbral del Sacro Palacio y su rostro semejaba al de Dionisios. Los más piadosos decían que llegó el tiempo en el que el anticristo se presentó en Bizancio para hacerse cargo del trono y de la corona de un Imperio que se extendía por todo el mundo.

* * *

La misa, en Esztergom, terminó. El rey Béla se levantó de su trono de mármol rojo y, tras él, hizo lo mismo el arzobispo. El viejo y ajado Lucas debía tener ya ochenta años, pero en su pecho se conservaba todavía una enorme fuerza vital. Necesitó años para congraciarse con el rey, pero finalmente se reconciliaron. Era un desconfiado y agudo dignatario que observaba a Béla, por si éste escuchaba la voz de Manuel, desde el otro mundo, que le gritaba: «¡Alexios!» Pero en el transcurso de los años su mal genio se mitigó.

Le complacía la reina francesa, empezó a apreciar a los caballeros de Antioquía que vivían en Esztergom o en Buda en el palacio del parque y que traían consigo el idioma de *Île de France*. Poco a poco, Lucas se fue suavizando, volvió a tomar parte en el Consejo, en el que permanecía con los ojos entornados y parecía dormir y siempre callaba. Los demás consejeros lo veían como una de las columnas sobre las que se mantenía el reino. Sin la presencia del arzobispo Lucas, el Consejo se hubiera desmoronado, o al menos se hubiese mutilado. Sin embargo, apenas se mezclaba en las cosas temporales.

Acudió ese día a la primera misa de la mañana, porque el rey, con palabras amables, le pidió que honrara su casa, pues tenía que hablar con él de cosas importantes. Su bastón golpeó sobre el suelo de mármol. Subió las escaleras en dirección a las habitaciones del monarca, que raramente frecuentaban los dignatarios del reino.

Estaban reunidos los tres: Béla, el arzobispo Lucas y la reina, que no estuvo en misa. Lloraba desde primeras horas de la mañana cuando recibió la carta llegada desde muy lejos y que la tarde anterior un monje entregó a Béla. Las lágrimas enrojecían sus mejillas. Estaba desconsolada y desesperada. Su alma recibió una profunda herida que los recuerdos hacían más profunda.

Béla leyó la carta secreta que la Basilisa, emperatriz y al mismo tiempo prisionera en Bizancio, escribía a su hermana, alejada de ella y reina de Panonia.

«Querida hermana, pequeña Agnes: ¿Seguiré estando con vida cuando recibas esta carta? Mi hijo y yo estamos en manos de Dios. ¿Por qué dejé Antioquía? ¿Para qué sirve toda la púrpura del mundo? ¿Por qué tuvo que cerrar los ojos mi buen esposo Manuel? Las lágrimas aún no se han secado, las flores de su sarcófago todavía no se han marchitado y ya vivo en peligro mortal... que aumenta día a día. No sé si esta carta, mi pequeña hermana Agnes, llegará a tu poder. ¿Te acuerdas aún de mí? ¿Piensas todavía en aquellos días amables en que estábamos juntas nosotras tres? Tú eras la menor. Philippa y yo tus hermanas. Te escribo para recordártelo. Mi pequeña Agnes, el anticristo me tiene en su poder. Este honorable padre se hace cargo de la difícil misión de llevarte esta carta. Me acojo a ti, pequeña Agnes, como el náufrago a la única tabla de salvación. Estáis lejos, pero tu esposo es poderoso y fuerte, señor de sus ejércitos. ¿Por qué tu marido no puede venir en socorro nuestro? Ya sé que también vuestro destino es difícil, como lo es el de todos los reyes de todos los países, porque las hordas infieles amenazan a la cristiandad. Pero estoy muy sola en palacio. Hoy todavía vivo, pero no sé si seguiré viviendo mañana. Por todas partes está la gente de Andrónico. Por todas partes reina el dolor y la desconfianza. Han quitado mi sillón del Dromos y ya no puedo tomar parte en los Consejos ni dar mi opinión sobre los asuntos de Estado. Todos los que son amables y misericordiosos conmigo sufren persecuciones. Hablan con odio del pequeño Alexios, del «protosebastos», que tuvo que pagar con la luz de sus ojos el sernos fiel a mí y al joven emperador al querer protegernos. Vivimos los tres solos: yo, mi hijo y su novia, la pequeña Ana de Francia, que sólo tiene once años. ¡Si el rey Luis supiera el destino que le espera a su hija y lo que está sufriendo! La casarán con un prisionero. ¿Le escribirás a nuestro lejano primo, el rey de Francia, pariente de Carlomagno, haciéndole saber, Agnes, que la sombra del anticristo también pesa sobre su pequeña Ana? ¿Qué más puedo decirte, Agnes? Tú conociste a Andrónico, le viste. Fue magnánimo cuando tu matrimonio con Béla porque sabía que no permaneceríais mucho tiempo en el Imperio. De no haber sido así, también tú, pequeña Agnes, estarías ahora en el umbral de la muerte. Pues no respeta a nadie. Ni a los gobernadores, ni a los verdugos, ni a los señores y patricios. Ya no quedan apenas latinos en Bizancio. Sus iglesias están en ruinas, y los pocos que aún sobreviven son fácil presa para cualquiera que lleva un arma. Podría seguir escribiéndote mucho en este mismo tono, mi pequeña hermana Agnes, pero es de noche y la luz de esta vela puede ser observada y despertar sospechas. Perdóname que te escriba tal y como las palabras vienen a mi pluma, en el idioma de nuestros padres, y no como el protocolo exige y la costumbre establece. Y te ruego, querida Agnes, que le enseñes estas líneas a tu esposo, que para mí sigue siendo Alexios aunque para ti sea Béla.

Que Dios lo proteja, como a ti y al fruto de tu vientre.

Amén. Amén. Amén. *Beata Maria, Mater Dei, ora pro nobis...*»

En griego, la carta continuaba:

«Noble y glorioso Alexios: ¿Vive en ti todavía nuestro recuerdo? ¿Es la memoria una de las virtudes de los reyes? ¿Puede recordar el que vive en la gloria y la fama aquellos días en los que aún no se ceñía una corona en su frente? Sé magnánimo y considerado con una pobre mujer, si algún día me honraste y respetaste. Seguimos viviendo todavía, pero no sabemos cuánto tiempo Dios seguirá concediéndonos la existencia. Te lo suplico, Alexios, recuerda todo lo que nuestro inolvidable Manuel hizo por ti. Piensa en que llevaste la «campagia», en que fuiste césar, que tuviste el mismo título y la misma dignidad que los sucesores de los emperadores, nacidos en la púrpura. Todavía hoy sigues siendo el más alto dignatario del Imperio. Tu nombre no ha sido borrado y, en tanto figure en el libro del Ceremonial, sigues siendo césar. Te escribo para que no te olvides de ello. También le escribo a Agnes, tu buena y fiel esposa, que fue engendrada en el mismo vientre que yo. Escucha mis palabras, mi señor, Alexios. ¡Ven en mi auxilio! ¡Pon tus ejércitos en movimiento! ¡Ojalá pudieran brotarles alas a tus soldados! Quizás puedas encontrarme todavía con vida y si no a mí, al menos a mi hijo. ¿Te pregunta, quizá, la voz de la duda por qué debes venir en mi auxilio? En ese caso acuérdate de que mi inolvidable esposo, el Sacro Emperador Manuel, te eligió para que fueras su sucesor, el emperador de la Roma de Oriente. Hoy es el otro Alexios, mi hijo, quien de acuerdo con el senado es el emperador. Pero en realidad no es más que un grano de polvo... ni siquiera eso. ¡Nada! Ven, Alexios, salva a mi hijo, pues yo siempre tuve amor y bondad para contigo y jamás odio. Tú lo sabes bien. Te escribo con la voz de una mujer. Es la Basilisa quien te escribe que todavía tiene en sus manos el sello del Imperio, que ha logrado esconder, aunque es muy posible que una noche vengan a quitármelo. Si salvas a mi hijo, yo haré que él y el Consejo renueven las palabras de Manuel. Los dos Alexios se sentarán compartiendo el trono, como en los antiguos tiempos en que la dignidad imperial era compartida. Tú, el mayor de los Alexios, al que en su reino llaman Béla, que eres el hermano adoptivo de mi hijo, sé también su padre. Así sea. Amén. Está amaneciendo. Oigo la voz del monje que viene a confesarme y a quien le daré esta carta. ¡Que la paz sea contigo, señor! Tú calzastes las sandalias de púrpura, tú sostuviste al pequeño Alexios en la pila bautismal. No olvides esto, en Dios Nuestro Señor. Amén.»

Béla tradujo las dos cartas, porque el arzobispo Lucas sabía francés, pero no griego. Béla leyó en voz alta. Su bello rostro varonil se inclinaba sobre el delgado pergamino que el sacerdote logró sacar de palacio escondido en su libro de oraciones. Mientras traducía, vivía las imágenes a las que la Basilisa hacía referencia en su carta. Miles de horas pasaron por sus recuerdos. Vio el rostro de María como aquel día, durante el bautizo del pequeño príncipe Alexios, en aquella espantosa tarde cuando todos los dignatarios de la corte se apartaron de él, por creer que el propio emperador lo rechazaba.

«¿Eres Béla o Alexios?», le había preguntado el gespán, años después, en la antesala del Sacro Palacio, una noche, rodeado de otros señores húngaros. Ya había contestado sobradamente a esa palabra con sus actos. Béla. Béla. Béla. Y ahora leía en la carta de la Basilisa: «Tú, que llevas las sandalias de púrpura...» A Béla le pareció oír el coro de ángeles de las voces de los eunucos.

Vivía en Esztergom, un húngaro entre los húngaros. Cuando hacía justicia bajo los tilos, un notario tomaba nota de sus palabras y registraba sus sentencias, que se convertían en Ley. Cuando recorría el país y dictaba sus leyes, eran igualmente registradas por el notario del reino, pues sólo lo escrito debía permanecer aun cuando transcurrieran cien años. Por eso los jóvenes aprendían a leer. Si el Señor le concedía la Gracia de dejarlo en el trono y permitía que sus hijos siguieran ocupándolo, Panonia, Hungría, sería una nueva Atenas, un nuevo Bizancio. Pero sus ojos, ahora, veían el manto de púrpura de los emperadores y sus oídos escuchaban las voces del coro celeste. ¿Era Béla o Alexios? Estaba sentado, con la carta en la mano. La carta no estaba escrita con tinta púrpura. Tal vez fue escrita con la pluma y el tintero de una sirviente y, bajo peligro de muerte, a escondidas.

— Bien, esto es todo lo que le queda a la Basilisa de todas las glorias de este mundo.

El arzobispo, que abrió sus ojos por unos segundos, no parecía tener nada más que decir.

— Te he llamado, señor arzobispo, porque tengo que hablar contigo. Yo escucho la voz de mi pueblo. Sé ahora sacerdote y no estadista. Tú oyes la voz del mundo, estás más próximo al Señor, conoces todo lo de este mundo. Respóndeme: ¿Debo cruzarme de brazos y pronunciar la sentencia de muerte de esos seres humanos?

— ¿Cuándo fue escrita la carta?

— Si nos guiamos por el nacimiento de Nuestro Señor Jesucristo, en la primavera de mil ciento treinta y ocho. Los griegos tienen otro calendario. La carta tardó en llegar aquí cuatro semanas.

— ¿Es posible que la emperatriz viva aún?

— Las malas noticias corren. Que yo sepa, la mano pecadora de Andrónico no la alcanzó todavía. ¿Por qué lo preguntas?

— Las heridas se curan porque tu palabra es potente. Dalmacia y Sirmia volvieron a la corona húngara. Como prometiste, no atacaste en tanto vivió Manuel, pero tan pronto como cerró sus ojos, tus ejércitos invadieron esas provincias. Tú dices la verdad y por eso confío en ti. Si me has hecho venir es porque deseas algo.

— Anoche leí la carta. Permanecí toda la noche dando vueltas en la cama, inquieto, sin poder dormir. No se la enseñé a la reina hasta la mañana siguiente, porque no quería privarla de su sueño. Este año no nos amenaza ningún enemigo. Si conduzco mis tropas hacia el sur y cruzo el Danubio, caigo sobre el Imperio, conquisto los territorios búlgaros, puedo marchar sobre Bizancio... En ese caso, habré *roto* la promesa de paz que le hice a Manuel y mi pacto con el Imperio. Dime, señor arzobispo, ¿rompo mi palabra de paz si ataco al usurpador y lo venzo?

— ¿Qué le prometiste a Manuel?

— Tomé a su hijo, cuando era un bebé, de su cuna y volví a dejarlo en ella. Cuando Manuel cerró los ojos, yo no estaba a su lado. Me libró de la batalla de Miriokefalón. El Basilio era el poder y la magnificencia, y yo una mota de polvo a sus pies. Pero prometí estar al lado de Alexios, de acuerdo con la voluntad del Señor.

— ¿Qué más prometiste? ¿Proteger a María?

— Mi corazón se llena de agradecimiento cuando pienso en ella. Si lo hubiera querido, pudo destruirme totalmente. Si hubiese creído que podía ser un peligro para su hijo...

— ¿Cuál es la opinión de la reina?

Su voz cambió y se dirigió en francés a Agnes. Era un francés duro y extraño, que sonaba como la música de un órgano.

— Pienso en María y en su hijo. Mi esposo es el rey. Él sabe lo que debe hacer. Me limito a llorar por mi hermana, que está en poder de las fuerzas del mal.

— ¿Es Andrónico el anticristo?

— A mí, Andrónico me odiaba. Cuando el difunto Manuel me elevó por encima de todos los príncipes del Imperio, se levantó de su sillón y se marchó sin prestarme juramento de fidelidad. Conozco a Andrónico. Feliz el país que tenga un rey así: bello, inteligente y valiente. Pero pobre del país que tenga un rey como él: sediento de sangre, cruel, vacilante e incontrolable. Siempre será un vengativo y un ateo. Puede ser que sea el anticristo.

Desde luego, es un apóstata que derriba los altares del Señor.

— Si interrogas a tu propia alma, ¿qué es lo que ves en ella: agradecimiento, venganza o nostalgia? ¿Deseas tú, Béla, la corona del Basilio?

— ¿Has estado alguna vez en Bizancio? No, sé que no estuviste nunca allí. Nunca respiraste su aire, su aroma. Tú no has visto de cerca ese trono que desde hace mil años es la ambición de todos los reyes. ¿Por qué tendría que ser yo mejor y más modesto? Te confieso, Lucas, que durante semanas y meses nunca más pensé en ello. Sólo pensé en mi país, en mi patria. Ahora he recibido esa carta. ¡Padre mío, ha sido una noche muy difícil! Estuvo llena de ambición y de deseos, de nostalgia. Si quieres, ponme una penitencia por mi pecado.

— Te llama una mujer y un niño al que tú sostuviste en su cuna pese a que, por el simple hecho de haber nacido, era tu enemigo mortal. Tú mostraste el más puro corazón humano. Dices que eres un caballero. Estás unido a María por tu caballerosidad y el agradecimiento. Dices que Manuel fue para ti un buen señor. Es tu deseo defender a su sucesor. Veo las lágrimas de la reina. Son lágrimas de mujer, pero a pesar de ello, también pesan en la balanza. Si no hubiera más que eso, te diría que enviaras tus emisarios y que los soldados tomaran las armas y ensillaran sus caballos. ¿Están las sandalias de púrpura en tu cámara del Tesoro, señor Béla?

— Sí, como recuerdo...

— ¿Qué sucederá si triunfas, señor? ¿Si tus ejércitos alcanzan el Bósforo? Un cuerpo no puede repartirse entre Bizancio y Esztergom. La mujer se dirige a ti en su última desesperación. ¿Es posible que una mujer comparta el poder en el más viejo Imperio del mundo?

— Al principio pensé en venir de Bizancio aquí, con las sandalias púrpuras. Hoy, Béla, yo recorro los territorios búlgaros y servios. Las regiones vecinas de Occidente se unen a mí. Los logotetas de Baranz y Belgrado son partidarios míos en secreto. ¿Crees que no hay en Bizancio ningún príncipe, ningún dignatario que recuerde que antaño fui el «despotos» Alexios? Hay que hablar a cada hombre en su propio idioma, como me enseñó Manuel. Contigo hablo la lengua del pueblo. Por eso te rogué que vinieras.

Te pido, por favor, una palabra: ¿Me bendecirás si mis banderas, sobre las que pinté la Cruz, flamean al viento y se lanzan al combate? ¿Me bendecirás, señor arzobispo?

— Le ruego a la reina que nos deje solos. Hay algo todavía sobre lo que debemos hablar.

El arzobispo cerró los ojos. Fuera era mediodía. Se oyó el toque de las campanas. La reina salió.

— ¿Has amado a esa mujer, que era la esposa de Manuel, con amor pecador?

— ¿Quieres recibir mi confesión, padre mío?

— Sólo quiero oír de ti una palabra: el sí o el no.

— Nunca fue un amor pecador.

— ¿La amaste?

— Tenía su imagen en mi corazón cuando tomé a su hermana por esposa. Hoy todo eso pertenece al pasado, señor arzobispo. Yo era un muchacho sin patria, un extranjero. En torno a ella estaba el Imperio en cuyo trono se sentaba. Has visto muchas cosas, padre. Sabes que eso no es un amor pecador.

— No, eso no es un amor pecador. Pero tu voz temblaba cuando traducías del griego su carta.

— Era la carta de una mujer para la que yo significaba la última posibilidad de salvación.

— No has confesado conmigo, por lo tanto, no te doy la absolución. Busca a tu confesor y confiesa con él. A mí me pediste que bendiga las banderas en las que tú has puesto un nuevo símbolo, la cruz. Si tú lo quieres y todavía vivo, bendeciré la cruz, la montaña y los leones de tu escudo. *Ite, Ite...*, diré con las palabras del Señor. Ahora déjame marchar. Estoy muy cansado.

* * *

La prisionera se apoyaba en la baranda del balcón de la villa de Filopation y miraba el jardín. Era otoño. El viento hacía que llegaran a su rostro las gotas de la lluvia y las hojas secas de los árboles. El jardín y el lago estaban sumidos en la niebla. La prisionera vestía el manto púrpura de emperatriz y llevaba en sus pies la «campagia». Su rostro no tenía la menor expresión. Las lágrimas se secaron ya.

En la habitación todo tenía un aire de abandono y descuido. Los muebles y los tapices reflejaban tristemente la gloria del pasado. No había en torno a la emperatriz prisionera más que un grupo de silenciosas personas. Jardineros, eunucos, servidores, la guardia personal. Todos ellos vivían en la villa. Fuera, los arqueros de Andrónico vigilaban el jardín.

El fraile que sacó la carta dirigida a su hermana Agnes, se refirió a los lejanos guerreros que ya debían haber partido para auxiliar a la emperatriz. Seguramente que habrían cruzado los Balcanes y ocupado Servia y Bulgaria. Se decía que las tropas húngaras habían alcanzado el valle del Vardar. La emperatriz oyó el nombre que no le decía gran cosa. ¿Dónde estaba ese valle? ¿El Vardar? Un nombre bárbaro... un río bárbaro, como bárbaros eran los jinetes que venían en su auxilio. ¿Quién no se aferraría a la última tabla de salvación antes de ahogarse? Un día se sintió consolada al escribir la carta para Agnes, como ahora al escuchar las palabras del monje. Los húngaros se aproximaban incontenibles, como un huracán. Habían pasado las defensas fronterizas del norte. Belgrado y Baranz estaban ya en sus manos y se acercaban al mar.

Alexios, el pequeño emperador, la visitaba a diario. Se había convertido en un muchacho espigado y pálido, tímido y ceremonioso. Aparecía ante ella llevando de la mano a su novia, la princesa Ana de Francia. Se inclinaban y, durante unos instantes, el esplendor ceremonioso del Sacro Palacio parecía trasladarse a la villa.

A su hijo no le estaba permitido verla a solas. Venía, pues, siempre a la cabeza de sus cortesanos, en una compañía muy numerosa. Las palabras eran siempre las mismas: las marcadas por el protocolo y el ceremonial. Nadie decía, nadie podía decirlo, que María era una prisionera.

Como pretexto para que las mujeres de palacio se trasladaran a la villa que ahora ocupaba la emperatriz y sus damas, se dio la excitación existente en la ciudad y el odio del pueblo por los latinos. La emperatriz era una de ellos y podía ser que la masa enfurecida no la respetara y asaltara el palacio. No era aconsejable, pues, que continuara allí. En el campo, en la villa, estaría más tranquila, más segura. La realidad era que a partir de ese instante fue una prisionera, que no tenía otra cosa que hacer sino vagar por la habitaciones y los salones buscando el recuerdo de viejos y mejores tiempos. Recordó a Manuel, que por vez primera se encontró allí con Conrado.

La Basilisa se trasladó a la villa el mismo día en que Andrónico hizo su entrada en el Sacro Palacio, como usurpador, sin título que le diera derecho, pero controlándolo todo, desde las cancillerías al senado, pasando por la guardia y los sacerdotes. Era la imagen del padre de la patria que se levantaba contra la extranjera, para salvar la unidad del Imperio amenazada por su causa. Era el orden ofendido que volvía por sus fueros. Andrónico era la Ley, aunque no tuviera ni rango ni título alguno que lo justificara.

Visitó a María el primer día. Ésta supo que estaba perdida desde el momento en que lo vio, si no llegaba auxilio urgente. Esa tarde nadie sabía los proyectos que Andrónico tenía para con ella. Nadie sabía si seguía siendo libre y reinando; si podía expresar libremente sus juicios en el Consejo, y si sus servidores y soldados la obedecerían. No había ocurrido nada todavía. En la sala de recepciones estaba la emperatriz y su hijo, el joven emperador. Andrónico apareció en la puerta. Sin acompañamiento, descuidado y, al mismo tiempo, bello y majestuoso. Todos se inclinaron ante él, se arrodillaron, como si fuera el emperador que llegara disfrazado, para vestirse allí la púrpura y comenzar a reinar como un ídolo. Entró arrogante, pero se inclinó profundamente ante Alexios, el emperador, y su rodilla rozó el suelo. Se levantó como si no hubiese notado que había otro trono y en él una mujer que vestía la púrpura y llevaba la corona imperial, Basilisa por derecho propio y una dama a la que se debía saludar. Los ojos de Andrónico casi ni la miraron. Ni tan sólo inclinó la cabeza. Sus ojos eran fríos. Sus labios musitaron unas palabras en voz baja, pero no tanto que no pudieran ser oídas por los eunucos que estaban a su alrededor.

—No pensé que aún tendría que encontrar aquí a esa mujer.

No dijo más que eso. Empleando el lenguaje vulgar y ordinario del pueblo, de la calle, con lo que expresaba desprecio, burla y quizá algo peor. Palabras como las que se pronunciaban en los canales, en el puerto, en las plazas y que ahora llegaban al salón del trono. Podía pensarse del tono de sus palabras que se estaba refiriendo a una mujerzuela, una mujer pecadora y corrompida. Desde entonces supo María que sus días estaban contados si no se producía un milagro.

La prisionera esperaba que ocurriera algo. Un enviado, un mensaje. Un hombre que, cubierto de sangre, entrase en el salón y le dijera: «Señora, los sicilianos han desembarcado y vienen en tu auxilio. Los latinos se han alzado y vienen a liberarte. Los húngaros están en las orillas del Vardar.» Un largo camino. Incluso los pájaros se cansan después de un largo vuelo. Puede ser que Alexios, Béla, sea rápido como un pájaro, tal y como le dijo en el mensaje que la noche anterior quemó en la llama de una vela. Era posible también que vinieran los Cruzados o que Barbarroja invadiera el país. Que llegaran buques y más buques, navíos armados, venecianos, de Pisa. Galeras genovesas. Que todos los reyes de Occidente se unieran para liberarla a ella, a la magnífica emperatriz.

María tenía treinta y cuatro años. El espejo le decía bien claro que no perdió su belleza. Sus ojos estaban cercados de ojeras profundas y tenían arrugas. Pero también en esas arrugas había belleza. El encanto de María: las sonrisas y las lágrimas. Tenía treinta y cuatro años y no podía abrigar más esperanzas que las de un puñado de pétalos de rosa en el viento. Buques normandos, cruzados, caballería húngara. «Mañana — pensó — , mañana tal vez estén aquí.»

Ese día el Senado dejó oír su voz. Andrónico quiso que fuera este órgano estatal, antaño honroso y digno, quien hablara. Jugaba con él, lo humillaba o lo utilizaba, según su humor y su capricho. El Senado debía juzgar a María. El juicio fue rápido y sencillo. Los acusadores y los jueces parecían actuar entre bastidores. Vistieron sus mantos de juez, como antaño los auténticos padres de la patria. La acusada vivía en su suntuosa villa, vestía la púrpura y no tenía cadenas. Era una prisionera, pero también una emperatriz. Sólo había que aislarla para que no pudiera huir. Estaba rodeada de sombras, de sospechas. Aún seguía siendo relativamente libre, gobernaba teóricamente, podía disponer de su corte y sus damas de honor. Recibía embajadores y los enviaba. Y algunos cortesanos, cada vez en número menor, se atrevían a visitarla. Seguía viviendo, conservaba las sandalias de púrpura y los visitantes debían arrodillarse ante ella. Pero pronto sería conducida a una prisión y era el Consejo de Ancianos quien debía pronunciar la sentencia.

Fue Andrónico quien formuló la acusación. Pareció como si fuera el viejo Bizancio quien hablara. Andrónico era la personificación de la ciudad que acusaba a María de inmoralidad y enemistad hacia los griegos. Aprovechó las más leves frases de la latina para usarlas en contra suya. Fue un maestro de la oratoria. Comenzó hablando en voz baja, pero después su tono fue ascendiendo, como si alcanzara altas regiones, abandonando este bajo mundo. Andrónico habló en nombre de los campesinos, que hacía años no pisaban la ciudad porque Bizancio se convirtió en un burdel. ¿Qué podía ver aquí un honrado propietario campesino de Asia Menor, que hubiera querido venir una vez en su vida a beber el agua de Bizancio? Su voz temblaba. Se refirió a los altos dignatarios, a los logotetas, a los príncipes aliados. ¿Qué concepto podían tener todos ellos del Bizancio corrompido de la emperatriz? Habló en su nombre, como si lo hubieran nombrado su representante en el proceso. Las noches angustiosas que pasaron velando al Imperio enfermo, tratando de salvar la magra herencia que dejó Manuel tras la tragedia de Miriokefalón.

Andrónico estaba allí, dispuesto a coger el timón de la nave del Estado y llevarla a buen puerto. Un timonel arriesgado y espantoso. Sus palabras fueron profundas y trataron de hacer luz en muchos de los secretos de Estado que, según él perjudicaron a Bizancio y de los que María era culpable. Nombró príncipes y reyes; habló de acuerdos, pactos y guerras. Cuando el Senado se reunió para deliberar, sabían que no podía pronunciarse otra sentencia que la muerte. Y fue así, aunque sin entusiasmo, casi con resignación. Manuel fue un buen emperador durante casi cuarenta años. Fue el Imperio. Todos vivían de sus recuerdos. ¿Por qué debían hacerle mal a la mujer que Manuel amó y dio un heredero al Imperio? María no les había hecho nada a ninguno de ellos. Era joven y de sangre ardiente, por lo tanto, no pudo eludir las necesidades y la llamada de la carne.

En un principio los senadores se mostraron silenciosos y opuestos a la pena de muerte. Pensaban en las palabras de Pilatos. Tenían la impresión de que la mujer cuya muerte debían determinar, era solamente una víctima que había que inmolar por el Imperio, quizás en su propio interés, porque no podían hacer otra cosa. Una mujer que no era peor ni mejor que las demás, sino simplemente más bella y decidida. Había que sacrificarla y su procedencia latina, de Antioquía, podía ser una justificación. Una extranjera. Andrónico no los quería. Tampoco estaba dispuesto a tolerar una sentencia a medias. Se dio cuenta en seguida de lo que pasaba por la mente de los senadores, leyendo en su alma como en un pergamino. Volvió a hablar en nombre de Bizancio y, lentamente, fue como si la sala se llenara con los colores mágicos de su narración, como si destapara allí un cofre mágico y sacara de él el mundo entero. En su voz estaban las miles de voces de la ciudad, que acusaban, querían crucificar y lapidar. Poco a poco, los viejos senadores se fueron excitando... como si un nuevo calor corriera por sus venas. Andrónico no ocultó lo más mínimo sus intenciones. Interrogó a los eunucos que con sus voces de falsete descubrieron los secretos íntimos de la emperatriz; de su cuerpo, que parecían haber visto como si los muros fueran transparentes. Tras las palabras de Andrónico se hizo un retrato gráfico y expresivo de los deslices de la emperatriz, que iba de los brazos del «protosebastos» a los de los miembros de la guardia imperial. Una mujer frívola, fácil, lasciva, que deshonró la púrpura, del mismo modo que había deshonrado la verdadera Fe, al persignarse al estilo latino y al rezar en latín, cuando sus labios olvidaban fingir una fe que no sentía en el corazón.

¿Y una mujer así debía educar al muchacho, a su hijo, al emperador romano, a quien los verdaderos creyentes tenían y debían aceptar como su señor? Esta pregunta pasó amenazadora sobre las cabezas de los ancianos. Andrónico se inclinó ante ellos como si acatara su voluntad. Nunca se habló así, en toda la historia, en un Senado imperial contra una pobre mujer, que ya casi estaba prisionera y vivía hundida en la mayor desesperación, aunque aún conservara la púrpura. Una extranjera, un pájaro con las alas cortadas. Una extranjera que era admirada por extranjeros, bárbaros, enemigos del Imperio, de los cuales esperaba ayuda y socorro. Apeló a su tío, el tigre normando, que posiblemente zarparía de la ribera albanesa para desembarcar en el país; había escrito una carta de auxilio al hombre que antes fue Alexios, quien olvidó el agradecimiento que debía a sus bienhechores y había invadido el Imperio.

Esto ya debía bastar, por sí solo, para la condena. Esa mujer era una rebelde, una traidora, enloquecida por la ambición y la fiebre de poder y el deseo de saciar sus pasiones. Todo eso eran pecados. Tal vez Zoe, la otra Basilisa, fue como ella, y otras más antiguas, Theofanas e Irenes. También ellas formaron parte del cuerpo de Bizancio y no era posible borrarlas de los Anales. Fueron frívolas, casquivanas, pero, no obstante, ninguna de ellas traicionó a Bizancio como lo hizo María. Ninguna de esas emperatrices recurrió a príncipes extranjeros pidiéndoles que invadieran el Imperio. En los rostros de los ancianos se reflejó una terrible severidad. Comenzaron a vivir. Eran jueces y tenían que juzgar. Dejaron de sentirse verdugos. Casi alegres y satisfechos, dictaron, de todo corazón, la sentencia de muerte contra María.

El secretario del Senado escribió la sentencia sobre una hoja blanca, con tinta púrpura. Era necesario hacerlo así, puesto que María era emperatriz. Aun cuando se la condenaba, debía hacerse con las concesiones debidas a su rango. Las columnas en las que se especificaba la acusación estaban escritas en rojo.

Andrónico se sentó y tomó un vaso de leche, que debía suavizar su garganta. Había hablado durante tres horas seguidas y después de ello siempre le resultaba agradable un vaso de leche, un rostro de mujer y un poco de suave música de flautas. Permaneció sentado. Envió a buscar a la bailarina. Debía venir aunque sólo fuera para un minuto. Los padres de la patria, los miembros del Consejo volvieron en comisión. Sentían en su pecho remordimientos y deseaban la gracia para la Basilisa. María había pecado gravemente, fue una inmoral, traicionó al Imperio, pero era la madre del emperador y fue la esposa de Manuel, y no era edificante que el pueblo la viese morir. Quizás impresionados por su belleza, podían sentir el recuerdo de pasadas horas y mostrarse en contra de su condena. «Seamos justos — dijeron —, pero al mismo tiempo concedámosle la gracia. Que no pueda abandonar la villa de Filopation. Le enviaremos un ejecutor que sepa hacer su trabajo. El pueblo, pensará que María murió de muerte natural quizá porque ella misma puso fin a su vida. Nadie debe ver a la muerta, sólo los viejos jardineros de la villa, esa sombra que Manuel dejó atrás olvidada. Ellos recogerán flores para el sarcófago de la Basilisa, que serán el único adorno, y cavarán su tumba.»

Así hablaron los senadores, y Andrónico, el gobernador y servidor del Imperio, se inclinó ante ellos y dijo: «Se le concederá la gracia si el emperador lo desea así». Y él, por su parte, sancionó la sentencia. María seguiría siendo Basilisa hasta el último instante de su vida y su cadáver sería enterrado con la púrpura.

Se bebió el resto de su vaso de leche de cabra a la que se acostumbró durante el tiempo que pasó junto a los príncipes del desierto. Se despertó en él el recuerdo de Teodora, la única mujer a la que amó de verdad, que ahora, envejecida, cansada y con el pelo blanco, se refugió en un convento donde vivía y escribía sus homilías que cada mes enviaba a las piadosas monjas. Todos habían envejecido. Teodora fue nombrada superiora del convento, y la encantadora Philipa, la hermana de Agnes y María, murió prematuramente en la vergüenza, porque él la abandonó en Antioquía, en una madrugada. Todas eran viejas... Las esclavas, las princesas, las danzarinas, las hijas de los logotetas, las veladas bellezas del desierto... Todas habían envejecido mucho y ahora no significaban nada para él, porque Andrónico seguía siendo joven, siempre joven... No ocultaba su ambición ni sus deseos; no tenía por qué hacerlo. Se renovaba continuamente, como Hércules, con cada dificultad, en cada prueba. Era un nuevo Dionisios y sabía lo que todos decían de él: que era un sátiro, un fauno. Esto le hacía sonreír, seguro de sí mismo, aterrorizador, porque eso era lo único que él podía admirar y valorar: su invencible virilidad.

Al pie del documento escrito añadió una cláusula recomendando una muerte rápida y tranquila. La comitiva se puso en marcha. Aquella hoja, aquella sentencia no era más que un papel sin valor, porque el Senado podía dictar la pena de muerte, pero ésta no podía ejecutarse en tanto que el emperador no la confirmara. La costumbre y la ley determinaban que nadie podía disponer sobre la familia imperial, los césares y los «despotos», más que el propio Basilio.

Los ojos de Andrónico se fijaron en la pequeña Ana de Francia, la hija del rey Luis. Su piel era suave como un lirio. Su nariz respingona y su risueña seriedad, le daban un aire de dignidad y al mismo tiempo de burla. La mirada de Andrónico buscaba a Ana mientras se inclinaba ante su sobrino y se rasgaba las vestiduras. Todo el que viera, no podía menos de comprender que se hallaba frente a un excelente comediante, a un maestro que dirigía de modo maravilloso un coro. Sí, un coro que pronunció la sentencia de muerte.

El muchacho, el emperador, estaba sentado, con los ojos muy abiertos y sólo sabía una cosa: en el caso que se negase a firmar la pena de muerte, Andrónico se limitaría a señalarlo con el dedo y diría: «No es digno de estar ante nosotros, no es de los nuestros. Es hijo de la extranjera y quién sabe si quizás ni siquiera fue engendrado por Manuel.»

De eso a la cámara del tormento sólo había un paso, un paso hasta el hierro al rojo capaz de cegarle en unos segundo en medio de terribles dolores; hasta la hoja de acero capaz de destrozar el cuerpo y privarle para siempre de la virilidad. ¡Un solo paso! Andrónico se le quedó mirando, espantoso y atemorizador. No podía huir Alexios ni aun cuando lo hubiese querido así. Esa mirada dominaba todo el Imperio. Alexios no era sino un muchacho crecidito, nervioso y pálido. Sabía que si no confirmaba la sentencia como Basilio, sería él el próximo en ser condenado.

Su mirada se clavó en las líneas que significaban la muerte de su madre. Leyó después. Estaba allí escrita la sentencia de muerte de la mujer que le dio el ser, con las palabras del Senado de la Roma de Oriente. Las palabras eran claras. No había posible duda. La palabra terrible, eterna: muerte, estaba escrita allí. Alexios no podía suplicar. Si hubiera sido otro, uno de los príncipes del desierto, o el otro Alexios que ahora se llamaba Béla, podría hacerse con un puñado de soldados de su guardia y, al mando de ellos, ocupar Santa Sofía y con ello el corazón de Bizancio. Habría sido posible liberarse a sí mismo y destruir a Andrónico, porque el pueblo confiaba en los Comneno y, con toda certeza, no había olvidado a Manuel. Aun cuando ese día todos deseaban la muerte de María, al siguiente podían muy bien inclinarse del lado del muchacho, con el que Andrónico jugaba como el gato con el ratón.

Pero el pequeño Basilio era solamente un niño pálido y sin fuerzas. No hizo el menor movimiento para tomar un arma o tocar una campanilla en demanda del auxilio de su guardia. Tampoco fue capaz de intentar la huida o una evasiva. Tomó la pluma, mojada en la tinta roja del Basilio. La muerte fue sólo una palabra, simple y sin forma. Solamente: Alexios.

María estaba en el balcón de la villa de Filopation mirando al jardín. Sentía en su rostro las gotas de la lluvia. Cada persona que se presentaba allí, cada nueva noticia tenía para ella especial significado. Oyó los jinetes que se acercaban galopando. Pensó en los guerreros que estaban en las márgenes del legendario valle del Vardar. ¿Cuántos días y cuántas noches necesitarían para llegar hasta allí, al jardín de su villa? De repente el mundo se había hecho pequeño, un puñado de mundo nada más, que María, la bella María, a sus treinta y cuatro años de edad podía llamar suyo. El Imperio ya no la rodeaba y la púrpura era como el manto de rey que pusieron sobre los hombros de Cristo, para burlarse de Él, cuando le colocaron la corona de espinas. Oyó llegar a los jinetes, reconoció sus voces y su silencio. Había vivido mucho tiempo en Bizancio, fue emperatriz y sabía lo que ahora se avecinaba.

* * *

Dos sacerdotes se inclinaban sobre sus tablillas en las que estaban escribiendo. En dos puntos muy distintos del mundo. El griego lo hacía en Atenas; el latino en Jerusalén.

Guillermo, arzobispo de Tiro, vivía en las cercanías del Monte de Getsemaní, en una amplia celda conventual de alto techo. Allí solía refugiarse cuando el trabajo de la Cancillería le cansaba, para continuar escribiendo la crónica del mundo. El viento soplaba sobre los olivares. Sus dedos estaban rígidos como consecuencia del aire frío de la noche. Jerusalén es pequeña, pero al mismo tiempo es el más amplio de los mundos: los peregrinos, que llegan de todas partes, traen consigo todas las noticias.

«... y la mano del Señor cayó pesadamente sobre su pueblo. Llegó un hombre que se llamó a sí mismo heredero del Señor y dañó profundamente a la Iglesia que nosotros llamamos sagrada...» Todo eso sucedió en el año en que Federico Barbarroja reinaba sobre el Imperio de Occidente y el usurpador Andrónico se ceñía la corona de Bizancio. Lucio era el Papa de Roma y Balduino rey de Jerusalén, el país de las peregrinaciones. *Sic ergo duae mundi partes tertiam impetunt et adversus duas Europa confligit, que sola nec tota Christi nomen agnovit...* El mundo es infinito, cuando se mira desde la ventana de la celda de un convento.

La fiebre invadió el Asia Menor y se extendió a Siria. La corte de Jerusalén estaba invadida por los refugiados. Llegaban con un solo criado, con sus hijos, sin más bienes que un mulo y lo que pudieron poner sobre él, antes de que aparecieran los verdugos de Andrónico. El terror paralizaba al Imperio de Oriente. No sólo la ciudad sentía el peso de su mano terrible. La palabra de Andrónico se extendió hasta las más lejanas fronteras del Imperio, hasta las mismas fortalezas y plazas fuertes que lo defendían de sus enemigos externos. Era como la peste negra, como una epidemia que sólo atacaba a los ricos y a los poderosos. Pálidos arcontes, los más altos dignatarios, los eunucos ambiciosos, todos se refugiaban en Tierra Santa con el terror reflejado en el semblante. *Agravata est manus Domini super populum suum,* parecían decir sus facciones. Hablaban en voz baja: «Mi padre, mi hermano, mi hijo... están muertos. Sólo yo pude escapar del anticristo.»

La epidemia asesinaba a los arcontes. El pueblo seguía viviendo, pero ya no creía en milagros. Esperaba. Esperaba nuevos recaudadores de impuestos, nuevos látigos, nuevos señores. No acababan de creer en la realidad de los tristes cortejos que partían de las capitales de distrito llevando encadenados, con el pelo rapado, a los funcionarios superiores en medio de un fila de soldados, con destino a Bizancio. «Algo se está cociendo», se decían. Y en secreto demostraban todo su respeto a los señores terratenientes que lograron salvarse escondiéndose en sus pobres cabañas.

¿Quién quedaba todavía con vida de la sangre de Manuel? Las noticias eran diversas y contradictorias en ocasiones. El cronista recogía palabras de Andrónico, repetidas por los refugiados, y las reunía.

«Lo que yo digo no va dirigido al viento. Si no cumplís mis órdenes en el plazo previsto, temblad ante mi cólera. Mi puño alcanzará a todo aquel que no cumpla ciegamente mis órdenes imperiales. Sabéis que no llevo la espada del Basilio simplemente como adorno. Vosotros tenéis la elección: terminad con vuestros delitos, pues si no yo terminaré con vuestras vidas».

Colosales rebaños llenaron el foro. Andrónico, el emperador, regalaba las presas que cazaba al pueblo más bajo que se reía disimuladamente, cuando se arrodillaban para recibir la bendición del arconte cuya esposa la noche anterior durmió entre los brazos de Andrónico.

Teodosio, el patriarca, mantenía una actitud reservada. No se atrevía a enfrentarse con Andrónico, pero tampoco ocultaba sus pensamiento. Andrónico se arrodilló ante él y le dijo:

— Santo Padre, soy un grano de polvo. Vengo para proteger al pequeño Alexios, rodeado de intrigas mundanas.

Teodosio, el patriarca, le respondió:

— Desde el mismo día en que Vos, mi príncipe, llegasteis al Sacro Palacio, me aprendí las palabras que debo decir en el funeral de Alexios, al que ya considero muerto.

Los fugitivos decían que Andrónico se pasaba la noche en plena orgía entre sus amantes, pero que, por la mañana estaba sereno, espantosamente sereno. Un arconte tuvo que huir a un convento porque conocía el mecanismo de los impuestos, y cuando Andrónico le preguntó de dónde sacó el dinero necesario puesto que había renunciado a cobrar impuestos.

— Señor, los cobradores de impuestos no roban.

Ésta fue su única respuesta. Y, en efecto, quien conocía la vida en el Sacro Palacio sabía que se habían cerrado los grifos del oro y que si bien era verdad que se ingresaba menos, también era mucho menos el que se quedaba entre las manos de las gentes sin escrúpulos. Andrónico conocía todos los trucos, pues no en balde fue gobernador de provincia. Los campesinos sembraban árboles frutales, palmeras, olivos y moreras. Esto producía frutas, seda, aceite y dátiles. Con cada árbol plantado bajaban los impuestos. Mientras más hijos nacían, menos impuestos se pagaban.

El arconte bajó la cabeza. Recordó que él ya no tenía padre ni hijos. No quería aceite ni seda.

El arzobispo de Tiro se pasó toda la noche en vela, oyendo el llanto de los refugiados y sus palabras de odio: palabras cada una de las cuales era un deseo de muerte y perdición para Andrónico.

* * *

Miguel, el arzobispo de Atenas, escribía una carta al mundo. En sus sermones funerarios alabó a los gobernadores muertos, a otros obispos y al emperador, fallecido en la lejana Bizancio. Y podría haber enterrado también a Atenas, pues la ciudad se merecía ya un funeral, tan destrozada y arruinada se encontraba. Ahora escribía al mundo una carta que nadie debía ver. Escribía explicando quién era aquel Andrónico, que vivía y reinaba bajo la máscara de un Tiberio. La máscara era horrible, pero, al mismo tiempo, digna de admiración. Pelo encanecido, piel ajada, ojos cansados. En tales casos jugaba al benevolente, al razonable, como si buscara una reconciliación, y guardaba un tranquilizador silencio. De pronto, se agitaba y se echaba a reír. Tan clara y espantosamente como quien durante algún tiempo ha estado dominando sus verdaderos deseos y considera que es inútil seguir conteniéndose, o escuchar las palabras de sus cortesanos, menos valiosas para él que las payasadas de los bufones y los enanos. Entonces no escuchaba otra voz que la de su danzarina y flautista que le cantaba una canción de amor. Pero ella no tuvo que cantar aquella noche en que se acompañó al emperador y a su nueva esposa hasta la alcoba nupcial del palacio Magaura.

¿Hubo algún sacerdote en Bizancio que se atreviese a alzar su voz de protesta? Miguel recorrió con su mirada la plaza de Stoa Poikile y no tuvo más remedio que pensar en el viejo sabio pagano que tomó el vaso de cicuta con una sonrisa en los labios. No hubo ni un sólo sacerdote en Bizancio que se atreviera a subir al púlpito para decir: «Algo terrible ha sucedido entre nosotros, compatriotas. Ese azote bíblico que se llama a sí mismo emperador, hizo asesinar al auténtico y verdadero, al hijo de Manuel. ¿Sabéis, hermanos míos en la fe, lo que verdaderamente sucedió con Alexios? ¿Sabéis que arrojaron su cuerpo azulado y sin vida a los pies de Andrónico, y que éste, con su pie calzado de púrpura dio una patada al muerto mientras le decía: "Tu padre fue un criminal y tu madre una ramera." ¿Sabéis, hermanos míos, que después se dirigió a la alcoba de la pequeña Ana de Francia, que sólo tiene once años y que estaba prometida con Alexios? Puso su mano sobre el cuerpo de la niña y le dijo: "Eres mía". Ana se vestirá hoy en Santa

Sofía y el tirano tendrá una nueva emperatriz a la que abrazará esta noche...»

Ningún sacerdote de Bizancio se atrevió a decir nada. Por eso Miguel, arzobispo de Atenas lo escribía en su carta al mundo.

Niketas, su hermano menor, quería también escribir una crónica fiel de los sucesos, en caso de que lograse sobrevivir a esos tiempos y encontrara la tranquilidad necesaria. Vivió en palacio y conoció al pueblo que lo asaltó y obligó al Consejo a colocar a Andrónico al lado de Alexios. Niketas estuvo presente y vio la comedia. Los pocos ancianos del Consejo que todavía vivían, antaño fieles servidores de Manuel, cambiaron el camino que antes siguieron. Muertos de miedo pensaron en sus hijos y nietos asesinados y le dijeron a Andrónico, postrándose a sus pies: «Tuya es la púrpura, señor, el Senado de Roma así lo ha decidido».

El tirano se rasgó las vestiduras. Arrojó el manto púrpura que colocaron sobre sus hombros y dijo que quería marcharse, huir, renunciar. Nunca soñó con ser coronado; odiaba todas las dignidades, el poder... Fingió aceptar porque se le obligaba a ello. Pero todo lo que hasta entonces hizo, fue únicamente pensando en el bien de Alexios. Rogó a los ancianos que pensaran una solución mejor, una ley más eficaz y justa para el bien del Imperio. Él no deseaba otra cosa que regresar a su humilde hogar y pasar allí el resto de su vejez. Lloró y se lamentó, como un gran actor; se desgarró la púrpura, golpeó a los castrados que se acercaron a calzarle las sandalias. Pero Niketas se dio cuenta que en el rostro de los eunucos no había la menor señal de pánico. Cada uno de ellos miraba el rostro de los demás, como preguntándole si había que tomar en serio los gestos y las palabras de Andrónico. Los senadores, los ancianos miembros del Dromos, continuaron insistiendo, hablando, ordenando. Dijeron que Andrónico debía obedecerles y ceñirse la corona; que el Imperio estaba en peligro y él era el único en condiciones de salvarlo de su completa destrucción, con su sabiduría, y darle mayor gloria que Augusto, Justiniano, Focas y el propio Alejandro el Grande.

La discusión continuó hasta que, finalmente, Andrónico, como vencido por tanta insistencia, casi temblando, abrazó el manto púrpura como si se tratara de la más santa reliquia de la que no se creía digno.

— Acepto — dijo —, sólo por el bien de mi sobrino Alexios. El pueblo, entusiasmado, lo vitoreó lleno de esperanza. Finalmente había un príncipe como era de desear, como el Imperio necesitaba. El nuevo emperador distribuyó monedas de plata entre la multitud. Después, no hubo virtud femenina que se le resistiera, ni que respetase. Era bello, sabio y hablaba el dialecto del más bajo pueblo igual que ellos. El nuevo señor siempre odió a los latinos, esa raza trabajadora que logró adueñarse de un distrito entero de Bizancio, que cada vez engordaba más y lograba vender muy caros sus malos productos. Andrónico no les concedió ningún privilegio, ni la menor protección. El populacho podía perseguirles sin temor a ser castigado por ello, arrancarles la barba, entrar en sus capillas semiocultas, destruir sus imágenes extrañas. Finalmente la nación tenía un emperador que les arrojaba monedas y al mismo tiempo las cabezas de los cobradores de impuestos.

Niketas contó todas esas cosas, pero estaba mortalmente cansado. Se daba cuenta que, por las noches, su corazón le latía precipitadamente. No consiguió escribirlo todo, sino que se limitó a referirse al terror. Miguel, el arzobispo, vivía con él las angustias de su tiempo. Cada domingo, cada fiesta subía al púlpito y predicaba ante los sencillos y modestos atenienses. Casi todos los que acudían a oírlo, con excepción de unos pocos altos dignatarios, eran trabajadores manuales, copistas, mujeres viejas o campesinos. Les hablaba en su idioma, y se refería generalmente a esa aterrorizadora parte de las Sagradas Escrituras que se llama el Apocalipsis.

* * *

El cobarde Isaac Ángelos llevaba varios días oculto. Desde hacía tiempo su cuerpo temblaba de terror cuando recibía las noticias que circulaban. Hagiotheodorito, el prefecto de la ciudad, había escrito su nombre y se lo dio a los oficiales de la guardia con órdenes concretas. Ángelos no era sino un general piadoso, sencillo y amigo de la bebida. Respetaba al emperador y, al mismo tiempo, le temía. Nunca en su vida sintió el menor deseo ni ambición por el poder.

Los oficiales de la guardia vinieron a buscarle a primeras horas de la noche. El cobarde Isaac Ángelos sabía lo que eso significaba. Había pocos con su rango que hubieran estado al lado de los Comneno y siguieran viviendo. Sabía lo que le esperaba y tembló hasta el último instante, cuando su criado le dijo que la guardia que venía a prenderlo era muy escasa, le puso la espada en la mano y añadió:

— Tu caballo está ensillado, esperándote, señor.

Así Isaac se convirtió en héroe, porque tuvo que luchar por su vida. La espada brilló en sus manos y, con una rabia inesperada, atacó a los esbirros de Andrónico que desde hacía mucho tiempo habían perdido la costumbre de defenderse cuando iban a cumplir su misión. Ángelos practicó mucho con su espada en la escuela de esgrima de palacio. Su mano recordaba las fintas más íntimas y resolutivas. Así Isaac se convirtió en héroe pues él solo hizo huir a la patrulla. Saltó a lomos de su caballo y escapó a pleno galope por la puerta trasera del jardín.

Es posible que la espada ensangrentada que llevaba en la mano fuese la causa de todo. Con la cabeza descubierta, en bata de noche y el arma en la mano, el general debía ofrecer una visión mágica que hizo explotar el alma del pueblo, que pensaba que tenía ya bastante sangre, leyes duras y látigos. Puesto que ya no pagaba impuestos, debía conseguir una vida más suave y cómoda. El pueblo tenía bastante de verdugos, detenciones, entierros y confiscación de palacios cuyos tesoros iban a parar a la tesorería real. El pueblo estaba cansado del «nuevo Mesías» y en la calle hablaban con disgusto del tirano, del anticristo. Le escribían versos insultantes y burlones en los muros de las casas y en las tabernas murmuraban que todo aquello debía traer un mal final.

Fue entonces cuando Isaac Ángelos, el alto señor, el general famoso, cruzó la calle con la espada ensangrentada en la mano, destocado y con bata de noche, a lomos de su caballo. Una imagen espantosa y al mismo tiempo subyugante. Eso ocurrió en las horas en que la gente salía a pasear para gozar del aire fresco que soplaba del mar y las calles y las plazas estaban llenas. En medio de esa gente apareció el enloquecido caballo a cuyos lomos el general pronunciaba maldiciones contra el usurpador y agitaba amenazadoramente la espada.

Muchos pensaron en Andrónico. Isaac Ángelos tenía más o menos el mismo rango que el emperador antes de usurpar el trono y el alma popular pensó que podía ser el llamado a poner orden y paz en palacio. El caballo recorrió la ciudad, seguido por gentes que no tenían ya nada que perder. Las voces se extendieron por la ciudad anunciando la rebelión y aun en los distritos más lejanos se supo, casi en seguida, que algo ocurría en el centro. El cobarde Ángelos buscó la puerta de un templo pensando que ésa podía ser su única salvación, pues allí podría refugiarse por algún tiempo. Así, en medio de encontrados sentimientos, esperanza y temor, alcanzó la entrada de Santa Sofía.

El fugitivo quiso entrar por una puerta lateral... pero entonces ocurrió el milagro. Inspiración divina o tal vez fruto de la inteligencia de un joven sacerdote. Como sea, el caso es que para el fugitivo, de traje destrozado, espada ensangrentada y rostro contraído, se abrió de pronto e inesperadamente la puerta de los reyes. La iglesia estaba casi vacía y los sacristanes preparaban el templo para la festividad del día siguiente. Colocaban flores, ponían palmas y extendían las alfombras púrpuras. Cuando se abrió la puerta imperial, Isaac entró, espada en mano. Cayó ante el altar mayor y dejó su arma bajo los grandes iconos de oro.

A veces la iglesia estaba vacía, como la guarida de una extraña fiera. En otras ocasiones era la puerta del paraíso, una brillante síntesis de salmos y luces purpúreas y oro. Y en los días de la Pasión, el luto personificado con paños negros cubriendo las imágenes del Señor. Santa Sofía es un mundo donde las pasiones humanas cambian y se transforman. Cualquier pasión crecía allí de modo gigantesco porque el Imperio tenía que vivir a su ritmo.

Isaac entró en el templo y la multitud lo siguió. En las más secretas profundidades del mar nacen al mismo tiempo los huracanes y las pausadas olas primaverales. ¡No estaba solo! La iglesia cambió sus colores. Los pacíficos sacristanes, los suaves eunucos desaparecieron; la multitud destrozó las escaleras de los obreros que abrillantaban los mosaicos, ponían aceite en las lámparas y limpiaban los altares. Sólo una hora antes aquella enorme nave del templo estaba llena de paz y amor y los últimos rayos del sol poniente se reflejaban en las cúpulas doradas. De pronto los devotos se marcharon, y el Templo de la Sabiduría dejó de ser un refugio espiritual para convertirse en el antro de una conspiración que duraría toda aquella noche. El pueblo, indignado, pedía la muerte, la cabe-

za del usurpador. En la calle se organizaron manifestaciones y cantos que arrastraron a los inconciliables, a los pequeños burgueses,
que uno a uno fueron dirigiéndose al púlpito para allí arengar a sus
compañeros. El cobarde Isaac contemplaba esa marea. Le hubiese
bastado un gesto para volver a restablecer el orden y terminar con
la tormenta que se cernía. Si dijera: «Compañeros y hermanos en
la Fe, sólo soy un pecador como los demás. He atacado a los esbirros y enviados del emperador, pero voy a tratar de conseguir su
perdón. Venid conmigo a suplicarle.» Si hubiese dicho eso tal vez
Andrónico sería condescendiente y se apiadara del pueblo y de él
mismo. Pero Isaac era cobarde y sabía que después su vida no
sería larga. La muerte era algo seguro. La única manera que tenía
de conservar la vida era enviar a Andrónico a la muerte.

Era uno de los señores más poderosos del Imperio, un alto dignatario, que hasta entonces siempre estuvo rodeado de una dorada
barrera de criados, y no pasó por las calles de la ciudad sino en su
magnífica y suntuosa carroza. Ahora su rostro guardaba las huellas
de la lucha, su túnica estaba destrozada, sus mejillas sin color y no
llevaba ni una joya. Así subió al púlpito, situado sobre un sarcófago
que contenía reliquias de santos.

El cobarde Isaac empezó a hablar. Con el valor y la audacia
de quien sabe que se juega toda la vida en ese momento, y por lo
tanto puede y debe decir todo lo que siente. Él, el más alto dignatario del Imperio, el aristócrata. Cosas que durante años ni siquiera se atrevió a decirse a sí mismo, ni en sueños. Sus palabras
tronaron, atacando al hombre que sin razón ni derecho vestía la
púrpura. No fue el discurso de un consejero, lleno de dudas, tampoco habló con el estilo de un Platón. Lo hizo como quien vive en
medio de los demás hombres sometido a sus mismos problemas y
preocupaciones. A los mismos temores. Él, en Bizancio, siempre se
portó como un buen señor, no le causó a nadie el menor mal; no
quería conseguir nada, sólo vivir tranquilo y que sus paisanos vi-
vieran también en paz. Así habló, así atacó, con el rostro lleno de
sangre, los ojos enrojecidos. Las mangas de su jubón rezumaban la
sangre que en el brazo le causaron las lanzas de los soldados.

Ese día en Santa Sofía se derribó un emperador. Las palabras
de Isaac fueron aceite sobre el fuego del odio. Palabras sencillas
que todos podían entender. Habló de todos y de cada uno. Contó

los hombres que fueron asesinados en sus propias casas cuando trataban de defender a sus esposas, deseadas por el tirano y sus secuaces. Se refirió a las violaciones vergonzosas de muchachas que ni siquiera llegaban a ser mujeres y que desaparecían en las puertas de los conventos. Habló del Imperio que ardía como una vela prendida por los dos extremos. Todos los poderosos del mundo odiaban al tirano, al usurpador, que destruyó la casa de su protector, de su benefactor, y asesinó a su esposa, a su hijo y a su hija. ¡Como apartó de su camino a todo el que se atrevió a enfrentarse a él! Un sátiro de setenta años, que vivía con su esposa de trece y con una vulgar flautista nacida en una tribu bárbara. Además, otras concubinas temporales y variables. Así vivía el tirano. ¿A qué esperaban los bizantinos?

La puerta del templo no fue cerrada y la multitud crecía continuamente. Fuera se agrupaban los que no podían entrar. Llegaron tropas de palacio que no lograron hacer nada contra la gente que mantuvo una posición de firmeza irresistible. Finalmente los soldados acabaron por ponerse de parte del pueblo. Alguien gritó: «¡Asaltemos el Sacro Palacio!» Era difícil de contener el huracán desencadenado, pero la multitud se detuvo. Algo ocurría. Las puertas laterales se abrieron de pronto. Un sacerdote apareció en alguna parte. Su voz resonó en el templo y el pueblo se arrodilló a ambos lados. Teodosio, el patriarca, llegaba a su Sede.

El patriarca dijo sólo unas pocas palabras en tono suave. Sabía todo lo que sucedió en las últimas horas, veía al pueblo y conocía la fuerza de su furia. Subió al púlpito y comenzó a hablar. Un juego de palabras y respuestas. Las respuestas provenían de los labios del pueblo que ocupaba la antiquísima iglesia, la comunidad cristiana.

— ¿Queréis conservar todavía al tirano, al usurpador, que ha deshonrado el templo del Señor y que ridiculiza a todo lo que hasta ahora fue sagrado para nosotros?

Así habló, y continuó:

— ¿Queréis seguir teniendo como emperador al sátiro viviente que ofende a la virtud de las muchachas, que se baña en la sangre de sus súbditos, que ha puesto en contra suya a todos los pueblos del mundo y desprecia las viejas leyes de la vida? ¿Queréis seguir manteniendo a Andrónico como vuestro amo y señor?

Las voces atronaron el templo. Fueron las palabras que, de siempre, son capaces de entronizar y destronar. Era el pueblo quien tenía derecho de nombrar al emperador y también de destronarlo. El patriarca era un hombre sabio y odiaba al anticristo, pero sabía que la multitud necesitaba un nuevo ídolo a quien poner en su lugar, *la palabra* que resonara en el desierto. El patriarca conocía a Isaac. Sabía que era un piadoso y sencillo dignatario temeroso de Dios. Rico y poderoso, su dinastía era tan antigua como la de los Comneno. La leyenda decía que sus antepasados recibieron de los Ángeles su rango de príncipes. Quizás era un miedoso, pero ahora estaba bajo las cúpulas del templo como un héroe. Su espada ensangrentada reposaba bajo los iconos: el pueblo estaba fuera de sus casillas y lleno de admiración por él; lo alababan. El pueblo tenía derecho a nombrar un nuevo señor que dirigiera el Imperio.

Las palabras del patriarca fueron suaves y llenas de amor por el prójimo cuando dijo:

— ¿Queréis poner en lugar de ese vuestro señor actual, sangriento e indigno, al piadoso y temeroso de Dios Isaac, que no sacrificará vuestras vidas... y que se atrevió a levantar su espada contra el que despreció no sólo a la ciudad sino también a Dios y todo lo que para nosotros es sagrado? Vosotros, los hombres que estáis reunidos aquí conmigo, ¿queréis a Ángeles como emperador?

Las palabras resonaron en la iglesia. Fueron acogidas con gran entusiasmo. Una gran pasión se reflejaba en las palabras del pueblo, que no eran sólo la de la gente baja, de los habitantes de las zonas de los canales, sino que se habían sumado a ellas la de los demás perseguidos, los respetados. Isaac vio algunos rostros que conocía en la corte; rostros de personas a las que dio por muertas, pero que ciertamente debieron conseguir escapar de la persecución de Andrónico y ahora salían desde el fondo de las criptas en las que se ocultaron.

Isaac era un cobarde y las primeras palabras del patriarca le hicieron temblar. ¿Quién se preocupaba en esos momentos de la púrpura, quién podía pensar en el poder material, en el trabajo, en las luchas por el poder, en sus preocupaciones? La vida, en sí, era lo más importante; encontrar una lancha, un buque, o un caballo a lomos del cual fuera posible llegar hasta la más próxima frontera del Imperio. Pero Ángelos era bizantino y conocía a su pueblo.

Sabía que no existía el menor camino por el que escapar. Sólo podía ser libre si obedecía. El pueblo lo dejaría caer, si no hacía su juego. Como disculpándose, dijo:

— Nunca fue mi intención ser emperador; no deseo la púrpura ni la deseé nunca.

Tal vez faltaba tiempo para ese juego. Fuera, ante la iglesia, la multitud crecía. Eran ya muchos miles de personas. Bizantinos apasionados y también muchos soldados armados dispuestos a ayudar al nuevo señor. El patriarca descendió del púlpito, entró en la sacristía y reunió las insignias de la dignidad imperial. Las pesadas cerraduras se abrieron para él. Con una prisa febril, pero con el orden de Sucesión marcado por el protocolo, pusieron sobre los hombros de Ángelos el manto de emperador, la túnica púrpura, y el cetro, en la mano que antes sostuvo la espada. Así, sin cortesanos, sin el horóscopo de los eunucos, sin solemnidad oficial, pero en medio de los aplausos y el entusiasmo general del pueblo, se dirigió al altar mayor para ser coronado.

La ceremonia de la coronación solía durar en Bizancio todo un día. El ceremonial era hermoso y el más aburrido que puede recordarse. Pero en esa ocasión, cada minuto contaba. El patriarca volvió a dirigir al pueblo la pregunta y la gente contestó: ¡sí! Los encargados del Tesoro sacaron una corona de la cámara. La mano de Teodosio se levantó manteniendo la corona que pronto brilló sobre la frente de Ángelos. Las sandalias púrpuras, demasiado grandes para los pies de Ángelos, le fueron colocadas por unos servidores de la iglesia. Eran las de Manuel, que se hallaban en custodia en la cámara del tesoro de Santa Sofía, como prueba de admiración y respeto por el viejo y amado emperador.

Isaac era emperador: su imperio era la Iglesia, que a su vez era el corazón del mundo. Pero el mundo tenía que ser conquistado de nuevo.

La diadema sobre la frente de Ángelos obró milagros. Pronto fueron miles y miles de soldados los que tomaron las armas en su favor, quizá impulsados por un deseo de botín y dispuestos a derramar su sangre por el nuevo Basilio. Ángelos vestía el manto púrpura. Se echó una gualdrapa de ese color sobre los lomos de su caballo. Miles de antorchas iluminaron la ciudad. Los que estaban en la iglesia tomaron cirios y velas en sus manos. La terrorífica procesión se puso en marcha, en la oscuridad de la noche, en dirección al Sacro Palacio de Blancherne.

¿Dónde estaba Andrónico? ¿Qué hizo durante las pocas horas que duró la rebelión? ¿Celebraba una orgía que ningún criado podía interrumpir bajo peligro de muerte si lo molestaba en esas horas de placer? ¿Qué sucedió con Andrónico? ¿Por qué se retrasó una hora, antes de llamar a su guardia personal que sólo tomó las armas cuando ya toda la ciudad ardía inflamada por el fuego de la rebelión y un muro de antorchas rodeaba el palacio? ¿Dónde estaba su guardia personal? ¿Quién impulsó a los soldados latinos a vengar a sus paisanos, a noruegos, arios, irlandeses y genoveses que Andrónico llevó a la muerte? Dejaron caer sus alabardas y dijeron con indiferencia que esa noche no querían luchar. Algunos soldados mercenarios de Oriente, sarracenos, turcos y armenios, hubieran defendido al emperador, pero Andrónico, el valeroso, el majestuoso Andrónico, fue esa noche tan apocado y falto de valor como el cobarde Isaac se sintió inflamado por el valor de un león.

¿Qué pasó con Andrónico desde el momento en que se enteró de la revuelta en la catedral de Santa Sofía, hasta que, disfrazado de criado, con algunas joyas en la bolsa se dispuso a huir acompañado de dos mujeres y con la espada al cinto? Nadie lo sabe. La fuga se impuso. Un bote estaba preparado y Andrónico no tuvo más que soltar las amarras. ¿Qué sucedió con Andrónico? ¿Por qué no luchó? ¿Por qué no alertó a sus mercenarios y los llevó a la batalla? ¿Por qué las máquinas de guerra que defendían el palacio no entraron en acción? Nadie podía decirlo. ¿Era posible que aquel hombre de fuerza corporal terrible, se sintiera en esos momentos envejecido y cansado? ¿Tal vez quiso demostrar que la púrpura no le interesaba lo más mínimo y que todo aquello no fue para él más que un juego, una broma, de la cual podía reírse, porque las cosas sagradas y serias no le interesaban lo más mínimo? ¿Estaba cansado del poder y el odio que despertó? ¿Tal vez quería rejuvenecer de nuevo, volver a ser el Andrónico de antes, el aventurero, y buscaba en la fuga una distracción, una diversión?

Sea como fuera, el caso es que tomó a Ana, con sus trece años, su esposa, y a Maraptiza su amante, y con las dos se embarcó en una lancha con la intención de remar hasta alcanzar la orilla asiática. Su expresión era alegre, se reía en voz alta, las arrugas de su frente desaparecieron y los ojos le brillaban de emoción.

— No tembléis — les dijo a la amante y a la esposa, que muertas de miedo acercaban a él sus cuerpos temblorosos.

Andrónico se puso de pie sobre la frágil embarcación y amenazó a la ciudad con un gesto ordinario y maleducado. Después tomó los remos y se perdió en la niebla espesa, rumbo a un nuevo vagabundaje.

¡Comenzaba su última aventura!

* * *

La marea impelía al bote hacía la tierra dificultándole el avanzar. Malos vientos soplaban en el Mar Negro. Andrónico luchó durante un día y una noche. La piel de las palmas de sus manos se convirtió en una llaga sangrienta y despellejada. Las olas jugaban con el bote. Tenían sed y las dos mujeres lloraban con desconsuelo y temblaban acongojadas.

Ordenó a la pequeña Ana, la hija del rey de Francia, que desalojara, con su falda, el agua del mar que las olas metían dentro del bote. Así luchó, por última vez, Andrónico en defensa de su vida contra los elementos. Allí no había nadie a quien poder cautivar con sus dotes personales, nadie que pudiese ayudarle, como en otra fuga le ayudó un pobre pescador. Las olas crecían, golpeaban la embarcación y le parecía que no avanzaba, que siempre estaba en el mismo sitio pese a sus denodados esfuerzos con los remos. Pero lo cierto era que la marea lo impulsaba hacia tierra.

Andrónico no podía saber lo que sucedía en la ciudad. ¿Había puesto sitio al palacio el ejército en rebeldía? ¿Defendía alguien los muros? ¿Qué pasaba en Bizancio?

Las olas eran negras y crueles como enemigas que le hubieran jurado la muerte. Sus brazos apenas podían sostener ya los remos. Los ojos se le cerraban y las fuerzas parecían que iban a abandonarle.

El viento impulsó al bote a un pequeño puerto. En la orilla había unos soldados esperando. Los rostros, las figuras y las voces dijeron más de lo necesario. Cualquiera que hubiese visto anteriormente al emperador, sabía que aquél tenía que ser Andrónico, que huía. No era posible ocultarse, tomar la red de un pescador y tratar de escabullirse haciéndose pasar por uno de ellos. Los soldados armados estaban rodeados por la gente del pueblo, campesinos y pescadores. Gentes sencillas que durante todo aquel soleado día de septiembre vieron cómo el bote luchaba contra la marea que lo impulsaba hacia la orilla.

Andrónico volvió a ser el mismo de siempre. Su voz se tornó imperativa, exigente. Creía en el mágico encanto de su voz. En tono de quien da una orden dijo:

— ¡Dadme un buque, marineros, escolta! ¡Dadme vestidos, comida y bebida! Dadme velas, buenas palabras y vuestras vidas. Soy el sacro emperador, estoy aquí y preciso vuestra ayuda...

La multitud guardó silencio. Habían pasado dos días desde que Ángelos escapó y todo el mundo, allí, sabía que Isaac era el nuevo emperador y Andrónico solamente un fugitivo. Sus palabras ya no tenían poder y por lo tanto la orden no surtió el menor efecto. Los soldados no se permitieron atacarlo con sus armas, pero formaron un cerco en torno suyo. Un anillo en cuyo centro estaba Andrónico, Ana y Maraptiza, que se movían sin saber qué hacer. Las palabras imperiales no significaban nada y ni una sola mano se movió para cumplir sus órdenes o defenderlo. En vista de ello, Andrónico cambio de tono. Sus palabras, que antes fueron violentas como un huracán se hicieron suaves, amables, casi suplicantes.

— ¿Ya no os acordáis que fui yo quien os salvó de las garras de los recaudadores de impuestos, quien os libré de los lazos con que vuestros señores os tenían esclavizados? ¿No fui yo quien pregoné en Bizancio que todos los hombres son iguales, y que todo aquel que sirviera al Imperio podía llegar a las más altas jerarquías, incluso convertirse en emperador? ¿No fui yo quien os libré de la terrible carga de la esclavitud, quien me ocupé del bienestar de los soldados e impedí que los sacerdotes os dominaran y se aprovecharan de vuestra credulidad para esquilaros como a un rebaño? ¡Paisanos! Yo soy Andrónico, que tanto hizo por vosotros, y que ahora está ante vosotros y no os pide más que un barco. La multitud pareció vacilar. Los campesinos tienen una memoria dura, pero al mismo tiempo permanente. Conservan en su recuerdo los momentos de alegría y también los de tristeza. La voz de Andrónico era majestuosa y lo mismo sus gestos, subrayados por la presencia de las dos mujeres atemorizadas. Como en un drama, ellas también extendieron las manos, tratando de conseguir misericordia y compasión. Andrónico quería salvarlas, un hombre a quien el destino parecía haberle dado todo, incluso la eterna juventud. Ahora estaba rodeado por una compañía de soldados y hacía teatro. No le faltaba más que ponerse a bailar y a cantar, como un mal comediante.

El pueblo vaciló. Pero no eran gentes de ciudad, venidos de los más diversos lugares del mundo y llenos de inquietudes. Eran gentes del campo, que no querían destronar ni coronar, sino dejar que se cumplieran las leyes que respetaban y acataban. Tenían miedo. Un anciano se atrevió a preguntar:

— ¿Cuáles son vuestras órdenes, soldados?

El centurión sacó una orden escrita y sellada en palacio.

— Si encontramos al usurpador Andrónico, debemos encadenarlo y conducirlo a Bizancio. Quien lo aprese con vida recibirá mil ducados del emperador Isaac.

—¿A qué esperas entonces, soldado?

El comandante de la guardia se volvió malhumorado hacia el campesino. Se tragó una maldición que estaba a punto de salir a sus labios. Pensó en los mil ducados y que tal vez, como consecuencia de su servicio, sería destinado a la ciudad, como oficial de palacio. Era sólo un hombre, un hombre sencillo, y sabía que daba a sus hijos la posibilidad de ser educados por el emperador. Sirvió a las ordenes de Andrónico, pero nunca lo vio anteriormente ni estuvo a su lado...

El encanto mágico de Andrónico desapareció. Era sólo un viejo, un hombre vencido, derrotado. Las mujeres conmovidas y con actitud teatral, la multitud amenazante... todo le impulsaba a seguir el camino que le marcaba su deber y su obediencia. Los campesinos no condenaban, pero tampoco perdonaban. Tenía una orden y debía cumplirla. Los soldados estrecharon el cerco en torno a Andrónico. No había cadenas, pero uno de los campesinos les dio una cuerda. Con ella se ató a Andrónico. No se le hizo ningún daño corporal.

Emprendieron el camino que, al cabo de día y medio, a pie los llevaría a Bizancio.

* * *

El pueblo celebraba una gran fiesta. Comenzó cuatro días antes y ahora llegaba al final. ¡Quién podía pensar en el trabajo, en ir al campo a hacer las faenas vespertinas! Vivía el emperador, el falso emperador y cada día podían pensarse nuevos tormentos y nuevas humillaciones para él... que durarían en tanto su cuerpo resistiera.

La fiesta era del más puro estilo bizantino. Sangrienta, cruel, pero ceremoniosa. Cuando Andrónico llegó a la ciudad, conducido por los soldados que lo capturaron, se le puso de nuevo el manto púrpura. Así lo presentaron en palacio, donde las manos duras del pueblo lo arrojaron al suelo, a los pies de Isaac, su victorioso rival. Pero ésa fue sólo la parte cortesana de la fiesta, que durante el día tendría mil aspectos distintos, todos presididos por el espíritu de venganza. Tormentos refinados que los que estaban a su alrededor le musitaban a Ángelos al oído.

Isaac dejó oír su voz desde la altura de su trono. Palabras sagradas, rígidas, ceremoniosas. Las palabras del Basilio viviente y reinante.

Andrónico callaba. Su cuerpo era fuerte y resistía. La fatiga del viaje, el hambre, el calor, el camino a pie, las agresiones. Su cabello encaneció más aún. Hércules perdió parte de su belleza, pero se mantenía de pie, erguido ante la corte... tanto que algunos temblaban y no se atrevían a mirarle. ¿Qué pasaría si la bestia lograba escapar una vez más? Andrónico tenía los ojos abiertos, intercambiaba miradas con los hombres y las mujeres. «¿Te acuerdas — parecían preguntar aquellas miradas — cuando te arrodillabas ante mí, pidiendo que te concediera la gracia de seguir viviendo, o que te nombrase gobernador, o que te diera un lugar junto a mí? ¿Cuando me pedías que visitara tu nuevo hogar? ¿Te acuerdas cuando me alababas la belleza de tu hija o de tu hermana, con palabras cautelosas, pero de cuyo auténtico significado no cabía duda? Todos vosotros me ofrecíais lo más sagrado, yo podía tomar lo que se me antojara, como antaño Zoe podía cortar las rosas de vuestros jardines. Ése era el secreto, la fórmula mágica de mi juventud eterna, de mi rejuvenecimiento. Y al mismo tiempo mi mágico poder... ¿Te acuerdas cuando viniste junto a mí para delatarme a tu hermano, a tu propio padre, a tu bienhechor? ¿Cómo espiaste para mí en otros palacios... y llegaste a medianoche para avisarme que me amenazaba una conjuración? ¡Y tú, soldado, cómo puedes olvidar la ciencia guerrera que aprendiste de mí! Tú me pediste que personalmente me pusiera a la cabeza del ejército para borrar la vergüenza de Miriokefalón. ¡Y tú, sacerdote, tú que estás en ese rincón, pálido y con tu hábito de seda, no te acuerdas ya que celebraste ceremonias especiales en mi honor, sólo para halagarme! Y vosotras... vosotras... mujeres..., tú, santo Kantakuzenos, y tú, Gabras... Y también tú Kontostefanos... Ahora todas vosotras, mujeres, me miráis con vuestros ojos escondidos tras los velos de seda... Pero yo los veo brillar. Sí, me acuerdo de vuestros ojos y mucho más de vuestras palabras de amor, de vuestros abrazos, cuando me estrechabais contra vuestros pechos y no queríais dejarme marchar. Todas deseabais que os amase sólo a vosotras, sin pausa, sin rivales. Yo os recitaba los versos de los canales, de la gente del pueblo. Junto conmigo, bebisteis el elixir de la juventud eterna. Vosotras, nobles señoras, que ahora estáis aquí contemplando esta comedia tan propia de Bizancio...»

Así hablaban sus ojos, pero sus labios seguían mudos. Eso fue el primer día, cuando aún tenía sus dos brazos. Después lo dejaron durante una hora a disposición del populacho que le arrancó la barba y los cabellos, que le escupió y lo cubrió de excrementos. No podía olvidarse el ceremonial y las tradiciones de Bizancio. Ángeles no podía perdonar a Andrónico el que, por causa suya, la ceremonia de su coronación resultara tan corta y tan poco brillante.

Cada día sucedía algo nuevo para calmar así la sed de sangre y venganza del pueblo. La mañana siguiente Andrónico perdió un ojo y un brazo. De nuevo el inolvidable emperador, manco y tuerto, fue llevado a presencia de Isaac. No dijo una palabra, ni tuvo una queja. Su semblante seguía impertérrito. Ni siquiera pidió un poco de agua. Nadie se la ofreció.

Al cuarto día aún seguía viviendo. El cuerpo soportaba el terrible tormento. Y sus labios hubiesen podido hablar de haberlo querido. Unos centinelas, compadecidos, le pasaron a escondidas un poco de agua y alimentos. Tuvieron que alimentarlo porque él ya casi no podía valerse. La más brillante de las fiestas tuvo lugar ocho días después de que las puertas de Santa Sofía se abrieran para Isaac Ángelos. Un camello esperaba ante la puerta del Palacio Sagrado que conducía a las cámaras de tormento. Un camello enfermo y asqueroso que ensuciaba continuamente el pavimento con sus excrementos. El animal esperaba tranquilamente, mientras que el círculo de curiosos se hacía cada vez mayor, pues todos sabían que el camello tenía reservado un importante papel en las diversiones de aquel día a costa de Andrónico.

Cuando lo sacaron fuera, tuerto y manco, su rostro aún conservaba la dignidad propia de un emperador. Bajo la túnica sucia y destrozada aún podían adivinarse sus potentes articulaciones, sus músculos de Hércules. Vivía y callaba; no gritaba ni pedía auxilio o clemencia. No levantó el muñón de su brazo ante su vista. Contemplaba la ciudad de frente, cara a cara, y lo mismo la ciudad lo contemplaba a él. Había muchas mujeres. Una de ellas gritó y lanzó una carcajada.

Ataron su rostro, ese rostro maravilloso, el más bello de Bizancio a la cola del camello y lo condujeron así, pegado al cuerpo del camello enfermo, por el Cuerno de Oro, camino del hipódromo, bajo el ardiente sol de septiembre. Sangrando, mutilado y aniquilado.

Fue el mayor día de fiesta para el pueblo. Así lo quería el débil y cobarde Isaac Ángelos para que su reinado comenzara bajo el signo de la diversión. Las trompetas anunciaron que el emperador dejaba al enemigo del Imperio en manos del pueblo. Lo había sentenciado y ésta era su sentencia: pérdida de un brazo y un ojo. Cumplido esto, debía quedar a disposición del pueblo. Él no quería condenar a muerte a quien vistió la púrpura imperial. El pueblo podía condenarle o absolverle. En el circo, el emperador lo ponía en sus manos.

Esto fue comunicado después de un toque de trompeta que el pueblo esperaba, desde el amanecer. Hacía mucho tiempo que Bizancio no conocía una fiesta así. Ni siquiera los más ancianos recordaban que, en el circo, el pueblo tuviera poder para decidir la suerte de un emperador. La multitud aguardaba la llegada de los esbirros que precedían al camello enfermo. Sonaron de nuevo las trompetas y los soldados formaron en dos filas. El ceremonial requería que en el anfiteatro estuviera formada la guardia a pie y a caballo cuando Andrónico, atado a la cola del camello, hiciera su entrada en el ruedo.

Una vez allí lo soltaron. De acuerdo con la palabra del emperador, estaba libre en manos del pueblo que podía dictar su sentencia. Su cuerpo cayó a tierra falto de fuerzas, sin tener donde sujetarse. Durante unos segundos permaneció en la arena, pero inmediatamente la multitud se precipitó hacia él. En primera fila venían las mujeres. Muchachas de vida alegre, pescadoras, algunas ancianas con aspecto de furias indignadas, y también tranquilas mujeres campesinas que, excitadas, no querían dejar de participar en la fiesta. Sus uñas destrozaron la ropa, primero; su manto sucio de excrementos, su túnica púrpura llena de costras de sangre. Se llevó a cabo el más terrible de los sacrilegios; el emperador sagrado, cuyo ser estaba entre el cielo y la tierra, ente incorporal puesto que su cuerpo sólo es un símbolo como la más sagrada de las reliquias, yacía en el suelo, desnudo, con toda la impúdica y terrible desnudez de su virilidad, bajo el sol brillante. Las mujeres enloquecieron como bajo los efectos de una droga. El recuerdo de miles de aventuras se despertó en ellas; el recuerdo de todas las mujeres que Andrónico poseyó y deshonró: vírgenes, esclavas, princesas, danzarinas... millares de mujeres. Y en medio de ese recuerdo, él, el único, el hombre eterno, el maravilloso, mutilado y con solo un ojo... pero que con pleno poder viril conservaba su masculinidad.

Las mujeres fueron las primeras en caer sobre él. Las primeras en privarle del perdón que el emperador ponía en sus manos. Su cuerpo estaba en el suelo, inerte. Las mujeres lo arañaron, lo mordieron, desgarrando las carnes, la piel, haciendo en él una horrible carnicería. Las que no podían acercarse, le decían palabras cargadas de odio, insultos que guardaron en el alma durante muchos años para él, para ese nuevo dios Pan, que fue tan hermoso y potente.

Andrónico levantó el muñón de su brazo amputado. Tenía sed.

Del brazo se deslizaron unas gotas de sangre que cayeron sobre sus labios.

— Es una fiera. Aun ahora bebe sangre... su propia sangre.

Los hombres lo sacaron de las manos de las mujeres. También ellos querían divertirse. Cuando llegó a su poder ya había dejado de ser hombre y casi no era ni un ser humano. Entonces, por vez primera desde muchos días, se oyó su voz:

— ¡Señor, ten misericordia de mí! ¡Hombres, tened misericordia de mí!

Su único ojo, sanguinolento e irritado, se dirigió a ellos, pero Andrónico no hallaría perdón en los hombres ni en las mujeres.

Llegó un soldado. Uno de los mercenarios latinos. Era un hombre sencillo y corriente que había visto muchas muertes. Andrónico siempre fue bueno con los soldados. La multiud creyó que él también quería divertirse, cortar un trozo del cuerpo mutilado y deforme que todavía alentaba, sin estropear con ello la diversión de los demás. Pero el soldado era un hombre temeroso de Dios. Le deba pena aquel moribundo que nunca le hizo ningún mal. Su hoja brilló en el aire. Así se enseña a los soldados a matar rápidamente.

Al principio la multitud no se dio cuenta que se le había acabado la diversión. Lo seguían rodeando con palos, martillos y se precipitaron de nuevo sobre el maravilloso cuerpo para saciar sus instintos. Tardaron un rato en advertir que su emperador y héroe, Andrónico, estaba muerto.

Indignados, buscaron al soldado que les estropeó su diversión, pero por suerte para él no lo encontraron, pues lo hubiera pasado muy mal de caer en sus manos. El pueblo no le hubiese perdonado el que les fastidiara su fiesta.

Mientras tanto se hizo de noche. El viento soplaba la arena del circo. Los más ancianos presintieron, en el viento, el anuncio de la próxima lluvia. Poco a poco se fueron retirando a sus casas para dormir hasta la mañana siguiente. Entonces comenzarían las auténticas fiestas. Gladiadores y fieras en el circo. «El gran espectáculo», que el emperador les prometió al subir al trono y que estaba obligado a cumplir. El circo se fue quedando vacío.

Unos criados retiraron el cuerpo desgarrado de Andrónico y también el cadáver del camello, que pagó con su vida su participación en la fiesta. Durante la noche llovió torrencialmente. Había, no obstante, que prepararlo todo para el día siguiente, para la gran fiesta. Las fieras, en sus jaulas, estaban nerviosas porque olieron la sangre y no podían dormir.

El descanso nocturno comenzó a caer sobre Bizancio. Cuando empezaran a dibujarse rayas de plata, entre las nieblas del Cuerno de Oro, los osos se despertarían, porque siempre eran los primeros en presentir la mañana.